Du même auteur, chez le même éditeur :

Le Dernier Souffle :
1. *Le Don* (2006)
2. *Le Sang* (2007)
3. *L'Âme* (2008)

www.bragelonne.fr

Fiona McIntosh

L'Âme

Le Dernier Souffle – livre trois

Traduit de l'anglais (Australie) par Frédéric Le Berre

Bragelonne

Collection dirigée par Stéphane Marsan et Alain Névant

Titre original : *Bridge of Souls*

1re édition : mars 2008
2e tirage : avril 2008

Carte :
© Fiona McIntosh

Illustration de couverture :
© Sarry Long

ISBN : 978-2-35294-154-5

Bragelonne
35, rue de la Bienfaisance – 75008 Paris

E-mail : info@bragelonne.fr
Site Internet : http://www.bragelonne.fr

Remerciements

Parvenir au terme d'une longue histoire procure toujours une sensation étrange. De très nombreuses personnes ont accompagné Wyl Thirsk tout au long de son chemin semé d'embûches et de désespoir, et en particulier les lecteurs français que je remercie pour leur fidélité sans faille à sa cause. J'ai eu l'occasion de rencontrer certains d'entre vous lors de mon passage à Paris en novembre 2007 et je voudrais ici exprimer encore ma gratitude pour l'accueil que vous avez réservé au *Dernier Souffle.* J'espère que ce troisième et ultime tome de la trilogie sera à la hauteur de vos espérances. J'ai pris grand plaisir à discuter avec vous et à écouter vos suggestions et vos idées, vos espoirs et vos angoisses pour Wyl et les autres protagonistes. À tous, je souhaite une excellente lecture.

Chaque fois que je remercie tous ceux qui m'ont apporté leur soutien, je m'aperçois que la liste s'allonge. Aujourd'hui, j'exprime ma plus sincère reconnaissance à Gary Havelberg, Sonya Caddy, Pip Klimentou et Judy Downs – qui vient de rejoindre mon équipe de lecteurs-tests – pour leur travail, leurs recherches et leur enthousiasme. Merci aussi aux fidèles de mon site pour leur présence indéfectible et ô combien précieuse, ainsi que pour l'accueil chaleureux qu'ils réservent aux nouveaux arrivants, dont quelques membres français.

Un salut amical à Robin Hobb, pour sa présence discrète et pleine d'encouragement, mais aussi pour son œuvre qui est une véritable source d'inspiration. Merci Robin de faire découvrir le *Dernier Souffle* lors de tes déplacements dans le monde entier.

J'exprime mes plus vifs remerciements aux libraires français pour l'enthousiasme qu'ils ont montré envers le *Dernier Souffle.* Cela a été un véritable plaisir de faire votre connaissance lors de ma visite et j'espère avoir l'occasion de vous rencontrer en plus grand nombre encore lors de mon prochain passage à la fin 2008 ou au début de l'année 2009. Un grand merci à la fantastique équipe de Bragelonne pour son impeccable professionnalisme, à Sarry Long pour ses superbes couvertures et à Frédéric Le Berre pour la qualité de sa traduction. Des remerciements tout particuliers aux éditeurs Stéphane Marsan et Alain Névant pour leur confiance et leur amitié – et pour m'avoir fait découvrir les macarons au chocolat. Une expérience inoubliable dont je ne me suis pas encore remise…

Enfin, mon amour et mes remerciements éternels à mon mari Ian et mes deux fils, Will et Jack, qui me permettent d'explorer des territoires merveilleux et fantastiques en veillant toujours à ce que je revienne parmi eux.

Fiona

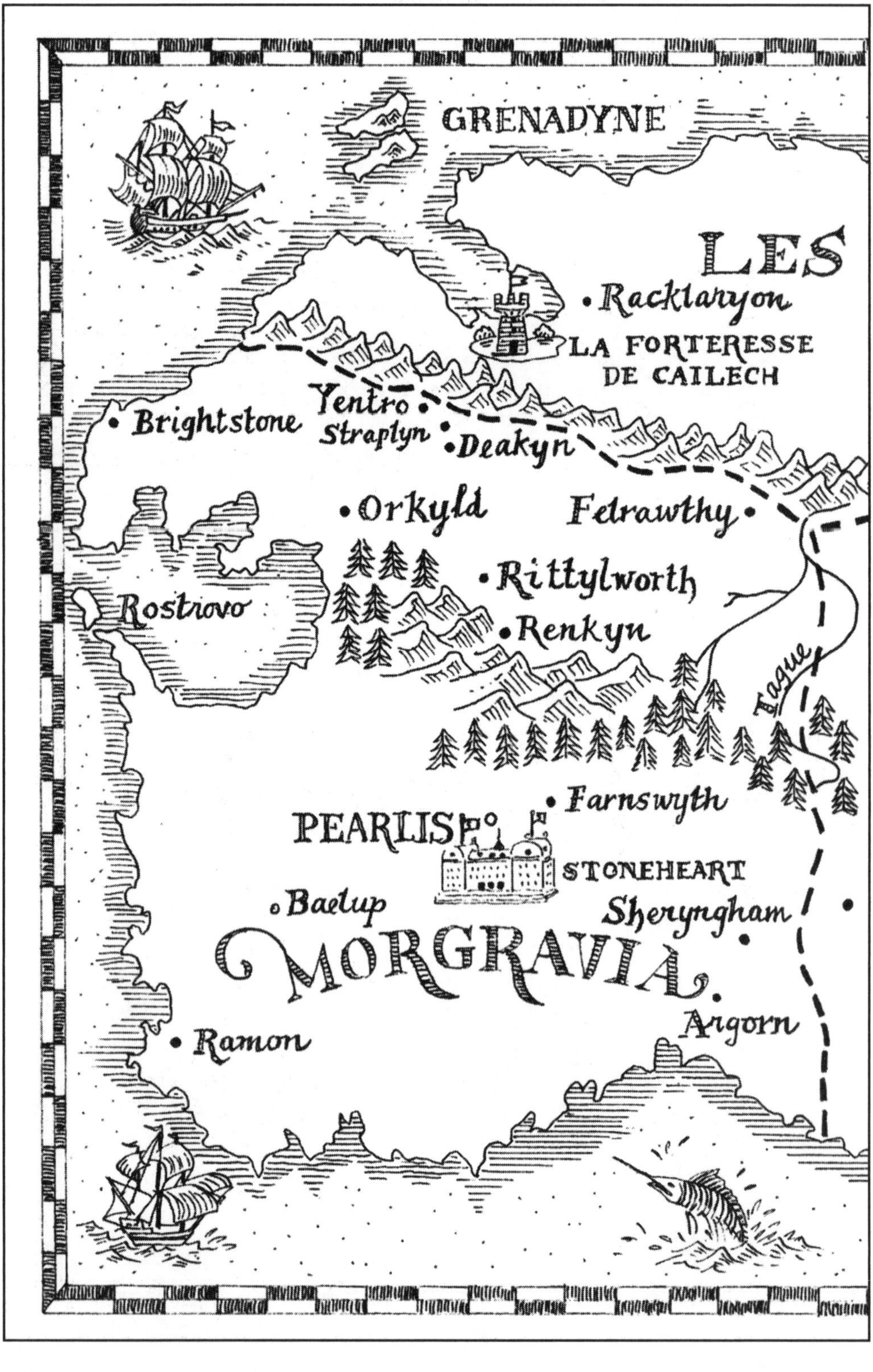

GRENADYNE

LES

Racklaryon

LA FORTERESSE
DE CAILECH

Yentro

Brightstone

Straplyn

Deakyn

Orkyld

Felrawthy

Rittylworth

Rostrovo

Renkyn

Tague

Farnswyth

PEARLIS

STONEHEART

Baelup

Sheryngham

MORGRAVIA

Argorn

Ramon

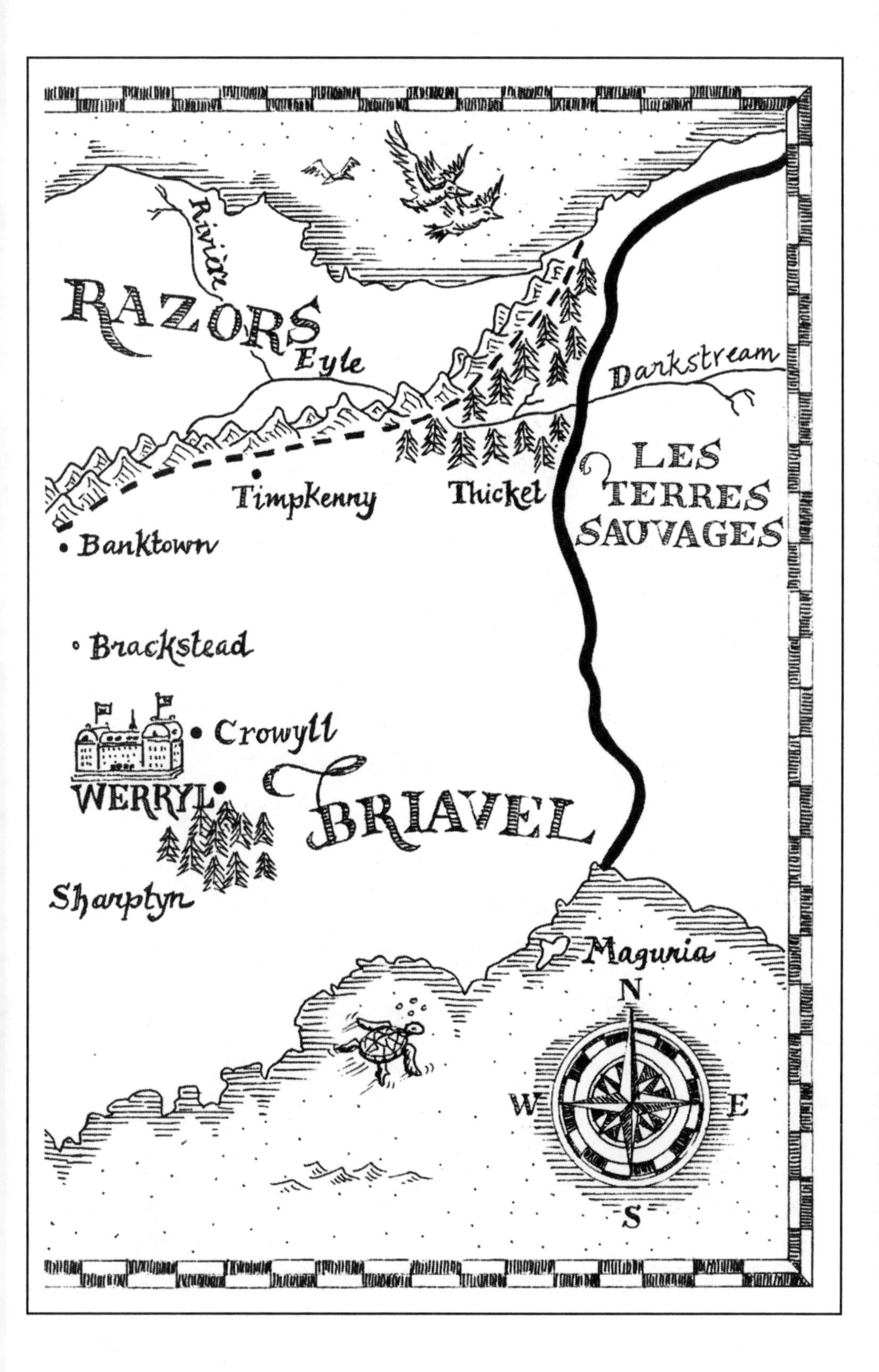
Rivière
RAZORS
Eyle
Darkstream
LES TERRES SAUVAGES
Timpkenny
Thicket
Banktown
Brackstead
Crowyll
WERRYL
BRIAVEL
Sharptyn
Maguria
N
W
E
S

Prologue

Fynch eut l'impression de souffrir pendant une éternité.

Une lumière vive l'éblouissait, tranchante et insupportable, tandis que des vagues de douleur lui martelaient le crâne. La brillance dorée s'insinuait entre ses paupières serrées, mettant ses yeux au supplice. Il abandonna son petit corps à l'agonie qui s'emparait de lui. Il eut la sensation de n'être plus qu'un poisson en train de se débattre, transpercé par un crochet. Mais ce n'était que le fruit de son imagination. En réalité, il était parfaitement immobile. Sous la puissance impétueuse de la magie qu'Elysius lui avait offerte et qui se déversait en lui, il grimaçait, dents découvertes.

À un moment, il crut voir la silhouette du sorcier passer à travers lui pour s'enfoncer dans la mort, pareille à l'image d'un souvenir lointain que l'on ne parvient ni à cerner ni à retenir. Elysius lui souriait. Fynch songea à lui exprimer sa gratitude, mais l'intensité de la souffrance monopolisait son attention.

La pulsation du pouvoir commença à battre en lui, accordée au rythme de son cœur. Chaque coup devenait plus fort que le précédent, plus implacable, jusqu'à ce qu'il perde toute notion de son individualité. Il ne savait plus qui il était, ni même où il se trouvait. Il vit l'image d'un frêle esquif ballotté par les flots, incapable de résister ou simplement de se diriger. Fynch n'eut d'autre choix que de s'immerger totalement dans cet horrible océan de douleur et de désarroi, puis de se laisser porter jusqu'à en apercevoir, avec soulagement, les confins. Combien de temps ce voyage avait-il duré ? Il n'en avait pas la moindre idée. Il était même incapable de le deviner. L'atroce sensation s'atténua peu à peu. Soudain, il constata qu'il parvenait à la supporter. Il avait survécu. Son cœur battait à tout rompre, mais il ne paraissait plus sur le point de faire exploser sa poitrine. Si la lueur aveuglante subsistait, c'était uniquement sous forme de fulgurances ambrées, comme s'il avait fixé le soleil en face trop longtemps. Et il parvenait maintenant à prendre des inspirations profondes et régulières qui n'avaient plus rien à voir avec les goulées affolées des instants précédents.

Fynch recouvra ses esprits. Il se souvenait de son nom et de ce qu'il faisait là où il était.

Tout son corps frissonnait. Il ouvrit les yeux, mais ce fut pour se heurter à une nouvelle couche de douleur. Il les referma. Une lame de migraine lui vrilla la tête, l'amenant au bord de la nausée. Il avait envie de pleurer. Toutefois, contrairement aux autres enfants qui ont la douce voix de leur mère et tout son amour pour les réconforter, lui n'avait rien à quoi se raccrocher. Il n'avait aucune famille, et plus aucun ami non plus. Wyl était parti et Fynch détestait la manière dont ils s'étaient séparés. Wyl voulait qu'il quitte les Terres sauvages sans tarder. Fynch avait vu son ami lutter contre lui-même. Pauvre Wyl, contraint de vivre dans le corps de sa sœur ; le visage d'Ylena était bien trop expressif pour dissimuler les sentiments qui agitaient son frère. Pourtant, Wyl n'avait rien dit. Il avait laissé Fynch prendre seul sa décision, et il avait respecté son choix de demeurer là-bas. Fynch éprouvait une immense tristesse pour son ami. Malgré tout ce qu'il avait déjà perdu, il s'apprêtait à perdre bien plus encore, Fynch en avait la certitude. Il aurait tant voulu connaître un moyen de lui épargner les souffrances à venir. Ou au moins pouvoir les partager avec lui.

Il soupira ; le malaise passait. Les yeux toujours fermés, il s'aperçut que la douleur s'était considérablement atténuée. Cependant, sa solitude demeurait. Il n'y avait personne pour l'encourager, même plus Elysius. Le garçon comprit qu'il était seul désormais dans les Terres sauvages, hormis l'étrange bête à quatre pattes qu'il considérait comme son ami.

La conscience du monde extérieur lui revenait par l'intermédiaire de ses nerfs fracassés. Fynch sentit collée contre lui une masse chaude qui se mit à bouger lorsqu'il tressaillit. Un grondement sourd lui confirma qu'il s'agissait bien du chien.

— Filou, coassa Fynch, la gorge totalement desséchée.

— *Je ne suis jamais loin*, lui répondit une voix dans sa tête.

Fynch eut un sursaut de recul, puis se tourna vers le grand chien noir.

— C'est toi qui viens de me parler ? demanda-t-il, les yeux pleins de larmes. Est-ce que je peux enfin t'entendre ?

Les yeux sombres, pareils à deux puits sans fond, le fixaient. La voix s'éleva de nouveau dans son esprit.

— *J'ai parlé et tu m'as entendu.*

Il y avait donc une voix amicale pour lui parler, une voix qu'il n'aurait jamais cru entendre un jour. Au prix d'un effort immense et douloureux, Fynch parvint à se faire obéir de ses bras. Ils se nouèrent autour du cou de l'animal et le garçon y enfouit sa tête pour y pleurer à gros sanglots, sans éprouver la moindre honte.

— *Et Elysius ?* demanda Fynch au bout d'un long moment, testant du même coup son tout nouveau pouvoir.

C'était une sensation des plus étonnantes. La réponse du chien lui parvint instantanément.

— *Mort. Cela a été rapide. Il est parti heureux.*

— *Où est son corps ?*

— *Partout. Il est tombé en poussière. Le transfert de son pouvoir a désintégré et dispersé son être physique.*

— *A-t-il dit quelque chose avant... avant de partir ?*

— *Il a dit que tu étais l'âme la plus courageuse qui soit. L'idée qu'il avait peut-être tort de te charger d'une pareille tâche le mettait au supplice*, précisa tout de même le chien. *Il regrettait à l'avance toutes les épreuves que tu vas devoir subir, tout le chemin qui t'attend, mais il avait l'absolue conviction que tu es la seule personne capable de faire un tel voyage.* (Le chien se pencha pour approcher son museau et son ton se fit plus doux encore.) *Et en cela, je sais qu'il disait vrai.*

Fynch s'écarta de son ami. Ses yeux étaient toujours pleins de larmes. Il lui restait tant de choses à apprendre.

— *Filou, je ne sais même pas comment utiliser ce pouvoir. Je ne sais...*

— *Chut*, souffla le chien. *C'est pour cette raison que je suis là.*

Le garçon prit l'énorme tête de l'animal entre ses toutes petites mains.

— *Qui es-tu ?*

— *Je suis ton guide. Tu dois me faire confiance.*

— *Oh, mais j'ai confiance en toi.*

Le chien ne répondit rien, mais Fynch sentit qu'il était heureux, et peut-être même soulagé.

— *Il y a quelque chose que je dois savoir*, poursuivit le garçon d'un ton suppliant.

— *Je t'écoute.*

La voix de Filou sonnait si grave et profonde dans sa tête, que Fynch se dit qu'elle résonnerait dans toute sa poitrine s'il parlait à voix haute.

— *Qui est ton vrai maître ? D'où viens-tu ?*

Si un chien pouvait sourire, c'était exactement ce que Filou ferait à cet instant.

— *Je n'ai pas de maître à proprement parler, mais je viens bien de quelque part.*

— *D'où ? Dis-le-moi, je t'en prie.*

— *Je viens du Thicket.*

— *Ah...*

Le garçon prit la mesure de ce qui lui était dit et ses muscles noués se détendirent. La franchise de sa réponse lui faisait du bien.

— *Existe-t-il d'autres créatures telles que toi ?*

— *Non, je suis unique. Cela dit, d'autres enchantements sont à l'œuvre dans le Thicket*, répondit Filou de manière quelque peu sibylline.

— *Ce n'est donc pas Elysius qui t'a envoyé à Myrren ?*

— *Jusqu'à ce que nous venions ici toi et moi, Elysius ne me connaissait pas, même s'il était informé de mon existence. Et à dire vrai, Myrren n'était pas la personne que je recherchais.*

Voilà qui était une véritable révélation. Fynch plaqua ses mains sur ses yeux, pour apaiser autant que possible la douleur et mettre de l'ordre dans ses idées.

—*Alors pourquoi ne t'es-tu pas tout simplement mis en quête de Wyl?*

—*Parce que Wyl n'était pas non plus celui que je cherchais.*

Fynch leva un regard soudain aigu sur son ami.

—*Qui alors? Qui devons-nous chercher maintenant?*

—*Ma quête est finie. Depuis le début, c'est toi que je cherchais, Fynch.*

—*Quoi?* (Le regard que le chien tenait fixé sur lui sans ciller lui disait qu'il ne pouvait mentir.) *Mais pourquoi?*

—*Tu es le Fils et je suis le Guide.*

—*Mais... je pensais que j'étais le Commandeur,* s'étonna Fynch, un peu perdu.

—*Ça et bien plus encore,* répondit Filou d'un ton plein de déférence. *Tu es de très nombreuses choses et c'est toi et nul autre que nous cherchions.*

—*Le Thicket t'a donc envoyé à ma recherche?*

—*Oui, mais il ne savait pas alors qui serait le prochain Commandeur de la porte.*

—*En revanche, il devait savoir qu'Elysius se mourait pour t'envoyer à la recherche de son remplaçant.*

—*C'est ça.*

—*Alors ton rôle n'a jamais rien eu à voir avec Wyl ou Myrren... Et tu n'as jamais eu pour mission de protéger Valentyna?* demanda le garçon d'un ton rempli d'étonnement.

Filou choisit avec soin les mots de sa réponse.

—*Ma tâche est de te protéger. Lorsque la magie du Dernier Souffle est passée dans Wyl, le Thicket a cru qu'il était le nouveau Commandeur de porte – et Elysius l'a pensé aussi.*

—*Tu veux dire que ce n'est qu'une pure coïncidence si tu as fait irruption dans la vie de Myrren?* demanda Fynch, tentant désespérément de rassembler les morceaux du puzzle.

—*Pas tout à fait. Elle était la fille d'Elysius et à ce titre la magie était présente en elle, même atténuée. C'est elle que le Thicket avait choisi de garder à l'œil, et son choix était juste. Lorsque Myrren a établi ce lien puissant avec Wyl, nous avons pensé qu'il était celui que nous attendions. Ensuite, ce n'est que lorsque je t'ai rencontré que j'ai véritablement compris la réalité.*

—*Mais comment peux-tu en être sûr?*

—*Tu as une aura, Fynch. Personne ne peut la voir hormis ceux du Thicket, mais pour nous il n'y a pas d'erreur possible.*

Fynch poussa un soupir, comme si cette déclaration confirmait toutes ses craintes.

—*Ainsi, je suis né avec cette aura?*

—*Oui. Ton destin était déjà tout tracé.*

—*Elysius ne m'en a jamais rien dit.*

— Il ne le savait pas. Le Thicket lui a dit qui tu étais.

— Le Thicket parle !

— Plus exactement, il communique, corrigea Filou.

Fynch prit sa tête entre ses mains et poussa un grognement. Toutes ces révélations provoquaient des élancements dans son esprit déjà soumis à la torture.

— Ça fait mal, Filou. Est-ce que ce sera toujours ainsi ?

— Tu dois apprendre à dominer la douleur. Ne la laisse pas s'emparer de toi. Ne deviens pas son esclave. Maîtrise-la, Fynch.

— C'est comme ça qu'elle me tuera ?

Le chien laissa un silence pesant s'installer entre eux.

— Je finirai par connaître la vérité, insista Fynch. *Si tu es mon ami – mon Guide, comme tu dis –, alors parle-moi sincèrement.*

Filou commença à expliquer et Fynch perçut son malaise.

— C'est le début. Tu dois utiliser tes pouvoirs avec parcimonie. Parle-moi à voix haute chaque fois que c'est possible. Mes réponses dans ton esprit ne te provoqueront aucune gêne et n'auront aucune conséquence sur toi. En revanche, dès lors que tu projettes de toi-même la magie, alors la douleur arrive et tu t'affaiblis.

— Combien de temps ai-je devant moi ?

Le chien leva la tête pour plonger son regard au fond des yeux de son ami.

— Je ne sais pas. Cela dépendra de ta résistance, et de la sagesse avec laquelle tu utiliseras ton pouvoir.

Si Filou s'était attendu à voir le désespoir s'emparer de Fynch, ce ne fut pas le cas. Le garçon s'essuya les yeux et, prenant appui sur son compagnon, se mit debout sur ses jambes flageolantes.

— Il faut que je me repose, dit-il gravement.

— Ensuite, nous devrons aller dans le Thicket, répondit Filou tout aussi sombrement. *Il nous attend.*

Chapitre premier

Devant eux, le vignoble étirait ses rangs de vignes, épousant la pente douce du coteau, avant de plonger subitement vers une petite plage de galets et la mer. L'air iodé avait des senteurs revigorantes et la lumière incomparable dans le ciel sans nuages rappelait à chaque seconde à Aremys pourquoi il aimait tant le nord – et combien il lui avait secrètement manqué toutes ces années. Il prit une profonde inspiration et sourit. Comme il appréciait de se sentir en vie, en dépit de la tournure soudain compliquée qu'avait prise son existence.

D'avoir retrouvé la pleine possession de ses souvenirs, Aremys s'était senti bien mieux armé pour accepter l'invitation faite par le roi de l'accompagner dans les vignes de Racklaryon. Le mercenaire avait entendu dire que c'était l'un des grands plaisirs de Cailech que de venir voir les grappes se gorger de vie au printemps, après la taille sévère que ses vignerons pratiquaient en hiver.

Leurs yeux admiraient les ceps impeccablement alignés et Aremys sentait déjà sur sa langue l'arôme du vin que ce clos produirait à la fin de l'été. Pareilles aux ailes d'une mère poule protectrice, les feuilles vertes enserraient dans leur giron les tendres ébauches des grappes à venir, tandis que les vrilles couraient le long des montants spécialement disposés. C'étaient des méthodes de culture que les Montagnards avaient eux-mêmes mises au point. Dans le sud, on laissait pousser la vigne sans la tailler ni la dompter, ce qui produisait des parcelles hétéroclites et dépenaillées, mais n'altérait en rien la qualité du raisin. À l'inverse, dans le nord, on étayait la vigne pour aérer les fruits pendant les mois humides. Ces pratiques rendaient le paysage impressionnant et somptueux.

Le peuple de Cailech était très fier de l'ordonnancement parfait de ses vignobles. Non seulement les rangs étaient tirés au cordeau, mais la plantation de chaque pied s'accompagnait systématiquement d'une prière à Haldor pour qu'il prospère et croisse avec vigueur. Au bout de chaque rang, on plantait une trinéale. C'était une petite fleur magnifique mais extrêmement délicate et sensible au moindre manque d'eau ou à la plus petite attaque naturelle. Que l'une d'elles vienne à flétrir et les vignerons avaient quelques semaines devant eux pour réagir et sauver les vignobles. C'était une tradition très ancienne, mais toujours vivace. Dans le vignoble favori de Cailech, les bouquets de trinéales exubérantes de santé déployaient toutes les couleurs de l'arc-en-ciel. Les vendanges de cette année promettaient d'être exceptionnelles.

Le roi était rarement seul, et ce jour-là, Myrt et Byl l'escortaient. Depuis sa curieuse arrivée dans les Razors, Aremys avait appris à connaître et apprécier ces deux hommes. Au fil des dernières journées écoulées, il avait commencé à voir en eux des compagnons plus que des gardiens. Pour autant, il avait choisi de ne rien dire de ses souvenirs retrouvés. Il préférait que les Montagnards ne connaissent de lui que ce qu'il était disposé à leur dire. Au moins jusqu'à ce qu'il sache à quoi s'en tenir quant à leurs intentions.

La petite troupe était venue à cheval jusqu'au vignoble de l'autre côté du lac. Aremys regrettait que Cailech n'ait pas choisi de monter son étrange destrier noir, celui qui lui avait causé une si vive frayeur lors de leur précédente sortie. Il s'en ouvrit au roi des Montagnes.

—Ah oui, Galapek…, répondit le roi d'une voix sourde. (Aremys sentit peser sur lui le poids de son regard émeraude.) J'ai l'impression qu'il a provoqué un grand trouble en toi, non ?

C'était dit sur le ton de la simple conversation, mais Aremys se sentit de nouveau scruté au plus profond de lui-même. La mise en garde que Wyl Thirsk lui avait faite lorsqu'ils chevauchaient ensemble au retour de Felrawthy lui revint en mémoire : « Seul l'imbécile prend les paroles de Cailech pour ce qu'elles paraissent être. Jamais il ne parle sans une idée derrière la tête. Rien ne lui échappe. »

Les pensées du mercenaire dérivèrent vers cet instant de profonde perturbation auquel Cailech faisait allusion. Cela s'était produit quelques jours plus tôt, à l'instant où il avait posé la main sur le cou du superbe animal que montait le roi. Au contact de l'encolure, Aremys avait senti une vague de magie déferler en lui. Le choc avait été doublement intense : non seulement la créature vivait par la magie, mais en plus il parvenait à la ressentir. Pire encore, c'était une magie noire qui était à l'œuvre. Sous l'impact, Aremys avait titubé et perdu toute contenance, au point de devoir quitter la troupe de cavaliers en prétextant un malaise. Outre l'embarras, la situation avait à coup sûr paru suspecte à un moment où, précisément, il s'efforçait de convaincre les Montagnards qu'il n'était ni un espion de Morgravia, ni une menace pour le souverain des Montagnes.

Le fait que son amnésie se soit dissipée était le seul point positif de cette mésaventure. Il avait recollé les morceaux de ses souvenirs et savait désormais ce qu'il faisait dans les Razors. Il se souvenait qu'il suivait Wyl Thirsk, devenu prisonnier du corps de sa sœur Ylena, par la grâce du Dernier Souffle. Ensemble, ils avaient pénétré dans la mystérieuse région du nord-est appelée le Thicket. Wyl venait de lui demander de siffler, de façon qu'ils ne se perdent pas l'un l'autre dans l'épaisseur impénétrable du bosquet. Il s'était obligeamment exécuté ; il se souvenait même de l'air qu'il avait choisi. Puis soudain, tout était devenu noir et il s'était réveillé, sur un plateau glacé des montagnes du nord, totalement perdu et sans aucun souvenir. Les hommes de Cailech l'avaient alors trouvé et il était miraculeusement parvenu à se tirer de cette passe difficile, malgré la confusion régnant dans son esprit. Agissant avec prudence et circonspection, il estimait avoir gagné la confiance des Montagnards et même celle de leur roi. Pourtant, Wyl l'avait averti que Cailech avait l'humeur imprévisible et capricieuse. Il lui avait même raconté en détail la terrible soirée au cours de laquelle le roi avait menacé de rôtir vivants ses prisonniers morgravians pour les donner à manger à son peuple. Cailech n'était définitivement pas homme à s'embarrasser de finasseries, Aremys s'était donc montré le plus honnête possible envers lui, allant même jusqu'à lui révéler sa véritable identité lorsque le souvenir lui en était revenu.

Pour l'heure, ses liens avec Wyl Thirsk, l'ancien général de la légion de Morgravia, étaient l'unique information qu'il tenait dissimulée. Ça et le fait que Wyl était sous l'emprise d'un sort magique qui avait déjà coûté la vie à trois personnes, dont ce Romen Koreldy pour lequel Cailech montrait tant d'intérêt. Si le roi des Montagnes détenait lui aussi des secrets, alors Aremys les découvrirait. Au moins, il pourrait être utile à Wyl, qui avait promis de revenir un jour dans les Razors pour secourir ses amis Gueryn et Lothryn. Tous deux avaient sacrifié leur vie pour sauver la sienne.

Après des heures de méditation, Aremys avait fini par admettre que le Thicket l'avait rejeté. C'était une notion difficile à appréhender pour son esprit. Jusqu'à récemment, il n'avait jamais eu particulièrement l'occasion de croire à la magie, ou de douter de son existence, mais en bon natif du nord, des îles de Grenadyne pour être précis, il avait toujours plus ou moins admis qu'une telle force pût exister, et qu'elle n'était pas nécessairement à redouter.

Toutefois, depuis sa rencontre avec Wyl et la découverte de son sort, sa vision des choses avait radicalement changé. Subitement, la légende du Thicket était devenue une réalité aux accents sinistres. Admettre que ce lieu enchanté l'avait délibérément séparé de la personne qu'il avait juré de protéger était déjà perturbant en soi, mais constater qu'il lui avait conféré le pouvoir de sentir la magie était proprement terrifiant.

Par ailleurs, le cheval recelait en lui une part sombre et mystérieuse. Le simple fait de le toucher lui avait provoqué un immense malaise. Galapek n'était pas qu'une créature animale ; il émanait de lui quelque chose de maléfique, et de terriblement désespéré. Il fallait qu'il le revoie, qu'il puisse le toucher de nouveau. Les Montagnards ignoraient-ils tout de la noirceur de Galapek ? Mais alors, comment Cailech pouvait-il savoir que le cheval était à l'origine du trouble d'Aremys ? Se pouvait-il que le roi des Montagnes soit informé de sa véritable nature ?

Aremys s'aperçut que Cailech l'observait toujours de son œil d'aigle. Avec un art consommé du subterfuge, le mercenaire fit venir un sourire sur ses lèvres généreuses.

— Non, le cheval n'avait rien à voir, seigneur Cailech. Je me sentais particulièrement faible ce matin-là. D'ailleurs, j'ai dormi comme une masse après ça.

— Sûrement parce que tu te sentais mal d'avoir failli dégueuler sur les bottes du roi ! intervint Myrt d'un ton familier.

Loin de la forteresse et du protocole qu'il y imposait, Cailech encourageait volontiers ses hommes à une certaine désinvolture.

La plaisanterie de Myrt était exactement ce dont Aremys avait besoin pour échapper à l'examen minutieux auquel Cailech le soumettait. Subitement, il lui apparut que le souverain en savait sûrement bien plus qu'il n'y paraissait. Son instinct ne l'ayant jamais trompé, Aremys choisit une nouvelle fois de l'écouter.

— Cela me rappelle la fois où une tante à moi, particulièrement à cheval sur les principes, était venue en visite dans ma famille, commença-t-il. (Comprenant qu'il allait raconter une histoire, ses compagnons s'approchèrent.) C'était une vieille bique revêche qui avait une sainte horreur des réunions de famille et qui pourtant tenait absolument à ce que nous fêtions tous ensemble son nom au printemps. Nous haïssions cette journée où elle arrivait en grande pompe, jouant les grandes dames, mais ma famille était son obligée. Riche à ne plus savoir que faire de son argent, elle avait fait don de grosses sommes au village – et je mentirais en disant que nous-mêmes n'avions pas aussi profité de son or.

Avec soulagement, Aremys vit un sourire intéressé monter aux lèvres de Cailech, tandis qu'il se penchait pour examiner une jeune grappe. Il poursuivit donc son histoire, dans laquelle il était question d'un défi lancé par ses frères, qui avait mal tourné et fini dramatiquement par un pot de chambre renversé sur la tête de l'invitée d'honneur.

Les hommes rugirent de rire. Aremys nota que Cailech était plus mesuré dans sa joie, mais il la partageait néanmoins ; le sourire demeurait sur son visage tanné par le grand air et une lueur amusée luisait dans ses yeux.

— Si une telle chose m'était arrivée, dit Cailech, jamais je ne l'aurais racontée.

— Et jamais plus je ne la raconterai, renchérit Aremys, passablement étonné d'avoir pu inventer pareil récit de toutes pièces.

En réalité, sa pauvre vieille tante Jassamy était adorable et l'idée de fêter son nom ne venait pas d'elle mais du village tout entier, en remerciement de ses bienfaits.

— En fait, j'essayais juste de vous faire mesurer mon désarroi, seigneur Cailech, poursuivit Aremys avec un sourire contrit. Ce souvenir vient de passer au second rang des moments où je me suis senti le plus gêné dans mon existence. Inutile de vous dire quel est le premier…

— Ce n'est rien, Farrow. J'ai tout oublié, répondit le roi, tandis que Myrt et Byl poursuivaient leur chemin dans les vignes.

Aremys n'en crut pas un mot.

— Merci, seigneur Cailech.

— Peut-être voudrais-tu monter Galapek ?

Aremys ne s'était pas attendu à une telle proposition. Il eut le sentiment que son hésitation le trahissait. Le roi des Montagnes le testait et chacun d'eux le savait parfaitement. Mais que pouvait savoir Cailech ? Le mercenaire se ressaisit rapidement.

— Ce serait un honneur, seigneur.

— Parfait, répondit Cailech. (Son regard indéchiffrable ne le quittait pas.) Je vais prendre les dispositions voulues.

» Ah, voici Baryn, ajouta le roi en fixant un point derrière le mercenaire. C'est le chef du vignoble. (Comme s'il avait tout oublié du sujet précédent, Cailech se mit en marche, parlant par-dessus son épaule.) Tu n'aimes pas le dégel, Aremys ? Ce moment magnifique où le printemps se fraie un chemin dans la terre pour réchauffer les racines et faire fondre la glace. (Comme Aremys arrivait à sa hauteur, Cailech désigna la nature autour d'eux d'un ample geste du bras.) Regarde ces vignes, Aremys. Vois la vie qui monte dans ces petites grappes et ces feuilles.

— Vous devriez écrire des poèmes, seigneur Cailech.

Le roi accueillit le compliment d'un sourire.

— J'ai une proposition à te faire, Farrow.

Ce brusque changement de sujet prit une nouvelle fois Aremys de court. Il allait falloir qu'il se montre très prudent, ce dont Wyl l'avait averti.

— Je vous écoute, seigneur.

— J'ai bien réfléchi à ce dont nous avons discuté.

— Ah ?

Aremys n'avait aucune idée de la discussion à laquelle Cailech pouvait bien faire référence. Le roi des Montagnes s'en rendit compte.

— Au sujet de Celimus.

— Ah oui, quand je vous ai suggéré d'engager des pourparlers.

— Ton conseil n'est pas dénué de sagesse et j'ai décidé d'en tenir compte.

Aremys éleva une prière muette pour que ni son visage ni sa voix ne trahissent sa surprise.

— Vraiment ?

— Oui, répondit Cailech avec un hochement de tête. Je vais me rendre en Morgravia sans déguisement et à visage découvert. Ou plus exactement, *nous* allons nous rendre en Morgravia.

— Vous et vos hommes ?

— Toi et moi, Farrow.

Aremys chercha sur le visage du roi un signe de ruse, puis comprit qu'il serait bien incapable de dire s'il s'agissait d'un bluff. Avec son visage aussi impassible qu'un roc, Cailech était un maître dans l'art de dissimuler ses intentions. Cette fois-ci, il eut toutefois l'impression d'y déceler comme une trace d'amusement.

— Ce sera un honneur, seigneur Cailech.

Aremys espéra que c'était là la réponse que le roi des Montagnes attendait.

Cailech se contenta de hocher la tête.

— Tu seras chargé d'organiser la rencontre, puisque tu connais Celimus. Tu seras mon émissaire.

Cailech s'éloigna ensuite sans rien ajouter, laissant derrière lui son négociateur fraîchement nommé la bouche grande ouverte.

— Tu peux refermer ton clapet, dit Myrt, revenu à son rôle de gardien.

— Il n'est pas sérieux, murmura Aremys, les yeux fixés sur la haute silhouette émergeant d'un océan de feuilles vertes à côté du chef des vignobles.

— Il ne plaisante jamais avec ce genre de sujet. Prends ça comme une distinction, Farrow. Ça veut sûrement dire qu'il te fait confiance.

— Quand devons-nous partir ?

— Dès que le dégel aura libéré les cours d'eau, à ce qu'il m'a dit.

— Mais c'est maintenant ! s'exclama Aremys en se tournant pour regarder Myrt en face.

Le Montagnard eut un sourire.

— Exact. Allez viens, nous ferions mieux de rentrer maintenant. Apparemment, tu dois monter son étalon cet après-midi.

En apercevant le splendide destrier que Maegryn, le chef des écuries, sortait de son enclos, Aremys sentit son estomac se contracter. L'animal fouettait l'air de sa queue, comme pour montrer sa colère. La bile piquait la gorge du mercenaire ; il fit un effort sur lui-même pour se relâcher. Depuis de longues secondes, il retenait sa respiration et la honte l'envahit à la pensée que l'animal produisait un tel effet sur lui. Peut-être allait-il être capable de supporter le choc cette fois-ci.

Ce n'est qu'un cheval, merde ! Ses exhortations pour lui-même demeurèrent sans effet ; au contraire, le sentiment de malaise s'intensifia.

— C'est une véritable splendeur, commenta Myrt à côté de lui.

Aremys lutta pour repousser le vertige. N'y avait-il donc que lui à être affecté ?

— Cailech ne vient pas avec nous ? demanda-t-il entre ses dents serrées.

— Non, mais Rashlyn sera des nôtres.

— Qui est-ce ? demanda Aremys du ton le plus innocent qu'il pouvait.

Il se souvenait de la description que Wyl avait faite de l'homme qui paraissait avoir une influence surnaturelle sur le roi des Montagnes.

— Le *barshi* du roi, un être détestable, répondit Myrt. Mais si jamais tu répètes ce que je viens de dire, je nierai, et ensuite je te tuerai.

Aremys sourit.

— Un homme de la magie, dit-il, tout en observant Maegryn qui sellait Galapek.

Son compagnon confirma d'un hochement de tête. L'estomac d'Aremys se tordit de nouveau.

—Est-il capable de repérer ceux qui ont le don ?

Aremys espérait de toutes ses forces que Myrt ne perçoive pas l'inquiétude dans sa voix.

—Aucune idée. Mais pourquoi tu me demandes ça ?

Aremys esquissa un haussement d'épaules.

—Comme ça. J'ai toujours été fasciné par ceux qui ont le don, c'est tout.

—En toute honnêteté, j'aimerais qu'il quitte les montagnes. Son influence sur notre roi est trop forte. Par moments...

Myrt laissa sa phrase en suspens. Aremys tourna son regard vers lui.

—Continue.

—Non, répondit le Montagnard en secouant la tête. Ça n'a pas d'importance.

Aremys vit bien qu'il ne serait pas avisé de pousser Myrt dans ses retranchements. Pour autant, il appréciait de constater que son gardien se sentait suffisamment en sécurité avec lui pour faire preuve de sincérité. C'était bon signe.

De son côté, Maegryn paraissait satisfait de l'attitude de Galapek. Braillant ses ordres, il demanda à ses hommes d'amener les autres chevaux.

—Au fait, où Cailech a-t-il trouvé cette beauté ? demanda Aremys.

Le mercenaire reprenait du poil de la bête, car selon toute vraisemblance, il commençait à supporter la présence de la magie.

—Ça, c'est le plus étrange, répondit Myrt, manifestement soulagé qu'Aremys n'ait pas poursuivi la conversation autour du sujet précédent. Je n'en ai pas la moindre idée.

—Comment ça ?

—Eh bien, les meilleurs chevaux viennent de Grenadyne, comme tu le sais sans doute, mais celui-ci est arrivé un jour je ne sais d'où. En tout cas, il ne vient sûrement pas de nos élevages.

—Tu veux dire qu'il est apparu de nulle part ? demanda Aremys, étonné.

Il se demandait subitement si le Thicket ne pourrait pas l'avoir envoyé ici lui aussi.

Myrt éclata de rire.

—Non, ce n'est pas ça. Mais Maegryn connaît tous les poulains nés ici, et lorsque nous rapportons des chevaux de Grenadyne, c'est toute une histoire à cause du transport. Or, je n'ai pas le souvenir que nous ayons embarqué celui-ci sur un bateau. Tu imagines le foin qu'il aurait fait à bord.

La curiosité d'Aremys était piquée au vif. Son imagination ne lui jouait pas des tours ; il y avait bien quelque chose d'étrange au sujet de ce cheval.

—Et que dit son dresseur ?

— Maegryn est pour le moins discret sur la question. J'ai l'impression que ça pourrait être Rashlyn qui aurait offert ce cheval à Cailech, même si je me demande bien où il pourrait l'avoir trouvé. Le roi a sans doute demandé aux deux hommes de garder le secret. Cailech est parfois bien surprenant, au cas où tu ne l'aurais pas remarqué, répondit Myrt avec un sourire.

— J'ai bien vu, dit Aremys en grimaçant.

— Même s'il t'apprécie et semble te faire confiance, reste sur tes gardes. C'est un grand homme, mais il est plein de contradictions parfois, l'avertit Myrt.

» Je sais que cela inquiétait Lothryn, ajouta-t-il dans un souffle.

Au prix d'un effort de volonté, Aremys parvint à ne pas tressaillir en entendant le nom de l'ami de Wyl.

— Lothryn... qui est-ce ? demanda-t-il avec l'air de penser à autre chose.

— Un ami. L'ancien second de notre roi. Un homme que j'aurais suivi n'importe où sans poser de questions. Un homme qui nous a brisé le cœur en nous trahissant.

Maegryn amenait le cheval vers eux. Aremys sentit de nouveau le malaise que provoquait la magie.

— Et où est-il maintenant ?

— Parti, répondit Myrt, mettant un terme à cette conversation. Ta monture est prête. Et voici Rashlyn. Méfie-toi de lui également. C'est un homme étrange.

Déjà en selle, le *barshi* chevauchait une jument alezane. Il fit halte à quelques pas du mercenaire et abaissa le regard sur sa colossale silhouette.

— Tu dois être Aremys, dit-il d'une voix étonnamment hésitante. Cailech a suggéré que nous fassions connaissance. J'espère que ça ne t'embête pas que je me joigne à vous.

— Pas du tout, mentit Aremys.

Instantanément, il s'était pris d'inimitié pour le sorcier à la mine sauvage et farouche, pour ses yeux vides et son sourire faux. Aremys salua d'un geste, préférant éviter tout contact physique direct avec l'homme en noir. Si lui-même sentait la magie dans le cheval simplement en le touchant, Rashlyn pouvait sans doute faire de même avec lui – auquel cas son existence s'en trouverait encore plus exposée. Aremys se demanda si Cailech n'avait pas spécifiquement demandé à Rashlyn d'étudier ses réactions au contact du cheval.

Cela signifierait qu'ils préparent quelque chose – et, pire, qu'ils se méfient de moi. Maegryn arrêta Galapek à côté de la jument. La magie qui émanait de l'animal commençait à envahir tous les sens d'Aremys.

— Vous montez Galapek cet après-midi, annonça Maegryn. Tenez-le fermement, mais n'hésitez pas à lui lâcher la bride sur le plat. Il aime bien galoper, et se dérouiller les pattes ne lui fera pas de mal.

Aremys parvint à hocher la tête poliment en prenant les rênes que lui tendait Maegryn ; c'était tout ce qu'il pouvait faire. Comme il regrettait en cet instant de n'avoir pas été plus prudent pour ne pas se retrouver dans cette situation. La nausée menaçait de le submerger. Il lutta de toutes ses forces, tournant délibérément le dos à Rashlyn pendant qu'il montait en selle. Il ne voulait à aucun prix que le *barshi* puisse lire la peur en lui.

Des vagues de répulsion le traversaient. Il lui fallait puiser au plus profond de son courage pour ne pas sauter à bas du cheval et s'enfuir.

— Prenez la tête, dit-il au sorcier, dans l'espoir de rester derrière lui.

Malheureusement, Rashlyn avait une parade.

— Myrt, c'est toi qui connais les meilleurs chemins, dit-il. Ouvre-nous la voie.

La petite troupe se mit en marche. Aremys avait maintenant la certitude d'être soumis à l'observation du sorcier du roi.

Chapitre 2

Myrt proposa de suivre les berges autour du lac. D'un grognement, Aremys donna son accord, tout entier concentré à lutter contre la répulsion que lui inspirait l'animal qu'il montait. Sans attendre l'assentiment du *barshi*, Myrt éperonna sa monture. Dès qu'ils atteignirent le trot rapide, Aremys commença à se sentir mieux. Au grand galop, avec le vent fouettant son visage, l'excitation de la course fit presque disparaître le trouble malsain que le cheval lui communiquait.

Pas un mot ne fut prononcé pendant la première moitié de la chevauchée. Aremys s'en félicitait, tout absorbé qu'il était par ses pensées et le plaisir intense de se sentir libre dans un panorama à couper le souffle. Les premiers contreforts des Razors se reflétaient dans les eaux parfaitement lisses du lac. Le bruit assourdissant des innombrables oiseaux interdisait toute conversation – ce dont le mercenaire n'aurait songé à se plaindre. Bien que haut dans le ciel, le soleil n'était pas vraiment ardent. Pour autant, les trois cavaliers appréciaient sa caresse sur leurs épaules – la première chaleur qui peu à peu allait desserrer l'emprise du froid sur la terre.

Au bout d'un certain temps, Aremys constata qu'il était en mesure de maîtriser les réactions que produisait l'étalon sur lui. Ce qui lui avait d'abord provoqué d'insupportables haut-le-cœur devant le roi n'était plus qu'une sensation de malaise qu'il parvenait à contenir. Plus précisément, la répulsion qu'il avait éprouvée pour Galapek s'était muée en un intense sentiment de chagrin et de compassion. Qu'est-ce qui pouvait bien susciter une telle empathie chez lui? Tout en muscles et en puissance, l'étalon galopait avec grâce, répondant à la moindre de ses sollicitations. Pourtant, au-delà du contact physique, il percevait quelque chose, qui ressemblait à une émotion humaine.

—Arrêtons-nous là-bas pour faire souffler les chevaux, dit Myrt en désignant une cuvette naturelle bordée de rochers et baignée par le soleil.

D'un hochement de tête maussade, Aremys accepta la proposition. Pour tout dire, il aurait préféré poursuivre, mais il ne doutait pas un instant que tout cela répondait à un plan soigneusement établi.

Ils s'assirent par terre, adossés contre les rochers, tandis que les chevaux broutaient avec plaisir l'herbe tendre. Galapek était suffisamment éloigné pour qu'Aremys n'ait pas à redouter l'influence de ses émanations magiques. Pourtant, même à distance, le cheval lui parlait – non pas avec des mots, ni des sons, mais par un irrésistible phénomène d'attraction. Plus Aremys gagnait en résistance à la magie et plus il entendait l'appel de l'animal.

Détournant la tête, il porta son regard sur le cours d'eau qui coulait non loin, apportant l'eau glacée des sommets. Son œil saisit l'éclat argenté d'un poisson qui luttait pour remonter le courant et il y vit tout de suite l'allégorie de son propre sort, à la fois en tant que prisonnier de Cailech, mais aussi à cause de son étrange relation avec Galapek. L'appel du cheval était comme un courant contre lequel il devait lutter sans cesse pour ne pas être noyé et emporté. *Que veut-il que je fasse ? Qu'est donc au juste cette créature qui m'inspire autant de dégoût que de sympathie ?* Une nouvelle idée frappa soudain Aremys. *Non pas « qu'est donc au juste cette créature », mais qui est-elle ?* La pensée était si étonnante qu'elle emporta toute sa peur. *Oui, qui est cet animal ? Qui m'appelle en utilisant la magie du Thicket ? Se pourrait-il que Galapek soit sous le coup d'un sort, tout comme Wyl – un homme prisonnier d'une apparence qui n'est pas la sienne ?* Cette notion faisait naître un sentiment de révolte en lui.

Comme il secouait la tête pour en chasser ses visions, le *barshi* se lança dans l'interrogatoire attendu.

—Le roi m'a dit que tu avais perdu la mémoire, attaqua Rashlyn sans autre forme de préambule.

—C'est le cas, répondit Aremys. C'est une sensation terrible de ne rien savoir sur soi.

—J'ai cru comprendre que tes souvenirs te revenaient peu à peu, poursuivit le sorcier en déballant le morceau de fromage et les galettes sèches apportées par Myrt.

À la vue des mains noires de crasse du *barshi*, Aremys détourna la tête. Tout rustiques et durs qu'ils étaient, les Montagnards étaient d'ordinaire d'une propreté scrupuleuse. En la matière, le roi montrait d'ailleurs l'exemple – toujours d'une netteté impeccable. Tout comme Elspyth pas si longtemps auparavant, Aremys avait eu la surprise de constater que le peuple des Razors était tout à la fois sophistiqué et doté d'un grand sens artistique. En outre, ils révéraient la nature et faisaient toujours preuve d'un grand respect les uns envers les autres. Depuis que Cailech avait mis un terme aux incessantes guerres entre tribus, ce respect était devenu plus que de la simple courtoisie ; ils vivaient en bonne intelligence et pratiquaient l'hygiène pour se protéger des maladies. Aremys avait vu les bâtiments réservés aux ablutions disséminés dans la forteresse – preuve de l'importance que Cailech accordait à la salubrité de l'endroit où ils vivaient. Le roi était convaincu qu'il existait un lien entre les déchets produits par l'homme et la propagation des épidémies, si bien que jamais on ne voyait un Montagnard se soulager n'importe où. Chaque jour, de lourds chariots emportaient les déjections pour aller les enterrer dans de grandes fosses à l'écart des lieux de vie. Là, elles retournaient à la terre sans danger pour les hommes et les animaux. Telle était la philosophie que Cailech avait donnée à son peuple : des bains réguliers, une éducation pour tous et la survivance des langues anciennes. Avec ses mains sales, son apparence négligée et ses manières agressives, Rashlyn ne ressemblait en rien aux autres habitants des Razors. Pour quelle raison le toléraient-ils ?

Le *barshi* tenait Aremys sous le feu de ses yeux noirs.

— Oui, peu à peu, répondit le mercenaire. Au moins, je sais maintenant comment je m'appelle et d'où je viens.

— Me laisserais-tu regarder ton crâne ? Je suis un guérisseur, proposa Rashlyn en tendant un bout de fromage.

Aremys n'avait aucune envie de courir de risques. Pas question qu'il permette à ce sorcier – ou quoi que ce soit qu'il puisse être – de déceler la présence de la magie du Thicket sur lui. Et puis, Shar seul savait où ces doigts immondes avaient bien pu traîner.

— Non merci, répondit-il. Je n'ai pas faim et ma tête va bien.

Rashlyn fronça les sourcils.

— Ça a dû être un sacré coup pour que tu perdes tous tes souvenirs. Tu devrais quand même me laisser t'examiner.

— C'est inutile, répliqua Aremys avec brusquerie. (Il tourna la tête vers son compagnon silencieux, comme en quête d'un secours.) Myrt m'a déjà ausculté et il n'a rien trouvé.

Myrt ne fit rien pour le contredire – mais rien non plus pour le soutenir. Aremys eut l'impression que lui aussi livrait un combat contre sa conscience et son sens de la loyauté. À voir ce que disaient son corps et ses attitudes, Myrt n'éprouvait que du mépris pour Rashlyn.

— C'est quand même étrange cette histoire de perte de mémoire, insista Rashlyn. (Il parlait la bouche pleine et des miettes de fromage se répandaient dans sa barbe. Une nouvelle fois, Aremys détourna le regard, dégoûté.) Comment est-ce que ça a pu arriver si ce n'est pas à la suite d'un coup ?

— Je n'en ai pas la moindre idée, répondit Aremys avec un haussement d'épaules. Je ne m'en souviens pas. (Il se leva.) Excusez-moi, je vais boire, dit-il encore, en tournant la tête vers Myrt pour solliciter son autorisation d'aller au torrent.

Myrt hocha la tête et Aremys s'éloigna d'un pas aussi tranquille que possible. Il s'aspergea le visage d'eau glacée et en but un peu ; quelques gouttes se frayèrent un passage par le col de sa chemise pour dévaler le long de sa poitrine. Comme il se relevait, projetant de l'eau tout autour de lui, il sentit une présence dans son dos. Il se retourna d'un bloc, certain de découvrir Rashlyn, une main tendue pour le toucher. L'accès de frayeur qui le saisit faillit le faire tomber à la renverse dans l'eau. Il se sentit ridicule, car il était sans aucun doute en train de céder à la paranoïa. Intérieurement, il se maudit.

Effectivement, Rashlyn se tenait là, mais au lieu d'avoir une main tendue vers lui, il était en train de fouiller dans ses poches.

— Excuse-moi, je ne voulais pas te faire peur, dit le *barshi* d'un ton qu'Aremys jugea plutôt cauteleux. Tiens, voilà qui devrait atténuer tes migraines, poursuivit-il en tendant une fiole.

— Qu'est-ce que c'est ?

— Un mélange de simples bienfaisants avec un trait de laudanum. Sois sans crainte, ça ne te fera aucun mal. Prends une gorgée toutes les heures, selon l'intensité de la douleur.

Aremys était piégé. Rashlyn offrait sa main répugnante ; la fiole était posée dessus. Le mercenaire n'avait pas le choix, il devait la prendre – au risque sinon d'éveiller plus encore les soupçons de Cailech. Sans aucun doute, Rashlyn ferait un rapport parfaitement circonstancié du déroulement de l'après-midi. Si le roi avait pensé entendre qu'Aremys avait une nouvelle fois été pris de nausée ou qu'il avait refusé de monter l'étalon, il en serait pour ses frais, mais l'instant qui s'annonçait pourrait bien à lui seul signer sa perte. Aremys vit le regard du sorcier s'étrécir devant son hésitation ; il n'arrivait pourtant pas à se décider.

— Je peux en refaire, tu sais. Tu ne priveras personne en prenant cette fiole, dit Rashlyn.

Le ton doucereux de sa voix sonnait comme une menace. Aremys avait le sentiment que le sorcier le mettait au défi de refuser.

Il prit encore quelques secondes pour s'égoutter, avant d'essuyer son visage d'un revers de manche.

— Merci, répondit Aremys en tendant lentement la main paume vers le ciel, espérant que Rashlyn y laisserait tomber la fiole.

Soudain, Galapek se mit à hennir furieusement et ruer des quatre fers, comme en proie à une grande douleur. Immédiatement, Myrt se précipita vers l'étalon. Saisissant l'occasion, Aremys se précipita à son tour.

— Ne bouge pas, j'arrive ! cria-t-il.

De toute évidence, le cheval ne voulait pas de la présence de Myrt près de lui. Comme le guerrier approchait, il rua de plus belle. À l'étonnement de tous, ce fut la voix du mercenaire qui parut l'apaiser. Galapek le laissa s'approcher.

Aremys prit la longe en parlant au cheval d'une voix douce.

— Tout doux, Galapek, tout doux. Calme-toi, vieux frère, murmura-t-il.

Le cheval cessa de se cabrer, mais tout son corps tremblait de colère.

— Pauvre Galapek, je te sauverai. Quoi qu'on t'ait fait, je te promets de te tirer de là, ajouta-t-il en caressant les naseaux de l'animal. Tout doux, vieux frère.

Il enfouit son visage dans la somptueuse crinière, et pour la première fois les effluves magiques ne l'agressèrent pas. L'enchantement pesant sur l'étalon communiquait avec le mercenaire ; les vibrations magiques l'enveloppaient, le suppliant de tenir sa promesse.

Soudain, un mot apparut dans son esprit. C'était comme un appel venu d'outre-tombe – mais ce n'était sûrement pas un tour de son imagination. *Elspyth.* Il entendit distinctement ce nom, une seule fois. Puis ce fut tout. Comme un soupir lâché dans le vent pour être emporté.

Aremys était si déstabilisé qu'il restait raide comme un piquet, la tête appuyée contre le cou du cheval, tentant désespérément de faire ressurgir le mot. En vain. Elspyth… était-ce bien le nom qu'il avait entendu ? La voix impérieuse de Myrt le tira de sa confusion.

— Farrow ! Par Haldor !

Aremys se retourna, surpris de susciter tant de colère, puis il aperçut l'expression sur le visage de Myrt et comprit qu'il s'était trompé – nulle colère chez son ami, mais de l'affolement. Il suivit la direction indiquée par la main du guerrier. Au bord de l'eau, à l'endroit même où il l'avait laissé, Rashlyn se contorsionnait au sol l'écume aux lèvres, criant des mots sans queue ni tête. Ses bras et ses jambes battaient l'air.

— Garde les chevaux, cria Aremys par-dessus son épaule en se précipitant vers la silhouette tassée au sol et subitement devenue immobile.

Il souhaita que Rashlyn fût mort, mais la chance n'était pas avec lui. Il releva le menton du sorcier pour lui permettre de mieux respirer, mais ne poursuivit pas ses soins jusqu'à insuffler de l'air dans sa bouche.

— Je suis désolé de t'annoncer que son cœur bat, se risqua à dire Aremys à Myrt qui l'avait rejoint.

Myrt ne sourit pas, mais une fugace lueur d'amusement éclaira son visage.

— Qu'est-ce qui a bien pu se passer ? demanda le Montagnard.

— Il fait souvent ce genre de crise ?

— Je ne sais pas. Je n'ai jamais rien entendu dire à ce sujet.

— Le fromage, peut-être ? avança Aremys.

— Il est frais, ça ne peut pas être ça.

— Quelque chose d'autre alors. On dirait bien que ça s'est produit à l'instant même où Galapek a pris peur.

— Que veux-tu dire ? demanda Myrt en scrutant le visage du mercenaire sur lequel se lisait une certaine indécision. Tu peux me parler, tu sais – je t'ai déjà soutenu auparavant.

Le corps de Rashlyn gisait à leurs pieds, parfaitement immobile. Aremys souleva une paupière du sorcier. Son œil sombre et empli de folie avait roulé en arrière ; seul le blanc était visible. Inconscient, le *barshi* ne pouvait rien entendre.

— Je ne sais pas si je fais bien d'exprimer ce que je pense. Après tout, tu es un Montagnard loyal.

— Pas envers lui ! (Myrt cracha au sol d'un air dédaigneux.) Moi aussi, j'aimerais qu'il soit mort. Il représente un danger pour nous tous.

— À cause de sa magie ?

À regret, Myrt confirma d'un hochement de tête.

— Il l'utilise pour faire le mal, j'en suis sûr.

—Je pense que c'est précisément sa magie qui vient de provoquer tout ça.

—Comment ça ? Sois plus clair.

—Je ne peux pas. Je ne comprends pas moi-même. (Avec un soupir, Aremys décida de faire confiance à Myrt, espérant que son instinct ne le trahissait pas.) T'avait-on donné des instructions à propos de moi pour cet après-midi ? demanda-t-il.

Les sourcils de Myrt se rapprochèrent l'un de l'autre.

—Rien de particulier. On m'a juste expliqué que tu allais avoir l'occasion de monter Galapek, puisque ce cheval t'intéresse tant.

—Cailech ne t'a pas demandé de me garder tout particulièrement à l'œil ?

—C'est mon rôle de ne pas te quitter des yeux, Farrow. Tu es notre... notre invité, conclut-il après une hésitation.

Un triste sourire flotta sur les lèvres d'Aremys.

—Myrt, tu m'as montré plus d'amitié que la plupart des gens que j'ai rencontrés au cours de ces dix dernières années. Mais soyons honnêtes : je suis votre prisonnier. (Le mercenaire se gratta la tête.) Néanmoins, ton roi veut me charger d'une mission très importante, ce qui signifie qu'il me fait confiance, dans une certaine mesure. Malheureusement, je ne peux pas me montrer aussi sincère avec lui que je le suis avec toi.

—Pourquoi ça ?

—Parce qu'il est l'esclave de cet homme. Tu me l'as dit d'ailleurs toi aussi. Or, après un après-midi passé avec Rashlyn, je sais qu'il faut se méfier de lui.

Sourcils toujours froncés, Myrt ne répondit rien.

Aremys poursuivit, tournant la tête en direction des chevaux.

—Je suis peut-être complètement à côté, mais j'ai le sentiment qu'il y a quelque chose de très étrange avec Galapek. Non, pas « étrange », plutôt ensorcelé.

Myrt tituba en arrière comme sous l'effet d'une gifle.

—La magie ?

—Oui, l'œuvre de Rashlyn. Avec l'accord de Cailech.

Voilà, c'était dit. Il venait de faire état de ses craintes.

Myrt se mit à faire les cent pas, sans un mot. Pour sa part, Aremys demeura tout aussi silencieux, guettant le moindre signe de conscience chez le sorcier.

—Je n'y crois pas, finit par siffler le guerrier entre ses dents en pointant un droit sur Aremys.

Le mercenaire s'était attendu à ce mouvement de colère.

—Tu n'y es pas obligé, répliqua-t-il d'un ton calme. Je te livre le fond de ma pensée, c'est tout. Ça ne signifie pas pour autant que ton roi – que j'apprécie et que je respecte – soit en parfait accord avec Rashlyn.

—Alors qu'insinues-tu au juste, mercenaire ? demanda Myrt avec brusquerie.

Aremys était contrarié d'avoir poussé son ami dans ses retranchements. À voir sa réaction, il était clair que Myrt était lui-même parvenu à des conclusions pas très éloignées des siennes. Pour autant, la vérité est parfois difficile à entendre, surtout pour quelqu'un appartenant à un peuple pour lequel la loyauté est une qualité primordiale. Wyl l'avait bien mis en garde là-dessus – sans doute avait-il eu tort de penser que l'amitié pourrait primer sur la fidélité au roi. Pourtant, Lothryn n'avait-il pas choisi l'amour avant tout ?

— Je suis désolé si je t'ai insulté, Myrt. Telle n'était pas mon intention. Ce que je pense vraiment, c'est que Cailech – ensorcelé par Rashlyn, comme tu l'as dit toi-même – a accepté qu'un enchantement soit lancé sur ce cheval. Et sans doute d'autres sorts également.

— Par le cul d'Haldor, et comment saurais-tu ça toi, homme de Grenadyne ? Depuis quand es-tu sorcier pour décréter que la magie est à l'œuvre ?

Les paroles conçues pour blesser atteignirent leur cible, mais Aremys pouvait-il nier l'évidence ? Et pouvait-il dire la vérité à Myrt sans risquer sa vie ?

— Myrt, me fais-tu confiance ?

Le guerrier passa une main fébrile sur ses yeux.

— Je ne sais plus.

— Que te dit ton instinct ?

— Que tu es un homme fiable.

— Alors aide-moi à charger Rashlyn sur son cheval, nous allons le ramener à la forteresse. Je vais tout te raconter en route.

Ils rentrèrent par le même chemin, mais plus lentement. Aremys menait le cheval de Rashlyn attaché à une longe quelques pas en arrière, de sorte que si le sorcier venait à se réveiller il ne pourrait rien entendre de leur conversation. Il n'aurait d'autre choix que de crier pour les alerter.

— Un vieux truc de mercenaire, avait dit Aremys avec un clin d'œil.

Tout en chevauchant, Aremys entreprit d'exposer à son ami toutes les informations qu'il était disposé à révéler. D'une prière muette, il demanda à Shar de faire en sorte que le Montagnard se révèle bel et bien digne de confiance. Bien entendu, il ne dévoila rien au sujet de Wyl, se contentant d'indiquer qu'il travaillait pour le souverain de Morgravia. Il ne s'étendit pas non plus sur la nature de sa mission pour Celimus, certifiant uniquement qu'elle n'avait rien à voir avec le peuple des Razors. Myrt accepta ses explications avec un hochement de tête silencieux.

— Tout ce que je peux dire, c'est que j'étais à la recherche d'une personne à laquelle la couronne s'intéresse particulièrement, expliqua Aremys.

— Et c'est ça qui t'a conduit si loin au nord ?

— Oui. Je me souviens de m'être rendu jusqu'à un endroit appelé Timpkenny très loin au nord-est de Briavel, broda le mercenaire. J'imagine que la personne que je suivais avait dû y passer.

— Et ceux qui te sont tombés dessus, c'étaient des bandits de grands chemins et rien d'autre ?

— Hmm, répondit Aremys avec un hochement de tête. Ils ont versé quelque chose dans ma bière pour me rendre malade et me faire sortir de l'auberge pendant la nuit. Tout ça reste confus dans ma tête à cause de la drogue, mais ils ont dû ensuite m'embarquer discrètement sur un cheval. Ils m'ont emmené jusqu'aux abords d'une région qu'on appelle le Thicket. Tu connais ?

Aremys retint son souffle.

Myrt fixait sur lui un regard intense. Il hocha la tête.

— À ce qu'on dit, c'est un lieu magique.

— C'est le cas, mon ami, du moins c'est ce que je crois. Après m'avoir volé tout ce que j'avais, ils m'ont laissé là. J'imagine qu'ils ont dû être effrayés, parce que je m'attendais au minimum à être roué de coups, raconta Aremys en s'approchant peu à peu de la vérité. La dernière chose dont je me souvienne, c'est d'un bruit étrange en provenance du Thicket.

Les yeux de Myrt étaient écarquillés.

— Une créature ?

— Non, aucune créature ne peut produire un pareil son. Je l'ai encore dans l'oreille – ça faisait comme un bourdonnement. Ensuite, l'air est devenu épais et oppressant.

— Et puis ?

— Et puis, rien, répondit Aremys en esquissant un geste d'excuse. Je me suis réveillé en entendant la voix de tes hommes, sans plus aucun souvenir de ce qui s'était passé – ou ne serait-ce que de mon nom. Tu connais la suite. Mes souvenirs me sont lentement revenus au cours des jours suivants – et ça continue. (Il haussa les épaules, avant d'ajouter une petite touche pour la véracité.) Je me souviens maintenant des visages de ceux de ma famille.

Stupéfait, Myrt secouait la tête. Pour finir, il se mit à parler.

— Je te crois, Aremys. Personne ne pourrait inventer une telle histoire. Et puis, nous connaissons la légende magique du Thicket. Mais c'est tellement incroyable d'entendre quelqu'un la confirmer.

— Myrt, je ne sais pas ce qui a pu se passer, c'est la vérité. Je peux juste supposer que le Thicket, ou quelque chose ou quelqu'un qui y vit, est en relation avec le fait que je suis soudain apparu à un endroit dans les Razors, à plusieurs jours de distance. Tu as toi-même exploré la zone, sans trouver la moindre trace de personne ou d'animal. On ne m'y a donc pas amené pendant que j'étais drogué. Et surtout, à quoi bon m'amener là-bas ? Pourquoi les bandits m'auraient-ils amené où que ce soit alors qu'ils voulaient seulement me voler ? Je ne serais même pas capable de reconnaître leurs visages, drogué comme j'étais.

— Je te crois, répéta le Montagnard, en levant les mains dans un geste apaisant.

— Je ne cherche pas à te fourrer des idées étranges dans la tête, mais ma seule explication est que le Thicket est un endroit enchanté. Moi aussi, j'ai entendu les vieilles histoires – et je crois bien que ce maudit coin n'avait pas envie de me voir traîner près de lui. J'ai senti son animosité envers moi. Il s'est débarrassé de moi, ni plus ni moins.

— Non, ça ce n'est pas possible, lâcha Myrt, au désespoir d'obtenir quoi que ce soit de rationnel à quoi se raccrocher.

— Je suis bien d'accord, mais il n'y a pas d'autre explication. Bien évidemment, il n'était pas question que je raconte cette histoire au roi. Il m'aurait ri au nez – avant de me trancher la gorge l'instant d'après. Tu comprends maintenant pourquoi il a fallu que je taise cette partie de mon histoire ? Quant à la manière dont le Thicket s'est débarrassé de moi, eh bien il m'a tout bonnement repoussé. Je ne trouve pas de meilleure manière de le décrire. Ce serait plus commode de croire qu'une gentille famille de rémouleurs m'a ramassé et trimballé dans les Razors, mais ce ne serait qu'un moyen d'inventer une explication pour mieux supporter ce qu'on ne parvient pas à comprendre. Et puis, si tel était le cas, on aurait trouvé des traces de ces rémouleurs. Non, Myrt, je suis convaincu d'avoir été victime d'un sort. Et d'ailleurs, il y a autre chose qui me donne à le penser.

Voilà, il approchait maintenant du cœur du sujet. Soit Myrt accepterait entièrement l'histoire d'Aremys, soit il le tiendrait pour fou et courrait prévenir Cailech. Il prit une profonde inspiration et attendit la question que Myrt ne pouvait pas manquer de poser. Par-dessus son épaule, il jeta un coup d'œil au sorcier ; Rashlyn était toujours en travers de son cheval, parfaitement inconscient.

— Qu'est-ce que tu veux dire exactement ?

La forteresse n'était plus très éloignée. Dans les vergers, des hommes et des femmes s'activaient. D'autres conduisaient des carrioles ou vaquaient à leurs occupations. Aremys frissonna. La fraîcheur descendait sur la vallée et un petit vent s'était levé, ridant la surface jusqu'alors immaculée du lac. Ce glissement vers le gris était en accord avec son humeur.

— Explique-moi, supplia son compagnon.

Aremys fit stopper Galapek et les autres chevaux l'imitèrent. À l'évidence, Myrt comprenait combien l'aveu était difficile, aussi lui laissa-t-il le temps de choisir les mots. Mais comment dire ça ? Aremys décrivit ce qu'il avait vu aussi simplement que possible.

— Je crois que la magie du Thicket m'a touché. Sa puissance m'a temporairement fait perdre la mémoire, mais elle m'a laissé quelque chose en échange.

Les yeux de Myrt étaient devenus plus ronds que des billes. Aremys se hâta de poursuivre.

— Elle m'a donné la capacité de sentir la magie. (Aremys leva une main devant lui.) Avant que tu me le demandes, non, je ne peux pas jeter de sorts. Je peux juste sentir la présence de la magie – et te dire qu'elle est ici avec nous.

— Où ça ? murmura Myrt dans un souffle.

— Ici même, sous moi.

Comme on pouvait s'y attendre, Myrt regarda le sol.

— Galapek, dit Aremys. Ce cheval n'a rien de naturel, Myrt. Il exsude littéralement la magie – la magie noire. Il est touché – il dégage un effluve maléfique et me repousse tout comme le Thicket m'a envoyé à des lieues. Je crois que Rashlyn en est la cause et que c'est pour cette raison qu'il se méfie de moi.

— Et c'est pour cela aussi que tu as évité de le toucher, conclut Myrt qui venait enfin de recoller ensemble tous les éléments qu'il avait notés sans être en mesure de les comprendre.

— Exactement. Et que je me suis donné en spectacle lors de notre première balade tandis que Cailech montait Galapek. La magie m'a agressé et j'ai perdu le contrôle de mes réactions. Je ne savais même pas ce qu'il m'arrivait à ce moment-là. Il m'a fallu un certain temps pour y voir clair, mais je sais que j'ai raison.

— Et maintenant ?

— La magie me révulse toujours autant, mais je me maîtrise.

Le guerrier émit un sifflement entre ses dents.

— C'est pour ça que tu avais l'air si nerveux à l'idée de cette sortie cet après-midi.

Aremys hocha la tête.

— J'étais terrifié. Je ne savais pas comment j'allais m'en tirer, alors même que je savais que Rashlyn avait été chargé d'observer mes réactions.

— Tu veux dire que le roi l'avait envoyé ?

— Bien sûr. Cailech est bien trop intelligent pour ne pas avoir remarqué ce qu'il s'est passé la première fois. Il me teste.

— Il dit également du bien de toi, Aremys. Il faut que tu le saches, objecta Myrt.

— Merci, c'est ce que j'avais cru comprendre – et pourtant je le déconcerte aussi. Au fond, c'est bien compréhensible car s'il a quelque chose à cacher au sujet de cet enchantement, alors tout ce qui s'y rapporte peut devenir une menace.

— Tu prends un sacré risque en me révélant tout ça.

— Tu as ma vie entre tes mains, confirma Aremys avec un hochement de tête. Je te fais confiance – mais Shar me soit témoin, il fallait que j'en parle à quelqu'un, sinon je risquais de devenir fou.

— Que veux-tu que je fasse ?

— Rien. Ne dis rien de tout ça – et de mon côté, je t'informerai de tout ce que je découvrirai.

— Je ne ferai rien de déloyal envers Cailech, annonça Myrt, d'un ton grave.

— Je ne te demanderai rien de la sorte. Je veux juste en apprendre un peu plus long sur ce cheval et sur Rashlyn aussi – un homme à qui je ne ferais pas confiance, même s'il était le dernier en vie sur cette terre.

— Personne ne lui ferait confiance, à part Cailech, répondit Myrt avec dégoût. Tu penses qu'il y a un lien entre les ruades, les cris de Galapek et l'évanouissement de Rashlyn ?

— Oui – et quelque chose a brouillé ce lien. D'ailleurs, je l'ai senti...

— Comment ça ?

— C'était fugace, mais à l'instant où Rashlyn me tendait sa fiole, j'ai ressenti comme un trouble. J'ai alors pensé que c'était la peur de le toucher, mais après réflexion... c'était sûrement la magie du Thicket qui résonnait en moi... qui m'avertissait peut-être. En tout cas, quelque chose s'est produit et a effrayé le cheval, même si je ne comprends pas exactement comment. Qui peut savoir ? Après tout, le Thicket est peut-être capable de rompre l'enchantement sur Galapek, sinon pourquoi Rashlyn réagirait-il lui aussi ? En tout cas, ils sont liés, c'est sûr.

— Mais tu ne sais pas par quoi ?

— C'est bien ce qui me mine ! (Les sourcils d'Aremys se froncèrent.) Mais j'ai la ferme intention de le découvrir. Tu garderas le secret ?

— Oui, répondit Myrt en hochant la tête à contrecœur.

— Merci. Je ne vous trahirai pas, ni toi ni ton peuple. C'est juré.

Aremys se frappa la poitrine de son poing fermé pour sceller un serment que seul un homme du nord pouvait comprendre.

Myrt répondit par le même geste, puis les poings des deux hommes se touchèrent. Une promesse venait d'être faite – et pas à la légère. Celui qui trahissait un tel vœu le payait de sa vie.

Après avoir chevauché quelques instants en silence, Aremys décida de pousser plus loin encore avec le Montagnard.

— Maintenant que tu connais mon secret, tu peux peut-être me raconter ce que tu m'as caché au sujet de ton grand ami Lothryn ?

Myrt parut pris au dépourvu.

— Ce n'était rien d'important ! affirma-t-il, alors que tout dans son attitude clamait le contraire.

Aremys haussa les épaules.

— J'ai quand même eu l'impression que l'évocation de son nom avait suffi à te troubler. Du coup, j'aurais cru que tu apprécierais de partager ce fardeau avec quelqu'un qui ne te juge pas – un étranger en qui tu aurais confiance.

Myrt jeta un coup d'œil vers le *barshi* toujours sans connaissance, avant de jeter des regards d e conspirateur aux alentours. Sur son visage, on pouvait lire le combat intérieur que livrait sa conscience. *Allez, dis-moi !* l'exhorta silencieusement Aremys. Le mercenaire savait que c'était la seule opportunité qu'il aurait jamais d'apprendre quelque chose sur le sauveur de Wyl. Jamais plus Myrt ne se retrouverait dans une telle disposition d'esprit – ou si redevable à son égard.

— Lothryn... (Myrt avait prononcé ce nom sur un ton de vénération.) Le brave Lothryn a été ramené à la forteresse après la fuite des prisonniers de Morgravia – sauf celui qu'on a rattrapé, bien sûr.

Aremys aurait tant voulu pouvoir revenir sur ce point, mais il ravala la question qui lui brûlait les lèvres, soucieux avant tout de ne pas interrompre le flot des révélations.

— Grâce à l'aide de Lothryn – et au fait que nous devions faire face à plusieurs zerkons –, Koreldy et la femme, Elspyth, sont parvenus à s'enfuir. Lothryn et moi avons combattu ensemble dans la passe d'Haldor – un endroit très dangereux. Nous avons tué trois zerkons ce jour-là et perdu plusieurs hommes. Une fois le combat achevé, mon ami, mon frère, m'a tendu ses poignets. Il n'a même pas demandé pitié – pas même une mort rapide. J'aurais presque été prêt à les lui accorder pourtant, car je l'aimais au point que j'aurais donné ma vie pour lui – même si Cailech m'aurait exécuté pour cela. Lothryn savait que le roi des Montagnes m'avait ordonné de le ramener; il m'a permis de tenir mon serment à mon roi.

— Que s'est-il passé? murmura Aremys.

Le visage de Myrt prit une expression d'insoutenable angoisse. Aremys comprit qu'il y avait quelque chose qu'il ne saisissait pas pleinement, mais il n'avait pas le temps de creuser. La voix pleine de sanglots refoulés, Myrt poursuivait son récit.

— Je l'ai remis à Cailech – qui m'a demandé de partir. Je n'ai pas assisté à ce qui s'est passé entre eux. Plus tard, le roi m'a dit que Lothryn allait subir un châtiment particulier – et que nous ne le reverrions jamais. Je lui ai demandé s'il allait le tuer et il m'a répondu quelque chose que je n'oublierai jamais: « Il regrettera certainement que je ne l'aie pas tué. » Il m'a ensuite regardé bizarrement. Il y avait un mélange de douleur et de regret sur son visage, car Cailech lui aussi aimait Lothryn comme un frère. Il aurait pu le gracier, mais la trahison de Lothryn était la pire des blessures qu'il pouvait lui infliger.

Aremys lâcha un profond soupir.

— Et depuis, plus aucun signe de Lothryn?

Myrt secoua la tête, toujours sous le coup de ses souvenirs.

— On a bien essayé de savoir, mais en vain. Rashlyn sait quelque chose, c'est sûr, mais il est aussi fou qu'une fosse pleine de serpents et son esprit le plus souvent perdu.

Comme si quelqu'un leur avait donné la réplique, ils entendirent un bruit derrière eux; c'était le sorcier en travers du cheval qui gémissait.

— Il bouge! Nous reparlerons lorsque nous aurons de nouveau l'occasion d'être seuls, dit Aremys en éperonnant Galapek.

Leurs montures partirent vers la grande arche de pierre qui allait les avaler dans les profondeurs de la forteresse.

Chapitre 3

Sur le Darkstream, Wyl remontait lentement le courant en direction du Thicket. Une tempête d'émotions soufflait toujours dans son esprit. Il restait sous le choc d'avoir perdu sa sœur et de vivre maintenant dans son corps, mais plus encore, la disparition d'Aremys le plongeait dans le désarroi. C'était un homme qu'il avait appelé son ami – et ils étaient bien rares ceux qu'il considérait ainsi aujourd'hui. Le perdre si rapidement était un véritable crève-cœur. Pour ne rien arranger, sa rencontre avec Elysius avait encore assombri son esprit au lieu de l'alléger, et son cœur était bien lourd d'avoir laissé Fynch derrière lui.

Wyl se fit la réflexion que le garçon était le seul être à n'avoir jamais changé à son égard. Tout en luttant pour avancer, il mesura l'importance qu'il avait prise dans sa vie. D'autres, comme Elspyth ou même Aremys, avaient fini par admettre l'étrangeté de son sort, mais seul Fynch avait toujours aveuglément cru en lui. C'était Fynch également qui avait deviné son secret dès le début et l'avait protégé – et Fynch encore, si jeune et si sage, qui avait sauvé sa vie et celle d'une reine grâce à son ingéniosité. Mais ce n'était pas tout. Suivant son instinct, Fynch avait quitté la sécurité de Werryl pour suivre l'assassin de Romen, avant de sentir l'appel des Terres sauvages. Décidément, il y avait autre chose chez ce garçon qu'une simple adoration pour Wyl Thirsk. À un moment, Wyl avait fini par se dire que la présence de Fynch ne pouvait pas être une coïncidence. D'une manière ou d'une autre, il était inextricablement mêlé à toute cette affaire du Dernier Souffle donné par Myrren, ou du moins à l'étrange vie que Wyl menait désormais. C'était de penser à l'importance de Fynch qui le mettait en colère – il regrettait de n'avoir pas insisté pour que Fynch vienne avec lui en laissant Elysius.

En vérité, il comprenait à quel point il avait besoin de Fynch. Si étranges et dissemblables qu'elles fussent, leurs vies étaient intimement associées. Et puis il l'adorait, ce gosse, et jamais il ne pourrait se pardonner s'il lui arrivait quelque chose.

Les pensées de Wyl s'agitaient dans tant de directions que le seul plan un tant soit peu cohérent auquel il parvenait à penser à cet instant, était de retourner à Timpkenny. Il y passerait la nuit avant de décider de ce qu'il allait faire ensuite. Chose étonnante, sa remontée du Darkstream fut calme et tranquille. Après avoir amarré le bateau près des saules, lorsqu'il prit pied sur la terre ferme, soulagé d'être arrivé, il ne vit Samm nulle part. En fait, son intention étant précisément d'éviter le passeur, il ne se plaignit donc pas que sa chaumière soit déserte.

Wyl ne jubilait pas à l'idée de pénétrer une nouvelle fois dans le mur végétal du Thicket, sombre et mystérieux, mais il savait qu'il lui fallait trouver le courage d'aller de l'avant. L'obscurité arrivait vite dans cette région et il n'avait aucune envie de tomber sur Samm. Pour seule consolation, il avait la satisfaction d'avoir franchi le tunnel du Darkstream sans accroc – mais de cela, il remerciait Shar.

Il accéléra le pas en direction des arbres noirs qui marquaient l'orée du Thicket. Une légère vibration émanait de la forêt enchantée ; il la percevait et elle l'effrayait. Pourtant, si elle l'avait déjà laissé passer, pourquoi ne se montrerait-elle pas généreuse encore une fois ?

Wyl prit une profonde inspiration, ferma les yeux par réflexe, puis s'engagea dans l'impénétrable rideau. La fraîcheur du Thicket le glaça instantanément. Le silence était perturbant. La forêt savait qu'il était là. Mais plus déconcertante encore était l'idée que cet endroit était tout à la fois doué de perception et de pensée, et capable d'agir de son propre chef.

Étonnamment, il ne rencontra cette fois-ci ni branches agressives ni chemins trompeurs. La fois précédente, Filou l'avait conduit à travers le bois ; seul, il se serait perdu à coup sûr. Cette fois-ci, un sentier apparaissait devant lui et Wyl écarquilla des yeux incrédules. De toute évidence, le Thicket lui montrait la sortie, tout aussi désireux de se débarrasser de lui que lui l'était de quitter ces lieux.

—Merci, murmura-t-il, sincèrement soulagé.

Il n'avait pu retenir le mot ; c'était comme si une force supérieure l'obligeait à communiquer avec ce mystérieux phénomène qui tout à la fois le terrifiait et le fascinait. Il aurait été bien incapable de dire si le Thicket pouvait l'entendre ou non, mais il se sentit mieux d'avoir ainsi montré sa gratitude.

Une sourde angoisse étreignait le cœur de Wyl, car si le Thicket pouvait le guider vers la sortie, il pouvait tout aussi bien condamner Aremys à y errer sans fin. Peut-être son ami était-il perdu dans la forêt, en train de tourner en rond sans trouver la moindre issue.

Au prix d'un effort de volonté, Wyl surmonta ses craintes pour se risquer à appeler. Le son étranglé de sa voix où perçait une note de désespoir résonna dans l'épais taillis, mais ne fit guère plus qu'effrayer de petits animaux qu'il n'apercevait même pas. Au fond de cette tension à laquelle il donnait lui-même naissance, la phobie d'Ylena pour les endroits confinés commençait à se réveiller. Il la ressentait comme un étau qui peu à peu enserrait sa poitrine.

C'était la même sensation que celle qu'il avait déjà éprouvée lors de son premier voyage sur le Darkstream, lorsqu'il s'était presque noyé.

Un petit souffle d'air qu'il reconnut passa sur lui et il se figea sur place. La magie du Thicket était-elle subtile au point de déceler le moindre changement en lui ? Instinctivement, il se mit à respirer dans ses mains posées en coupe devant sa bouche. Wyl n'avait pas la moindre idée d'où pouvait lui revenir ce souvenir. C'était un expédient que leur père avait enseigné à sa sœur lorsqu'elle était enfant pour lutter contre les vagues de panique qui la submergeaient à l'idée de jouer à cache-cache, de regarder dans les ténèbres au fond du puits ou de se glisser sous le lit de Wyl. Le simple fait de se retrouver dans un lieu clos ou isolé faisait monter en elle une peur irrationnelle. À sa connaissance, Ylena n'avait plus éprouvé pareille terreur depuis sa petite enfance, mais de toute évidence elle était restée tapie au fond d'elle jusqu'à l'âge adulte. Wyl se félicita que l'enseignement de Fergys Thirsk soit remonté des tréfonds de sa mémoire ; l'affolement qu'il éprouvait refluait maintenant.

Peut-être le Thicket avait-il conscience de son désarroi, peut-être pas ; en tout cas, Wyl eut la conviction qu'il le conduisit délibérément vers ce qui semblait être une clairière. Il se laissa tomber sur le sol en respirant avidement, et le soulagement qu'il éprouva – ou plus exactement celui qu'Ylena ressentit – fut manifeste. L'air demeurait frais sous les impénétrables frondaisons, mais l'atmosphère n'était plus si oppressante. S'il parvenait à maîtriser sa respiration, Wyl était certain de pouvoir museler son angoisse. Il mit le joli visage d'Ylena entre ses genoux et se força à inspirer lentement et profondément, comme on l'enseigne aux fantassins pour qu'ils reprennent leurs esprits avant de charger. Il resta ainsi pendant plusieurs minutes et, à son grand soulagement, son malaise s'atténua.

Soudain, un bruit dans les branches lui fit lever la tête et il aperçut alors la plus énorme chouette qu'il lui eût jamais été donné de voir. L'imposante créature au plumage fauve le fixait avec intensité, clignant des yeux par instants. Wyl maintint son regard sur elle, se demandant lequel d'entre eux capitulerait le premier – si c'était bien là le défi qu'on lui lançait.

Il fut le premier à détourner la tête.

—Et toi, tu es qui ? demanda-t-il, conscient au plus haut point du ridicule de la situation.

Pour se réconforter, il se rappela qu'il parlait aussi au chien Filou. Pourquoi pas à ce curieux volatile aux yeux jaunes si pleins d'intelligence ? Après tout, ne se trouvait-il pas dans un lieu enchanté ? Sa foi fut récompensée.

—*Je suis Rasmus*, dit la chouette dans son esprit.

—Je t'entends, s'exclama Wyl, époustouflé et empli de crainte respectueuse envers l'oiseau magnifique.

— *C'était l'idée*, répondit la chouette avec une petite pointe de dédain, avant de faire pivoter sa tête de la plus étrange des manières.

—Comment est-ce possible ? poursuivit Wyl, toujours sous le coup de l'étonnement. C'est la magie du Don, c'est ça ?

L'oiseau émit un son exprimant son mépris dans l'esprit de Wyl.

—*C'est ainsi parce que je le veux ainsi – et parce que tu es ici.*

—Dans le Thicket?

—*Et de quel autre endroit pourrais-je bien parler?*

Une formule d'excuse monta aux lèvres de Wyl, mais il la retint. Soit cette créature jouait à le tourmenter, soit elle ne l'aimait pas. Il décida de ne plus se laisser faire.

—Qu'attends-tu de moi? demanda-t-il d'une voix devenue ferme.

Les yeux de la chouette clignèrent de nouveau. Wyl sentit une envie de rire venir le chatouiller. Comment pourrait-il jamais raconter cette histoire à quelqu'un?

—*Nous voulons que tu partes d'ici*, répondit l'oiseau d'un ton sec.

—Ah bon? Et vous ne pourriez pas tout simplement vous débarrasser de moi? répliqua-t-il, bien décidé à ne pas se laisser impressionner.

—*Nous le pourrions si nous le voulions.*

Wyl soupira.

—Alors, il n'y a aucun problème. Partir d'ici est mon plus cher désir également, tu peux me croire, chouette. (L'attitude méprisante de l'oiseau commençait sérieusement à l'agacer.) Et d'abord, qui est ce « nous » dont tu parles?

—*Si tu veux t'en aller, pourquoi est-ce que tu traînes*? demanda Rasmus d'un ton qui laissait entendre qu'il perdait patience lui aussi.

—Je ne traîne pas! aboya Wyl. J'ai été guidé jusqu'ici. Si tu es une créature aussi magique que je le suppose, tu peux sans doute sentir le sort qui pèse sur moi.

—*C'est le cas.*

—Alors tu sais que ce corps n'est pas celui dans lequel je suis né.

—*Et après?*

—Il se trouve que ce corps n'apprécie pas l'atmosphère qui règne dans ton Thicket.

—*Le Thicket n'est pas à moi*, objecta l'oiseau.

Ce fut au tour de Wyl de cligner des yeux – d'exaspération. Il prit une profonde inspiration; laisser exploser sa colère ne lui serait d'aucune utilité ici.

—Celle dont j'occupe le corps désormais avait peur de ce genre d'endroits, au point de ne plus pouvoir respirer.

—*C'est ce que nous avions cru comprendre.*

—Est-ce que cette clairière a été délibérément créée à mon intention? demanda Wyl, déterminé à découvrir si le Thicket était bien un être pensant.

—*Absolument. Es-tu prêt à partir maintenant?*

—Lorsque tu auras répondu à une question.

—*Mais je ne te dois rien du tout.*

Wyl décida de tenter le tout pour le tout.

—Si tu as confiance en Filou, alors tu dois avoir confiance en moi. Lui et moi sommes amis. Je ne veux aucun mal aux créatures du Thicket – pas plus qu'au Thicket lui-même, d'ailleurs. Ce n'est pas moi qui trahirais le secret de votre magie.

Le silence devint pesant et Wyl finit par se demander si la chouette allait lui reparler. Énervé par son regard fixe et son mutisme obstiné, Wyl se remit debout.

— Vous m'avez déjà laissé passer une fois. Je sais que vous n'avez pas l'intention de me tuer.

— *Pose ta question*, finit par dire l'oiseau d'un ton irrité.

Wyl se retint de manifester trop d'enthousiasme et prit le temps de tourner soigneusement sa phrase. Il avait le sentiment que la chouette lui ferait au pire une réponse cryptique, au mieux une réponse littérale. Mieux valait donc qu'il choisisse les mots lui garantissant une réponse précise.

— Où vit Aremys maintenant ? demanda-t-il lentement.

— *Il vit dans les Razors*, répondit l'oiseau sans la moindre hésitation.

Une vague de soulagement déferla sur Wyl.

— Comment va-t-il ?

— *J'ai déjà répondu à ta question*, rétorqua l'oiseau avec humeur.

— Je t'en prie, supplia Wyl.

Rasmus produisit un petit son geignard.

— *Il est sain et sauf.*

Wyl se dit que la seule chose qu'il obtiendrait désormais serait d'user définitivement le peu de patience qui restait à la chouette.

— Rasmus, commença Wyl d'un ton conciliant, tu m'as dit ton nom, alors permets-moi de te dire le mien. Je m'appelle Wyl, mais je suis sûr que tu le savais déjà. Ne pourrions-nous pas être amis ?

— *Encore une question assommante ?*

Wyl choisit de défier l'oiseau et se rassit par terre.

— Oui, j'ai d'autres questions. Je ne trahirai pas le Thicket. Je lui sais gré d'avoir épargné mon ami Aremys et de m'avoir aidé jusqu'à présent. Je suis son ami.

— *Le Thicket n'a pas d'amis de ton genre – à part un et tu n'es pas celui-là.*

Wyl ne comprenait pas un traître mot aux paroles de la chouette. Peut-être parlait-elle d'Elysius ?

— Alors explique-moi ce que je dois faire pour le devenir, afin que je puisse aider ceux à qui tu fais confiance – Filou et... Fynch.

Il avait voulu dire « Elysius », mais le mot « Fynch » s'était imposé à son esprit. À l'évocation de ce nom, l'oiseau réagit et les arbustes alentour frissonnèrent. Était-ce le garçon qui intéressait le Thicket ?

— Je protégerai toujours Fynch, se risqua à dire Wyl.

Ce qui lui valut une remarque acerbe en réponse.

— *Il n'a nul besoin de ta protection. Le Thicket le protège.*

— Je vois, dit Wyl.

En fait, il ne voyait pas grand-chose et était revenu à l'idée selon laquelle son jeune ami devait tenir un rôle particulier dans ce jeu dangereux auquel ils semblaient participer. À coup sûr, c'était pour cette raison que Fynch s'était montré si réticent à quitter les Terres sauvages. Subitement, une idée le frappa avec la même soudaineté qu'une piqûre de guêpe – et la même virulence douloureuse.

— Il ne va pas à Werryl, n'est-ce pas ?

Tout d'abord, la chouette ne répondit rien, puis elle émit un soupir. En entendant le souffle résonner dans son esprit, Wyl sentit un vide se creuser en lui. Il avait perdu Fynch.

— *Fynch doit suivre sa propre voie*, confirma Rasmus.

Wyl éprouva un véritable choc – ses pires craintes se trouvaient confirmées. C'était une chose de nourrir des doutes, une autre d'avoir des certitudes. De toute évidence, Fynch était engagé sur un chemin bien dangereux. Sinon, pourquoi la chouette aurait-elle parlé de protection, sur un ton si lugubre ? Au même instant, Wyl comprit qu'il n'y avait rien qu'il puisse faire. Jamais il ne serait autorisé à retourner à la recherche de son ami. Le Thicket avait ses propres raisons d'aider le garçon.

— Filou sera à ses côtés ? demanda-t-il.

— *Toujours*, répondit Rasmus.

— Merci, dit Wyl, en toute sincérité. Je vais partir maintenant. Je te remercie, Rasmus, d'avoir répondu à mes questions – toi et ce « nous » dont tu as parlé.

Wyl se releva et salua l'oiseau gigantesque avec grand respect. Il se remit en marche, certain que le Thicket allait maintenant lui montrer le chemin vers la sortie – et au-delà vers Timpkenny. À sa grande surprise, Rasmus le rappela.

— Pardon ? fit-il en se retournant.

— *J'ai dit : où vas-tu ?* répéta la chouette.

— Vers le sud. Il faut que je regagne Werryl aussi vite que possible.

— *Nous allons t'envoyer là-bas.*

Wyl leva des yeux ronds d'étonnement sur l'oiseau.

— M'envoyer ?

— *Reviens dans la clairière.*

— Je ne comprends pas, dit Wyl, un peu effrayé.

— *Tu vas comprendre. Place-toi devant moi et ferme les yeux. Surtout ne les ouvre pas.*

— Je ne les ouvrirai pas.

— *Attention, si tu désobéis, jamais nous ne te laisserons partir*, avertit l'oiseau.

Comme il était absolument vital qu'il quitte ces lieux, Wyl fit exactement ce qui lui était demandé. Il s'interrogea sur cette opération dont parlait Rasmus : pouvait-il la considérer comme une marque d'amitié ? Il se félicita d'avoir salué cérémonieusement l'oiseau.

— *Ne bouge plus. Tu vas éprouver une sensation étrange, mais tu dois nous faire confiance. Abandonne-toi. Laisse flotter ton corps sans opposer de résistance.*

Wyl n'était pas sûr de comprendre, mais il suivit les instructions en homme habitué à obéir.

— *Adieu*, dit Rasmus, tandis qu'un cocon enveloppait le corps de Wyl comme un étau.

Ses côtes étaient comprimées à se rompre. Il ne parvenait plus à respirer, mais il repoussa la panique qui montait. De toutes ses forces, il combattit l'envie qui lui venait d'ouvrir les yeux. Il devait faire confiance à la chouette, il avait donné sa parole.

S'il avait désobéi, Wyl aurait aperçu la silhouette de Fynch danser dans l'air devant lui. Il aurait vu également des larmes couler sur son visage, et sa bouche esquisser un au revoir muet. Le corps frissonnant d'Ylena sentit le contact du Commandeur de la porte, tandis qu'il la poussait à l'intérieur d'un cercle de néant. Ensuite, il s'évanouit. Wyl avait disparu.

— *C'est fait*, dit Rasmus. *Tranquillisez-vous, révéré Fynch.*

— Pourquoi m'appelle-t-on « révéré » ? demanda Fynch à Filou dans un murmure.

L'énorme chien était assis à côté de lui, au milieu d'une trouée éclairée par le soleil. S'il n'avait pas été en train de la contempler de ses propres yeux, jamais Fynch n'aurait cru qu'une pareille clairière pût exister dans le Thicket. Étrangement, ce petit espace baigné de soleil n'apportait aucune note joyeuse à l'atmosphère sombre et pesante de l'impénétrable bosquet. Néanmoins, Fynch se réjouissait d'échapper au froid – même momentanément.

— *Parce que c'est ainsi qu'on te considère.*

— Comment ça ?

— *Nous te révérons.*

Comme Fynch s'apprêtait à poser une nouvelle question, les mots restèrent bloqués dans sa gorge. À la lisière de la clairière, s'attroupait tout un peuple de créatures – dont bon nombre jusqu'à ce jour ne lui avaient paru exister que dans les histoires.

— Ce sont tes amis ? demanda-t-il d'une voix pleine d'étonnement.

— *Ce sont les créatures du Thicket.*

L'attention de Fynch fut attirée par un lion magnifique qui l'observait depuis la pénombre du couvert. L'animal s'ébroua et Fynch béa d'admiration : une paire d'ailes s'était déployée dans son dos.

— Filou, c'est le lion ailé dont parlent les légendes.

— *Ce n'est pas une légende. Comme tu peux le voir, il existe bel et bien.*

— Je croyais qu'il n'existait que dans les vieux récits – et dans les sculptures de Stoneheart. C'est… c'est l'animal mythique de Wyl. Celui qui le protège.

— *Et le tien, quel est-il ?*

— Le mien ? murmura le garçon, stupéfait d'apercevoir maintenant l'ours légendaire. Le mien, c'est… (Fynch marqua une nouvelle hésitation. L'image d'une autre créature s'imposait à son esprit, et l'exhortait à dire son nom. Avec au cœur un sentiment de déloyauté, il repoussa cette pensée.) C'est la licorne qui est mon animal.

—*La voici qui vient te voir*, dit Filou.

Les autres créatures firent silence tandis que le sublime animal s'avançait dans la lumière. Quelques touches du bleu le plus pâle parsemaient sa robe d'un blanc immaculé. Elle dégageait une impression de pureté absolue et même sa corne était d'un blanc argenté. Elle s'approcha à petits pas lents, avec une telle grâce irréelle que Fynch, totalement subjugué, n'osait même plus respirer.

Grande et puissante, elle dominait de toute sa hauteur le garçon et son compagnon.

—*Mon enfant*, dit-elle de sa voix profonde et musicale, *c'est un grand honneur pour moi de t'accueillir parmi nous.*

Submergé par l'émotion que lui procurait la présence de la merveilleuse créature – son protecteur qui plus est –, Fynch se mit à sangloter. Avec mille précautions pour ne pas le blesser de sa corne, la licorne se pencha pour venir frotter son museau contre lui. Le garçon jeta ses petits bras autour de son cou, en un geste de pure dévotion.

—*Je m'appelle Roark*, dit-elle pour lui seul.

—Tout l'honneur est pour moi, grande Roark, murmura Fynch.

—*Oh non, révéré Fynch. Tu es notre espoir*, répondit-elle dans son esprit.

Fynch se ressaisit et sécha ses larmes. Il promena un regard alentour, s'efforçant de ne pas rester bouche bée devant pareille assemblée de créatures. L'air avait pris une densité fébrile.

Tous ensemble, les animaux s'inclinèrent devant lui – même Filou et la gracieuse Roark.

—*Réponds à leur salut*, glissa Filou dans son esprit. *Oublie ton étonnement, mon garçon. Tu es celui à qui nous garantissons notre loyauté. Accepte ce que ta naissance t'a donné.*

Fynch était perdu. Il n'était qu'un garçon de commodités – un gamin de la plus basse extraction. Comment pouvait-il recevoir l'hommage de ces fantastiques créatures de légende ? Qui était-il pour assumer un tel rôle ?

—*Fynch, acceptes-tu notre soumission et notre loyauté ?* demanda Roark comme si elle avait pu lire ses pensées.

L'écho des paroles d'Elysius résonna dans sa mémoire. *Peut-être le Thicket a-t-il besoin de toi pour autre chose que surveiller une porte que personne ou presque n'utilise.* Il savait qu'il ne pouvait pas échapper à son destin. Sa vie ne lui appartenait plus. Trop tard pour dire ou décider quoi que ce soit, car les choix avaient déjà été faits et les serments passés.

Fynch se redressa et raffermit sa voix.

—Créatures du Thicket, dit-il, je saurai me montrer digne de la foi que vous placez en moi.

Il s'inclina ensuite, longuement, profondément. Lorsqu'il reprit la verticale, il sentit une force nouvelle qui le parcourait, de la pointe de ses pieds jusqu'au bout de ses doigts. Il comprit que ce devait être le Thicket qui communiquait avec lui – qui lui envoyait de la puissance. Une énergie nouvelle le traversait; un sourire radieux monta à ses lèvres.

—Dites-moi ce que je dois faire? demanda-t-il aux créatures. Je suis votre serviteur.

Ce fut Rasmus qui prit la parole au nom de tous les animaux et du Thicket lui-même.

—*Assieds-toi, Fynch*, dit-il du haut de la branche où il était perché.

Filou et Roark se tenaient de part et d'autre du garçon.

— *Tu sais déjà ce que nous attendons de toi, mon garçon*, poursuivit la chouette.

—Vraiment?

—*Elysius a exprimé le même souhait.*

—Rashlyn…, murmura Fynch.

Un frisson passa sur la clairière; les animaux et les arbres exprimaient leur haine pour cet homme.

—*Oui*, confirma Rasmus. *Il faut que tu le détruises.*

—Qu'est-ce qui vous effraie tant chez lui?

—*Les ténèbres se sont emparées de son esprit à cause de la rage qu'il éprouve de ne pouvoir manipuler la nature. Maintenant, il veut utiliser son pouvoir pour corrompre tout ce qui est naturel dans le monde. Plus que tout, il veut être en mesure de contrôler chaque créature. Avec une telle puissance, il serait capable de dominer n'importe quel royaume. Imagine qu'il parvienne à commander aux aigles aussi bien qu'aux zerkons. Imagine qu'il leur ordonne de faire le mal et qu'ils ne puissent refuser. Tu dois le détruire!*

—En serais-je seulement capable? demanda Fynch à haute voix.

—*Le Thicket et ses créatures t'aideront.*

Porté par le flot de puissance qui vibrait en lui depuis le sol du Thicket, enhardi par l'amour et la dévotion qui le baignaient, Fynch leur fit sa réponse.

—Alors je ne vous demande rien d'autre que de placer votre foi en moi.

C'était la bonne chose à dire. Filou le lui confirma d'une exclamation dans son esprit.

—*Bravo, mon garçon.*

Cabrés sur leurs pattes arrière, sautant en l'air, criant et braillant, toutes les créatures laissèrent éclater leur joie à l'unisson.

Fynch se mit à rire. Il éprouvait un sentiment de joie comme il n'en avait jamais connu auparavant. Soudain, il sentit combien il était intimement lié à chacun d'eux. Bras tendu, il vint poser une main sur l'énorme tête de Filou.

—*Je n'arrive pas à y croire*, dit le chien d'un ton empreint de la plus grande humilité. *Voici le roi qui arrive.*

—Le roi? reprit Fynch en écho.

Depuis qu'ils avaient commencé à communiquer ainsi, d'esprit à esprit, l'attitude de Filou lui avait paru grave et sérieuse – à l'unisson de la sienne en somme. D'ordinaire, le chien adorait les plaisanteries et autres idées fantasques et désormais, il ne parlait plus jamais pour ne rien dire et n'intervenait que pour conseiller Fynch. Certes, le garçon connaissait la profondeur et la dignité qui émanaient de tout son être massif, mais jamais, au grand jamais, il n'avait encore vu l'animal faire preuve d'humilité. Et il ne s'agissait pas d'une humilité de façade – Filou n'était plus que vénération pour celui qui arrivait.

— Filou…

— *Chut!* lui intima le chien.

Au-dessus d'eux une vibration lourde et puissante saturait l'air. Levant la tête, Fynch cligna des yeux sous les rayons du soleil. Une ombre était en train de plonger vers eux – une forme indistincte tout d'abord, qui rapidement envahit tout le ciel, faisant disparaître la lumière. Les yeux de Fynch ne cillaient plus. Ils étaient devenus grands comme des assiettes, et étaient emplis de crainte et d'admiration.

— Le dragon guerrier, dit-il dans un souffle.

— *Notre roi*, ajouta Roark d'une voix fervente.

La créature vint se poser au centre de la clairière. Un silence profond s'était abattu. Les reflets de son corps surpuissant jetaient comme des éclairs.

Tous les animaux s'inclinèrent profondément pour saluer. Sans qu'il soit besoin de lui dire quoi que ce soit, Fynch tomba à genoux et se prosterna. Les yeux clos, il éleva une prière à Shar pour le remercier de ce jour et de cette rencontre qu'il recevait comme une bénédiction.

— *Fynch*, dit une voix épaisse et douce comme une rivière de miel.

— Majesté, répondit Fynch, sans oser relever la tête.

— *Relève-toi.*

Filou et Roark lui murmuraient des encouragements. Puisant au plus profond de son courage, le garçon ouvrit les yeux pour contempler le roi de toutes les bêtes. Aucun doute, c'était bien l'incarnation de la puissance et de la splendeur qui se dressait devant lui – une créature glorieuse qui méritait chaque parcelle de la vénération qu'on lui vouait. Fynch ne respirait même plus. Un torrent de vie se déversait jusque dans la plus petite fibre de son être. La grandeur du dragon le ravivait.

Comme tous les hommes qui s'étaient recueillis, pleins d'admiration, devant le pilier du dragon dans la cathédrale de Pearlis, Fynch croyait qu'il n'était qu'une légende. Associé à la lignée des souverains de Morgravia, il représentait la plus fabuleuse des créatures mythiques, mais n'existait pas plus en réalité que le lion ailé. Or, le roi des rois qui était devant lui dans toute sa gloire était aussi réel que lui-même.

— *Révéré Fynch*, dit le roi. *Sois le bienvenu.*

— Merci, Majesté, bégaya le garçon en s'inclinant. C'est un honneur pour moi de vous servir.

— *Et je te sais gré, mon garçon, de me servir si bravement.*

Fynch ne répondit rien. Qu'aurait-il pu déclarer face à un pareil compliment ?

— *Mais je vais t'en demander encore plus*, poursuivit le dragon guerrier.

— Je suis prêt à donner ma vie si vous le souhaitez.

Le roi posa sur lui le noir de ses yeux sages et profonds.

— *Je ferai tout ce qui est en mon pouvoir pour éviter que soit perdu quelque chose d'aussi précieux.*

— Dites-moi, mon roi (*mon vrai roi*, songea Fynch en lui-même), qu'attendez-vous de moi ?

La bête fantastique alla droit au but.

— *Le roi de Morgravia n'attire que la honte sur son nom et les siens. Il appartient au clan du guerrier – en quelque sorte, il est de mon sang –, mais il me dégoûte.*

— Celimus est une véritable disgrâce, en effet, dit Fynch d'un ton tranquille.

— *Cela dit, d'autres rois avant lui n'ont pas été exemplaires et nous les avons ignorés. Le Thicket et ses créatures ne se mêlent pas des affaires des hommes, mon garçon. Nous vous avons observés vous entre-tuer pendant des siècles, sans rien faire. Cette fois, pourtant, nous sommes impliqués dans la lutte entre Morgravia et Briavel, à cause de l'utilisation qui est faite de la magie.*

— À cause du Dernier Souffle ?

Le roi marqua une courte hésitation.

— *Oui, ça fait partie du problème. Elysius a eu tort de transmettre son pouvoir* via *sa fille pour assouvir une vengeance. Nous lui avons permis d'accéder à la puissance des Terres sauvages, mais pour qu'il la mette au service du bien et du monde naturel.*

Fynch se sentit obligé de prendre la défense d'Elysius.

— Je ne crois pas qu'il ait bien mesuré quelles seraient les conséquences de son geste, Majesté.

— *La magie est toujours dangereuse, Fynch, même lorsqu'elle est utilisée avec les meilleures intentions. Chaque geste produit toujours des effets, mais parfois on ne s'en rend compte que lorsqu'il est trop tard. C'est pour cette raison que le Thicket et sa puissance magique ont été mis à l'abri des hommes. Le Dernier Souffle a déjà pris quatre vies. Wyl Thirsk aurait dû mourir. Au lieu de cela, il est dans les royaumes, porteur d'un terrible enchantement. Personne ne sait comment cela se terminera.*

— Wyl n'a rien demandé, Majesté, marmonna Fynch, d'un ton qui ne se voulait pas trop susceptible.

— *Je sais, mon garçon*, répondit aimablement le roi. *J'éprouve une peine immense pour Wyl. C'est un homme admirable – tout comme son père l'était. En fait, ce qui me préoccupe, c'est la magie et la manière dont elle continuera de retentir dans le monde des hommes. J'entends mettre fin à tout cela.*

— Et supprimer Wyl ? s'exclama Fynch.

— *D'une certaine manière, il est déjà mort*, répliqua le dragon.

Le ton fataliste du roi fit passer un frisson dans le dos de Fynch. Il fallait à tout prix qu'il l'apaise – qu'il trouve quelque chose pour l'empêcher de faire du mal à Wyl.

— Le Thicket et ses créatures m'ont demandé de tuer Rashlyn, Majesté. Avec leur aide, je débarrasserai la terre de cet infâme destructeur. Lorsque les deux frères ne seront plus, la magie disparaîtra elle aussi.

— *Pas vraiment, mon garçon, car tu la possèdes toi aussi. Rashlyn veut prendre le contrôle du monde naturel, corrompre la nature et commander aux bêtes. Mais Celimus est tout aussi dangereux. Lui aussi veut le pouvoir, même si c'est sous une autre forme. Je crains que si nous ne parvenons pas à détruire Rashlyn, ces deux-là finissent par s'unir. Je sais comment fonctionne l'esprit des hommes ambitieux, et s'ils venaient à revendiquer les Razors et Briavel, alors ils finiraient par se tourner vers les Terres sauvages. Avec l'aide de Celimus, Rashlyn tenterait inévitablement de s'emparer du Thicket.* (Le dragon poussa un soupir.) *Je ne souhaite pas me lancer dans pareil affrontement.*

— Alors que puis-je faire pour vous aider, Majesté ? demanda Fynch, d'une voix où perçait une note de désespoir.

— *Je t'autorise à utiliser la magie du Thicket pour aider Wyl Thirsk dans ce qu'il entreprend afin de débarrasser Morgravia de son roi. Si Celimus disparaît, je ne crois pas que la folie de Rashlyn pourra donner toute sa mesure.*

Fynch hocha pensivement la tête, intensément soulagé que le roi guerrier n'ait pas eu l'intention de s'en prendre directement à Wyl. D'ailleurs, le garçon avait bien noté que le dragon n'avait pas proposé l'aide de sa propre puissance, mais uniquement celle du Thicket. Maintenant, il savait que les créatures du Thicket allaient lui demander de veiller sur leur secret. Au fond de lui, il se sentait déjà intimement lié à cette mystérieuse communauté ; il savait qu'il ferait tout pour les protéger, elles et leur magie.

— Celimus n'a pas d'héritier, observa Fynch, en se doutant toutefois que le roi devait déjà en être informé.

— *Morgravia survivra. Fais ce que tu as à faire. Filou te guidera. Utilise-le avec sagesse et use avec mesure de tes pouvoirs. Je suppose qu'Elysius t'a expliqué quel prix tu auras à payer !*

— Il l'a fait, répondit Fynch avec un hochement de tête.

Le dragon demeura silencieux, comme s'il attendait que le garçon ajoute quelque chose à sa brève réponse – qu'il demande pitié et la vie sauve pour lui-même en dépit des règles régissant l'utilisation de la magie. Mais rien ne vint. Pour marquer son approbation, le dragon battit doucement des ailes. Prêt à tous les sacrifices pour aider ceux qu'il aimait, sans rien attendre en retour, Fynch faisait preuve d'une humilité qui forçait l'admiration.

Le dragon guerrier plongea son regard jusqu'au fond du cœur de l'enfant, pour y découvrir, à sa grande surprise, un secret étonnant et précieux. Il ne s'était pas attendu à cela, mais cette découverte l'enchantait. Devait-il en faire part au garçon ? Le destin funeste de Fynch était déjà tout tracé, alors qu'aurait-il à gagner à ajouter à sa confusion ? Le roi éprouvait un indicible chagrin de devoir ainsi condamner cet enfant. Malheureusement, les choses ne pouvaient être autrement. Fynch devrait être sacrifié, malgré ce qui lui en coûtait d'envoyer l'un des siens à la mort.

— *Notre dette envers toi est immense, Fynch. Tu demeureras à jamais précieux au cœur du Thicket et de ses créatures. Nous te bénissons et t'exprimons toute notre foi avec la plus grande déférence.*

L'émotion qui étreignait Fynch était telle qu'il n'était même plus en mesure de prononcer la moindre parole. En silence, il fit une révérence qui disait tout. L'immense créature lui rendit son salut d'un nouveau battement d'ailes. Comme le dragon s'élevait sans effort dans les airs, Fynch fut projeté au sol par le souffle.

Filou et Roark revinrent à ses côtés.

— *Cela faisait une éternité qu'il ne nous était plus apparu*, dit Filou, d'une voix toujours tendue par l'émotion. *Il n'est venu que pour te rendre hommage.*

Toujours sous le coup de cette rencontre qui venait de sceller son sort, Fynch demeurait incapable de parler.

Comprenant ce qui se passait, Filou frotta son museau contre sa petite main.

— *Allez, viens, révéré Fynch. Un long voyage nous attend.*

Chapitre 4

Perdue dans ses mornes pensées, la reine Valentyna contemplait la lande de Briavel, accoudée au parapet de pierre blanche du chemin de ronde reliant deux des tours du château. C'était son endroit à elle – sa retraite secrète – et bien rares étaient les personnes qu'elle y avait conviées. Romen Koreldy était le dernier, et Fynch y était venu avant lui. Bien malgré elle, ses pensées dérivaient inévitablement vers ces deux amis aujourd'hui disparus. Ils lui manquaient tellement que leur souvenir était dans son cœur comme une blessure béante. Le menton posé sur ses mains en coupe, elle suivait les manœuvres d'un faucon en vol stationnaire au-dessus d'une proie. Soudain, l'oiseau plongea vers le sol, comme une pierre, et la reine ressentit une bouffée de compassion pour la petite créature qui allait perdre la vie.

C'était exactement ainsi qu'elle se voyait en cet instant : vulnérable, cernée par le danger et sans défense. Celimus, roi de Morgravia, était le faucon et elle un pauvre petit animal promis au sacrifice. Valentyna se redressa, repoussa les mèches rebelles qui lui tombaient sur le visage et tenta de convoquer le souvenir de temps meilleurs. Enfant, elle avait baptisé cette partie du chemin de ronde « le pont » et fait tourner en bourrique ses nourrices en venant s'y nicher. Tout en la grondant pour ses frasques, son père s'était bien souvent ébaubi de son intrépidité.

Malgré ses efforts, les images d'hier ne parvenaient pas à lui faire oublier la menace d'aujourd'hui. Celimus revenait dans son esprit comme un nuage d'orage envahit tout le ciel. Ses espions en Morgravia ne cessaient de faire état de préparatifs inquiétants. Selon ce qu'ils disaient, la légion était sur le pied de guerre, et Valentyna n'avait aucune difficulté à deviner contre qui elle s'apprêtait à marcher. Était-ce une ruse, des bravades pour la galerie ? Son instinct lui soufflait que tel était bien le cas. Pour autant, elle allait devoir agir avec la plus extrême prudence. Il ne faisait aucun doute qu'avec Celimus, elle avançait sur le fil du rasoir, et l'unique chose qui préservait encore ses sujets d'un massacre annoncé, c'était sa lettre de consentement au mariage avec le souverain de Morgravia.

C'était au chancelier Krell, qui lui avait forcé la main, qu'elle devait cette protection, si ténue soit-elle. Néanmoins, elle ne pouvait que se désespérer des dommages causés par l'initiative, pleine de bonnes intentions mais ô combien malheureuse, qu'avait prise Krell en écrivant à son homologue morgravian, le chancelier Jessom, pour l'informer de la situation en Briavel. Aujourd'hui, Celimus savait que non seulement Felrawthy comptait toujours un duc, mais qu'en plus celui-ci nourrissait des sympathies pour Briavel. Cette simple idée lui donnait envie de crier. À dire vrai, elle était toujours si pleine de colère envers le vieux chancelier, qu'elle avait dû prendre sur elle pour tenir son rôle à ses funérailles. Il avait été enterré dans le cimetière du palais, dans la plus stricte intimité. Il avait quitté cette terre seul et méprisé, dans l'état même où il allait se présenter devant son dieu.

Krell avait servi fidèlement la famille royale de Briavel pendant près de vingt années. Au fil du temps, il était devenu comme un meuble – confortable, fiable et toujours là où il devait être. Dès son plus jeune âge, elle avait constaté que son père avait une totale confiance en lui, et par la suite, elle-même avait apprécié sa loyauté et la justesse de ses avis. Malgré son ressentiment envers lui, Valentyna ne pouvait s'empêcher d'éprouver sincèrement du chagrin. Quelle tristesse qu'on ne se souvienne de lui que pour une unique décision mal avisée, alors qu'il s'était montré si sage et circonspect tout au long de sa vie au service de la couronne.

En cet instant, tandis qu'elle ruminait toutes ces pensées, elle regretta la dureté des mots qu'elle avait eus. Sans l'ombre d'un doute, elle avait contribué à le pousser au suicide ; et elle allait devoir vivre avec cela, désormais. Dans la solitude de ses appartements, elle avait versé des larmes sur lui et elle se serait menti à elle-même si elle avait prétendu ne pas regretter ses conseils. Néanmoins, elle n'avait pas menti non plus en affirmant que jamais elle ne pourrait lui pardonner sa terrible erreur. Il avait agi dans son dos et mis en péril la vie de tous les sujets de Briavel.

Le roi de Morgravia était vaniteux, mesquin et cruel, mais ce n'était sûrement pas un imbécile. À cause de ce qu'avait fait Krell, Celimus savait maintenant que la tête d'Alyd Donal se trouvait en Briavel et que la reine qu'il pensait si bien tenir à sa merci nourrissait des soupçons et complotait avec ses ennemis.

Une petite toux discrète la tira de sa rêverie. Avant même de se retourner, elle savait qui elle allait voir au bout du passage : l'une des rares personnes qu'elle autorisait à venir jusqu'ici lorsque les affaires du royaume l'exigeaient. Le commun des serviteurs avait interdiction de la déranger dans ce lieu.

— Liryk, joignez-vous à moi, s'il vous plaît, dit-elle.

Il salua du buste avant de s'avancer sur le chemin de ronde.

— C'est magnifique, n'est-ce pas ? poursuivit Valentyna.

— Plus que cela, Majesté, répondit son commandant en chef. C'est un spectacle qui nourrit l'âme.

— Liryk, vous êtes un poète.

Le vieil homme apprécia de l'entendre parler ainsi. Cela faisait des semaines que ce ton enjoué avait disparu.

— Non, Majesté. C'est juste que je ne me lasse pas du spectacle des landes. Chaque fois que je rentre à Werryl, mes yeux s'en ravissent.

— Comment pourrons-nous nous résoudre à y renoncer ?

— Renoncer à quoi, Majesté ?

— À tout cela, répondit Valentyna en embrassant le panorama d'un grand geste du bras. N'allons-nous pas tout livrer à Morgravia ? (Une note de colère perçait dans sa voix.) Tout cela ne nous appartiendra plus.

— Il ne s'agit pas de livrer quoi que ce soit, Majesté, objecta Liryk avec diplomatie. Je préfère considérer cela comme une forme de partage.

— Celimus nous contraint à lui livrer Briavel, martela-t-elle d'un ton glacé. Il exerce un chantage sur moi, commandant, et il n'y a rien que je puisse faire pour l'en empêcher. Si je veux que vive la jeunesse de mon royaume, je dois lui céder.

— Pardonnez-moi, Majesté, mais je ne vois pas les choses ainsi – et je crois que tous vos loyaux sujets partagent mon point de vue. En fait, nous nous réjouissons de l'événement qui s'annonce.

Valentyna poussa un soupir.

— Et je vous en sais gré, dit-elle. Mais me remercierez-vous encore lorsque Celimus imposera son autorité sur Briavel par la force brutale ?

Liryk n'avait aucune réponse à cette question, et d'ailleurs, la reine n'en attendait aucune.

— À ce sujet, quelles sont les nouvelles, commandant ?

— La légion fait mouvement vers l'est, Majesté. Si nous voulons apaiser notre voisin, nous ne devons plus tarder maintenant.

Valentyna ferma les yeux et prit une profonde inspiration. Ensuite, sur un ultime coup d'œil à la lande devant elle, elle donna ses ordres avec détermination.

— Faites venir Crys Donal, s'il vous plaît. Je le recevrai dans mon cabinet de travail, ainsi que vous-même et Elspyth.

— Tout de suite, Majesté.

Valentyna le regarda s'éloigner. Elle détestait ce qu'elle s'apprêtait à faire.

La reine renvoya le serviteur et servit elle-même un verre de vin aux deux hommes.

— Où est Elspyth ? demanda-t-elle à Liryk en lui tendant son verre.

— Elle est introuvable, Majesté, répondit-il, secrètement satisfait de cette disparition.

Avec Krell, ils étaient tombés d'accord pour juger dangereuse l'influence qu'Elspyth exerçait sur la reine. La jeune femme de Morgravia lui avait monté la tête – elle avait donné à Valentyna le sentiment qu'elle était de taille à choisir son destin et défier Celimus.

Valentyna se tourna vers Crys, qui répondit en haussant les épaules.

—Cela fait un ou deux jours que je ne l'ai pas vue. Je pensais qu'elle était avec vous, Majesté.

—Étrange, murmura la reine. Avez-vous cherché partout, commandant?

—J'ai envoyé plusieurs pages fouiller le château de fond en comble, Majesté. Elle n'est pas là où on la trouve habituellement.

—Avez-vous fait fouiller ses appartements? demanda Crys. Vous lui avez prêté quelques toilettes, Majesté. Sont-elles toujours ici?

—Vous pensez qu'elle aurait pu s'en aller? s'exclama la reine.

—Vous a-t-elle déjà parlé d'un homme nommé Lothryn? poursuivit Crys, avant de goûter tranquillement à son vin.

Il avait la conviction qu'on ne trouverait pas Elspyth. À plusieurs reprises, elle lui avait dit qu'on n'avait plus besoin d'elle ici. D'ailleurs, il commençait à se dire que lui-même ne pourrait plus s'éterniser. Mais avec la légion massée en force à la frontière, comment en vouloir au peuple de Briavel de lui demander de partir?

—Vaguement, répondit Valentyna avec un hochement de tête.

—Il s'est passé quelque chose à son sujet, expliqua Crys. Un événement auquel Koreldy est lié.

Une nouvelle fois, il sentit son cœur se serrer au spectacle de la peine que ce nom faisait naître sur le visage de Valentyna. Wyl lui avait fait promettre de ne rien dévoiler à la reine au sujet de Koreldy, mais Crys estimait injuste de ne pas l'informer que l'homme dont elle était manifestement amoureuse vivait toujours dans un corps qui n'était pas le sien. Il avait toujours autant de mal à accepter cette idée, mais il avait lui-même été témoin du transfert de l'esprit de Wyl dans le corps de sa sœur. La réalité était indiscutable: Wyl était toujours en vie. Par la magie du sortilège pesant sur lui, il avait pris le corps de Koreldy, puis celui de Faryl, pour finir dans celui d'Ylena. L'évocation de cette terrible nuit à Felrawthy fit courir un frisson de désespoir le long de son échine. Pourtant, le lendemain avait été pire encore. Pour l'heure, il savait qu'il devait éviter d'y songer. *Enfouis ta douleur*, avait coutume de dire sa mère. *Contemple-la uniquement lorsque tu es seul et suffisamment fort pour l'affronter.* Jusqu'à présent, il avait donc enseveli le souvenir du massacre des siens au plus profond de sa mémoire et évité d'y songer.

—Crys?

Gêné et surpris, il se rendit compte que la reine et Liryk avaient les yeux fixés sur lui.

—Excusez-moi. Je… je me suis oublié, expliqua-t-il sans s'appesantir.

—Vous nous parliez de Lothryn et Elspyth, reprit Valentyna en évitant soigneusement d'évoquer le nom de celui qu'elle avait aimé.

—C'est cela, reprit Crys. Lothryn, le Montagnard, a sauvé la vie de Koreldy et d'Elspyth dans les Razors. Nul ne sait s'il a survécu à la colère de Cailech, mais Elspyth est déterminée à le découvrir.

Personne ne semblait disposé à souligner le fait qu'Elspyth était amoureuse de Lothryn.

— Vous pensez donc qu'elle est retournée là-bas ? demanda Valentyna.

— Je crois qu'elle est capable de commettre ce genre de folie, répondit-il avec un petit sourire indiquant qu'il admirait le courage de la jeune femme.

— Dans les Razors ? intervint Liryk. Et seule ?

— Je ne sais pas, messire. C'est une jeune femme de tempérament. Je ne crois pas que la peur puisse l'arrêter. D'ailleurs, sans elle, je serais mort avec tous les miens.

Le nouveau duc de Felrawthy parvenait maintenant à évoquer sa famille disparue sans que les larmes menacent de couler – ou que la colère s'empare de lui. En le coupant des lieux auxquels il était accoutumé, son court séjour à Werryl, où tout le monde lui donnait son nouveau titre, lui avait permis de se montrer le digne héritier de ses ancêtres, au lieu de se morfondre dans une angoisse insurmontable. Ses parents n'en auraient pas attendu moins de lui.

Un coup fut frappé à la porte. Liryk reposa son verre.

— Vous permettez, Majesté ? Ce sont peut-être mes pages.

— Je vous en prie, répondit la reine, l'esprit préoccupé par la disparition d'Elspyth. Krell me manque, ajouta-t-elle dans un murmure.

Crys ne dit rien. Personne n'avait été témoin de la conversation entre la reine et son chancelier, juste avant qu'il se donne la mort, mais Valentyna avait reconnu que ses critiques acérées ne l'avaient pas épargné. Crys ne pouvait qu'admirer la reine pour son attitude franche et honnête – refusant de se dérober, elle avait au contraire assumé sa responsabilité du mieux qu'elle pouvait. La mort de Krell avait été un choc pour tout le monde. Liryk en particulier avait été très affecté, mais le vieux soldat avait gardé ses sentiments pour lui-même et fait preuve d'un stoïcisme admirable tout au long des funérailles et du deuil.

Crys but une gorgée. Il se demandait pour quelle raison au juste on l'avait convoqué à ce qui avait tout l'air d'une réunion. Dans le même temps, il se disait que Morgravia avait tout à gagner à ce que pareille souveraine s'asseye sur le trône du royaume – quand bien même elle aurait à partager le pouvoir avec l'odieux Celimus. Il avait maintenant la conviction que les choses seraient mieux pour elle s'il quittait Briavel. Sans doute convenait-il qu'il lui en fasse la proposition – et la dispense ainsi d'avoir à le lui demander.

Le retour de Liryk le tira de ses méditations.

— Majesté, ce mot a été trouvé dans la chambre d'Elspyth.

— Rien d'autre ? demanda Valentyna en brisant le sceau. Des vêtements ?

— Absolument rien, Majesté, répondit le commandant.

Les sourcils de la reine se froncèrent tandis qu'elle lisait. Pour finir, elle releva la tête en poussant un soupir.

— Vous aviez vu juste, Crys. Elle estime avoir accompli ce qu'elle devait faire et annonce son départ.

— Pour les Razors ?

— Elle ne le dit pas, mais je pense que c'est là qu'elle est partie. Je sais combien elle aimait ce Lothryn. Si j'étais à sa place, moi aussi je voudrais découvrir ce qui lui est arrivé.

On frappa de nouveau à la porte. Valentyna masqua difficilement son agacement d'être encore interrompue. Elle fourra le billet dans sa poche et se releva.

— Messires, je pars chevaucher. Nous reprendrons cette conversation ce soir, lorsque nous pourrons parler sans être dérangés. Nous avons beaucoup de points à aborder et j'ai besoin de réfléchir. Liryk, vous vous occupez de ça ? (D'un signe de tête, elle montra la porte.) Je sors par-derrière.

Les deux hommes la suivirent des yeux tandis qu'elle quittait la pièce.

C'est au point le plus élevé de la lande que Valentyna avait le sentiment d'être le plus loin possible de ses sujets – du moins, aimait-elle à le penser. En tout cas, c'était l'endroit idéal pour évacuer ses peurs et ses frustrations. Malheureusement, les cavaliers de son escorte n'étaient jamais bien loin d'elle, si bien qu'elle ne pouvait même pas lâcher le cri de désespoir qui lui brûlait la gorge depuis si longtemps. Elle se contenta donc d'un grognement rauque et féroce. Ils étaient bien trop nombreux ceux à qui elle avait donné son amour ou sa confiance et qui aujourd'hui avaient disparu, emportés par la mort ou partis de leur propre chef. Les yeux braqués sur la silhouette du château dans le lointain, elle les énuméra à voix basse.

Son père : assassiné. Wyl Thirsk : assassiné. Romen Koreldy : assassiné. Fynch, son petit rocher indestructible : disparu, et avec lui le chien Filou, présence à la fois étrange et si rassurante. Et voici qu'Elspyth, sa nouvelle amie et confidente, venait de disparaître elle aussi, en route certainement vers sa propre mort quelque part dans le royaume des Montagnes, à la recherche de son Lothryn bien-aimé.

Valentyna oublia un instant ses propres chagrins pour songer à ceux de Crys Donal. Sa famille tout entière avait été massacrée en une seule soirée – tant de morts. Pourtant, pour protéger Briavel, il allait falloir qu'elle bannisse son dernier ami. C'était pour cette raison qu'elle devait parler au nouveau duc de Felrawthy, mais rien n'avait été possible cet après-midi.

La reine de Briavel secoua la tête de désespoir. Toutes ces destructions autour d'elle étaient l'œuvre d'un homme et d'un seul. Un homme cruel, manipulateur et avide. L'homme qu'elle allait épouser pour empêcher que la mort se répande encore.

Son regard empli de tristesse dériva vers les soldats qui allaient et venaient sous le couvert des grands arbres. Trois hommes l'accompagnaient désormais dans le moindre de ses déplacements. Elle avait horreur de cela, mais s'en accommodait, et même si son indépendance lui manquait, elle reconnaissait le bien-fondé des précautions de Liryk. D'un geste du bras, elle les avertit que tout allait bien, qu'elle avait seulement besoin d'être un peu seule.

Elle emplit ses poumons de l'air vif de la lande et se sentit plus abattue encore. Tout le monde paraissait s'inquiéter à son sujet. Ses conseillers scrutaient ses moindres faits et gestes, et elle sentait sur elle le poids de leurs regards qui l'enserraient comme un étau bridant sa liberté. Valentyna savait ce qu'ils craignaient, à juste titre d'ailleurs, car si elle trouvait la moindre solution pour échapper à ce mariage, elle y renoncerait dans la seconde. Cependant, son bon sens lui soufflait que cela n'arriverait pas. Personne ne viendrait la sauver. Les nobles lui avaient demandé de trouver Ylena Thirsk, mais à quoi bon ? Quelle différence cela pourrait-il faire ? Ylena parviendrait peut-être à les convaincre que Celimus était un meurtrier, mais au bout du compte cela ne changerait rien, parce que jamais ils n'abandonneraient l'idée d'unir les royaumes.

Ses pensées se portèrent sur la pauvre Ylena et les terribles épreuves qu'elle avait subies. Crys lui avait raconté tout ce qu'elle avait dû faire uniquement pour rallier Felrawthy. La simple évocation des horreurs qu'elle avait endurées à Stoneheart avait glacé la reine jusqu'au sang. Malgré son jeune âge, Ylena avait fait preuve d'un extraordinaire courage. Aujourd'hui, c'était à elle de se montrer aussi brave pour affronter son destin. Son père s'était battu pour préserver Briavel ; il lui appartenait maintenant de faire de même, d'une manière différente. Elle achèterait la paix en livrant son corps à cet homme détestable, en le laissant parader à son bras devant ses maîtresses, en l'autorisant à user d'elle pour satisfaire ses désirs. Mais il n'aurait jamais son amour. Jamais. Son cœur appartenait à un homme, un seul – et cet homme était mort. Elle se donnerait donc à Celimus en espérant que quelque chose de bon et de pur pourrait en sortir. Peut-être concevraient-ils un enfant, un petit être sur qui elle déverserait tout l'amour qu'elle refuserait à Celimus et qu'elle aurait tant voulu donner à Romen Koreldy. Elle élèverait un fier souverain qui, un jour, s'assiérait sur le trône de Briavel.

Une risée ébouriffa ses cheveux déjà en désordre. Valentyna soupira.

— Shar, envoie-moi un signe, dit-elle au vent, dans l'espoir qu'il porte sa requête jusqu'aux cieux. Dis-moi que ce mariage avec Celimus est la bonne décision.

Sa supplique pathétique lui donna envie de pleurer. D'un revers de main, elle essuya une larme solitaire qui coulait sur sa joue, frotta son autre œil au cas où, puis se ressaisit en s'exhortant à être la femme que son père avait toujours voulu qu'elle devienne. Elle éperonna son cheval en direction des soldats qui, déjà, enfourchaient leurs montures, se tenant prêts à repartir.

Éblouie par le soleil, Valentyna n'aperçut pas immédiatement l'oiseau. C'est son chant magnifique qui lui parvint tout d'abord, et elle chercha du regard d'où pouvait venir cette douce mélodie. Il se tenait perché sur une branche basse du gros orme dans l'ombre duquel elle arrivait. La reine le reconnut au premier coup d'œil. C'est que le roi Valor, son père, avait toujours été féru d'ornithologie, au point de passer des heures à en inculquer les rudiments à son unique enfant. C'était un somptueux pinson ; son gai ramage amena un sourire sur ses lèvres. Elle siffla pour lui répondre. Bien après qu'elle avait repris les rênes de Bonny et quitté le bosquet, elle fredonnait encore cette ritournelle.

Ce n'est qu'à l'instant où son cheval arrivait sur le pont de Werryl qu'elle s'aperçut qu'elle venait de chantonner le même air pendant près d'une demi-heure. Le chant de l'oiseau lui avait remis en mémoire la balade écrite par le plus fameux trouvère de Briavel en l'honneur de son dix-neuvième anniversaire, *Attends-moi, mon amour, attends-moi*. Valentyna avait toujours apprécié la beauté de ce texte émouvant. Elle se mit à chanter pour elle-même. La complainte s'était installée dans son esprit tandis qu'elle ralliait la citadelle.

Ranald, l'un des garçons d'écurie, s'avança pour prendre les rênes en saluant du buste.

—Merci, Ranald, dit Valentyna, avec un sourire pour l'aimable jeune homme.

—Majesté, répondit-il, le visage rayonnant d'être ainsi distingué pour son empressement.

—J'ai fait une jolie promenade, poursuivit-elle, heureuse de son enthousiasme.

Comme elle aurait aimé avoir dix ans à nouveau. Et aucun souci pour assombrir son âme.

—J'en suis ravi, Majesté. Bonny est une pouliche magnifique. Ma préférée..., gazouilla-t-il, ignorant les sourcils froncés du maître d'écurie qui s'était approché.

À coup sûr, on trouvait qu'il se montrait trop bavard.

—La mienne aussi, dit Valentyna sur le ton de la confidence avec un clin d'œil.

Comme elle s'éloignait, l'air de la balade s'imposa une nouvelle fois à elle – et les paroles du refrain la frappèrent comme la foudre.

Attends-moi, mon amour
Je reviendrai un jour
N'écoute pas ce qu'un autre te dit
Attends-moi, je t'en prie

Immobile dans la cour, Valentyna laissait les mots tourbillonner dans son esprit. Les hommes allaient et venaient autour d'elle. Les chevaux hennissaient, des chiens se disputaient un os, des serviteurs s'activaient en s'interpellant les uns les autres. Au milieu de toute cette agitation, la reine était comme une statue, immobile et muette, perdue dans ses pensées. Ce qui lui avait paru si charmant le jour de ses dix-neuf ans sonnait aujourd'hui comme un message venu d'outre-tombe, un appel.

—Romen ! murmura-t-elle craintivement, la gorge nouée.

—Majesté, vous vous sentez bien ? demanda quelqu'un.

—Oui, tout va bien, répondit-elle en renouant avec la réalité.

Valentyna s'élança en courant droit devant elle, traversa la cour, puis gravit quatre à quatre les marches du magnifique escalier du château, sous le regard sidéré des serviteurs dont elle ignora les courbettes. Ses bottes sonnaient sur le dallage, tandis qu'elle montait toujours plus haut, vers son cabinet de travail perché au dernier étage. Pour finir, elle déboucha dans les appartements de son père, dont elle claqua la porte derrière elle.

Adossée aux lambris, la tête entre ses mains, elle s'efforça de maîtriser les sanglots qui la secouaient. *Attends-moi, mon amour.* Était-ce un signe de Shar ? Était-ce un message ? D'où lui venaient ces paroles qui tournaient follement dans sa tête ? L'oiseau. Un pinson ! Était-ce Fynch ? Lui demandait-il d'attendre ? Et qui ? Romen était mort ! Froid, exsangue et sans vie. Parti à jamais...

Des larmes coulaient sur ses joues et elle eut honte de se laisser aller ainsi. Que lui arrivait-il ? Elle quittait des réunions sans prévenir, elle pleurait, elle écoutait des oiseaux, elle se mettait à croire à la magie. Était-elle en train de devenir folle ?

Pourtant, c'était elle qui avait demandé un signe. Se pourrait-il que ce soit un appel ? Bien sûr, tout cela pouvait n'être que le fruit de son imagination. Elle avait tant besoin de s'accrocher à quelque chose pour que jamais Celimus ne la touche. Mais il lui semblait si juste d'y croire.

—Qui doit venir ? Qui dois-je attendre ? demanda-t-elle au silence de la pièce.

Un coup frappé à la porte la tira de sa confusion.

—Un instant, répondit-elle, gênée qu'on la voie dans cet état.

Qu'ils attendent, se dit-elle en s'aspergeant le visage dans un cabinet attenant.

Elle s'essuya ensuite avec une toile de lin et remit de l'ordre dans ses cheveux.

Effleurant du bout des doigts le bureau de son père, elle puisa de la force dans sa présence qu'elle sentait encore alentour. Son esprit battait la campagne, mais elle avait une charge à assumer, et perdre le contrôle d'elle-même ne lui serait d'aucun secours. Elle prit une profonde inspiration, se rappelant que Briavel avait plus que jamais besoin d'elle – même si cela revenait à descendre dans l'arène pour se livrer au loup.

—Entrez ! ordonna Valentyna après s'être éclairci la voix.

L'un de ses pages ouvrit la porte et fit une révérence.

—Majesté, pardonnez-moi de vous déranger.

—Ce n'est rien, Justen. Qui t'a envoyé ?

—Le commandant Liryk, Majesté. Il m'a demandé de vous avertir dès votre retour. Il dit que c'est urgent.

—Ah ? Un problème.

—Une visite, Majesté.

Les sourcils de la reine se froncèrent.

—Encore ? Liryk ne peut donc pas s'en occuper lui-même ? dit-elle avec humeur, quand bien même elle savait que Justen n'était pas en mesure de répondre.

Le garçon ne faisait qu'exécuter les ordres.

Justen cligna des yeux, incertain quant à la conduite à tenir. Valentyna se sentit désolée de l'avoir mis en mauvaise posture.

— Le commandant Liryk t'a-t-il dit qui était ce visiteur ? reprit-elle sur un ton apaisé.

— Oui, Majesté. Il s'agit d'une femme nommée Ylena Thirsk.

Chapitre 5

Maegryn vit revenir les cavaliers et s'alarma de constater que l'un d'eux était en bien moins bon état qu'au moment du départ.

— Il va aller mieux, dit Aremys d'un ton rassurant, en tendant les rênes de Galapek et du cheval de Rashlyn.

— Oh ça, c'est le cadet de mes soucis, répondit Maegryn d'un ton véhément qui surprit Aremys. Il n'y a que les chevaux qui m'inquiètent. Aucun problème de ce côté-là ?

— Quelque chose a effrayé Galapek, mais il s'est rapidement calmé. Juste un peu de nervosité, répondit Aremys en cernant la vérité au plus près, bien décidé à mentir le moins possible. En tout cas, il est fantastique à monter, encore plus que je ne l'avais imaginé. Merci, Maegryn.

Ce fut plus fort que lui, le maître de l'écurie de Cailech rougit sous le compliment.

— Oui, cette bête est une pure merveille !

— D'où vient-il ? demanda Aremys du ton le plus naturel possible.

— Le *barshi* l'a offert au roi. Apparemment, il l'a fait venir en secret de quelque part, mais il n'a jamais révélé son origine.

— C'est un peu étonnant, non ? On pourrait penser que Cailech apprécierait de savoir où on peut se procurer d'aussi beaux chevaux.

Maegryn haussa les épaules.

— Nous ne sommes pas autorisés à parler de Galapek. (Il eut l'air d'être un peu gêné.) Il faut que j'y aille maintenant. Je suis bien content que la balade vous ait plu.

Aremys savait qu'il ne tirerait plus rien de Maegryn désormais. Le maître d'écurie s'était subitement renfermé en lui-même.

— Merci. J'espère que vous ne verrez pas d'inconvénient à ce que je passe le voir à l'occasion ?

— Il sera sûrement content de vous voir. Vous êtes l'un des rares dont il tolère la présence. Je crois qu'il vous a à la bonne, répondit Maegryn avec un sourire.

Au passage, Aremys flatta le garrot frémissant du cheval. Il avait espéré un nouveau signe de l'animal, mais rien ne se passa.

Myrt aboyait des ordres pour qu'on s'occupe de Rashlyn, couché sur le sol et marmonnant toujours des propos incohérents. Il demanda qu'on l'emmène dans ses appartements et qu'on fasse venir un médecin.

Ensuite, il se tourna vers Aremys.

— Viens, dit-il. Le plus difficile nous attend.

Aremys soupira. Il n'avait pas besoin de plus de détails – Cailech, évidemment.

Ils trouvèrent le roi des Montagnes dans ses chais, de vastes salles semblables à des catacombes creusées sous un bâtiment de pierre à l'écart. Au bas d'une volée de marches, ils débouchèrent dans une obscurité humide où flottait un parfum de terre et d'épices, mêlé aux arômes de levure et de bois des fûts de chêne, un mélange loin d'être déplaisant. Il y faisait frais, mais pas trop froid. *La température qui règne ici doit être constante*, songea Aremys. Les plafonds voûtés et l'atmosphère de parfaite immuabilité de ces lieux contribuaient à leur donner une sérénité de chapelle. Il s'y sentait bien, en sécurité.

— Pardon de vous interrompre, seigneur, dit Myrt.

Le roi interrompit sa conversation avec son maître de chai pour accueillir les arrivants d'un sourire. De toute évidence, il était de bonne humeur. *Quel dommage qu'il nous faille changer cela*, se dit Aremys.

— Farrow, il faut que tu goûtes ça ! dit Cailech penché sur un tonneau ouvert. Ce sera notre meilleur millésime. (Le roi tapa amicalement l'épaule du sommelier, et porta à ses lèvres sa coupe de dégustation à long manche, puis la vida d'un seul coup.) Un nectar, conclut-il avec ravissement.

— Seigneur, répéta Myrt en saluant du buste.

Lorsqu'il se redressa à la lueur des chandelles, la mine sombre sur son visage suffit à gagner l'attention de Cailech. Le sourire du roi disparut.

— Tu as la mine de quelqu'un qui a mangé de la viande pourrie, Myrt. Que se passe-t-il ?

— C'est le *barshi*, seigneur. (Cailech tendit la coupe à l'échanson qui s'écarta ensuite discrètement.) Il ne va pas bien.

— Ah ? (Cailech se tourna vers Aremys.) Qu'y a-t-il au juste ?

Aremys s'étonna qu'on lui demande son avis. Il fut sur le point de s'éclaircir la voix, mais songea que cela le ferait paraître nerveux. Il se lança donc dans le récit des événements en collant autant que possible à la vérité.

— Nous avons fait une pause, seigneur. Du moins, on faisait souffler les chevaux après avoir fait le tour du lac.

— Nous étions au Cercle, seigneur, intervint Myrt.

Cailech hocha la tête.

— Continue, dit-il en revenant à Aremys.

— J'étais en train de boire dans le ruisseau, pendant que Myrt et Rashlyn étaient assis adossés aux rochers. Rashlyn était en train de manger, apparemment en bonne santé. Nous avions parlé de mes maux de tête et Rashlyn s'est approché de moi pour me donner un flacon d'une décoction censée m'aider à aller mieux. À cet instant, les chevaux ont détourné notre attention.

Aremys estimait que dire toute la vérité, plutôt qu'une version édulcorée, était la meilleure chose à faire avec Cailech.

— C'était Galapek, seigneur, dit Myrt. Quelque chose l'a effrayé, mais nous ne savons pas quoi. Nous n'avons rien vu aux alentours.

— Et ? reprit Cailech, dont le regard acéré transperçait littéralement Aremys.

— Pour autant que je m'en souvienne, je me suis précipité pour aider Myrt à calmer le cheval. Sa panique s'en est allée aussi vite qu'elle était arrivée – peut-être a-t-il été piqué par une guêpe ou quelque chose comme ça. En tout cas, lorsque nous nous sommes retournés, Rashlyn était couché à terre, apparemment victime d'une syncope.

— Une syncope ?

— Comme un genre d'attaque, seigneur, précisa Myrt.

— Il a perdu le contrôle de son corps pendant quelques instants, poursuivit Aremys, puis il est devenu tout raide. J'ai immédiatement vérifié que son cœur battait – très fort en l'occurrence –, mais il avait perdu connaissance.

Le visage de Cailech ne trahissait absolument rien de ses sentiments.

— Combien de temps a duré sa perte de contrôle ?

— Pas très longtemps. Il a sombré presque immédiatement, expliqua Myrt. Ensuite, nous l'avons chargé sur son cheval, puis ramené ici aussi vite que possible.

Le Montagnard se garda bien de croiser le regard d'Aremys ; en vérité, ils ne s'étaient nullement souciés de se dépêcher.

— Où se trouve Rashlyn maintenant ?

— Il semblerait qu'il ait repris ses esprits, seigneur. Je l'ai fait porter dans sa chambre et j'ai fait envoyer un médecin, dit Myrt.

— Vous n'avez pas la moindre idée de ce qui a bien pu se passer ?

Le regard de Cailech allait de l'un à l'autre.

Myrt haussa les épaules avant de secouer négativement la tête. Aremys se dit que le roi des Montagnes n'était pas homme à se satisfaire d'une réponse aussi vague.

— J'ai pensé qu'un morceau de fromage était peut-être resté bloqué dans sa gorge, mais il n'y avait rien, raconta-t-il. Ensuite, comme Myrt m'a dit que le fromage était frais, j'en ai conclu qu'il n'avait pas été empoisonné. Est-il sujet à ce type d'attaque, seigneur ? ajouta-t-il le plus innocemment du monde.

— Pas que je sache, gronda Cailech. (Sa belle humeur virait à l'orage.) Je vais aller le voir. Et au fait, Farrow, comment as-tu trouvé Galapek ?

Le roi passait d'un sujet à l'autre avec une telle maestria qu'Aremys eut la certitude qu'un jour ou l'autre il serait pris en défaut.

—Encore mieux que je n'avais imaginé. Je vous remercie, seigneur, c'est vraiment une bête magnifique. J'espère que vous m'autoriserez à le monter de nouveau.

Le roi échangea un regard avec son guerrier.

—Bien, ça me fait plaisir. Myrt, accompagne-moi chez le *barshi*. Farrow...

—Seigneur?

—Nous nous verrons plus tard. Tu pars demain au petit matin pour Morgravia.

De retour dans sa chambre, avec l'inévitable garde posté devant sa porte, Aremys ruminait sa frustration. Il n'avait aucunement l'intention de s'enfuir et était certain que Cailech le savait pertinemment. Pourtant, le roi prenait un malin plaisir à lui rappeler qu'il était prisonnier et à sa merci.

—Plus pour longtemps, murmura Aremys en lançant son pichet d'eau par terre.

C'est le cœur léger qu'il partirait pour Morgravia dans quelques heures, et de là vers la liberté. Il aimait le peuple des Montagnes. Vivre dans la forteresse n'était pas un fardeau pour lui et la perspective d'une existence passée dans les Razors ne lui semblait pas déplaisante. En revanche, il n'était l'obligé de personne, pas même d'un roi. Et certainement pas d'un homme qui le traitait pratiquement comme un captif mis aux fers.

Il détestait les manières de Cailech, si amical un moment et si tyrannique le suivant. Le roi pouvait-il seulement ignorer qu'il lui donnerait dix fois son aide plutôt qu'à Celimus? Pour autant, il ne pouvait pas tout à fait en vouloir à Cailech de rester sur ses gardes. Personne ne pouvait rester souverain en accordant sa confiance à tout le monde, et tout particulièrement aux étrangers tombés du ciel sans le moindre début d'une explication crédible.

Ces pensées le ramenèrent à ses réflexions sur le Thicket, et la capacité qu'avait cet endroit à décider et agir. Cet étrange coin de nature avait ainsi pris l'initiative de l'expulser. Toutefois, il lui fallait remettre à plus tard son examen de ces phénomènes magiques. Pour l'heure, son souci était Galapek. Comment pouvait-il venir en aide au cheval?

Aremys repassa en revue les événements de l'après-midi. Indiscutablement, le malaise de Rashlyn était survenu à l'instant même de la frayeur du cheval et de cela, il était absolument sûr, ce qui signifiait donc que quelque chose les avait perturbés tous les deux. Or, il n'y avait rien à proximité qui pouvait l'expliquer; sinon, Myrt et lui-même n'auraient pas manqué de le sentir eux aussi. Non, il y avait autre chose, un remous qui avait troublé la magie enserrant l'animal. Se pouvait-il que ce *barshi* à la mine farouche soit lié d'une manière ou d'une autre à Galapek?

Aremys examina cette hypothèse. Et si Rashlyn avait lui-même jeté un sortilège sur le cheval ? Oui, cela aurait créé un lien entre eux. Mais pour quelle raison aurait-il fait cela ? Apparemment, Rashlyn n'accordait pas le moindre intérêt à l'animal ; il ne s'agissait donc pas d'un lien personnel. Or, si c'était bien sa magie qui était à l'œuvre, pourquoi se serait-il occupé de lui jeter un sort ?

Parce que Cailech le lui avait demandé ?

Mais pourquoi le roi aurait-il fait une telle chose ? Aremys jugeait improbable que Cailech soit cruel au point de nuire ainsi à une bête.

À moins que l'idée ne soit venue de Rashlyn ?

— Parce que Rashlyn a le pouvoir de créer un sortilège et parce que Cailech l'a autorisé à le faire, murmura Aremys dans le silence de sa chambre.

Cette idée s'imposa à lui avec force. Il hocha la tête. Oui, voilà qui tenait debout. Aremys repensa à ce que lui avait raconté Wyl – l'horrible fête de Cailech où il entendait donner les prisonniers morgravians à manger à son peuple. Wyl s'était dit persuadé que Rashlyn était à l'origine de cette idée monstrueuse. Il fallait donc en conclure que le *barshi* avait le pouvoir de convaincre le roi d'agir contre sa propre volonté. Comment Cailech, si dominateur, pouvait-il être soumis à Rashlyn ?

Aremys n'avait pas la moindre réponse à cette question. Il revint à ses premières interrogations. Quelque chose avait perturbé la magie liant le *barshi* au cheval. Cela ne pouvait pas être le Thicket, sinon lui aussi en aurait senti les effets. À moins que le Thicket n'ait été qu'une forme d'intermédiaire, si bien qu'il n'avait rien ressenti. Se pouvait-il que Wyl ait fait quelque chose qui avait bouleversé l'équilibre ? Peu probable – la réaction du Thicket aurait été bien plus virulente.

Le mercenaire se prit la tête entre les mains, épuisé par ce tourbillon de pensées qui ne le menait nulle part. *Réfléchis !* s'ordonna-t-il. Est-ce que cela pouvait être lié à Elysius ? Wyl était-il parvenu à rencontrer le sorcier ? Était-ce ça ?

— Possible, dit-il.

Toutefois, cela ne l'aidait pas à percer l'énigme que représentait Galapek.

Le souvenir du pire moment de cet après-midi éprouvant lui revint alors en mémoire. Comment avait-il pu l'oublier ? D'une manière ou d'une autre, le cheval lui avait communiqué un nom – Elspyth. Il se mit à marcher de long en large. Bien sûr, il pouvait s'agir d'une coïncidence, mais c'était peu probable. Aremys eut soudain la conviction que le cheval avait dû appartenir à Lothryn, ou qu'il connaissait le secret de ce qu'il était advenu de Lothryn. Il eut envie de crier de désespoir, mais cela n'aurait fait que précipiter le garde dans sa chambre. Il frappa le mur à la place.

Si Cailech voulait punir Lothryn, pourquoi faire du mal à son cheval ? Et puis, par Shar, comment un cheval pourrait-il connaître Elspyth ?

— Tu deviens fou, Farrow, dit-il pour lui-même, lorsque plus rien ne lui parut avoir de sens. Voilà que tu inventes des chevaux qui parlent.

Il décida de faire un brin de toilette, avant de partir à la recherche de Myrt pour obtenir des réponses. Une nouvelle idée le titillait et il voulait voir si elle avait le moindre fondement. Au fond, découvrir qu'il était dans le vrai ne servirait en rien sa cause, mais ce serait toujours un argument utile le cas échéant.

Aremys ouvrit donc la porte de sa chambre et expliqua au garde – Jos, un jeune homme bien de sa personne, mais malheureusement affecté d'un bec-de-lièvre – qu'il devait trouver Myrt. La sentinelle hocha la tête et un mince sourire apparut sur ses lèvres déformées lorsque Aremys lui dit « Après vous ». C'était une plaisanterie qu'il pratiquait depuis la première fois où Jos avait été affecté à sa porte et avait fait observer qu'il ne devait pas marcher en tête, du fait que le mercenaire pourrait alors l'assommer et s'enfuir.

Bien sûr, la remarque avait fait rire Aremys.

— Regarde-toi, mon garçon, avait-il répondu avec un sourire. Il me faudrait une hache pour te bosseler un peu. Tu es fort comme un bœuf. Tu me terrifies.

Jos avait pris ça comme un compliment, venant d'un homme grand comme un ours. Ils n'avaient jamais eu l'occasion de causer bien longtemps, mais Aremys avait toujours veillé à parler d'un ton amical et Jos lui avait toujours répondu, sans se départir d'une certaine prudence toutefois. Le garçon n'était encore qu'à la lisière de l'âge d'homme et toujours en quête de confiance en lui-même – un processus que sa disgrâce ne devait pas simplifier.

Lorsqu'ils marchaient de front – comme maintenant –, le mercenaire prenait toujours soin de montrer une certaine déférence à son garde, dans l'espoir que le jeune homme y gagne en aplomb.

Ils trouvèrent Myrt dans les grandes écuries. Le Montagnard hocha la tête en les apercevant.

— Va manger, Jos, je m'occupe de lui. D'ailleurs, je suis en train de préparer nos affaires. Le départ est pour bientôt.

Aremys sourit à son garde.

— N'oublie pas ce que je t'ai dit au sujet de cette donzelle, dit-il en référence à une conversation antérieure. Dis-lui ce que tu as à lui dire, ajouta-t-il avec un clin d'œil.

Jos gloussa en couvrant sa bouche d'une main.

— Qu'est-ce que tu as fourré dans le crâne de ce gamin ?

— Rien que tu n'aies pas eu dans le crâne à son âge, Myrt, répondit Aremys en l'aidant à charger une lourde caisse dans un chariot. Au fait, pourquoi n'as-tu pas de femme, Myrt ?

— Qui t'a dit que je n'en avais pas ? répliqua le Montagnard d'un ton brusque.

— Tu ne m'as jamais dit que tu en avais une, dit Aremys avec un haussement d'épaules.

Myrt saisit une autre caisse.

— Je n'ai pas de femme.

— Je vois.

— Vraiment ? Et qu'est-ce que tu vois ?

— Mais rien, mon ami, rien. Qu'est-ce qui te prend ?

Le guerrier laissa échapper ce qui pouvait passer pour une excuse.

— Cailech est furieux de ce qui s'est passé, poursuivit-il. Il n'a pas cessé de me demander ce que tu faisais lorsque Rashlyn s'est écroulé.

— Hmm, c'est bien ce que je pensais. Je t'avais dit qu'il me soupçonne de savoir quelque chose.

— Il n'est pas suspicieux au point de ne pas avancer le départ. En fait, nous partons au coucher du soleil, toi, moi, Byl et deux autres.

— Qu'est-ce que nous emportons dans ces caisses ?

— Des cadeaux pour le roi de Morgravia.

— En gage de bonne volonté.

Myrt émit un grognement.

— Aide-moi à charger le reste.

Pendant quelques instants, ils œuvrèrent, tranquillement et avec efficacité.

Maegryn fit son entrée.

— J'ai choisi les chevaux que vous emmenez, Myrt. Farrow montera Chérubin.

— Ouh, ça ne sonne pas un peu efféminé pour moi ? demanda Aremys sur le ton de la plaisanterie.

— Ça t'inquiète ? intervint Myrt.

— Pas du tout, répondit le mercenaire en riant. C'est juste que je vais me sentir un peu ridicule en criant « En avant, Chérubin » !

— C'est tout l'intérêt, Farrow, expliqua Maegryn avec un sourire. Parce que l'animal est tout sauf un petit ange !

Les deux Montagnards éclatèrent de rire et Aremys se joignit à eux. Il avait maintenant acquis une nouvelle certitude : Myrt avait un secret, et il entendait bien l'exploiter.

— Nous sommes attendus dans les appartements de Cailech, annonça le guerrier. Il veut que nous mangions avec lui avant de partir.

Aremys hocha la tête.

— Tout est prêt ici ?

— Je dirais que oui. Merci, Maegryn, à tout à l'heure.

— Quand vous voudrez. J'attendrai ici, Myrt, dit le maître d'écurie en se dirigeant vers les boxes.

— Il faut d'abord que je te parle, dit Aremys à Myrt, tandis qu'ils marchaient vers la forteresse.

— Je m'en doutais un peu. Viens, suis-moi.

Dans un silence qu'Aremys aimait à croire agréable, ils traversèrent plusieurs cours en direction d'une partie de l'immense édifice qu'il n'avait encore jamais visitée.

— Où va-t-on ? demanda-t-il.

— Chez moi.

À plusieurs reprises, Myrt s'arrêta pour échanger quelques mots. Il demanda ainsi à un garçon de trouver Byl et de lui demander de venir chez lui après le coucher du soleil. Le guerrier présenta Aremys à tous ses interlocuteurs et le mercenaire constata que tous semblaient se soumettre à sa volonté. *Depuis la chute de Lothryn, Myrt a certainement gagné en autorité*, songea Aremys. Il fit part de son observation au guerrier.

— Je suppose que tu as raison, répondit Myrt. Ce n'est pas quelque chose que je recherche, mais Cailech trouve aussi simple de s'en remettre à moi pour transmettre ses ordres. Pour ma part, je préférerais que les choses redeviennent comme elles étaient.

— Tu veux dire, quand Lothryn était second du roi ?

— Oui, il méritait d'occuper cette position et il y excellait.

— En quoi était-il meilleur que toi ?

— Pour commencer, il comprenait Cailech et n'en avait pas peur. Ils avaient grandi ensemble et ils étaient amis avant tout. Un peu comme était la situation entre l'ancien roi de Morgravia et son général, Fergys Thirsk. À ce qu'on m'a dit, ils étaient amis depuis l'enfance.

— Je l'ai entendu dire également.

— Toujours est-il que les amitiés qui remontent à l'enfance durent longtemps et sont marquées du sceau de l'affection. Moi, je n'aurai jamais ce genre de relation avec le roi. Et puis, lorsque ces amitiés se brisent, ça fait mal.

— On dirait que tu parles d'expérience, Myrt.

— D'une certaine manière, murmura le guerrier en faisant passer Aremys dans un passage conduisant à un petit escalier.

— Tu connaissais Lothryn depuis l'enfance toi aussi ?

Myrt tourna un regard maussade vers Aremys et ses incessantes questions.

— C'est exact.

Au bas de la volée de marches, ils débouchèrent à l'air libre, au milieu d'une sorte de village totalement enclavé. Les lieux surprirent et charmèrent Aremys.

— Par Shar ! C'est fantastique.

Son enthousiasme fit s'envoler la tension et Myrt sourit.

— Le rêve de Cailech. C'est une expérience unique.

— Explique-moi ça, demanda Aremys en observant tout autour de lui la place bruissant d'activité.

— Comme tu l'as certainement constaté, tout le monde ne choisit pas de vivre aux abords ou à l'intérieur de la forteresse. À l'origine, les Montagnards n'étaient qu'une mosaïque de tribus différentes disséminées dans tous les Razors. Cailech les a non seulement réunies en un même peuple, mais il a voulu également créer une petite ville, et faire en sorte que la forteresse devienne le véritable cœur des montagnes en encourageant tout le monde à venir s'y installer. En quelque sorte, on pourrait dire qu'il rêve d'avoir son petit Pearlis ou Werryl. Il a construit des habitations pour les arrivants et veillé à ce que des marchés se tiennent régulièrement. Il a même créé une école, qui attire du monde et grandit sans cesse. Notre roi favorise l'éducation et, sous son impulsion, de plus en plus d'enfants vont en classe – ce qui bien sûr amène les parents à s'en rapprocher. Cailech a mis en place un système d'aides pour les familles qui viennent s'installer ici définitivement. C'est vraiment une nouvelle expérience et tout le monde dans les Razors suit tout cela de très près. Pour ma part, je crois vraiment que cela va marcher. D'ici quelques années, je suis sûr que Cailech aura sa ville ici.

— Effectivement, la communauté a tout l'air de prospérer, observa Aremys d'une voix emplie d'admiration. À ce que je vois, l'organisation des lieux a été méticuleusement réfléchie.

— C'est le cas, répondit Myrt avec un sourire. Le roi ne voulait pas que les choses se fassent au petit bonheur. Il a donc constitué un groupe de personnes capables de concevoir les plans d'un village qui serait ensuite amené à devenir une ville. J'ai été l'un des premiers à m'installer ici, ce qui a encouragé les autres à venir. Lothryn n'habitait pas très loin d'ici, au sein d'un groupe de chefs – les anciens maîtres des tribus et leurs familles, plus ou moins apparentés à Cailech.

— Est-ce que Cailech a une famille ?

— Bizarrement, non. Chez les Montagnards, les fratries sont nombreuses normalement, mais il se trouve que Cailech était fils unique. Sa mère est morte accidentellement dans un incendie, lorsqu'il avait treize ans environ. À ce moment-là, il était au loin dans les Razors en compagnie de son père, occupé à régler un conflit entre des tribus.

— Est-ce qu'il s'est fait des reproches ?

— Je ne crois pas. Il savait que c'était un accident. Pourtant, Lothryn m'a dit un jour que le roi ne s'était jamais tout à fait remis de la disparition de sa mère, ce qui explique d'ailleurs qu'il veille tant à maintenir les familles ensemble. Sans parler du fait qu'il adore les enfants. Il a la conviction que les enfants grandissent mieux au contact d'adultes et d'une famille soudée qui leur enseignent la voie à suivre. Et je suis assez d'accord avec cette idée.

— J'aurais cru qu'il avait une femme et une famille autour de lui.

Myrt secoua la tête et Aremys crut voir comme une expression douloureuse passer sur ses traits. Le Montagnard luttait pour repousser les démons qui l'assaillaient.

— Je suppose qu'il n'a pas eu le temps voulu pour prendre femme, dit-il.

— Et toi, Myrt. Comment était ta famille ?

—J'ai une sœur. J'habite avec elle. Son homme était l'un de ceux tués lors du combat désastreux avec Grenadyne. Il avait dix-sept ans, leurs épousailles n'ont duré que quelques semaines. J'imagine que tu as entendu parler de cet incident ?

Aremys hocha la tête. Il ne connaissait que trop bien l'histoire de l'attaque injustifiable menée par les hommes de Grenadyne contre les Montagnards, et le massacre qui s'était ensuivi.

Myrt poussa un soupir.

—Ma sœur ne s'en est jamais remise. C'est elle qui m'a élevé et maintenant je m'occupe d'elle.

—Pas d'amour dans ta vie, Myrt ?

Le guerrier fit quelques pas sans rien dire.

—Une fois. Mais cette personne ne voulait pas de moi, répondit-il enfin d'une voix sourde.

Ensuite, il brisa là cette conversation en s'arrêtant pour bavarder avec une boutiquière vendant des chandelles.

Aremys mit à profit ces instants pour s'extasier de nouveau sur l'embryon de ville auquel Cailech avait donné naissance. Les allées étaient pavées de pierres de la montagne ; de nouveaux bâtiments étaient en construction le long d'autres allées débouchant sur l'axe principal. Ce n'était assurément pas Pearlis, mais l'ensemble était déjà plus important que bien des villages qu'il avait traversés. Tout y était conçu dans la perspective d'un agrandissement et l'endroit promettait de devenir bientôt une ville bouillonnante. Aremys ne put s'empêcher d'admirer les réalisations du roi, si jeune au fond, mais avec de véritables projets pour son royaume. Ce fut à cet instant précis qu'il décida de faire tout son possible pour aider le peuple des Montagnes. Si l'occasion se présentait pour lui de contribuer d'une manière ou d'une autre à l'avènement de la paix entre le roi de Morgravia et celui des Montagnes – tous deux pareillement pleins d'orgueil –, alors il la saisirait. Pas tant pour Cailech, au fond, mais pour Myrt et Byl, pour la sœur de Myrt – après toutes ces années, peut-être parviendrait-il à atténuer quelque peu les erreurs de son propre peuple – pour Maegryn aussi et le jeune Jos, et aussi Lothryn, où qu'il puisse être.

Tout comme Wyl, Aremys voulait croire que Lothryn était toujours en vie, et s'il l'était, il entendait bien le trouver. Sa conviction était faite : le cheval et sa magie le mèneraient à coup sûr vers cet homme que tout le monde paraissait avoir adoré. Cailech y compris.

—Tout le monde sauf Rashlyn, lui dit Myrt quelques instants plus tard, tandis qu'ils s'installaient dans sa petite maison et qu'Aremys remettait le sujet de Lothryn sur le tapis.

—Rashlyn ne l'aimait pas ?

—Plus exactement, expliqua Myrt en plaçant un pot d'eau au centre de l'âtre, Lothryn méprisait le *barshi* et celui-ci le savait.

—Pourquoi cela ?

— Les tasses sont là-bas, dit Myrt en désignant un meuble. Lothryn s'opposait à l'influence de Rashlyn sur le roi. Peu de temps avant sa disparition, il m'avait dit que les choses en étaient arrivées à un tel point qu'il pensait devoir faire quelque chose.

Aremys faillit commettre l'irréparable erreur de parler de la fête et de la menace de Cailech de transformer ceux de son peuple en cannibales en les forçant à manger les prisonniers morgravians. Il s'interrompit juste à temps et masqua son trouble en tournant le dos à son hôte pour attraper les tasses.

Il les déposa sur la petite table en bois.

— Qu'est-ce qui a bien pu le conduire à dire ça ?

Myrt versa l'eau chaude sur des feuilles au fond d'une petite jarre.

— On laisse infuser quelques instants, dit-il d'un ton aimable. Plusieurs événements ont pu le pousser à ça. Tout d'abord, Cailech a commencé à prendre des décisions un peu étranges, complètement à l'opposé de son caractère. Il y a notamment eu un incident des plus perturbants avec des prisonniers morgravians. Il voulait faire un exemple en rétorsion d'un massacre perpétré sur des Montagnards, alors que ce n'étaient même pas eux les coupables, par Haldor ! Ce n'était qu'une troupe de paysans envoyés dans les Razors avec un vieux soldat à leur tête.

Aremys retint son souffle ; il s'agissait certainement de l'ami de Wyl, Gueryn Le Gant.

— Et ? demanda-t-il du ton le plus naturel possible.

— Ce que le roi voulait leur faire subir en exemple était pour le moins terrifiant. Je ne veux pas trop entrer dans les détails, mais sache que je ne me suis jamais fait à l'idée, et je ne suis pas le seul. Attention, ne te méprends pas, Cailech peut tuer n'importe qui en représailles – comme il l'a prouvé après l'attaque des guerriers de Grenadyne –, mais ce n'est pas un homme cruel de nature.

Aremys hocha la tête. Les événements dramatiques survenus sur son île natale n'étaient encore que trop vifs dans son esprit. Pendant des années, il avait secrètement été amoureux de Lily Koreldy. Malheureusement, plus âgée que lui, elle n'avait jamais prêté attention à ce garçon toujours à ses basques qui rougissait comme une pivoine dès qu'elle croisait son regard.

— Oui, ça a été horrible.

— C'est vrai, mais Cailech a épargné Romen Koreldy et l'a accueilli ici pendant quelque temps. En fait, ils étaient même devenus amis à la fin, malgré la douleur et les blessures.

— Je suis surpris que Koreldy ait pu lui pardonner.

— Ne dis pas n'importe quoi. Koreldy n'a jamais rien oublié et le roi le savait. C'est pour cette raison d'ailleurs que Cailech l'avait prévenu qu'il serait mis à mort s'il remettait un seul pied dans les Razors.

— Koreldy était donc comme moi, un prisonnier traité avec des égards.

Myrt tourna la jarre trois fois sur elle-même, puis sourit devant l'expression perplexe sur le visage du mercenaire.

— La tradition… Koreldy bénéficiait effectivement d'un traitement comparable, à la nuance près qu'on ne lui a jamais confié une mission vitale pour notre peuple.

— Est-ce que Koreldy est revenu ? demanda Aremys. (Myrt servit le thé sans répondre.) Tu as dû apprendre qu'il travaillait pour le compte de Celimus, n'est-ce pas ? poursuivit Aremys. Mais en fait, il œuvrait contre lui.

Cette fois-ci, il capta pleinement l'attention du Montagnard.

— Comment cela ?

— Koreldy haïssait Celimus et non sans raison, car le roi morgravian l'avait trahi. Je sais que Koreldy respectait le code d'honneur des mercenaires. Il a fait ce pour quoi il avait été payé, puis a gardé le silence, mais Celimus a tenté à plusieurs reprises de l'assassiner pour le faire taire à jamais.

Le regard de Myrt s'était étréci.

— Tu parles de la mort du roi de Briavel, n'est-ce pas ? (C'était une simple conjecture, mais le Montagnard eut la satisfaction de voir le mercenaire la confirmer d'un hochement de tête.) Que sais-tu à ce sujet ?

— Plein de choses. Qu'es-tu prêt à m'offrir en échange ?

— Comment ça ? s'étonna Myrt. Échanger des informations ?

— Exactement, confirma Aremys en prenant sa tasse. Comprends-moi bien, Myrt, tu sais des choses et moi aussi. Pour ma part, je me ferai un plaisir de te dire ce que je sais, mais te tirer les vers du nez est aussi chiant qu'essayer de traire un zerkon, c'est à la fois dangereux et pénible.

Myrt explosa littéralement de rire.

— D'accord, dit-il en essuyant les larmes de joie sur ses joues. Tu as gagné, homme de Grenadyne. Cela faisait des siècles que je n'avais pas ri comme ça.

— C'est ce que je vois, dit Aremys en arquant un sourcil. Bon, maintenant c'est ton tour, Myrt. Ce soldat de Morgravia dont tu as parlé, est-il toujours en vie ?

— Oui, répondit Myrt soudain redevenu sérieux. (Il but une gorgée de thé fumant.) À toi. De quel côté es-tu ?

— Celui de Cailech. Je vais négocier pour lui et je vais l'aider à conquérir cette paix à laquelle il aspire. Il faut bien que tu comprennes une chose : je hais Celimus et je ferai tout ce qui est en mon pouvoir pour lui nuire. Je ne suis pas un ennemi du royaume des Montagnes.

Myrt ne répondit rien, mais Aremys vit une lueur briller dans son regard – une lueur de soulagement peut-être.

— Question suivante, reprit le mercenaire. Est-ce que le soldat morgravian s'appelle Gueryn Le Gant ?

La bouche de Myrt s'ouvrit en grand.

— Comment sais-tu cela ? Tu le connais ?

Il va falloir que je raconte une petite fable, songea Aremys. S'il racontait la vérité, personne ne le croirait.

— Je connais la nièce de Le Gant. Depuis sa disparition, elle est aux abois. Elle m'a demandé d'ouvrir les yeux et les oreilles pendant mon périple dans le nord. Je te remercie de m'avoir donné cette confirmation.

—Il est ici, au fond d'un cachot.

Cette fois, ce fut Aremys qui tressaillit.

—Il faut que je le voie, Myrt.

—Réponds d'abord à ma question. Où se trouve Koreldy ? Le sais-tu ?

—Dispersé aux quatre vents, sûrement.

—Il est mort ? s'exclama Myrt, incapable de dissimuler son étonnement.

Aremys hocha la tête.

—Tué par un assassin de Celimus. Une femme.

—Il faut avertir Cailech.

—Pourquoi ? Il voulait le tuer de ses propres mains ?

—Depuis son évasion, Cailech est persuadé que Koreldy va revenir chercher Le Gant.

—Et que fera-t-il quand il apprendra qu'il est mort ?

—Il tuera le soldat morgravian.

—Alors il ne doit pas l'apprendre, dit précipitamment Aremys.

Myrt fit une grimace.

—Et pourquoi ça ? Comme je te l'ai dit, je ne commettrai aucun acte qui reviendrait à trahir Cailech. En revanche, il va falloir que tu répondes à une question si tu veux que je t'aide : en quoi est-ce que Lothryn t'intéresse ? Tout cela commence à te rendre suspicieux à mes yeux.

Aremys secoua la tête.

—Il n'y a vraiment pas de quoi. Je connais Elspyth de Yentro. On peut dire que nous sommes amis, en quelque sorte, même si ça ne fait pas très longtemps que nous nous sommes rencontrés. J'ai croisé sa route peu après sa fuite d'ici, elle comptait revenir dans les Razors pour découvrir ce qu'il était advenu de Lothryn. Tu sais qu'ils s'aimaient, ces deux-là ?

Myrt esquissa un sourire un peu forcé.

—Je m'en doutais. C'était la seule raison pour qu'il nous trahisse ainsi, sans donner la moindre explication à quiconque.

Aremys se félicita de constater que le Montagnard n'avait pas sourcillé en l'entendant annoncer qu'il connaissait deux femmes distinctes qui se trouvaient toutes deux connaître Gueryn et Lothrin. Il se serait giflé pour une telle erreur, mais fort heureusement le guerrier n'était pas suffisamment concentré. Aremys décida de tenter sa chance.

—Myrt, dit-il d'un ton doux, je sais que tu aimais Lothryn, d'un amour qui allait au-delà de la simple fraternité…

Le Montagnard réagit comme si on venait de le brûler, se redressant comme un ressort, les yeux subitement emplis de haine.

—Va te faire foutre, Aremys !

Le mercenaire ne répondit rien et réagit à peine lorsque Myrt fracassa sa tasse sur le sol, avant de briser son tabouret d'un coup de pied. Le regard flamboyant, il se tourna vers le mercenaire de Grenadyne comme pour le défier de bouger de façon qu'il puisse le frapper lui aussi. Mais Aremys demeura parfaitement immobile.

— Je ne veux pas me battre avec toi, dit-il. Je veux le retrouver pour toi.

En dépit de ses paroles, il était prêt à se battre s'il le fallait, et à récolter un œil au beurre noir, et même un ou deux doigts brisés. En revanche, il n'était pas prêt pour les larmes. Lorsqu'elles jaillirent il se détesta plus que tout d'avoir ainsi mis à bas les défenses derrière lesquelles Myrt pouvait être un homme fort et un guerrier. Les larmes coulaient et Aremys était perdu. Ne sachant que faire, il s'assit, puis, au bout d'un instant, il fit la seule chose au monde qu'une personne peut faire pour calmer la douleur de quelqu'un qui souffre. Le mercenaire passa ses bras autour des épaules du guerrier pour le serrer contre lui.

— Il est vivant, Myrt, je le sais. D'après ce que tu m'as dit, je ne crois pas que Cailech l'ait tué – ce qui expliquerait d'ailleurs la réponse mystérieuse qu'il t'a faite. Lothryn est vivant et Galapek est notre unique indice pour le retrouver. Aide-moi et nous le trouverons ensemble.

Les sanglots se tarirent, disparaissant aussi vite qu'ils étaient arrivés. La colère les remplaça.

— Je ne peux pas faire ça ! gronda Myrt.

— Mais si, tu le peux. Il n'a que nous. Si tu aimes Lothryn – et je sais que tu l'aimes –, alors battons-nous pour lui. Au moins, découvrons s'il est toujours en vie et dans quel état il est.

Myrt se mit à marcher de long en large, en proie à un nouveau dilemme. Aremys avait remarqué que l'intérieur de la petite chaumière trahissait la présence d'une femme dans le foyer – un vase de fleurs fraîches sur un meuble, les quelques assiettes soigneusement empilées, le sol balayé, la poussière enlevée. Tout était propre, méticuleusement nettoyé. Il se demanda où pouvait bien être la sœur de Myrt et lui posa la question.

— Elle ne devrait pas tarder à rentrer, répondit-il distraitement. Écoute-moi, Aremys, je vais t'aider pour Lothryn, mais certainement pas parce que j'ai peur de ce que tu as découvert à mon sujet. Raconte ce qui vient de se passer ou répète seulement ce que nous nous sommes dit, et je te tue. Je suis peut-être amoureux d'un homme, mais je suis tout à fait capable de tuer. N'oublie jamais ça.

— Ton secret sera bien gardé. Pour moi, peu importe que tu aimes les hommes ou les femmes. Je t'ai fait confiance au péril de ma vie, et je continuerai à te faire confiance. Je suis juste désolé pour toi que tu ne puisses pas être heureux.

— Ne t'en fais pas pour ça, j'ai vécu avec toute ma vie, répondit le Montagnard avec brusquerie. Plus sérieusement, que pouvons-nous faire ? Nous partons dans quelques heures à peine et je ne pense pas que Cailech ait l'intention de te faire revenir ici.

La colère de Myrt s'était envolée, cédant le pas à un sentiment de noir désespoir.

— Voilà qui change la donne. Peut-être faudra-t-il que tu cherches Lothryn sans moi. (Les yeux fixés au plafond, Aremys réfléchit quelques instants.) Pourrais-tu me raccompagner aux écuries voir Galapek ? J'ai l'impression qu'il a essayé de me communiquer quelque chose pendant la balade.

— Tu plaisantes, j'espère ? (Devant le regard impassible d'Aremys, le ton de Myrt se fit railleur.) C'est ça ? Tu crois vraiment que je vais gober que le cheval essayait de te dire quelque chose ?

— Ne te moque pas de moi, Myrt, je t'ai déjà expliqué au sujet de la magie. Non, je ne dis pas que le cheval m'a parlé, mentit-il, mais s'il y a quelque chose à apprendre de ce côté-là, je ne veux pas passer à côté. Et puis, je veux aussi voir Le Gant.

— Pas question.

— Si ! Il n'a aucune loyauté envers Celimus. Il est comme Koreldy et tous ceux que ce maudit salaud a trompés, trahis et tués. Que crois-tu qu'un soldat de cette trempe pouvait bien faire dans les Razors ? Penses-tu vraiment qu'il avait envie d'être là à la tête d'une bande de fermiers incapables de distinguer une épée d'une fourche ? (Myrt se mordilla une lèvre.) Allez, réfléchis. C'était un piège tendu par le roi de Morgravia. Il voulait que Cailech tue Gueryn, mais il faut que je puisse lui parler pour en connaître la raison.

— Penses-tu que cela pourrait t'aider dans ta mission ?

— Bien sûr. Pour quelle autre raison est-ce que je voudrais le voir ? mentit Aremys, au supplice de tromper un homme aussi bon. Sinon, ne dis rien au sujet de la mort de Koreldy, je t'en supplie – pour quelque temps encore. De toute façon, Cailech apprendra la vérité dès que nous entrerons en Morgravia. Mais si tu insistes, je le lui dirai moi-même.

— J'insiste, répondit Myrt, le regard verrouillé à celui du mercenaire.

— D'accord. Accorde-moi au moins le temps d'en apprendre un peu plus.

Myrt hocha la tête.

— Où va-t-on maintenant ?

— Aux cachots, répondit Aremys avec un sourire. Et ensuite, voir Galapek.

Chapitre 6

Gueryn avait le sentiment qu'on l'avait oublié. Cela faisait des jours que Myrt et son ami avaient fait quelques pas avec lui et il en était venu à penser que plus jamais il n'aurait l'occasion de respirer au grand air. Cela étant, on lui amenait chaque jour sa ration de nourriture et d'eau, si bien qu'il savait n'avoir pas été totalement rayé de la mémoire du peuple des Montagnes. Haz, son geôlier, ne lui disait jamais rien, ne lui donnait aucune nouvelle, ni ne lui faisait la conversation. Le vieux soldat ne tentait même plus de lui parler. En vérité, tout était de sa faute. Les premiers jours, Haz avait fait l'effort d'être aimable, mais comme cela avait eu pour unique résultat d'inciter le prisonnier à s'affamer et de provoquer la fureur du roi, il s'en tenait depuis strictement aux obligations de sa fonction et ignorait purement et simplement le Morgravian.

Depuis le retour de Gueryn au cachot, Rashlyn était passé deux fois, pour repartir satisfait de voir que sa santé se maintenait. À chacune de ces occasions, le soldat avait opposé un mutisme glacé aux propos doucereux du sorcier.

Après avoir pris conscience qu'il livrait un combat perdu d'avance en essayant de se tuer, et compris par ailleurs qu'il pourrait se montrer plus utile en recouvrant ses forces et en apprenant le plus de choses possible sur le roi des Montagnes, Gueryn s'était efforcé de conserver la forme. Lorsqu'il s'était senti suffisamment fort, il avait commencé à faire des pompes, et il en était aujourd'hui à trois centaines par jour. En conséquence, la partie supérieure de son corps avait retrouvé toute sa vigueur. Sinon, il marchait. Relativement étroite, sa cellule était assez longue, ce qui lui permettait d'enchaîner inlassablement des allers-retours. Il n'aurait su dire combien de fois il avait atteint les murs à chaque extrémité car il avait cessé de compter après un millier. Et puis, pour maintenir son esprit aussi agile que son corps, il avait entrepris de faire le point sur tout ce qu'il savait, manière de voir comment utiliser ces informations.

Tout d'abord, l'infâme Rashlyn avait appris quelque chose au sujet de Lothryn, comme le démontrait son attitude, tout imbu de lui-même qu'il était.

Cela donnait à penser à Gueryn que le courageux Montagnard n'avait peut-être pas péri comme ils l'avaient tous supposé. Gueryn savait également que le roi faisait en sorte de le maintenir en vie pour attirer Koreldy. Cela étant, il n'avait pas la moindre idée pour laquelle Cailech pouvait croire qu'il existât un lien entre Koreldy et lui-même. Gueryn n'avait jamais rencontré cet homme-là avant de le croiser dans la forteresse. Bien sûr, il y avait eu cette chose étrange : jusqu'à ce qu'il ait recouvré la vue, après qu'on eût libéré ses paupières cousues, il avait cru que Romen Koreldy n'était autre que Wyl Thirsk ! Depuis lors, il avait ressassé encore et encore ce souvenir, pour conclure qu'il avait voulu croire qu'il s'agissait de Wyl, et rien d'autre. Néanmoins, une petite voix dans son esprit lui soufflait que cette histoire dissimulait autre chose que ce que ses yeux avaient vu. Même à l'instant où il avait découvert ce visage inconnu, son cœur lui disait qu'il était face à Wyl. D'ailleurs, comment Koreldy aurait-il pu connaître le cri de guerre de la famille Thirsk ? Ou lui parler comme seul Wyl aurait pu le faire ? Tout cela n'avait aucun sens, et la certitude qu'avait Cailech que Koreldy reviendrait pour le sauver ne faisait qu'obscurcir encore plus le tableau.

Une fois encore, Gueryn était assis dans un coin de sa geôle, à se souvenir du meurtre d'Elspyth pour lequel il ne cessait de se blâmer, lorsqu'il entendit la clé tourner dans la serrure.

— Tu es bien matinal, Haz, marmonna-t-il.

Il n'avait pas une idée très nette de l'écoulement du temps, mais son corps et ses fonctions vitales lui donnaient des indices assez fiables. Or, pour l'heure, il n'avait pas faim.

Un homme colossal entra dans le cachot – un homme qu'il n'avait jamais vu auparavant.

— Gueryn Le Gant ?

Gueryn hocha la tête, cherchant à toute allure quelque chose à répondre ; la moindre pique envers ses gardiens était un plaisir à ne pas négliger.

— Tu t'attendais à trouver quelqu'un d'autre peut-être ?

L'homme eut un sourire, avant de se tourner vers l'extérieur pour hocher la tête en signe d'acquiescement. À cet instant, Gueryn eut la certitude d'entendre la voix de Myrt disant qu'il allait faire le guet.

— Que se passe-t-il ? demanda-t-il, l'esprit soudain alarmé.

— Je n'ai guère de temps, aussi allez-vous m'écouter très attentivement. Et il faut également que vous me fassiez toute confiance.

— Et pourquoi ça ?

— Je viens des îles Grenadyne – je ne suis pas un homme des Razors – et je connais un mot qui devrait vous inciter à me croire.

— Ah oui ? Quel mot vas-tu me dire ?

— Thirsk ! répondit sèchement Aremys. Et maintenant, écoutez-moi sans m'interrompre. Je suis votre ami, pas votre ennemi.

Le nom Thirsk avait été comme une gifle, et le colosse avait maintenant toute l'attention de Gueryn.

— Je m'appelle Aremys Farrow. Je suis mercenaire et j'ai été embauché par votre roi pour traquer et tuer Ylena Thirsk.

— Quoi ? rugit Gueryn en se redressant.

— Ne m'interrompez pas, soldat, l'avertit Aremys. J'ai trouvé Ylena, mais plutôt que de la tuer, je l'ai conduite en lieu sûr au nord de Briavel. Nous sommes partis chacun de notre côté et j'espère qu'elle a pu ensuite aller vers le sud pour rejoindre la reine Valentyna. Je n'ai pas le temps de raconter comment je suis arrivé jusqu'ici, mais malgré les apparences, sachez que j'y suis tout aussi prisonnier que vous-même. Cailech veut se servir de moi pour négocier des pourparlers avec Celimus. Si je réussis, je pourrai recouvrer ma liberté, et rejoindre Ylena pour lui offrir ma protection. Il y a une autre femme – Elspyth, que vous connaissez –, qui est sentimentalement attachée à un homme appelé Lothryn. Je crois savoir que Lothryn a trahi les siens en vous aidant à fuir, Koreldy, Elspyth et vous. Maintenant que je vous ai trouvé, comme je l'avais promis à Ylena, mentit-il, j'ai la ferme intention de trouver Lothryn également. Mon instinct me dit que le roi l'a maintenu en vie pour rendre le châtiment qu'il lui inflige, quel qu'il soit, plus douloureux encore. Par ailleurs, il faut que vous sachiez que Koreldy est mort. (À ces mots, Gueryn ferma les yeux.) Et que je vais vous tirer d'ici d'une manière ou d'une autre.

Aremys s'interrompit. De toute évidence, il livrait trop d'informations à la fois ; le prisonnier paraissait en état de choc, incapable de répondre.

Quelques secondes s'écoulèrent, puis le Morgravian partit d'un grand éclat de rire, et à en juger par l'ahurissement sur son visage, ce n'était pas la réaction à laquelle le mercenaire s'était attendu.

— Un remerciement n'aurait pas été superflu, dit-il avec un rien d'amertume.

— Merci d'avoir fait tout ce chemin. Merci de faire ce que tu tentes de faire, mais autant dire que tu t'adresses maintenant à un homme mort. Si Koreldy a perdu la vie, alors la mienne ne vaut plus rien, répondit Gueryn d'une voix lasse, pleine de douleur résignée.

— Personne n'est au courant de la mort de Koreldy, hormis Myrt et moi-même, le rassura Aremys.

— Myrt est un brave homme, mais c'est un Montagnard loyal. Le roi est sûrement déjà averti.

— Cailech n'est informé de rien. Il ne sait même pas que nous sommes ici en ce moment. Myrt fait le guet à l'extérieur. Il vous protège.

— Pourquoi ferait-il ça ?

— Peu importe.

— Non, c'est important pour moi, parce que toute cette histoire n'a aucun sens.

— Alors disons que je sais quelque chose sur lui qui l'encourage à m'aider.

Gueryn haussa les épaules.

— Qu'importe, après tout. Tous les êtres qui m'étaient chers sont morts à part Ylena – et on dirait bien que Celimus veut la tuer elle aussi.

— Cela n'arrivera pas.

— Si tu as rencontré Ylena comme tu le prétends, tu as certainement constaté que ce n'était qu'une petite poupée fragile, une enfant gâtée incapable d'échapper aux griffes de Celimus sans la protection de son frère ou la mienne.

— Elle a la protection de la reine Valentyna… et la mienne.

— Ah oui, bien sûr, la protection d'une oiselle fraîchement arrivée sur son trône et sûrement déjà assiégée par le roi Celimus, et celle d'un mercenaire de Grenadyne prisonnier du roi Cailech. Excuse-moi de ne pas applaudir.

— Je ne vois vraiment pas pourquoi je m'échine, murmura Aremys, piqué au vif par l'ingratitude et la mauvaise foi de Le Gant.

— Je ne vois pas non plus. Sauve-toi si tu peux. Ici même, j'ai vu Cailech tuer Elspyth de ses propres mains et y prendre plaisir. Il fera la même chose avec moi. Et avec toi aussi s'il en décide ainsi.

— Mais Elspyth n'est pas morte, s'exclama Aremys en fronçant les sourcils.

— Oh que si, mercenaire ! Je suis désolé d'alourdir ta peine, mais regarde mes bottes et c'est son sang que tu verras dessus. J'ai refusé de me soumettre à l'interrogatoire de Cailech et il a pris sa vie. J'aurais tout aussi bien pu lui planter moi-même un couteau dans le cœur, ajouta-t-il d'un ton empreint d'amertume.

Pour la première fois depuis qu'il était entré dans la cellule, Aremys s'autorisa à bouger. Accroupi auprès du vieux soldat, il se risqua même à lui prendre la main. Il osait à peine respirer.

— Quand est-ce que cela s'est passé ?

— J'ai perdu le fil du temps enfermé ici, répondit Gueryn en secouant la tête. Mais c'était il y a des semaines de cela, j'en suis sûr.

— Gueryn, regardez-moi ! J'ai vu Elspyth il y a quelques jours à peine, moins que les dix doigts de mes deux mains. Elspyth, Ylena et moi étions ensemble à Felrawthy.

— Tu mens ! Pourquoi fais-tu ça, immonde pourceau ?

Ce fut au tour d'Aremys de secouer la tête, mais avec compassion.

— Je ne mens pas. Nous avons bu du thé ensemble, par Shar ! Elspyth est vivante et bien déterminée à revenir ici pour découvrir ce qu'on a fait subir à Lothryn. La dernière fois que je l'ai vue, elle se rendait en Briavel, et elle doit sûrement y être à l'heure qu'il est.

Un torrent d'émotions passait sur le vieux soldat. Aremys le vit prendre une profonde inspiration.

— Farrow, j'ai vu de mes yeux Elspyth de Yentro mourir de la plus horrible des façons. De toute évidence, l'un de nous deux a été le jouet d'une illusion. Je sais que nous n'avons guère de temps, mais je veux que tu me dises tout ce que tu sais.

Aremys s'exécuta aussi vite que possible, racontant tous les événements à l'exception des métamorphoses magiques de Wyl, ce que jamais le vieux guerrier n'aurait accepté de croire. En outre, il avait promis le silence à Wyl et il entendait bien tenir sa parole.

Lorsqu'il eut fini son récit, Gueryn se mit péniblement sur ses pieds pour arpenter son cachot de long en large, profondément tourmenté par ce qu'il venait d'apprendre.

— Le duc de Felrawthy est mort ? s'exclama-t-il, choqué au point de le répéter. Jeryb, mort ?

Aremys hocha la tête pour confirmer.

— Moi-même, je ne l'ai appris qu'hier, de la bouche de Myrt. Apparemment, Celimus essaie de faire porter la responsabilité de ce massacre aux Montagnards de Cailech, mais ce sont bien des hommes à lui qui ont exterminé cette famille, en représailles, j'imagine, pour avoir osé recueillir Ylena. Au passage, il ne fait aucun doute que cela aura étouffé dans l'œuf toute velléité de soulèvement du duché du nord.

Tout cela était horriblement logique.

— Ils sont tous morts ? demanda Gueryn.

— À ce qu'on m'a dit. Crys accompagnait Elspyth à la frontière, donc je ne suis pas sûr pour lui, mais les Montagnards ont dit que toute la famille avait été massacrée.

— C'est monstrueux. La pauvre petite... son mari, Alyd... (Gueryn ferma les yeux, pour puiser au plus profond de son courage. Lorsqu'il les rouvrit, une flamme dure y brillait.) Et maintenant, tu vas aller négocier des pourparlers entre les deux rois ?

— Oui, pour acheter ma liberté. Et au sujet d'Elspyth, est-ce que vous me croyez ?

— Pourquoi devrais-je ne pas croire ce que mes yeux ont vu ?

— Parce que Rashlyn était là, voilà pourquoi.

— Et ?

— Vous savez que c'est un sorcier adepte de la plus noire des magies, non ?

— J'ai personnellement eu à la subir, répondit Gueryn, en se remémorant l'horrible sensation qu'il avait éprouvée suspendu dans les airs.

— Et cela ne vous suffit pas ?

Le soldat de Morgravia leva un regard interrogateur sur le mercenaire de Grenadyne.

— Que veux-tu dire ?

— Gueryn, il s'est joué de vous. À l'initiative de Cailech – ou plus sûrement celle du sorcier –, on vous a trompé pour vous faire croire que vous assistiez à la mort d'Elspyth.

— Ne dis pas de bêtises ! gronda Gueryn. C'était elle, je l'ai vue.

Aremys se mordilla pensivement la lèvre. Il n'avait pas encore vraiment pris la mesure du pouvoir de Rashlyn.

—Oui, selon toutes les apparences, il s'agissait certainement d'Elspyth. Savez-vous au juste ce qu'est un enchantement ?

—Un genre de magie, quelque chose comme ça ?

—Exactement, et je suppose que c'est ça que Rashlyn a utilisé. Au nord, nous acceptons plus facilement l'idée de la magie ; en grandissant nous entendons parler des charmes et des sorts d'antan. Mon grand-père m'a un jour raconté qu'il existait un sortilège capable de donner l'apparence d'une personne à une autre. Seuls les sorciers les plus doués peuvent lancer de tels enchantements.

Gueryn en était à se demander combien d'autres chocs son cœur allait pouvoir supporter en une journée. Bouche grande ouverte, il fixait un regard stupéfait sur Aremys.

—Elspyth était bien vivante lorsque je l'ai laissée, poursuivit le mercenaire. Je lui ai donné l'accolade lorsque nos chemins se sont séparés. Je parie que vous n'avez pas touché celle que vous avez vue.

Le soldat secoua la tête. Il avait l'air d'être assommé.

—Je n'ai rien pu faire d'autre que la regarder mourir.

—C'était une autre femme, Le Gant. Ils ont utilisé une pauvre fille dissimulée derrière un enchantement. Vous m'avez dit qu'ils voulaient obtenir quelque chose de vous. Qu'est-ce qui pouvait bien être important au point d'assassiner une innocente sous vos yeux ?

—Cailech voulait savoir quels étaient mes liens avec Koreldy. Or, je ne l'avais jamais vu, même si lui paraissait bien me connaître. (Il émit un rire amer.) Ils avaient cousu mes paupières et j'étais aveugle lorsque j'ai rencontré Koreldy. En réalité, j'ai cru qu'il était Wyl Thirsk. (Gueryn se mit à sangloter, incapable de contenir ses émotions plus longtemps.) J'ai failli. Je n'ai pas su protéger Wyl… Je n'ai pas su protéger les Thirsk…

—Non, vous n'avez pas failli, objecta Aremys, touché par le désespoir du vieil homme. Il y a tant de choses que je voudrais vous expliquer encore, mais le temps me manque, murmura-t-il, brûlant de révéler le terrible sort de Wyl. Il faut que j'y aille maintenant. Vous êtes en sûreté ici jusqu'à ce que je trouve le moyen de vous sauver. Tenez bon. Et ne dites rien de ce qui vient de se passer.

Il saisit la main de Gueryn pour la placer sur son propre cœur. C'était le serment le plus sacré qu'un soldat pouvait faire à un autre : la promesse qu'il donnerait sa vie pour le sauver.

Gueryn fut médusé de ce geste. Dans toute son existence, il n'y avait que deux hommes pour qui lui-même l'avait fait, deux hommes nommés Thirsk. Tous deux étaient morts.

—Attends ! s'écria-t-il soudain. Lothryn… tu crois vraiment qu'il est vivant ?

—Oui.

—Le cheval – celui qu'on appelle Galapek – est lié à Lothryn, murmura Gueryn d'une voix sourde, comme dépité de n'avoir pas vu plus tôt l'évidence.

— Quoi ? répondit Aremys entre ses dents serrées.

Il redressa le vieux soldat en lui décollant presque les pieds du sol, ce qui n'était pas rien compte tenu de la taille de Gueryn. Toutefois, avec sa stature d'ours, le mercenaire le dominait presque d'une tête et donnait l'impression d'être sur le point de le dévorer dans sa fureur d'en apprendre plus.

— Je ne sais pas au juste, expliqua Gueryn en secouant la tête. J'ai seulement le sentiment que Galapek, le nouvel étalon de Cailech, a quelque chose à voir avec Lothryn.

— Que savez-vous exactement ?

Aremys donnait l'impression qu'il allait lui arracher l'information, au sens propre.

Gueryn fronça les sourcils. Il ne comprenait pas pour quelle raison le mercenaire de Grenadyne paraissait soudain si excité.

— Rashlyn sait ce qui est arrivé à Lothryn. Je l'ai entendu dire à Myrt et à Byl que Lothryn était bien plus près qu'ils ne l'imaginaient. Il a ensuite plaisanté sur la signification du mot « Galapek ».

— Qu'est-ce qu'il signifie ? murmura Aremys, un peu confus. On dirait un mot de l'ancienne langue.

— C'est ça. Moi, je sais ce qu'il veut dire. « Galapek » signifie « traître ». C'est ainsi que Cailech a baptisé son étalon du pire nom qu'on puisse donner à un cheval.

Aremys était sidéré. Il fit demi-tour et parla par-dessus son épaule avant de sortir.

— Pas un mot de tout cela ! Je reviendrai vous chercher, Le Gant.

Le colosse claqua la porte derrière lui. Gueryn entendit le loquet qu'on refermait. Il se retrouvait encore seul, avec ses tristes pensées pour unique compagnie.

— Alors ? demanda Myrt, surpris par la brusque sortie d'Aremys.

— Partons d'ici tout d'abord, répondit Aremys, l'esprit en surchauffe et tous les nerfs tendus à se rompre. Ça ne peut pas être vrai..., murmura-t-il pour lui-même en proie à une terreur envahissante.

Fort heureusement, Haz ne montait pas la garde à proximité du cachot. Lorsqu'ils croisèrent le jeune homme qui menait une ronde d'un air maussade, Myrt lui rappela que le prisonnier Gueryn devait être sorti au grand air tous les jours. Le garde répondit par un hochement de tête à peine esquissé.

Dès qu'ils furent dehors, Myrt saisit Aremys par un bras.

— Tu as obtenu quelque chose, n'est-ce pas ?

— Sais-tu ce que le nom « Galapek » signifie ? répondit Aremys d'une voix sourde de colère contenue.

Myrt secoua négativement la tête. Aremys ferma les yeux, écœuré de désespoir. Quel sort cruel !

— C'est un mot de l'ancienne langue du nord que les écoliers de Cailech connaissent certainement, poursuivit le mercenaire. Il signifie « traître ».

Myrt affichait une mine perplexe.

— D'accord, c'est un curieux nom pour un cheval, mais quel rapport avec Lothryn ?

— Imbécile, tu ne vois donc pas ? répondit Aremys, incapable de se contenir. Galapek est Lothryn. (Sa voix se brisa.) Rashlyn a utilisé son ignoble magie sur Lothryn pour le transformer en étalon. Pour que ton roi si grand et si bon puisse monter son ancien ami, et l'épuiser jusqu'à ce qu'il n'y ait plus qu'à l'envoyer au couteau du boucher.

L'horreur se peignit sur le visage de Myrt avec une intensité inouïe. Il ouvrit la bouche, mais aucun mot n'en sortit, pas le moindre son. Aremys avait un jour vu un homme subir une congestion ; le choc était passé sur lui en une seconde et lui avait laissé le visage paralysé. Myrt était comme cet homme, la face totalement blême et figée, tous les muscles avachis et le sang retiré, les yeux pareils à deux gros boutons noirs.

Finalement, un semblant de lucidité lui revint.

— Cailech l'a brisé. Nous l'avons tous vu le faire. Cela s'est passé dans un enclos spécialement construit et ça a duré des jours. Des jours de douleur. Cailech a réduit la volonté du cheval en poussière jusqu'à ce qu'il baisse la tête devant lui.

Des larmes dévalaient le visage du guerrier. Aremys lui-même sentait ses propres yeux le piquer. Le mercenaire avait perdu le souvenir de la dernière fois qu'il avait pleuré. C'était sans doute le jour où il avait vu le corps disloqué de sa petite sœur et sa minuscule robe de soie sur le groin d'un sanglier en furie. Il s'arracha à ses souvenirs.

— Cailech a dit qu'il allait le soumettre par la douceur, poursuivit Myrt. Et c'était de Lothryn qu'il parlait. Lothryn qui a lutté pendant des jours entiers contre le roi jusqu'à ce qu'il ne puisse plus résister.

— C'est pour cela également que le contact du cheval m'a rendu malade. La magie du Thicket a senti la puissance qu'a utilisée le sorcier noir pour transformer un homme en cheval.

Myrt braqua un regard intense sur le mercenaire, ses yeux étaient rougis.

— Aremys, ne me mens pas. Tout à l'heure, tu m'as dit quelque chose et j'ai ri – tu m'as dit que le cheval t'avait parlé. T'a-t-il vraiment dit quelque chose ?

Aremys hocha la tête d'un air misérable.

— Il a murmuré un nom. Elspyth.

Le guerrier des Montagnes s'éloigna, muré dans sa souffrance et sa solitude.

Chapitre 7

C'était la première fois depuis son enfance que Celimus pénétrait dans la salle de guerre que son père aimait tant. Même en temps de paix, Magnus avait toujours adoré cette pièce, dont les fenêtres donnaient à l'est, en direction de l'ennemi de toujours. Au cours de l'une de ses rares visites en ces lieux alors qu'il n'était qu'un enfant, Celimus avait dit avoir l'impression que la vue portait jusqu'à l'infini. Son père lui avait souri avec indulgence, le roi de Morgravia s'en souvenait aujourd'hui. Puis la magie de cet instant rare, presque unique, de joie partagée entre le père et son fils s'en était allée aussi vite qu'elle était venue. À la seconde où un messager avait fait irruption, porteur d'une missive du général Thirsk, le petit prince avait été oublié, et sèchement renvoyé à ses professeurs. L'ombre du chef de la légion paraissait perpétuellement rôder autour de son père ; nul ne s'était plus soucié de lui, du moment qu'il déguerpissait. Avec une acuité amère, le garçon avait alors compris qu'il n'avait pas sa place parmi ces hommes. Pourtant, à neuf ans, il était prêt à observer et écouter, à apprendre le métier de souverain, mais Magnus n'en avait cure. Voilà au moins quelque chose dont il pouvait être sûr. Depuis ce jour, jamais plus il n'était revenu dans cette salle – jusqu'à aujourd'hui.

Des hommes y avaient ourdi des plans contre Briavel, discutant sans fin dans une atmosphère pleine de tension et de fumée. Ici, plus d'une guerre avait été élaborée – et la paix parfois aussi. Tapissée de cuir et de lambris cirés, patinés par les ans, la pièce conservait une touche de l'odeur suave du tabac que le roi Magnus appréciait particulièrement. En se concentrant, il en retrouvait les arômes. L'un des murs était orné d'une immense tapisserie, autrefois somptueuse et à présent ternie, évoquant le récit d'une bataille restée célèbre. Un tapis élimé par endroits recouvrait le plancher, auquel de l'encaustique avait récemment donné un peu d'éclat.

Le roi Celimus n'éprouvait rien pour cette pièce, qui avait été si chère au cœur de son père. Pour tout dire, il la détestait. Dans son esprit, elle était le symbole de cet amour dont sa mère et lui-même avaient été privés, son père préférant la compagnie de son général aux cheveux roux et des autres guerriers agglutinés autour de lui. Cependant, c'était dans cette salle également qu'étaient conservées les cartes détaillées de Morgravia, de Briavel et des autres royaumes. Et il en avait besoin. Qui plus est, il fallait également qu'il donne l'impression d'être sur le point de déclarer la guerre à son voisin, et c'était de cet endroit qu'il devait le faire.

En ne nommant pas de général pour remplacer Wyl Thirsk après sa mort, Celimus avait pris de fait le plein commandement de la légion. Bien sûr, cela n'avait pas manqué de heurter bon nombre de familles nobles, qui avaient pensé que Jeryb Donal, père de nombreux fils, en était le successeur tout désigné. Mais Donal avait décliné l'idée lorsqu'elle avait été évoquée, assurant qu'il préférait se consacrer à surveiller la frontière entre Morgravia et les Razors. Felrawthy était le meilleur rempart contre le nord et il n'avait nullement l'intention de venir à Pearlis. D'ailleurs, Celimus avait fait savoir qu'il n'entendait pas s'encombrer d'un nouveau général, préférant commander lui-même aux capitaines. À bien des égards, une ère nouvelle commençait pour le royaume, tandis que Morgravia se dépouillait de son passé pour aller vers une autre dynastie sous la férule du fils arrogant du plus aimé de ses rois.

Au grand dam de la plupart des Morgravians, Celimus avait récemment donné ordre de mobiliser quelques divisions de la légion. Le peuple du royaume avait tant espéré que la guerre avec Briavel ne soit désormais plus qu'un souvenir pour les livres d'histoire. Le mariage annoncé avait paru être une telle promesse de paix et prospérité pour les deux royaumes. Pourtant, qui pouvait s'opposer à la volonté de ce nouveau roi ? N'était-il pas l'incarnation de la loi ?

L'intention de Celimus était de faire partir le jour même ses hommes pour la frontière de Briavel.

—Voilà qui donnera à la reine matière à réflexion, dit-il à Jessom, occupé à servir un verre de vin à son roi.

La salle de guerre avait récemment été aérée et nettoyée pour Celimus. Quelqu'un avait même pensé à mettre un plateau de fruits sur la table et un bouquet de tannikas en boutons dans un vase. Celimus ne se souciait guère de l'un comme de l'autre, mais son œil appréciait les taches de couleurs dans cette pièce sombre et terne. Sa mère adorait les tannikas, dont la floraison ne durait que quelques brèves semaines au printemps. Il goûta un instant d'ironie à l'idée que l'influence de sa mère se faisait sentir aujourd'hui dans ce qui avait été le domaine de Magnus, et un lieu éminemment masculin. S'il avait eu en cet instant un flacon du parfum de sa mère, il en aurait répandu partout, dans tous les coins, pour chasser jusqu'au souvenir des effluves de son père. La pensée lui tira un sourire lugubre.

—Quels ordres leur donnerez-vous, Majesté ? demanda le chancelier en tendant le verre.

—Pour l'instant, une démonstration de force, rien de plus. Qu'ils attendent les ordres, répondit négligemment Celimus, en se tournant vers le messager essoufflé et couvert de poussière qu'un de ses aides de camp faisait entrer dans la pièce.

» Oui, qu'y a-t-il ?

L'aide de camp et le messager firent une courbette à l'unisson.

— Majesté, ce messager arrive du nord.

— Et je suppose que c'est urgent ? répondit Celimus, incapable de masquer l'irritation qu'il éprouvait d'être ainsi dérangé.

— On me dit que le message est urgent, et à vous transmettre en personne, expliqua l'aide de camp.

Jamais il n'aurait osé interrompre le roi et son chancelier si la nouvelle n'avait été réellement urgente. Mais bien sûr, il se garda bien de donner cette précision. *Parle le moins possible*, semblait être devenu le nouveau credo des serviteurs du palais en présence du roi.

Le messager salua une nouvelle fois, terrifié face à son souverain. De toute évidence, depuis son arrivée aux portes de Stoneheart, il n'avait pas pris une seconde ne fût-ce que pour étancher sa soif.

Celimus se pencha au-dessus de l'immense table où son père s'absorbait dans l'examen des cartes, puis leva un visage interrogateur sur le nouvel arrivant. Par sa désinvolture, ses bras croisés et sa posture déhanchée, le roi montrait à quel point cette interruption l'irritait – et portait à son comble la nervosité du coursier.

L'homme finit par comprendre que son heure était arrivée. Il passa nerveusement sa langue sur ses lèvres sèches, avant de se jeter à l'eau.

— Majesté, j'ai été dépêché du poste de contrôle du centre du royaume pour vous porter un message transmis par un autre coursier en provenance de la base du nord, entre Deakyn et Felrawthy, et rédigé par le capitaine de la place.

À l'issue de ce préambule, il marqua une petite pause pour reprendre son souffle, sans noter l'exaspération soudaine qui crispait le visage du roi. Ce détail n'avait toutefois pas échappé au chancelier.

— C'est urgent, non ? Alors va au fait, dit Jessom, espérant étouffer dans l'œuf la colère qui menaçait d'exploser.

Ce matin-là, le chancelier avait bien senti l'humeur revêche de Celimus et l'expérience lui avait appris que mieux valait ne pas en tester les limites.

— Excusez-moi, Majesté, bafouilla l'homme. Le message que je suis chargé de vous délivrer en personne est que le seigneur Cailech des Razors sollicite des pourparlers.

Un silence de plomb s'abattit sur la salle de guerre, avant de voler en éclats sous les exclamations de Celimus et de Jessom.

— Des pourparlers avec Cailech ! vociféra le roi, couvrant les remarques de son chancelier. C'est absurde ! Et pour quoi faire, d'abord ?

Le messager s'empourpra ; il n'avait aucune autre information à transmettre.

— Majesté, je ne sais rien d'autre des circonstances de ce message, si ce n'est qu'il a été transmis à la légion par un homme appelé Aremys Farrow, répondit-il, avant de saluer, sa mission accomplie.

N'importe qui aurait estimé que le coursier s'était acquitté de sa tâche avec concision et efficacité, puis l'aurait remercié avant de l'envoyer se restaurer. Celimus, lui, l'ignora purement et simplement, pour tourner un regard plein de fureur vers Jessom. Sans attendre, le chancelier remercia le coursier et l'aide de camp, car il n'était pas question qu'ils entendent ce qui allait se dire maintenant. Ensuite, il calma d'un regard circonspect l'ouragan imminent qu'il voyait dans les yeux de son roi – et tous deux attendirent que les deux hommes aient quitté les lieux.

— Farrow ! clama Celimus. Il travaille avec Cailech ?

Jessom s'efforça à dessein de ne laisser paraître aucune émotion sur son visage, alors même que la nouvelle l'avait littéralement soufflé lui aussi.

— Nous ne connaissons pas encore tous les détails, Majesté. Nous ne savons pas ce qui a bien pu se passer.

— Quels secrets a-t-il pu lui communiquer ? enragea Celimus.

— Il ne sait rien, Majesté, répondit Jessom en secouant la tête. En outre, je doute qu'il communique à Cailech le détail de ses missions rémunérées. Les mercenaires de ce calibre ne disent jamais à leur main gauche ce que fait la main droite.

— C'est exactement ce que je dis, imbécile, s'emporta Celimus, peu soucieux d'insulter son loyal conseiller. Comment savoir s'il ne travaille pas pour Cailech depuis le début ?

L'expérience avait également enseigné à Jessom d'ignorer les offenses.

— À quelles fins, Majesté ? Qu'aurait-il eu à y gagner ? Et puis quels secrets aurait-il bien pu glaner pendant les quelques heures qu'il a passées à Stoneheart ? Selon mes instructions, Farrow et Leyen ont été surveillés en permanence pendant leur séjour. Leyen s'est rendue aux bains, avant de passer l'après-midi avec dame Bench – et personne d'autre n'est allé chez les Bench pendant ce temps-là. Pour sa part, Farrow a été on ne peut plus prévisible, et il n'a pas quitté sa chambre, pas même pour se laver. Il n'en est sorti que pour souper avec vous et l'unique sujet de discussion à cette occasion a été Ylena Thirsk, dont on peut légitimement penser qu'elle ne représente rien pour Cailech. Ensuite, Farrow est retourné dans sa chambre pour partir deux heures après. Avec tout le respect qui vous est dû, Majesté, je pense que nous sautons à des conclusions dénuées de tout fondement.

— Alors à quoi peut bien jouer Farrow ? gronda Celimus, pas tout à fait rasséréné. Et à quoi joue Cailech ?

— Réfléchissons, répondit Jessom d'une voix douce, modulée pour calmer la rage de son souverain. Une embuscade, peut-être ?

— Impossible, objecta Celimus. Cailech est tout sauf stupide. Il ne va pas s'exposer dans l'espoir illusoire de m'atteindre. Non, il y a autre chose.

— Je me demande ce qu'il peut imaginer que nos deux royaumes ont en commun ? demanda pensivement Jessom, qui fut interrompu par Celimus avant de pouvoir développer sa pensée.

— Une méfiance partagée à l'égard de Briavel, peut-être, répondit Celimus, l'esprit toujours affûté pour échafauder les plus tortueux scénarios. Supposons qu'Aremys ne soit loyal envers aucune des deux parties en présence – autrement dit qu'il ne travaille que pour son propre profit. Alors, peut-être a-t-il été fait prisonnier pendant qu'il menait sa mission pour nous… même si c'est peu probable. À moins, comme tu le suggères, qu'il ne se soit retrouvé aux côtés de Cailech pour une raison que nous ignorons encore. Pour l'instant, nous allons lui laisser le bénéfice du doute.

— Fort bien, Majesté, répondit Jessom, feignant de penser que l'approche rationnelle était entièrement à mettre au crédit de Celimus. Que faisons-nous alors ?

— Alors j'accepte de rencontrer Aremys Farrow sur le territoire morgravian. Je me demande bien ce que Cailech a en tête.

— Que proposez-vous, Majesté ?

— Je vais le rencontrer dans un lieu facile à garder. Ce serait trop long de le faire venir à Stoneheart, dit le roi en réfléchissant à voix haute. À mi-chemin, peut-être ? Rittylworth ?

— Felrawthy, Majesté, intervint Jessom d'un ton empli de satisfaction. Quel meilleur endroit ?

— Tout à fait, convint Celimus, instantanément satisfait à l'idée de s'emparer du riche domaine. (*Qui se soucie que Crys Donal soit en vie en Briavel ?* songea-t-il. *C'est un traître maintenant. Felrawthy appartient à la couronne.*) Prends les dispositions voulues et envoie un message pour qu'on fasse venir Farrow à Tenterdyn. La rencontre aura lieu là-bas.

— Immédiatement, Majesté. Et Briavel ?

— Ça peut attendre pour l'instant. Laissons Valentyna mijoter encore un peu. Peut-être la vue de nos troupes lui adoucira-t-elle le caractère. Ce serait du suicide pour elle de se lancer dans une guerre.

— Vous comptez toujours l'épouser, Majesté ?

Celimus regarda son chancelier comme s'il avait devant lui le dernier des crétins.

— Je ne veux pas la guerre, Jessom. Je veux qu'elle capitule après avoir pris la pleine mesure de ma puissance. Je n'entends pas qu'elle devienne mon égale – car c'est malheureusement et tragiquement ainsi qu'elle se voit – mais j'entends qu'elle devienne ma reine. Je veux qu'elle me donne un héritier. Je veux Briavel – et ensuite je prendrai le royaume des Montagnes. Je veux tout ! hurla-t-il en sortant de la salle de guerre, son énergie retrouvée.

Aremys appréciait la compagnie des légionnaires, goûtant leur contact simple et direct. Il appréciait également que les Razors soient derrière lui. D'être de retour en Morgravia, il s'était remis à croire à la possibilité de retrouver Wyl. Bien sûr, il demeurait touché par le chagrin de Myrt, l'emprisonnement de

Gueryn et le sort incroyablement cruel réservé à Lothryn, mais il n'y avait rien qu'il puisse faire pour aucun d'eux. Il avait d'abord une mission à accomplir pour le roi des Montagnes – et sa liberté à reconquérir.

Malgré tout ce qu'il avait découvert, il avait de l'estime pour Cailech. C'était un homme intelligent et vif d'esprit, qui avait impressionné le mercenaire en montrant suffisamment d'humilité pour comprendre les avantages qu'il y avait à tirer de pourparlers avec le royaume voisin, alors même que le roi des Montagnes était certainement capable d'arrogance et d'orgueil. De toute évidence, Cailech méprisait Celimus, mais il n'en restait pas moins capable de pragmatisme. Il avait admis que si Aremys parvenait à organiser une rencontre et à nouer des relations, alors les avantages à long terme pourraient bien être immenses.

Avant le départ d'Aremys et de son escorte, ils avaient fait un dîner somptueux. Myrt avait fait preuve d'un flegme à toute épreuve – mais le flegme n'était-il pas sa caractéristique principale ? Seul Aremys semblait avoir été sensible à son silence. Cailech, lui, ne pensait qu'à l'entrevue à venir avec son homologue morgravian.

—Est-il fiable ? avait demandé le roi, en réfléchissant à voix haute.

—J'en doute. Vous lui feriez confiance, vous ? avait répondu Aremys, provoquant un grand rire chez son interlocuteur.

—Je crois que tu vas parfaitement t'en tirer, Aremys. Allez, maintenant pars m'organiser ces pourparlers.

—Et quelle sera ma récompense, seigneur Cailech ? s'était-il risqué à demander.

—Je t'autoriserai à vivre, avait répondu Cailech.

L'ambiance était conviviale, mais Aremys ne s'y était pas trompé. Il ne savait que trop combien il demeurait suspect aux yeux du roi des Montagnes. Pourtant, le sujet de Rashlyn n'avait pas été évoqué, hormis pour informer les deux hommes que le *barshi* allait bien.

Aremys n'avait rien répondu au commentaire désinvolte du roi. Il était resté sur place, refusant de baisser les yeux sous le regard aigu de Cailech.

—D'accord, mercenaire. Je comprends que tu veuilles quelque chose en échange, avait fini par admettre Cailech avec un sourire. Que pourrais-je t'offrir qui te satisfasse ?

Aremys avait décidé de tenter le tout pour le tout.

—Je veux Galapek.

Malgré ses efforts pour la dissimuler, la réaction de Cailech fut spectaculaire. Son regard s'étrécit et la ligne de sa mâchoire se durcit. Sans l'ombre d'un doute, Aremys avait touché un point plus que sensible.

—En quoi mon cheval t'intéresse-t-il ? demanda Cailech d'un ton qui confinait à la colère.

—En rien, si ce n'est que j'aimerais bien l'avoir, mentit Aremys. C'est le plus bel étalon que j'aie jamais vu. Et ce n'est pas un mince compliment de la part de quelqu'un originaire de Grenadyne.

— C'est que ça ne fait pas longtemps que je l'ai. J'y suis très attaché.

— Je comprends, répondit Aremys en s'efforçant de conserver un ton léger, dans l'intention de désamorcer tout risque d'offense. (Il sentait qu'il était grand temps de battre en retraite.) Seigneur Cailech, je vais donner le meilleur de moi-même pour organiser ces pourparlers. En retour, je n'attends aucun paiement, pas même votre magnifique étalon. Tout ce que je demande, c'est ma liberté dès que vous aurez conclu un accord de paix avec Celimus.

Cailech lui offrit spontanément la main, paume vers le haut cette fois-ci. Aremys savait que c'était une marque d'amitié rarissime de la part d'un homme qui, sans aucun doute, estimait que personne n'était son égal. Une nouvelle fois, il fut frappé de constater avec quelle soudaineté l'humeur du roi pouvait varier.

— C'est bien volontiers que je te tends la main pour sceller cet accord, dit Cailech. J'apprécie de voir que tu penses que Celimus et moi parviendrons à nous entendre.

Aremys posa sa main sur celle du roi.

— C'est grâce à vous uniquement que cela arrivera, seigneur. J'ai une totale confiance en vous.

À cet instant, Cailech avait souri d'un sourire chaleureux dénué de toute ruse.

— J'espère que tu choisiras de rester parmi nous, homme de Grenadyne. En tout cas, je te promets ta liberté dès que cet accord sera conclu.

Aremys avait choisi de tourner une réponse pleine d'humour, accompagnée d'un clin d'œil fait pour dérider le roi des Montagnes.

— Je dois absolument reprendre ma liberté, seigneur. Ma mémoire me dit que j'ai une femme quelque part…

Aremys Farrow de Grenadyne était donc parti sur un fier destrier et accompagné d'une escorte, porteur d'un message à l'intention de Celimus. Après avoir émergé des Razors en territoire morgravian, il s'était acquitté de sa tâche les mains liées. Ses compagnons avaient subi le même sort.

Aremys avait demandé à Myrt de le conduire aussi près que possible de Felrawthy – Wyl lui ayant dit que les légionnaires stationnés là-bas n'étaient pas du genre à tirer leurs flèches pour discuter ensuite. Ils avaient emprunté une passe – la Dent d'Haldor – pour déboucher dans le duché de Felrawthy, en vue d'un village principalement habité par des soldats, à trois lieues environ de Brynt. Les hommes du capitaine Bukanan avaient été bien formés à faire des prisonniers ; Aremys salua la mémoire de Jeryb Donal pour la bonne discipline inculquée à ses troupes.

D'un petit signe de tête à l'intention de Myrt, il avait indiqué aux Montagnards de se laisser faire. Lui aussi avait eu les mains attachées. Tandis qu'on conduisait les hommes des Razors dans un baraquement, Aremys avait été emmené devant Bukanan, qui avait écouté son histoire avec la plus grande attention.

— Des pourparlers ? s'était exclamé le capitaine au teint rubicond.

— Oui, capitaine. C'est bien le message que j'apporte, avait confirmé Aremys, toujours entravé.

— Tu comprends à quel point tout cela a l'air étrange ?

— Je comprends, capitaine. C'est pour cette raison d'ailleurs que j'ai été choisi pour cette mission. Le roi Celimus me connaît, il peut me faire confiance.

Bukanan l'avait longuement examiné avant de répondre.

— Vous allez rester ici et bénéficier de nos soins attentifs jusqu'à ce qu'on ait des nouvelles de Pearlis.

— Entendu, avait répondu Aremys, tout sourire devant l'élégante formule qui signifiait bel et bien qu'ils étaient prisonniers de Morgravia. Toutefois, vous comprendrez bien que les Montagnards qui m'accompagnent ne doivent subir aucun mauvais traitement et devront être relâchés dès que vous aurez reçu des instructions du roi Celimus.

— Et qui impose ces conditions ? avait demandé le capitaine, sur un ton de la plus parfaite politesse, où perçait néanmoins une note d'agacement.

— Cailech, seigneur du peuple des Montagnes. Il a clairement indiqué que ses hommes ne devaient pas être maltraités.

— Parce qu'il est vraiment en position d'exiger quoi que ce soit ? avait insisté le capitaine, passablement surpris de l'audace du roi des Montagnes.

— Capitaine Bukanan, je ne suis qu'un intermédiaire entre deux hommes très puissants. Si ma tentative pour les amener à discuter porte ses fruits, cela signifie que vous et moi pourrons continuer à vivre en paix. Or, je pense que Morgravia veut la paix, et moi je veux retrouver ma liberté. Vous et moi, faisons en sorte que tout se passe bien. Si vous faites du mal aux Montagnards, ou s'ils retournent dans les Razors au-delà d'un délai qu'il estime raisonnable, alors Cailech renoncera aux pourparlers et Morgravia se retrouvera dans l'obligation de combattre sur deux fronts : contre le roi des Montagnes et la reine de Briavel. Ce pourrait bien être un problème, vous ne croyez pas ?

Formulée ainsi, Bukanan trouvait la chose tout à fait problématique. Sa femme venait tout juste de donner naissance à un fils, après deux filles, et il avait la ferme intention de rester en vie pour élever ce petit homme qui était déjà devenu la prunelle de ses yeux.

— J'accepte ces conditions, Farrow. Toutefois, il n'y aura plus grand-chose à mettre dans la balance lorsque Cailech sera sur le sol morgravian. Car tu peux être sûr d'une chose, jamais Celimus n'acceptera de se rendre dans les Razors.

— Laissez-moi m'occuper de ça, avait répondu Aremys d'un air mystérieux.

Le capitaine avait haussé les épaules.

— À ta guise. Je fais partir un coursier dans l'instant. Installe-toi confortablement parmi nous. Il y en a pour quelques journées.

Chapitre 8

Liryk avait accompagné en personne la femme qui disait s'appeler Ylena Thirsk dans un petit salon de réception. Les cheveux en désordre et peu encline à bavarder, elle avait insisté pour voir la reine, qui selon elle l'attendait. Incapable de dire s'il avait affaire à la véritable Ylena Thirsk ou à une usurpatrice, Liryk avait pris la précaution de la soumettre à une fouille méticuleuse. Elle s'était laissé faire sans rien dire et, au bout du compte, elle n'avait aucune arme, rien d'autre que les vêtements de cavalière qu'elle portait. En réalité, tout cela était pour le moins déconcertant, mais tous les Morgravians qui s'étaient présentés au château dernièrement n'avaient-ils pas les plus étranges histoires à raconter ? *Pourquoi n'en irait-il pas de même avec elle ?* se demanda Liryk avec un soupir fataliste.

Par ailleurs, la jeune femme ne ressemblait absolument en rien aux portraits qu'on donnait des Thirsk. Outre ses cheveux blonds – premier point distinctif –, c'était une véritable beauté. Or, les mâles de la maison Thirsk n'avaient jamais été particulièrement réputés pour l'harmonie de leurs traits. Liryk avait noté son port altier et fier – marque indiscutable de sa noblesse –, et le regard plein de défi qu'elle lui avait lancé lorsqu'il avait tenté de l'interroger au poste de garde montrait qu'elle n'était pas le moins du monde intimidée par sa présence ou celle de ses hommes. Pour finir, il avait accepté d'envoyer un page prévenir la reine.

— Sa Majesté décidera si elle accepte de vous recevoir, avait-il dit.

— Soyez assuré qu'elle me recevra, avait-elle répondu, avant de suivre le soldat jusqu'à l'antichambre, sans rien ajouter.

Le commandant se demandait ce que cette visite allait impliquer pour l'avenir de la reine et du royaume. Il percevait nettement qu'elle était lourde de menaces pour les projets de mariage, qui paraissaient déjà si précaires dans l'esprit du souverain morgravian. Les nobles avaient exigé de voir Ylena Thirsk, et c'était à croire que Shar exauçait le plus cher désir de Valentyna.

— Dame Ylena, mes hommes m'ont dit vous avoir trouvée dans les bois qui bordent le palais ?

— C'est exact, répondit Wyl. J'étais perdue, commandant Liryk, et je leur sais gré de m'avoir guidée. J'ai déjà expliqué que mon cheval boitait lorsque je suis arrivée à Beeching, mentit-il de nouveau.

Il était toujours sous le choc de son arrivée magique en Briavel. Une chose était sûre, Rasmus disait vrai en affirmant qu'ils allaient l'« envoyer » à destination.

— Je l'ai laissé là-bas, poursuivit Wyl, en regrettant instantanément cette erreur.

Rien ne serait plus simple maintenant pour Liryk que d'aller vérifier sur place.

— Et vous avez marché tout du long depuis Beeching ? Ne pouviez-vous pas acheter une autre monture ?

— Pour dire la vérité, je n'avais pas suffisamment d'argent sur moi. Et puis, la route n'est pas si longue après tout.

— Toutes les femmes nobles que je connais trouveraient qu'une lieue représente une sacrée distance.

— Vous oubliez que je suis une Thirsk, contra Wyl. Chez nous, même les femmes sont fortes et résistantes, ajouta-t-il en s'efforçant autant que possible de rester aimable.

Avant que Liryk puisse répondre quoi que ce soit, les portes du salon s'ouvrirent et la reine Valentyna fit irruption dans la pièce. Elle avait couru à travers tout le château et son teint avait rosi.

Wyl avait attendu cet instant le cœur battant à tout rompre – ce qui expliquait sans doute le ton un peu cassant qu'il avait employé avec Liryk. À l'instant où il la vit, il le sentit s'arrêter. Il salua d'une profonde inclinaison du buste, heureux que sa tenue de campagne lui épargne une révérence plus féminine.

— Majesté, murmura-t-il, d'une voix qui s'étranglait dans sa gorge.

Le doux parfum de Valentyna parvenait jusqu'à lui. Tout ce dont il rêvait en cette seconde, c'était de la prendre dans ses bras, de l'embrasser. Tout cela lui était interdit.

— Je vous en prie, Ylena, répondit la reine, aussi nerveuse que son hôte, mais pour d'autres raisons. Relevez-vous.

Wyl leva les yeux vers la femme qu'il aimait. Valentyna lui tendait une main amicale. Sans qu'il y puisse quoi que ce soit, il prit la main de la reine dans la sienne pour la porter à ses lèvres. Le geste était pour le moins inattendu de la part d'une femme. Relevant la tête, il vit l'expression étonnée sur le visage de son aimée. Était-ce de la consternation ou bien avait-elle lu quelque chose dans ses yeux ? *Non bien sûr, ce ne sont que des chimères*, songea-t-il. *Tout ce qu'elle voit, c'est une jeune noble en haillons.*

— Merci, Majesté, de m'accorder une audience, dit-il.

Pour l'heure, c'était tout ce qu'il se sentait capable de dire. L'arrivée d'un serviteur apportant un plateau le tira opportunément d'embarras.

— Tout le plaisir est pour moi, Ylena, répondit la reine, à l'évidence toujours sous le coup de la surprise. Sortons sur la terrasse, voulez-vous ? La matinée est délicieuse. (Valentyna s'avança la première.) Liryk, vous pouvez rester si vous voulez, ajouta-t-elle à l'intention du commandant.

Bien évidemment, c'était une manière de lui demander de s'éclipser.

— Je vais me retirer si vous le permettez, Majesté, répondit-il. (Il vit le visage de la reine se détendre.) Je laisse un garde à la porte au cas où vous auriez besoin de moi, ajouta-t-il en jetant un coup d'œil en direction d'Ylena.

Son message implicite était immanquable. La reine approuva d'un hochement de tête, remercia le serviteur d'un sourire et proposa à son hôte de lui servir un verre de vin doux. Liryk était déjà oublié ; il sortit de la pièce, une expression amère sur le visage.

Si Wyl avait bien besoin de chasser son malaise, Valentyna elle aussi avait besoin d'éclaircissements pour retrouver son assiette. Wyl décida de prendre l'initiative de la conversation, car c'était lui qui avait les réponses à tous les secrets.

— Vous m'attendiez, n'est-ce pas, Majesté ? dit-il en acceptant le verre de vin.

— Eh bien, oui, commença Valentyna, avant d'agiter doucement la tête. C'est étrange, Ylena – vous permettez que je vous appelle Ylena ?

Je préférerais que tu m'appelles Wyl, songea Wyl.

— Bien sûr, Majesté. Poursuivez, je vous en prie.

— Dans votre lettre, vous me disiez de vous attendre et vous m'assuriez de votre venue. Or, mes nobles ont affirmé que sans votre témoignage, ils refuseraient de croire les récentes allégations contre le roi de Morgravia. J'ai donc prié pour que vous arriviez. Et étonnamment – mais je vous demande de ne pas croire que je suis folle…

— Jamais je ne penserai une chose pareille, affirma Wyl, en se penchant pour prendre sa main dans la sienne.

C'était un geste qui lui semblait si naturel. Pourtant, comment la reine pourrait-elle ne pas trouver étrange que son invitée se montre si familière ?

Toutefois, Valentyna ne parut pas prendre ombrage de son geste franc et direct.

— Même ainsi, toute décoiffée, vous êtes magnifique… Vous ne ressemblez pas du tout à Wyl, s'exclama-t-elle, avant de laisser son rire fabuleux cascader autour d'elle.

Instantanément, Wyl retrouva la délicieuse sensation que lui procurait cette joie gracieuse et communicative, comme un rayon de soleil qui perce les nuages et réchauffe la terre. Il aurait voulu que ce sourire – donné pour lui seul – ne quitte jamais son adorable visage. Il se mit à rire lui aussi. Comment se pouvait-il que ses paroles, qui auraient pu paraître offensantes, sonnent comme une remarque débordante d'affection joyeuse ?

— Wyl n'était pas le plus beau des hommes, Majesté… et il le savait, admit-il.

— C'est vrai, répondit la reine, mais même si je ne l'ai vu que brièvement, il restera comme l'une des plus belles rencontres que j'aurai jamais l'occasion de faire dans ma vie.

À ces mots, Wyl se sentit transporté.

— Si mon frère pouvait entendre cette conversation, Majesté, je crois qu'il serait ému au-delà de ce que vous pouvez imaginer.

— Rouge des pieds à la tête, sans aucun doute, ajouta la reine, avant de rire de nouveau. Oh, comme je suis cruelle, mais Wyl m'est apparu comme quelqu'un de si délicieux à taquiner. (Soudain, une ombre passa sur son visage.) Il s'est montré si généreux envers mon père et moi. Je me sens tellement coupable de sa mort, sachant qu'il aurait pu se sauver.

— Je ne devrais sans doute pas parler si franchement, Majesté, mais Wyl était amoureux de vous. Follement amoureux…

Valentyna sentit une bouffée de chaleur l'envahir, tandis que le rouge lui montait aux joues.

— Comment pouvez-vous savoir cela ?

— Romen me l'a dit, répondit Wyl, notant le trouble que le nom de son amant faisait naître chez la reine.

Il savait qu'il avait tort de parler ainsi, mais la présence de Valentyna l'enivrait. C'était une sensation dangereuse, comme si tout devenait possible. Il fit un effort de volonté pour brider ses émotions.

— Vous connaissiez bien Romen ? demanda la reine avec une certaine hésitation.

— Nous avons passé quelques jours ensemble, lorsqu'il m'a conduite au monastère de Rittylworth. Je l'ai découvert pendant ce voyage, comme se découvrent les gens qui partagent leurs repas, dorment autour du même feu, et se livrent l'un à l'autre plus que des étrangers ne le feraient.

— Romen a passé quelque temps ici également. Saviez-vous qu'il avait fait une promesse à votre frère ?

— De nous protéger toutes deux. Oui, il me l'avait dit.

— Je… je veux être honnête avec vous, déclara Valentyna avec difficulté. J'étais amoureuse de Romen – et je le suis toujours, aujourd'hui.

Ylena ne pouvait pas avoir connaissance de cette information, aussi feignit-elle la surprise. Wyl hocha doucement la tête, désireux avant tout de rendre l'aveu le plus simple possible pour Valentyna.

— Je comprends cela, Majesté. Romen s'est montré tendre et dévoué avec moi et je sais que c'était un homme bon, malgré son métier. J'imagine quel couple magnifique vous auriez formé tous les deux.

Les yeux de Valentyna se mirent à briller.

— Vraiment ?

Wyl confirma d'un signe de tête. Tout à la fois, il se détestait et ne pouvait s'empêcher d'être heureux de lui faire plaisir.

— Ici, personne ne serait de votre avis, Ylena, observa la reine d'un ton d'ironie contenue. Romen avait beau être d'extraction noble, mon royaume ne songe qu'à m'unir à une autre maison royale. Mais pardonnez-moi de me plaindre ainsi. Je sais que vous-même avez éprouvé le chagrin de la disparition, Ylena, et j'en suis peinée pour vous du fond du cœur.

Wyl baissa la tête et Valentyna saisit la main d'Ylena. Ce contact fit passer un frisson de bonheur sur lui.

—J'ai également entendu parler de ce qui s'est passé depuis lors et de vos exploits courageux. Je sais que votre frère serait fier de vous.

—Comment en avez-vous eu vent, Majesté ?

—Par Crys Donal.

De surprise, Wyl retira sa main.

—Crys est ici ?

Valentyna hocha la tête.

—Je suis désolée, j'aurais sans doute dû vous en parler tout d'abord. Mais il y a tellement de choses à raconter. Et sa présence ici signifie que le nord de Morgravia a traversé bien des drames.

Wyl se redressa. Son cœur battait de nouveau à tout rompre, mais c'était la peur qui l'avait ainsi emballé.

—Que s'est-il passé ? Dites-le-moi, je vous en conjure, s'exclama-t-il.

—La famille Donal a été massacrée.

Wyl tituba et dut se tenir à la rambarde. Il s'obligea à respirer profondément.

—Vous en avez la preuve ? demanda-t-il d'une voix sourde.

—Oui, répondit Valentyna d'un ton désolé. Un témoin a confirmé qu'ils étaient tous morts. (Elle marqua une petite pause pour permettre à Ylena de se ressaisir.) Crys escortait Elspyth jusqu'à la frontière de Briavel lorsque c'est arrivé, et c'est ce qui l'a sauvé. (D'évoquer ces souvenirs, la voix de Valentyna s'était mise à trembler.) C'est Pil... le novice... vous voyez qui je veux dire ?

Wyl hocha la tête sans tourner les yeux vers elle. Il ne voulait pas avoir à expliquer que Pil et Ylena avaient fui ensemble du monastère. Après cette nouvelle effrayante, cela n'avait plus d'importance.

—C'est Pil qui a retrouvé Elspyth et Crys et les a avertis de la tragédie. Elspyth a alors insisté pour que le nouveau duc de Felrawthy l'accompagne jusqu'à Werryl.

Wyl ne parvenait plus à parler ; sa gorge était nouée et plus sèche qu'un morceau d'amadou.

—Je suis infiniment désolée, Ylena. J'aurais dû commencer par vous en parler, dit Valentyna. Cela a été un tel choc pour nous tous.

—Est-ce que c'est Celimus qui a fait ça ? coassa Wyl.

—Apparemment oui. Selon Pil et dame Donal, les meurtriers portaient ses couleurs.

Cette fois-ci, Wyl se retourna d'un bloc.

—Dame Donal est en vie ?

Valentyna secoua tristement la tête.

— Non, elle est morte de ses blessures. C'est horrible, mais cette femme courageuse avait néanmoins réussi à venir jusqu'à Brackstead, avec la...

Valentyna s'interrompit brutalement, en se rendant compte que ce qu'elle s'apprêtait à dire ne pouvait qu'affliger un peu plus Ylena.

— Avec quoi ? insista Wyl.

Valentyna se redressa à son tour, tendit une main à son invitée pour finir par la prendre dans ses bras. Elle lui parla doucement à l'oreille.

— Ylena... permettez que je reprenne au début pour vous dire tout ce que je sais.

Wyl hocha tristement la tête.

— Sortons, voulez-vous ? Ce sera plus facile de revisiter ces tristes événements en marchant. (Elle fit un pauvre sourire auquel Ylena ne répondit pas.) Allons dans les jardins, si vous n'êtes pas trop fatiguée ?

— Je me sens bien, répondit Wyl, heureux à l'idée de passer du temps avec elle, même si le choc de la nouvelle le laissait sans voix. Où est Crys maintenant ?

— J'irai le faire chercher après notre tour. Vous pourrez parler.

— Et Elspyth ? Elle est ici elle aussi, je suppose ?

La reine s'interrompit, en quête des mots justes. Rien ne lui vint à l'esprit, aussi dit-elle tout de la manière la plus directe.

— Elle est partie cette nuit. Vous l'avez manquée de quelques heures, Ylena.

Wyl n'en pouvait plus de ces nouvelles accablantes. Il leva un regard épuisé qui vint se perdre dans les yeux bleus emplis de compassion de la reine.

— Elle est partie chercher Lothryn, dit-il d'un ton résigné.

— Vous le connaissez ?

Il confirma d'un hochement de tête.

— Quel gâchis, murmura-t-il. Ma vie n'est qu'un immense gâchis.

Valentyna ne saisit pas pleinement la portée de sa remarque. Avec un petit mouvement de tête aimable, elle prit le bras fin de son invitée.

— Venez, les jardins vous feront du bien – même si ce que j'ai à vous dire risque de vous affliger.

— Majesté, sans doute vaut-il mieux tenir ma présence ici aussi secrète que possible pour l'instant.

— Ah, mais les nobles m'ont demandé de vous présenter devant eux. Ils...

— Je sais, mais ils pensaient certainement que vous ne parviendriez jamais à me faire venir. Ils ne changeront pas d'avis, Majesté, quoi que je puisse leur dire. Tout comme les Morgravians, ils veulent que ce mariage aboutisse – et advienne que pourra.

Le cœur de Wyl se serra à la vue du chagrin apparu sur le visage de la reine.

Les deux femmes d'apparence si dissemblable cheminaient lentement dans le calme des allées du jardin aromatique. Le noir des cheveux de Valentyna faisait un contraste parfait avec l'or blond de ceux d'Ylena. Toutes deux étaient en tenue de cavalière et Valentyna était ravie que la jeune noble n'ait pas marqué le moindre signe d'étonnement devant sa mise des plus simples. Cette simplicité l'avait frappée dans la mesure où la plupart des femmes qu'elle rencontrait trouvaient étrange son goût pour les vêtements masculins. Avec sa silhouette gracile, Ylena paraissait être le genre de femme à s'horrifier de paraître vêtue autrement que dans une toilette somptueuse. Et pourtant, elle était là à ses côtés, parfaitement à l'aise dans ses pantalons couverts de poussière, avec son visage taché, ses cheveux noués à la hâte et ses ongles brossés à la va-vite. Elle ne cadrait pas avec l'image qu'elle s'était faite d'elle, ni même avec la description que Fynch avait donnée de la sœur de Wyl, toute d'élégance et de sophistication. C'était à croire qu'il ne s'agissait pas de la même personne. Puis Valentyna se souvint des épreuves qu'Ylena venait de traverser ces dernières semaines. Ça et le fait qu'elle était de la lignée des Thirsk. *C'est le sang qui parle*, se dit-elle. En fait, Ylena lui rappelait de plus en plus le Wyl qu'elle avait si brièvement connu.

Elle n'avait épargné aucun détail à la jeune femme, lui narrant par le menu tout ce qu'elle savait des événements survenus en Morgravia, tels qu'ils lui avaient été rapportés par d'autres, et rajoutant tous les détails qu'elle-même avait pu glaner.

— Où est la tête d'Alyd ? demanda Ylena, au grand étonnement de la reine devant la franchise de la question et le sang-froid de la jeune femme.

Valentyna s'était attendue à une crise de sanglots, mais Ylena n'avait pas versé une seule larme.

— Ylena, je sais combien c'est difficile pour vous, dit la reine, s'efforçant de contourner en douceur la question des restes macabres d'Alyd Donal. Je ferai ce que vous me demanderez.

— Enterrez-le ici, répondit Wyl sans la moindre hésitation. Le sang des Donal n'a déjà que trop été répandu sur la terre de Tenterdyn. Qu'il repose aux côtés de sa mère.

— Crys a voulu la même chose pour Aleda, répondit Valentyna en hochant doucement la tête. Il a souhaité que sa dernière demeure soit ici. (Les deux jeunes femmes avaient fait plusieurs fois le tour du jardin.) Êtes-vous fatiguée ?

— Sûrement, mais je serais bien incapable de dormir. Toutes ces nouvelles m'ont bouleversée. Pourtant, il faut agir et tirer des plans. Parlez-moi de Celimus, Majesté.

Elle-même stupéfiée de l'ardeur qu'elle mettait à exposer ses angoisses à une jeune femme qui, au fond, ne pouvait pas grand-chose pour l'aider, Valentyna lui exposa tout ce qu'elle avait appris.

— Je n'arrive pas à croire que Krell ait pu faire une chose pareille, s'exclama Wyl, inquiet de voir à quelle vitesse la situation de Briavel avait pu se dégrader.

— Si vous l'aviez connu, vous sauriez à quel point votre remarque est fondée, confirma Valentyna. C'était si stupide de faire une chose pareille, si éloignée de ce qu'il est vraiment. En tout cas, Celimus sait tout maintenant.

— Pas tout, Majesté, intervint Wyl. (Ces mots pleins de détermination firent passer sur Valentyna un frisson d'une incroyable intensité.) Il n'a pas la moindre idée de l'endroit où je me trouve. À nous de faire que les choses restent ainsi.

— Il ne tardera pas à l'apprendre. Si j'ai mes espions en Morgravia, Briavel grouille sûrement d'agents à sa solde.

— C'est vrai. Quelle erreur j'ai commise de me présenter sous mon vrai nom, reconnut Wyl. En même temps, c'était la seule manière de me faire ouvrir les portes du château. Il faut que je réfléchisse, Majesté. Finalement, je vais peut-être aller me reposer, si vous le permettez.

— Bien sûr. Je suis ravie que vous soyez ici, Ylena, répondit Valentyna, surprise de constater à quel point ce qu'elle disait était sincère. Vous ne ressemblez pas à votre frère, mais vos personnalités sont infiniment comparables. Avec lui comme avec vous, je me sens étonnamment en sûreté.

Le visage d'Ylena rayonna du contentement que Wyl éprouvait.

— Je suis votre servante, Majesté. Tout comme mon frère avait fait allégeance à Briavel, je vous la déclare à mon tour.

— Et je l'accepte avec gratitude, Ylena. Mais que peuvent faire deux femmes comme nous contre ce roi félon à l'ouest ? Je n'en ai pas la moindre idée. Vous savez que je dois l'épouser prochainement ?

Wyl dut se résoudre à dire autre chose que ce qu'il pensait au fond de lui.

— Peut-être faut-il en passer par là, Majesté, mais pas sans avoir un plan, dit-il d'un ton rassurant. Rassemblez toutes les informations possibles, tout ce que vos espions vous signalent.

La reine se demanda à quel moment de leur conversation la frêle Ylena s'était soudain parée de tant d'autorité ; elle n'en donna pas moins son assentiment d'un hochement de tête.

— J'avais également l'intention de demander à Crys Donal de quitter Briavel, précisa-t-elle encore.

— Oui, il ne peut plus rester ici. Cela ne peut qu'envenimer la situation, maintenant que Celimus sait qu'il a survécu. En outre, Crys sera sans doute bien plus utile à notre cause en Morgravia.

— Comment cela ?

— Je ne le sais pas encore avec certitude, Majesté. Pourrions-nous en reparler dans quelques heures ?

— Bien sûr, répondit la reine, avant de poursuivre, incapable de retenir ses mots. C'est stupéfiant…

— Quoi, Majesté ?

— Soit je suis devenue folle, soit Shar lui-même conspire pour me perdre, répondit-elle en plongeant son regard bleu et brillant au fond des yeux de Wyl. Ça peut sembler idiot, mais non seulement vous ressemblez à votre frère, mais vous me rappelez également Romen Koreldy. Vous m'avez parlé exactement comme il le faisait. Il n'y a pas si longtemps, lui et moi avons tramé un plan pour éloigner Celimus et son offre de mariage – et j'ai l'impression de revivre cet instant. (Une larme roula le long de sa joue.) Pardonnez-moi, Ylena, je divague.

—Pas du tout, répondit Wyl en tendant un fin mouchoir de batiste à la reine.

Valentyna eut un rire amer.

—Non, vous ne comprenez pas. Il y a deux jours à peine, notre amie Elspyth m'a dit de garder l'esprit ouvert et d'être à l'écoute des gens qui passent dans ma vie.

—Effectivement, je ne comprends pas, admit Wyl, en s'efforçant d'alléger sa remarque d'un sourire.

Valentyna se tamponna les joues. Quelque chose frappait à la porte de son esprit, mais elle n'y prêta pas attention.

—Je déteste me sentir si faible. La simple évocation de Romen – la plus petite réminiscence – suffit à me faire perdre contenance.

—Alors utilisez son souvenir pour vous aguerrir. Si, avec lui, vous vous sentiez en sûreté, convoquez sa mémoire pour y puiser de la force, l'exhorta Wyl.

Valentyna se félicita de n'avoir pas parlé du pinson et de son chant. À coup sûr, la courageuse Ylena, qui avait déjà tant souffert elle-même, aurait pensé que la reine de Briavel était en train de perdre la tête.

—Que disiez-vous, au juste, au sujet des gens qui passent dans votre vie ?

—Rien, répondit la reine avec un sourire.

Elle rendit son mouchoir à Ylena. Une nouvelle fois, quelque chose s'anima à la lisière de sa pensée, mais son esprit était distrait. Elle prit un brin de lavande pour en presser les fleurs entre ses mains.

Wyl détourna la tête : ce geste lui rappelait douloureusement des temps heureux à jamais enfuis. C'était exactement ce qu'elle avait fait, avant de donner ses mains à sentir à Romen. Cette fois-ci, elle n'offrit pas sa main, mais comment aurait-elle pu savoir que c'était la même personne qu'elle avait devant elle ?

—Elspyth pense que je devrais m'efforcer d'oublier Romen pour m'ouvrir aux autres personnes qui pourraient m'aimer, poursuivit Valentyna, d'un ton empreint d'une subite timidité.

Un sentiment d'alarme envahit Wyl.

—Et quels autres conseils la très sage Elspyth vous a-t-elle encore donnés, Majesté ?

Valentyna sourit en entendant son ton aimablement sarcastique, sans mesurer à quel point cette conversation devenait terrifiante pour son hôte.

—Elspyth m'a parlé avec une intensité des plus étranges. Nous étions exactement là où nous sommes maintenant, et elle m'a suppliée de me montrer particulièrement attentive si jamais je rencontrais quelqu'un qui évoque en moi le souvenir de Romen.

Wyl sentit son estomac se dénouer de soulagement. De toute évidence, Elspyth n'avait fait qu'effleurer son secret. Il faut dire qu'elle avait reçu une bien atroce leçon à Tenterdyn pour avoir trop parlé, leçon qui avait coûté la vie à Ylena. Elspyth ne commettrait pas une deuxième fois la même erreur, quand bien même elle n'avait pu s'empêcher de faire allusion à la réalité.

Pour l'heure, il fallait que Wyl s'éloigne avant que leur tête-à-tête prenne une tournure trop dangereuse.

—Je suis honorée de vous rappeler quelqu'un que vous avez tant aimé, Majesté, dit-il en se penchant pour embrasser la main de la reine.

Le parfum de la lavande le saisit avec la même force que lorsqu'il était Romen, en ce même endroit, peu de semaines auparavant. Il posa ses lèvres sur sa main, le corps vibrant de désir et d'adoration.

Tandis qu'il s'éloignait au plus vite du jardin aromatique, avec pour seule compagnie ses souvenirs douloureusement exquis, Wyl eut la chance de tomber sur le jeune Stewyt, le page qui avait été attaché à son service lorsqu'il séjournait au château dans le corps de Romen. Il fit en sorte que son visage ne trahisse pas qu'il l'avait reconnu.

—S'il te plaît, dit-il en tapotant l'épaule du garçon.

—Ma dame ? répondit le jeune homme avec une courbette.

Il avait grandi pendant l'absence de Wyl.

—Comment t'appelles-tu ?

—Stewyt, ma dame. Puis-je vous être utile ?

—Je l'espère. En fait, je suis une invitée de la reine et…

—Oui, le personnel a été prévenu, dame Ylena. On m'a affecté à votre service, si la chose vous agrée.

Lors de leur première rencontre, le garçon avait frappé Wyl par sa vivacité d'esprit. Son intuition manifestement n'était pas erronée. À l'époque, le page lui était apparu très sûr de lui-même et il avait eu le sentiment que Stewyt devait être un espion du chancelier Krell.

—Oui, cela me convient tout à fait, répondit-il. Je me demandais où se trouvait ma chambre ?

—Je vais vous y conduire, ma dame. Veuillez me suivre.

En chemin – à travers les grands salons de réception, puis par le somptueux escalier de marbre et d'autres plus sobres conduisant aux appartements réservés aux hôtes – ils devisèrent de choses et d'autres. Stewyt était un guide accompli, attaché à faire découvrir les splendeurs du palais. Ils pénétrèrent dans l'aile ouest – où Wyl n'avait jamais mis les pieds lorsqu'il était Romen.

—Nous vous avons préparé des appartements, ma dame. J'espère que vous les trouverez à votre goût. Prévenez-moi s'il y a quoi que ce soit pour votre service.

—Merci, répondit Wyl, impressionné par l'efficacité du garçon.

Il passa devant Stewyt, qui tenait la porte, pour déboucher dans une antichambre qu'on venait d'aérer.

— La porte là-bas mène à votre chambre à coucher, et cette autre, ici, conduit à un cabinet de toilette. Dois-je faire préparer un bain ?

— S'il te plaît.

— Voulez-vous une femme de chambre pour vous aider ?

— Euh, non merci, Stewyt. Je préfère être seule pour l'instant.

Wyl savait que l'étiquette aurait voulu qu'il demande des vêtements propres, mais sa nouvelle existence lui paraissait déjà suffisamment difficile. Au moins se sentait-il à l'aise dans sa tenue de cavalière.

— Comme il vous plaira, ma dame, répondit Stewyt, avant de sortir sur une ultime révérence.

Wyl avait le sentiment que l'entêtant parfum de la lavande était destiné à ne plus le quitter. Un petit bouquet avait été placé dans un vase près de la fenêtre ouverte et la brise en diffusait les fragrances tout autour. Des feuilles de menthe et d'autres plantes rehaussaient la composition. *C'est tout Valentyna*, songea-t-il avec un soupir. *Elle l'aura composé elle-même.*

Il contempla la vue qui s'offrait à lui par la grande fenêtre. Depuis cette hauteur, le panorama était magnifique. Des gens allaient et venaient sur le pont de Werryl, entrant dans la ville ou la quittant. Il vit que tous les passants saluaient la statue du roi Valor, qu'on venait d'ériger aux côtés de celles des monarques des temps anciens. Ces augustes personnages de pierre accueillaient les arrivants et souhaitaient bonne route à ceux qui partaient. Certains piétons s'arrêtaient pour s'incliner devant Valor ou lui toucher les pieds ; l'amour du peuple de Briavel pour son roi défunt était manifeste. C'était un spectacle poignant et Wyl regretta qu'une pareille tradition n'existe pas en Morgravia pour honorer les grands disparus. Un petit rire amer lui vint soudain, à l'idée du peuple de Pearlis s'arrêtant pour cracher sur la statue de Celimus.

Ne flanche pas maintenant ! s'admonesta-t-il. Il lutta contre le torrent d'émotions que la présence de Valentyna – si proche du corps d'Ylena – avait fait monter en lui. *Je devrais m'allonger, même si le sommeil doit me fuir.* Quelques instants plus tard, il dormait à poings fermés.

Fynch vint le visiter dans ses songes.

— Je ne peux rester bien longtemps, dit le garçon. *Je suis dans les Razors en compagnie de Filou.*

— Fynch ! C'est vraiment toi ?

— Wyl, te parler de si loin m'épuise. Alors écoute sans rien dire. Je sais ce qui te trouble. Propose d'aller à Pearlis pour y représenter Valentyna. Arrange-toi pour gagner du temps.

— Celimus va me faire tuer.

— Mais tu es déjà mort, Wyl. Adieu. J'espère que nous aurons encore l'occasion de nous parler.

— Fynch ! Fynch !

Wyl s'éveilla, tremblant comme une feuille et en pleine confusion.

Chapitre 9

Fynch se laissa tomber lourdement sur le sol devant la petite chaumière qu'Elysius avait construite de ses mains.

—Ma tête me fait mal.

Filou s'approcha.

—*C'est ainsi. Et la douleur deviendra pire chaque fois que tu utiliseras la magie.*

—Il fallait que je le fasse.

Filou ne fit aucun commentaire sur ce point, se contentant d'un conseil.

—*Mâche quelques feuilles de sharvan. Il y en a dans un pot à l'intérieur de la maison. Elysius en prenait pour atténuer la douleur.*

Fynch hocha la tête et prit sur lui pour se relever, malgré ses tempes encore palpitantes.

—Partons-nous immédiatement ?

—*Dès que tu te sentiras suffisamment solide.*

—J'aimerais ne jamais avoir à quitter cet endroit. Je me sens en sécurité ici.

—*Je comprends, Fynch.*

—D'après toi, pourquoi est-il venu ?

Filou savait à qui le garçon faisait allusion.

—*Pour te remercier.*

—Il s'est passé quelque chose d'étrange.

Filou ne répondit rien, mais son silence était peuplé de questions informulées.

Tout en marchant vers la maisonnette, Fynch posa sa main sur l'énorme tête du chien.

—Je m'imagine peut-être des choses, mais j'ai eu l'impression d'être uni au roi d'une manière ou d'une autre.

—*Nous le sommes tous.*

—Non, c'était plus que ça. C'était comme si je faisais partie de lui, expliqua Fynch d'une voix douce, presque gênée. Pourtant, je sais bien que Roark, la licorne, est ma créature.

Le chien ne tenta pas d'expliquer le phénomène. Toutefois, Fynch perçut son trouble dans la réponse qu'il fit.

— *Ça ne peut pas être mal d'être uni au roi des créatures.*

Fynch comprit alors qu'il n'obtiendrait rien de plus de Filou. Pourtant, il savait que le roi guerrier lui aussi avait perçu l'existence de quelque chose entre eux. Il l'avait lu dans le noir insondable des yeux du dragon. Mais le roi était reparti maintenant et il ne servait à rien de s'épuiser l'esprit sur cette question.

Il avait encore un long chemin à parcourir. Sans compter un homme à tuer et un autre sauver.

Wyl ne se sentait pas le moins du monde reposé. Les paroles de Fynch l'avaient perturbé au point qu'il ne pouvait même plus envisager de reposer sa tête sur l'oreiller. D'ailleurs, une petite troupe de serviteurs arriva, avec des baquets d'eau chaude, des vêtements propres et même un plateau de nourriture et de vin.

Il prit voluptueusement son temps dans l'eau chaude, examinant les trois robes que Valentyna lui avait fait apporter. Leur simple vue le révulsait ; il détestait l'idée d'avoir à enfiler pareille tenue pour faire la révérence à la femme qu'il aimait. Pire encore, quelque chose de terrifiant était en train de se produire à l'intérieur du corps de sa sœur. Tout d'abord, il s'était demandé ce qui pouvait bien causer cette douleur sourde qui irradiait depuis le bas de son ventre. Depuis son réveil, il ressentait à intervalles réguliers comme des petits coups d'épingle au creux de l'aine. La chaleur de son bain avait quelque peu apaisé cette sensation lancinante, sans la faire disparaître pour autant, mais voici qu'un nouvel élancement mettait tout son dos au supplice. Lorsque la migraine eut pleinement pris possession de son crâne, il sut qu'il couvait quelque chose. Toutefois, ce ne fut qu'en réfléchissant aux symptômes pour déterminer quelles herbes médicinales il allait devoir absorber qu'il prit la pleine mesure de la situation – Ylena avait ses règles. Une vague de malaise le submergea. Combien d'autres humiliations allait-il encore devoir supporter ? Devait-il vraiment souffrir que les choses se passent ainsi ? *Oui, car personne d'autre ne peut me sauver*, se dit-il.

Il ramena ses pensées vers des temps plus heureux, lorsque la vie était douce pour Ylena. Il se souvenait qu'elle avait coutume de s'isoler un jour par mois, pour se reposer. Toutefois, les seules informations qu'il recevait alors tenaient en un message laconique : « Votre sœur est indisposée. Elle vous fait dire de repasser demain lorsqu'elle se sentira mieux. » Immergé dans l'eau chaude jusqu'au cou, il laissa un sourire affecté flotter sur ses lèvres. L'unique fois où il s'était risqué à demander quelques précisions, sa sœur lui avait dit que le premier jour était le pire. *Soit, je supporterai la douleur une journée – mais ensuite ?* se demanda-t-il. *Combien de temps les saignements dureront-ils ?* Il avait quelques vagues notions au sujet de linges à changer, mais tout cela appartenait à un monde de femmes auquel il était étranger. Un monde qui était devenu le sien… et qu'il détestait. Il s'immergea au plus profond du baquet.

Les paroles de Fynch revenaient le hanter. Son ami avait raison – après tout, qu'importe qu'Ylena meure des mains de Celimus, ou d'un autre ? Au moins, sa mort permettrait de gagner du temps. *Wyl Thirsk continuera à vivre quoi qu'il advienne*, songea-t-il, la bouche soudain emplie d'amertume. Il pouvait toujours tenter de convaincre Celimus de commettre lui-même le crime, pour en finir une bonne fois pour toutes. La mise en garde d'Elysius lui revint alors en mémoire : il ne pouvait organiser sa propre mort sans provoquer de terribles conséquences. Or, il ne voulait pas risquer de faire souffrir quelqu'un qu'il aimait, sachant que les répercussions frapperaient plus sûrement quelqu'un d'autre que lui-même.

De rage et d'impuissance, il enfouit son visage au creux des mains d'Ylena, mais sa décision était prise. Fynch avait parlé juste : pourquoi Ylena ne serait-elle pas l'émissaire de Valentyna ? Le roi de Morgravia pourrait difficilement refuser d'accueillir à Stoneheart l'ultime héritière de la maison Thirsk – dans le cachot qu'elle avait déjà occupé… ou pire encore. Wyl n'en avait cure, plus vite il serait débarrassé du corps d'Ylena, mieux ce serait. Certes, l'idée de la perdre une seconde fois lui déchirait le cœur, mais il se sentirait bien mieux de ne plus vivre dans sa peau.

Tout en lavant les cheveux d'Ylena et en la préparant pour paraître devant la reine, Wyl élabora un plan. Par chance, une femme de chambre passa débarrasser le plateau. Il lui demanda un service et, quelques instants plus tard, elle lui rapporta les linges dont le corps de sa sœur avait besoin, ainsi qu'une petite fiole contenant un liquide brun à l'odeur désagréable et au goût pire encore.

Il remercia la servante qui lui répondit avec un sourire.

— La douleur va bientôt disparaître, ma dame. Je vais vous apporter d'autres linges.

Le duc de Felrawthy traversa la pièce pour venir serrer fougueusement Ylena dans ses bras.

— Wyl, murmura-t-il à l'oreille de la jeune femme. Shar merci, vous êtes en vie.

Un peu embarrassé de ces marques d'affection, Wyl savait qu'elles paraîtraient tout à fait naturelles aux yeux de la souveraine, debout à côté d'eux dans une posture pleine de majesté, et heureuse de voir ses hôtes morgravians enfin réunis. Elle était magnifique ce soir-là, vêtue d'une robe toute simple, dépourvue de tout ruban et autres ornements, qui mettait en valeur sa haute silhouette longiligne. De couleur foncée, dans les tons bruns, elle faisait ressortir le bleu de ses yeux, son teint d'opale et ses cheveux noirs tenus en chignon sur sa nuque par un peigne en écaille de tortue.

De retour sur la terre ferme, Wyl prit la main du duc dans la sienne et vint placer leurs deux poings réunis sur le cœur du jeune homme. C'était un geste de légionnaire que la bonne société de Morgravia n'aurait pas manqué de trouver étrange, voire déplacé, exécuté par une femme. Fort heureusement, Valentyna n'avait aucune idée de sa signification, mais Wyl savait que Crys comprendrait immédiatement son sens. C'était l'unique manière pour Wyl d'exprimer son identité profonde et de dire sa plus grande sympathie pour tout ce qui s'était passé.

—J'ai été bouleversé lorsque j'ai appris pour votre famille, glissa-t-il à voix basse.

Pendant un instant, Crys relâcha l'emprise qu'il avait sur lui-même, et Wyl vit le chagrin passer sur le beau visage du duc.

—Je ne peux pas…, commença Crys d'une voix hésitante.

—Je sais, répondit Wyl en luttant pour ravaler la boule qui s'était formée dans sa gorge. Je comprends. (De tous, Wyl était effectivement celui qui comprenait le mieux, car lui-même avait tout perdu hormis son âme.) Soyez fort, Crys. Leur sacrifice n'aura pas été vain.

À ce stade, Crys n'avait plus d'autre choix que de ravaler sa peine pour l'enfouir au fond de son cœur, ou bien de s'effondrer complètement. Il hocha la tête en détournant son regard.

Ce fut Valentyna qui vint à leur secours à tous deux.

—Ylena, Crys, approchez. J'ai fait dresser la table près du feu. Partageons le repas, si vous le voulez bien.

Valentyna avait-elle choisi à dessein de les accueillir dans la pièce même où Wyl avait fait sa connaissance et celle de son père – avec son passage secret et son cabinet d'aisances dissimulé derrière une immense tapisserie ? Il n'aurait su le dire ; toujours est-il qu'il trouvait étrangement agréable de se retrouver là, comme si une boucle était bouclée. Rien n'avait changé dans la pièce, à l'exception de quelques détails disséminés çà et là – *la petite touche Valentyna*, comme il aimait à se dire. Un vase avec des fleurs, quelques épis de lavande répandus sur le sol pour embaumer l'air, un tapis épais et un portrait de Valor exécuté par sa fille au fusain, discrètement accroché dans un coin. Ce n'était pas un chef-d'œuvre, mais dans l'entrelacs de traits maladroits, elle avait su saisir l'essence de cet homme admirable, et cela en faisait un dessin sensible et chargé d'émotion. Un chiot minuscule, qui gambadait devant l'âtre en jouant avec un os, apportait la touche finale.

Valentyna nota le regard amusé de Wyl tandis qu'ils prenaient place.

—Filou me manque, expliqua-t-elle avec un petit haussement d'épaules. On m'a dit que vous étiez indisposée, ajouta-t-elle à voix basse et à l'intention exclusive d'Ylena. Avez-vous pris une infusion de feuilles de framboisier ?

Wyl confirma d'un hochement de tête, sans savoir au juste quelle tisane il avait bien pu ingurgiter. Tant de franchise l'étonnait ; et de toute évidence, les femmes discutaient ouvertement entre elles de leurs petits maux.

—Le premier jour est toujours le pire, ajouta la reine avec un sourire plein de compassion.

Wyl se demanda si son visage n'était pas devenu écarlate de toute la confusion qu'il ressentait. À son grand soulagement, Crys réclama son attention, le détournant du regard conspirateur de la reine.

— Vous avez appris qu'Elspyth est partie ? demanda Crys à la dernière des Thirsk.

Le jeune duc avait retrouvé la parfaite maîtrise de lui-même.

Wyl éprouva une bouffée de fierté. Avec des hommes de cette trempe à sa tête, Morgravia ne pourrait que se relever de ses épreuves. Qu'il parvienne seulement à débarrasser sa patrie de son roi infâme et tout espoir ne serait pas perdu.

— Oui, dans les griffes de Cailech, je suppose.

— Que pouvons-nous faire ? demanda Crys, plus pour lui-même que pour ses interlocuteurs.

— Il va falloir que j'aille la chercher.

— Quoi ? s'exclama Valentyna. (Wyl comprenait à quel point sa remarque pouvait paraître étrange.) Qu'est-ce qu'une faible femme telle que vous peut bien faire contre Cailech et ses Montagnards ?

— Oh, répondit Wyl, avec un petit sourire qui aurait sûrement fait la fierté de Romen, vous seriez surprise, Majesté.

— Mais vous n'avez jamais mis les pieds là-bas. Vous ne connaissez rien de cet homme ! bredouilla la reine.

La tranquille arrogance de la jeune noble de Morgravia lui rappelait furieusement quelqu'un qu'elle avait tant aimé.

— C'est vrai, mentit Wyl, en espérant qu'ils abandonnent le sujet – au risque d'avoir, sinon, à se lancer dans une longue soirée d'explications délicates. Mais le temps est en notre faveur. Je suppose qu'elle est partie à pied ?

— Elle n'a rien emporté, confirma la reine avec un hochement de tête. Pas même le cheval sur lequel elle est arrivée.

— Il lui faudra donc un certain temps pour gagner les Razors. D'ici là, il y a royaume à sauver.

Valentyna sourit d'un air las à sa nouvelle amie.

— Cet après-midi, le tailleur a pris mes mesures pour la robe de cérémonie.

— Et c'est très bien ainsi, répondit Wyl. (Il détestait l'horrible sensation que faisait naître en lui la moindre allusion au mariage.) Il faut qu'on vous voie avancer dans vos préparatifs, Majesté. Que les espions signalent que vous faites tout ce que doit faire une future épousée.

Valentyna reposa son verre sur la table ; une expression de dégoût était apparue sur ses traits.

— Entre-temps, faut-il que je souffre qu'il intimide mon peuple en faisant camper ses légionnaires le long de la frontière ?

Elle mit ses invités au courant de toutes les informations qui lui étaient revenues.

Wyl écouta attentivement l'exposé tout en dégustant son vin ; on apporta un plat de volailles. Les dîners de Valentyna étaient marqués du sceau de la simplicité et du bon goût, comme la plupart des choses qu'elle faisait. Les yeux d'Ylena se posèrent sur le délicieux morceau de viande délicatement grillée. Des effluves de citron, de romarin, et même une petite pointe d'ail, lui mettaient l'eau à la bouche.

—Les mouvements de la légion ne servent qu'à ça et à rien d'autre, dit-il en relevant la tête.

Malgré ce qu'il venait de dire, son apparence était celle d'une jeune noble particulièrement élégante et distinguée.

—Excusez-moi ? demanda Valentyna, la fourchette suspendue à mi-course entre l'assiette et sa bouche.

—Vous pensez que c'est une ruse ? intervint Crys.

Wyl secoua la tête.

—Non, ce n'est pas une ruse. Celimus n'hésiterait pas un instant à lancer ses troupes si on l'y poussait. Pour autant, c'est un fin tacticien. Maintenant qu'il est roi, son objectif est d'agrandir son empire, mais sans sacrifier ses sujets. En fait, je pense que ces manœuvres constituent la première phase de son plan. Si j'étais à sa place, c'est exactement ce que j'aurais fait.

—C'est-à-dire ? demanda Valentyna, stupéfaite de la ressemblance en cet instant entre la frêle Ylena et Liryk – ou même feu son père le roi Valor.

D'après l'idée qu'elle s'en faisait, Wyl Thirsk lui-même devait parler exactement sur ce ton, lorsque la discussion portait sur la stratégie. Et il ne faisait aucun doute que son père avant lui l'avait employé.

—Les bravades de la légion ne servent qu'à rappeler à Briavel quelle puissance se trouve de l'autre côté de la frontière. Il sait parfaitement que la guerre est pour vous une folie que vous ne commettrez pas.

—Vraiment ? Vous pensez que je ne combattrai pas s'il le faut ? demanda la reine, d'un ton subitement lugubre.

Elle donnait l'impression d'être toute prête à partir à la bataille. Toute menue qu'elle était, Ylena l'avait revigorée par sa simple présence, instillant un nouvel espoir dans ses veines.

—Non, Majesté, vous n'irez pas combattre, répondit Ylena. (Sa petite voix flûtée et haut perchée était éminemment féminine, mais son ton ne laissait aucune place à la contestation.) Au lieu de cela, vous allez lui envoyer une lettre lui déclarant toute votre affection. En quelque sorte, un genre de renouvellement de vos vœux en faveur de ce mariage et de la paix.

Un regard bleu acier cloua Wyl à sa chaise. Ylena déglutit pour relâcher sa gorge qui s'était subitement serrée. Oh, comme il aurait aimé la prendre dans ses bras, la couvrir de baisers, lui déclarer son amour, tout lui raconter, et au diable le reste ! Un élancement dans son ventre lui rappela que c'était une femme que la reine regardait en cet instant – une femme à qui elle ne vouait sûrement pas le même amour que celui dont il brûlait pour elle. Qui plus est, l'expression sur le visage de la reine était clairement une demande d'explication.

Wyl était sur le point de poursuivre son exposé lorsqu'un coup fut frappé à la porte. L'un des aides de camp de la reine pénétra dans la pièce. Wyl vit l'irritation sur le visage de son aimée. Il savait à quel point la présence de Krell à ses côtés devait lui manquer, et combien elle mesurait aujourd'hui tout ce qu'il faisait pour l'épargner et la préserver.

L'homme salua du buste.

— Majesté, le commandant Liryk a dit que vous voudriez sans doute prendre connaissance de ceci sans tarder, dit-il en présentant un document.

— Merci, répondit la reine en se levant de table.

Elle prit le papier, congédia le soldat d'un signe de tête, puis s'approcha de l'âtre pour lire.

— Excusez-moi, dit-elle à ses hôtes.

Crys et Wyl ne la quittaient pas des yeux. Ils virent son visage devenir sérieux, puis s'assombrir comme un ciel limpide s'emplit de nuages. Valentyna laissa échapper un cri, mi-rire, mi-gémissement de désespoir. Wyl repoussa sa chaise pour se précipiter ; le froissement soyeux de sa robe et le claquement de ses talons sur le sol lui firent horreur.

— Majesté, que se passe-t-il ?

Il la vit devenir pâle comme un linge.

Crys arrivait à son tour.

— Majesté ?

Valentyna fit un effort immense sur elle-même pour se ressaisir. Yeux fermés, mâchoires contractées, elle secouait la tête comme pour chasser d'horribles visions.

— D'après mes espions, le roi Celimus de Morgravia est en route vers le nord, vers Felrawthy, pour y rencontrer le roi des Montagnes et engager des pourparlers.

— Cailech et Celimus ? murmura Wyl, abasourdi.

Elle confirma d'un hochement de tête.

— La source de ce message est sûre.

— Au nom de Shar, qu'ont-ils donc en commun ? demanda Crys dans le silence empli de tension.

— Briavel ! répondit Valentyna en frappant le manteau de la cheminée de son poing fermé. Ils veulent nous détruire, gémit-elle d'un ton angoissé.

— Attendez, Valentyna ! s'écria Wyl, oubliant tout protocole. Laissez-moi réfléchir.

Il se mit à marcher de long en large comme un ours en cage. Quiconque avait connu Fergys Thirsk – et son fils également – savait qu'il s'agissait là d'un trait familial. Magnus lui-même avait toujours trouvé étonnante l'habitude de son général d'élaborer ses plans de bataille ou de paix en faisant les cent pas. S'ils avaient été encore de ce monde, Ylena et Alyd auraient confirmé que Wyl était sans aucun doute sorti du même moule. Seulement, aucun des deux témoins présents n'avaient vraiment connu Fergys et Wyl Thirsk de leur vivant. En revanche, Valentyna avait bien connu Romen Koreldy – et c'était précisément cette même habitude qu'il avait d'aller et venir tout en s'abîmant dans ses réflexions. La ressemblance la frappa si vivement qu'elle en eut le souffle coupé. Plus déconcertant encore, Ylena triturait l'une de ses oreilles – un tic à propos duquel elle avait taquiné Romen à plusieurs reprises au cours des semaines qu'il avait passées au château. En cet instant, ce fut comme si l'image d'Ylena se superposait à celle de Romen. *Par Shar ! Je deviens folle !* Elle se détourna et s'empara de son verre sur la table pour le vider d'un trait. Le vin l'aida à se ressaisir, mais ne fit rien pour atténuer le choc de la nouvelle – ou l'envoûtante sensation d'être en présence de Romen.

Subitement lui revint alors en mémoire une chose étrange que Fynch avait dite – Wyl Thirsk et Romen Koreldy ne formaient qu'un en esprit. Le garçon s'était interrompu juste avant de dire qu'ils n'étaient qu'une seule et même personne. Comment était-il donc possible que la sœur de Wyl se mette à son tour à ressembler aux deux hommes ? À cet instant, l'écho des paroles d'Elspyth résonna dans son esprit :

« — Je crois que certaines personnes se réincarnent. Peut-être devriez-vous écouter votre ami Fynch – je suis sûr que c'est de ça dont il parle. Promettez-moi d'essayer si d'aventure une personne vous touchait émotionnellement comme Romen le faisait – si elle vous rappelait de manière surnaturelle l'homme que vous aimiez.

— Vous voulez dire que j'autorise cet homme à m'aimer ? » se souvenait-elle d'avoir demandé, avec une pointe d'amusement dans la voix.

Mais c'est avec le plus grand sérieux qu'Elspyth avait hoché la tête avant de répondre : « Ou cette femme. »

Valentyna se retourna vers Ylena. *Ou cette femme...* Son souffle se suspendit et elle se détourna bien vite pour qu'on ne voie pas sa mine effrayée. Que se passait-il ? Pourquoi Shar lui imposait-il cette épreuve ? Une pensée insistante rôdait à la lisière de son esprit, quelque chose d'important qui réclamait d'être rappelé du monde des souvenirs enfouis – comme une pièce essentielle d'un puzzle à reconstruire. Malheureusement, cette pensée demeura aux confins de sa conscience, intrigante et irritante à la fois, puis l'angoisse qu'avait fait naître en elle la dernière initiative de Celimus s'imposa dans son esprit, achevant de la repousser vers le néant. Il fallait qu'elle se concentre sur le roi de Morgravia et ses manigances – pas sur le tourbillon de ses émotions et autres idées farfelues. *Non, Ylena et Romen ne sont pas la même personne ! Non, les oiseaux ne me parlent pas ! Par Shar, ressaisis-toi, imbécile !* se dit-elle en cri muet.

Crys exhorta Wyl à parler clair – à livrer le fond de sa pensée.

Ylena pivota dans un froufrou velouté qui l'horripila. Si au moins il pouvait être encore comme Faryl – grande, forte et vêtue comme un homme.

— Je connais Celimus, commença-t-il, se retenant *in extremis* d'ajouter *et je connais Cailech également.* Par ailleurs, j'ai voyagé avec quelqu'un qui connaît Cailech, mentit-il.

— Et ? demanda Valentyna en chassant au loin ses pensées embrouillées.

Wyl leva les mains fines et délicates de sa sœur, en un geste fait pour capter l'attention.

— Celimus méprise Cailech, Majesté. L'existence du roi des Montagnes l'obsède et je ne vois rien qui pourrait l'inciter à demander des pourparlers à un souverain dont il lorgne le royaume avec la ferme intention de le détruire.

— Reconnaissons-lui cela, dit la reine d'un ton amer, Celimus a de la suite dans les idées. Poursuivez, je vous en prie.

— D'après ce que j'ai entendu, Cailech déteste tout autant le nouveau roi de Morgravia – à juste titre d'ailleurs. (Wyl réfléchissait à toute vitesse.) En fait, aucun des deux ne me paraît avoir de motif valable pour prendre pareille initiative. Il a dû se produire quelque chose qui les y a poussés.

— La possibilité d'unir leurs forces contre Briavel, comme la reine vient de le suggérer, proposa Crys.

Wyl secoua la tête – et fit une grimace pour lui-même en sentant les cheveux d'Ylena flotter de chaque côté de sa tête.

— Non, Celimus n'a pas besoin du roi des Montagnes pour écraser Briavel. La légion viendrait sans difficulté à bout de la garde. En fait, si l'envie l'en prenait, il pourrait vaincre Briavel, fondre les deux armées en un même corps, puis marcher sur les Razors. Voilà d'ailleurs qui serait plus logique, sans vouloir vous offenser, Majesté.

— Il n'y a pas d'offense, répondit la reine, sourcils froncés. (Il n'y avait pas à s'y méprendre : la personne qui lui parlait s'y connaissait en stratégie militaire. C'était comme si elle avait eu en face d'elle un vieux soldat aguerri.) Alors pourquoi ces pourparlers ?

— La lettre ne donne aucune précision ?

Valentyna la parcourut rapidement une nouvelle fois.

— Non, uniquement le nom de l'homme venu des Razors pour remettre le message de Cailech aux autorités de Morgravia.

— Qui est-il ? demanda Wyl, certain qu'il devait s'agir d'un émissaire de confiance – Myrt probablement.

Valentyna se pencha sur la feuille de papier.

— Quelle écriture illisible, murmura-t-elle. Je crois qu'il s'agit d'un dénommé Farrow. Oui, c'est cela. Aremys Farrow.

La réaction de ses deux invités la stupéfia au-delà des mots.

Chapitre 10

En prenant des montures fraîches aux relais, Celimus était parvenu aux portes de Tenterdyn dans les temps. Il avait été impressionné de découvrir l'étendue du domaine du duc de Felrawthy, et il fut charmé de constater que le manoir était exceptionnellement bien équipé. *Pour une demeure de province, les Donal avaient le souci du confort*, songea-t-il. Baigné et vêtu de frais, il venait de prendre possession du cabinet de travail de Jeryb, dont les fenêtres offraient une vue magnifique sur la lande. D'un signe de tête, Celimus attira l'attention de son chancelier.

— Fais-le venir.

Jessom passa dans l'antichambre où l'on faisait patienter Aremys.

— Je suppose que vous n'avez pas commis la bêtise de dissimuler quoi que ce soit dans vos manches ? dit-il au mercenaire.

Aremys jeta un coup d'œil peu amène au chancelier.

— Je ne fais que gagner ma vie, Jessom, répondit-il. Finissons-en maintenant.

Jessom introduisit Aremys dans la grande pièce attenante.

— Farrow, s'exclama Celimus, debout devant une fenêtre, perdu dans la contemplation du paysage.

— Majesté, répondit Aremys, cassé en deux pour exécuter une profonde révérence.

— Quelle surprise !

— Telle n'était pas mon intention, répondit le mercenaire en se redressant.

— Auras-tu la bonté de m'expliquer par quel mystère te voici au service de mon ennemi ?

— Majesté, j'offre mes services à tous ceux qui ont les moyens de les payer, mais je suis toujours loyal à mon employeur, comme votre chancelier pourra le confirmer. Ne craignez donc pas que j'aie dit quoi que ce soit à Cailech ; tout comme lui-même ne doit pas craindre que je vous livre ses secrets. Il se trouve que les deux missions que lui et vous m'avez confiées n'ont absolument rien à voir entre elles, expliqua Aremys d'une voix placide.

— Tu admets donc qu'il a des secrets ? dit Celimus en se déplaçant avec sa grâce féline coutumière pour venir s'asseoir sur un coin du bureau de Jeryb.

— N'avons-nous pas tous des secrets, Majesté ? répondit prudemment Aremys. Cela ne signifie pas pour autant qu'il se trame quelque chose.

— Farrow, j'aimerais bien savoir comment tu as pu te retrouver dans les Razors alors que tu étais payé par la couronne de Morgravia pour un travail bien précis ? trancha Celimus, lassé de jouer au chat et à la souris.

Aremys s'était préparé à cette question.

— Majesté, je suivais la piste d'Ylena Thirsk, comme vous m'en aviez donné l'ordre.

— As-tu rejoint Leyen ? l'interrompit Celimus.

— Non, Majesté, mais j'ai des raisons de penser qu'elle avait découvert que notre proie est passée par la demeure où nous nous trouvons présentement.

— Vraiment ? demanda Celimus, le regard soudain étréci.

Aremys arrivait dans la partie délicate de sa fable ; il allait devoir se montrer convaincant.

— Je n'ai pas la moindre idée de ce qui a pu arriver à Leyen. Je suppose qu'elle a abandonné ses recherches pour une raison ou une autre – toujours est-il que je n'ai pas trouvé trace d'elle après Tenterdyn. Peut-être avait-elle une autre tâche à accomplir ? conclut-il prudemment, feignant ensuite de ne pas voir le coup d'œil échangé entre le souverain et son chancelier.

» Pour ma part, j'ai appris qu'Ylena Thirsk avait déjà quitté Tenterdyn avant l'arrivée de Leyen, poursuivit Aremys. J'ai alors suivi la piste du fils aîné de Felrawthy et de la Thirsk, qui avaient mis cap au nord en bordure des Razors, avant de virer plein est.

— Vers Briavel, observa Celimus avec un hochement de tête.

Aremys marqua une hésitation, avec une mine interrogative. Sans doute le roi savait-il quelque chose que lui-même ignorait.

— Des rapports nous ont signalé que Crys Donal a trouvé refuge au château de Briavel. Peut-être Ylena est-elle avec lui.

Par Shar, comment l'héritier de Felrawthy peut-il bien être à Werryl ? se demanda Aremys. *Cela dit, vu que toute la famille de Jeryb a été massacrée juste après mon départ de Tenterdyn, plus rien ne devrait m'étonner.*

— Pas nécessairement, Majesté, répondit-il dans le silence qui s'éternisait.

— C'est-à-dire ? interrogea Celimus.

— Vos espions n'ont pas signalé avoir vu Ylena, n'est-ce pas ?

— En effet. Pas encore.

— Hmm, fit Aremys, comme s'il était en train de méditer sur un problème mystérieux et complexe.

— Farrow, vous ne nous avez toujours pas expliqué ce que vous faites avec les hommes de Cailech, intervint Jessom.

Aremys comprenait maintenant pourquoi Faryl haïssait si intensément le frêle chancelier, perpétuellement tapi dans l'ombre et occupé à épier. Lui-même fut hérissé d'entendre sa petite voix doucereuse porter précisément le fer là où ça faisait mal.

—J'y venais, chancelier. En fait, j'ai passé la nuit dans un village sur la frontière, pour passer en Briavel le lendemain sur les traces d'Ylena Thirsk. Il n'y avait pas d'auberge dans le hameau, juste une taverne. J'ai peut-être un peu forcé sur la bière ce soir-là, je ne sais pas, ou bien on a mis quelque chose dans mon verre pour faciliter la tâche des voleurs. En tout cas, je me suis retrouvé à errer à l'écart du village, l'esprit totalement embrumé. À un moment, je me souviens que je marchais le long d'une piste dont je me suis dit qu'elle devait mener dans les Razors. J'étais glacé jusqu'aux os et je n'avais qu'une seule envie, m'allonger. Je crois bien avoir aperçu des hommes qui me suivaient. C'est d'ailleurs ça qui me poussait à aller en direction des montagnes. En revanche, je crains que ce ne soient là les seuls souvenirs qui me restent, Majesté.

Le roi hocha pensivement la tête.

—Qu'est-il arrivé ensuite, Farrow?

—D'après ce que j'ai pu reconstituer, les voleurs me sont tombés dessus, mais ils ont été repoussés par des hommes des Razors, qui utilisent cette piste pour venir en Morgravia. Pendant qu'ils faisaient leur affaire aux villageois, j'ai perdu connaissance. Les Montagnards ont alors décidé de m'emmener.

—Et pour quelle raison?

—Je ne sais pas, Majesté. Sans doute savaient-ils que j'allais mourir de froid s'ils me laissaient là. Ils voyaient bien que j'étais drogué et que des voleurs étaient après moi. Ils ont dû se sentir obligés, répondit Aremys avec un haussement d'épaules.

—Obligés! gronda Celimus. Obligés d'aider un Morgravian?

Bien résolu à ne pas s'en laisser remontrer, Aremys répondit d'une voix basse et posée.

—Ce ne sont pas tous des assassins et des voleurs, Majesté. Les gens des Razors ont des principes, des familles, le désir de vivre en paix...

—Ah, tu as donc pris fait et cause pour ces pouilleux des Montagnes, Farrow? l'interrompit Celimus, d'un ton subitement devenu bien tranchant.

—Majesté, je viens de Grenadyne et mon âme appartient au nord. J'aime l'idée que les royaumes puissent prospérer sans songer perpétuellement à se faire la guerre.

—Alors c'est de ça qu'il s'agit?

—Oui, Majesté.

—Alors comme ça, Cailech me tendrait le rameau d'olivier? demanda Celimus d'une voix plus que dubitative.

Aremys hocha lentement la tête.

—Si vous acceptez de le rencontrer, Majesté, vous verrez, vous l'apprécierez.

—Voilà qui est proprement sidérant, Farrow. Explique-moi donc un peu à quel moment tu es passé du statut de prisonnier drogué à celui de conseiller du roi ?

—Le roi Cailech a naturellement souhaité rencontrer l'étranger trouvé en train de divaguer en lisière des Razors. Je lui ai dit que j'étais originaire du nord et que j'étais mercenaire – actuellement engagé par la couronne de Morgravia. Il ne sait rien de la nature de ma mission pour vous, Majesté. D'ailleurs, il ne me l'a pas demandé. Quoi qu'il en soit, je ne lui aurais jamais rien révélé. Pendant mon entretien avec Cailech, on en est venu à parler de l'avenir du peuple des Montagnes. Lorsqu'il m'a dit que son désir le plus cher était d'amener la paix dans la région, je lui ai demandé ce qui l'empêchait d'en parler au roi de Morgravia. Un peu auparavant, je l'avais informé des préparatifs de votre mariage, Majesté, et de l'ère de paix qui s'annonçait pour les royaumes de Morgravia et de Briavel. Cela a semblé stimuler son imagination, et il m'a demandé d'organiser cette entrevue.

—C'est tout ? demanda Jessom. En somme, vous jouez uniquement les intermédiaires ?

Aremys ne tourna pas la tête, maintenant son regard posé sur Celimus.

—C'est exactement cela, Majesté. Parce que je vous avais déjà rencontré en personne, Cailech s'est dit que j'avais des chances d'obtenir une audience et de parvenir à organiser ces pourparlers. Il a pensé que vous seriez plus enclin à croire ma parole, plutôt que la sienne.

—Je ne crois rien et je n'accorde pas ainsi ma confiance, Farrow. Surtout pas à des mercenaires qui n'ont aucune loyauté.

Aremys ne répondit rien, mais il ne recula pas non plus sous le feu impérieux du regard de Celimus. Il avait compris que le roi devait avoir l'habitude de faire baisser les yeux à tout le monde.

—*Il doit s'entraîner devant un miroir*, lui avait un jour dit Wyl, d'un ton sarcastique.

Comme ce souvenir lui revenait à l'esprit, le mercenaire dut se retenir pour ne pas sourire.

—Majesté, je vends mes services, pas mon âme, répondit-il, bien décidé à ne rien lâcher. Je n'appartiens pas à Cailech, ni à personne d'ailleurs. Je suis ici pour suggérer au souverain d'un puissant royaume, avec tout le respect qui lui est dû, de prendre en considération l'intérêt qu'il pourrait y avoir à écouter ce que son voisin a à dire. Je gage qu'il y a plus à gagner autour d'une table que sur un champ de bataille.

—Alors te voici devenu philosophe et chantre de la paix, Farrow ? Je pourrais te faire exécuter pour ton insolence.

—Oui, vous le pourriez, Majesté, répondit Aremys d'un ton fait pour laisser entendre qu'il savait pertinemment que bien pire était déjà arrivé à des innocents dans l'entourage de Celimus. Je vous demande de bien vouloir me pardonner si je vous ai donné l'impression d'être présomptueux, Majesté, mais il faut que vous sachiez que ma vie est en jeu.

Cet argument-ci parut retenir toute l'attention du roi. D'un signe, il demanda à Jessom de servir du vin.

— Continue, ordonna-t-il.

Aremys se sentit rassuré qu'on lui propose un verre à lui aussi. Après tout, peut-être allait-il survivre.

— Merci, dit-il à Jessom. Je donne l'impression d'être un homme libre, Majesté, mais en fait, je suis prisonnier de Cailech. J'ai racheté ma liberté avec la promesse de tenter d'organiser une rencontre entre vous. Il n'est pas question d'argent ici.

D'un geste ironique, Celimus leva son verre pour porter un toast en l'honneur d'Aremys.

— Tu fais ce que tu veux avec ta vie, mercenaire.

— Certes, mais je crois que je n'avais absolument pas le choix, Majesté.

— Et tu croyais vraiment que j'allais dire oui.

— Je ne pouvais que l'espérer, Majesté.

— Pour sauver ta vie ? demanda Celimus d'un ton moqueur.

— Non, Majesté. Pour épargner à Morgravia le désastre de la guerre. J'imagine que vous préféreriez célébrer votre mariage en temps de paix.

Celimus haussa l'un de ses sourcils parfaitement dessinés.

— Parce que le roitelet des montagnes se croit de taille à partir en guerre contre Morgravia, c'est bien ça ?

Aremys commençait à en avoir plus qu'assez de cette escarmouche verbale, mais sa position demeurait des plus délicates. D'après ce qu'il avait entendu dire de Celimus, le roi avançait sur le fil de la folie et tuait son prochain avec la même désinvolture qu'il écrasait les mouches. Mieux valait qu'il ne baisse pas sa garde.

— Non, Majesté. Je crois qu'il pense sincèrement pouvoir établir la paix entre son royaume et le vôtre.

Un fin sourire flotta sur les lèvres de Celimus ; il contourna le bureau de Jeryb pour s'asseoir. Pendant qu'il le faisait, Aremys aperçut quelques lettres qu'une main d'enfant avait gravées dans le bois des années plus tôt – Alyd. Le mercenaire repensa à l'horrible destin du jeune homme, exécuté sur un caprice, sous les yeux de sa femme tout juste épousée et de son ami d'enfance. Un ami d'enfance d'Alyd qui était devenu son ami aujourd'hui. Une bouffée de colère lui vint tandis qu'il songeait aux deux grandes familles de Morgravia – les Donal au nord et les Thirsk au sud – exterminées par l'homme cruel qui se tenait devant lui.

Il posa les yeux sur Celimus, assis dans le fauteuil de Jeryb et en train de boire une bouteille de la cave de Jeryb. La rage s'installa au creux de son ventre, rejoignant Wyl qui haïssait Celimus plus que n'importe qui au monde – mort ou vivant – et était prêt à tout pour l'abattre.

— Farrow, commença le roi d'une voix lasse, comme s'il avait pris la peine d'expliquer une chose évidente à un être stupide, tu sais pertinemment que je ne courrai jamais le risque d'aller en personne dans les Razors pour rencontrer ton ravisseur – un homme qui me passe des messages par l'intermédiaire de l'un de mes propres sujets, si tant est que je puisse t'appeler ainsi.

—Je sais tout ça, Majesté.

—J'en conclus donc qu'il est disposé à venir seul – car il est hors de question que j'autorise ses hommes à mettre un pied sur mon territoire.

—Ils établiront un camp sur la frontière, répondit Aremys, comme si Cailech et lui avaient prévu à l'avance la réponse de Celimus.

Aremys éprouvait du soulagement que le capitaine Bukanan n'ait pas mentionné qu'il avait pénétré sur le sol morgravian escorté de quelques Montagnards. Intérieurement, il le remercia d'avoir eu la prudence de ne rien commettre qui puisse faire déraper la situation. Selon toute vraisemblance, il connaissait suffisamment bien son souverain pour savoir qu'il ne résisterait pas à l'envie de faire un exemple sur des hommes de Cailech.

—Je vois. Cela signifie que Cailech est d'accord pour venir me rencontrer en Morgravia, sans autre protection que l'épée d'un mercenaire de Grenadyne – qui se trouve travailler pour moi et être à ma merci ?

Le ton de Celimus était empli d'ironie amusée.

—Je ne le protège pas, Majesté. Je ne suis que son émissaire.

—Excellent ! La situation est encore plus simple alors. Cailech vient seul sur mon territoire. Qu'est-ce qui m'empêche de le tuer ?

—Votre envie de conclure la paix, Majesté, répondit Aremys du ton le plus raisonnable qu'il était en mesure de prendre. Les hommes des Razors sont particulièrement insaisissables, et sacrément rancuniers. Je crois si vous tuiez leur roi, ils mèneraient embuscade sur embuscade le long de la frontière, jusqu'au dernier homme... Et même jusqu'à la dernière femme.

—Cela ne m'impressionne pas, Farrow, répondit le roi en faisant négligemment tourner son verre dans sa main. Franchement, je préfère avoir sa tête au bout d'une pique à Stoneheart plutôt que de le rencontrer.

—Bien sûr, il a quelques garanties, Majesté.

Celimus éclata d'un rire empli de pure allégresse.

—Bien sûr, oui ! Non, sincèrement, qu'est-ce que Cailech pourrait bien me proposer que je n'aie pas déjà et que je pourrais vouloir ?

Aremys sentit un frisson de peur lui parcourir l'échine. Il était sur le point de débiter le plus énorme mensonge de sa vie, l'unique atout qu'il pouvait sortir de sa manche, et tout ça à un roi capable de lui faire ouvrir la gorge d'une oreille à l'autre au moindre soupçon de ruse.

—Je crois qu'il reste un vœu que vous n'avez toujours pas exaucé, Majesté.

—J'ignorais que tu avais le don magique de connaître mes désirs, Farrow. Et si je te faisais torturer et brûler pour sorcellerie ?

—Aucun sortilège là-dedans, Majesté, répondit calmement Aremys. La simple logique me suffit.

—Et de quoi s'agit-il ? grinça Celimus avec une grimace sarcastique.

—Ylena Thirsk, Majesté.

La grimace disparut instantanément. Abandonnant sa posture nonchalante, Celimus s'assit le dos droit dans le fauteuil.

— Tu l'as ?

— Je vous la livrerai, Majesté, contre la promesse que vous nous garantirez la vie sauve, à Cailech et moi-même. Nous viendrons en Morgravia pour les pourparlers et vous l'autoriserez à prendre une escorte avec lui. Le chancelier Jessom et vos deux meilleurs capitaines, dont Bukanan qui doit être indispensable dans le nord, resteront au camp des Montagnards sur la frontière. Une fois l'entrevue terminée, nous serons ramenés en sûreté dans les Razors et laissés libres. Si vous mettez tout ça par écrit et l'annoncez publiquement, alors je prendrai des dispositions pour qu'Ylena Thirsk vous soit livrée.

Celimus ignora purement et simplement tout ce qu'Aremys venait de dire.

— Est-ce que tu l'as, oui ou non ? hurla-t-il.

— Oui, Majesté, mentit Aremys. (Il fournissait un effort intense pour conserver un masque impassible.) Toutefois, je ne suis pas autorisé à vous dire comment cela est arrivé, ni non plus où elle se trouve en ce moment.

» Bien sûr, je ne demande aucun paiement pour sa capture, Majesté. Je ne trouverais pas ça très juste, poursuivit-il en se risquant à un petit sourire en coin.

Ce n'était qu'une fois face au capitaine Bukanan que lui était venue l'idée d'utiliser Ylena comme monnaie d'échange. Avec une certaine arrogance, il l'avait assuré disposer de quelque chose qui garantirait la vie sauve à Cailech. Bien évidemment, il n'avait pas la moindre idée d'où pouvait se trouver Wyl, ni même comment le contacter ; toutefois, il avait bien perçu que Celimus admettrait sans difficulté qu'il détenait Ylena. En premier lieu, il était un mercenaire payé pour la traquer, mais par-dessus tout, le roi voulait la jeune femme plus que n'importe quoi au monde. Sa propre cruauté et son désir de flétrir l'ultime représentante de la maison Thirsk l'empêchaient de s'interroger sur l'honnêteté d'Aremys. En tout cas, c'était sur tout ça que comptait le mercenaire. Maintenant, comment allait-il faire pour tenir sa promesse, ou du moins s'en dépêtrer ? Voilà qui posait un tout autre problème. Pour l'heure, il se contentait de négocier sa vie et Wyl était tout ce qu'il avait à offrir. Que Celimus lui donne son accord d'un simple hochement de tête et Cailech lui rendrait sa liberté. *Après tout, je n'ai pas l'intention de trahir Wyl*, se dit-il pour se rassurer. *Je ne fais qu'utiliser le nom d'Ylena pour gagner du temps et obtenir des garanties.*

Celimus bondit sur ses pieds, tout comme s'il était sur le point d'appeler sa garde pour qu'on coupe la tête d'Aremys sur l'heure – ou n'importe quoi d'autre d'aussi terrifiant. Ses yeux devenus couleur de ténèbres lançaient des éclairs. Aremys se demanda s'il ne s'était pas trompé sur le compte du roi de Morgravia.

L'orage qui couvait disparut aussi vite qu'il était arrivé. Celimus se mit à rire à gorge déployée tout en applaudissant Aremys.

— Bravo, Farrow ! Vraiment ! Je garantirai donc la vie sauve à Cailech et toi-même pendant la durée des négociations. Ce sera tout ?

— Et les autres dispositions de l'accord sont acceptées elles aussi, Majesté ?

— Oui, j'accepte. Et maintenant, quand ?

— Quand il vous conviendra, Majesté. C'est vous qui recevez.

— Où ça, Jessom ? demanda Celimus en se tournant vers l'homme sur qui il savait pouvoir compter pour préparer quelque chose de retors.

— Ici même, Majesté. Tenterdyn est rapidement accessible depuis la frontière – et l'endroit offre les commodités d'un château. Je suggère d'organiser des festivités, Majesté. Il faut montrer à Cailech quel hôte accueillant vous êtes, tout disposé à lui tendre la main tout en écoutant ce qu'il a à dire.

— Parfait. Vous vous occuperez de ça, Jessom. (Celimus se tourna une nouvelle fois vers Aremys.) Et Ylena ?

— Je vais prendre mes dispositions à son sujet, Majesté, répondit Aremys, subitement très nerveux.

— Ne perds pas un instant, Farrow. Retourne voir ton ravisseur et passe-lui la nouvelle. J'entends qu'Ylena Thirsk me soit livrée dès la fin de nos discussions.

Aremys salua et sortit, pressé de disparaître au plus vite de la vue du roi Celimus.

Chapitre 11

— Comment cet Aremys Farrow a-t-il pu atterrir dans les Razors s'il était avec vous en Briavel ? demanda la reine, après s'être fait expliquer les causes de l'immense surprise de ses invités.

— Je n'en ai pas la moindre idée, répondit Wyl, à la fois soulagé et heureux d'apprendre qu'Aremys était en vie. Je l'ai perdu pendant que nous étions dans le nord.

— Comment peut-on perdre quelqu'un ? s'étonna Valentyna, en buvant une gorgée de vin.

C'était demandé sur le ton de la conversation, et Wyl préféra ne pas répondre.

— Une longue histoire, dit-il. J'ai une idée, ajouta-t-il ensuite, lorsqu'il lui apparut que la reine était toute disposée à entendre ce récit.

La nouvelle qu'il venait d'apprendre au sujet d'Aremys permettait de considérer la suggestion faite par Fynch sous un angle tout différent.

— Un nouveau plan ? glissa Valentyna d'un ton malicieux, avant de se croiser les bras.

— Oui, mais vous n'allez pas aimer ça.

— De quoi s'agit-il ? intervint Crys.

— Il nous faut gagner du temps, expliqua Wyl. (Crys confirma d'un hochement de tête.) Alors je propose d'en gagner en m'offrant en échange.

— Il vous tuera ! s'exclama Valentyna.

— Non, il ne fera pas ça, répondit Wyl, sans croire un mot de ce qu'il disait.

— Il a rasé le monastère et le village de Rittylworth, tué des dizaines de personnes, avant de s'en prendre à Tenterdyn et de massacrer ma famille, dit Crys d'une voix glacée. Il a fait ça uniquement pour mettre la main sur vous. Alors ne me dites pas qu'il ne vous tuera pas à la seconde où il vous verra.

» Et vous savez ce qui se passera alors ? ajouta-t-il avant de s'interrompre devant le regard noir d'Ylena.

— Que se passera-t-il ? demanda Valentyna qui sentait naître la tension.

Wyl secoua négativement la tête, ignorant la question de la reine.

— Il ne me tuera pas à cause de la présence de Cailech, expliqua-t-il. Je m'arrangerai pour arriver là-bas lorsque le roi des Montagnes sera déjà présent. S'ils sont en train de conclure un traité, Celimus ne sera pas assez fou pour demander la mort d'une noble en présence de son nouvel allié, n'est-ce pas ?

— Vous croyez vraiment ça ? demanda Valentyna avec un air consterné. Vous misez énormément sur son sens de la courtoisie.

Au grand soulagement de Wyl, l'attention de la reine avait été détournée. D'un coup d'œil par en dessous, il intima à Crys de se montrer prudent et de tenir sa langue.

— Je connais Celimus, poursuivit Wyl. J'ai grandi près de lui. Or, c'est un charmeur avant tout, et je ne crois pas qu'il se risquera à me faire du mal aussi longtemps qu'il sera tenu de faire bonne figure.

— Mais ensuite ? Lorsque Cailech sera reparti, qu'est-ce qui le retiendra ? insista Valentyna.

— À ce moment-là, je serai partie moi aussi. Aremys est sur place, il m'aidera à m'enfuir.

— Non, dit Valentyna depuis l'âtre devant lequel elle se tenait. Je ne peux pas vous laisser faire ça. C'est ridicule et sans intérêt. Je ne vous le permettrai pas.

Wyl prit une profonde inspiration. Il n'appréciait pas d'avoir à dire les mots qu'il s'apprêtait à prononcer.

— Vous ne me commandez pas, et je n'ai pas à vous obéir, Majesté.

Ces paroles la frappèrent avec l'intensité d'une gifle. Elle lutta pour garder le contrôle d'elle-même. Une douleur immense montait à l'assaut de ses défenses.

— Je vous demande de m'excuser, Ylena. Je crois que je me suis méprise sur le sens de notre conversation de tout à l'heure, répondit la reine, d'un ton aussi figé que la sauce du poulet dans les assiettes.

Aucun d'eux n'avait mangé.

— Non, Majesté, vous ne vous êtes pas méprise. Je suis bel et bien votre servante, mais c'est à moi et à moi seule qu'il appartient de choisir comment vous servir.

— Vous allez marcher vers votre propre mort, Ylena, aboya la reine.

— Je ne crois pas. Mais quoi qu'il en soit, c'est la voie que je choisis et advienne que pourra.

— Pas avec mon assentiment ! Je ne veux pas avoir votre sang sur les mains, en plus de celui de votre frère.

— Je suis certaine que vous avez tenté de le dissuader lui aussi, Majesté, sans parvenir à vos fins. Je suis tout aussi déterminée qu'il l'était, lorsqu'il s'agit de protéger ceux que j'aime.

Il avait parlé d'amour sans même y penser, et le rouge lui monta aux joues.

Valentyna ne releva pas.

—Ylena, vous arrivez à peine à l'âge d'être femme, dit Valentyna, sur le point de crier.

—Et c'est parce que je suis femme que je vais vous demander la permission de me retirer, Majesté, répondit Wyl.

Une subite sensation de débordement était venue s'ajouter aux douleurs de la journée. Néanmoins, c'était l'excuse parfaite pour échapper au courroux de la reine.

Crys avait l'air perdu dans cette discussion, mais Valentyna, malgré sa colère, ne pouvait que donner son accord. Elle comprenait très bien la situation délicate d'Ylena.

—Bien sûr, dit-elle.

Wyl fila ventre à terre vers sa chambre – où l'attendaient des linges propres et une infusion de feuilles de framboisier. Il détestait être une femme. Et par-dessus tout, il détestait le dédain que certaines femmes affichaient envers d'autres représentantes du même sexe. Comment Valentyna osait-elle tenir Ylena pour quantité négligeable ? *Non, ce n'est pas juste de dire ça*, se dit-il tout en gravissant les escaliers quatre à quatre. *Pas vraiment quantité négligeable, mais à coup sûr incapable de faire certaines choses.* Comme il regrettait que Valentyna n'ait pas eu l'occasion de faire la connaissance de Faryl, car la reine aurait vu qu'une femme est capable de tenir tête à un homme.

Pendant les instants qui suivirent, une expression de dégoût ne quitta pas son visage, tandis qu'il changeait sa protection en buvant son infâme décoction. Tout cela l'avait épuisé ; dans un accès de ressentiment, il troqua sa toilette contre sa tenue de cavalière – même si en la circonstance, une robe s'avérait bien plus pratique à porter.

Shar, délivre-moi de ce calvaire, songea-t-il en finissant son breuvage. *Fais que je redevienne un homme.*

Un coup frappé à sa porte interrompit sa prière. Il ne fut pas surpris de découvrir Valentyna – mais gêné, certainement.

—Puis-je entrer ? demanda-t-elle.

—Bien sûr, Majesté, répondit Wyl en s'éclaircissant la voix. Je suis désolée, je...

—Non, ce n'est rien. C'est moi qui m'excuse de venir vous déranger, commença Valentyna. Ah, je vois que vous avez refait de la tisane. Comment vous sentez-vous ?

—Comme le premier jour, vous savez, répondit Wyl, avec l'assurance d'une habituée.

—Espériez-vous être enceinte ? demanda la reine d'un ton d'une exquise gentillesse.

—Non, Majesté, je savais que je ne l'étais pas, bredouilla Wyl, tout à la fois estomaqué par la question et incapable de trouver quoi que ce soit d'autre à répondre.

— Excusez-moi, je n'aurais pas dû vous le demander. Je me suis juste dit qu'Alyd et vous… jeunes mariés… enfin, vous voyez…

— Oui, répondit Wyl, perturbé par le tour que prenait la conversation. (Jamais encore il ne s'était autant senti dans la peau d'un imposteur.) Mais pas de bébé.

Valentyna avait l'air si triste qu'elle paraissait sur le point de fondre en larmes.

— Vous savez, Ylena, parfois je regrette de ne pas m'être donnée à Romen pour qu'il ensemence mon ventre.

Wyl détourna la tête ; la situation devenait insupportable pour lui. Pour s'occuper, il se mit à ranger la robe qu'il venait d'enlever.

Valentyna trouva la force de sourire et changea de sujet.

— Je vois que vous vous êtes changée. Vous n'aimiez pas la robe ?

— Elle est magnifique, Majesté, mais je me suis faite à ces vêtements confortables. Je m'y sens bien.

Valentyna hocha la tête, elle comprenait tout à fait.

— Je suis pareille. Les hommes ne connaissent pas leur bonheur. Je regrette souvent de ne pas être un homme, pas vous, Ylena ?

— Si, Majesté. En fait, je le regrette beaucoup en cet instant même.

Jamais encore Wyl n'avait exprimé si clairement le fond de sa pensée. Valentyna comprit sa remarque dans un autre sens.

— Oui, je comprends ce que vous voulez dire. Vous devez beaucoup souffrir. Shar merci, je dois dire que j'ai la chance de ne pas avoir de règles douloureuses.

— Souhaitez-vous avoir des enfants, Majesté ? demanda Wyl, désespérant de changer de sujet.

— Oui. Je crois que c'est la seule bonne chose qui pourrait m'arriver dans le mariage affreux qui m'attend. Celimus n'aura pas mon amour, mais je ne pourrai pas lui soustraire mon corps. Cependant, il me donnera ainsi quelque chose de bien plus précieux que ce qu'il aura pris.

Wyl grimaça. À la douleur dans son ventre s'ajoutait celle que l'image de Celimus en train de saillir Valentyna sur un lit faisait naître dans son esprit.

Valentyna reprit la parole pour meubler le silence en train de s'installer.

— Je suis venue m'excuser de m'être montrée si directive tout à l'heure. Même lorsque je n'étais qu'une petite princesse, je menais tout mon monde à la baguette, dit-elle en s'efforçant d'alléger l'atmosphère entre elles. Je sais parfaitement que je ne peux rien vous interdire, Ylena. Je veux seulement que vous ne perdiez pas la vie pour me tirer des griffes de Celimus.

— Je ne pense pas pouvoir vous sauver de ce mariage, mais je peux vous offrir plus de temps pour vous faire à l'idée, répondit Wyl, avec une résignation d'autant plus pénible qu'elle était sincère.

— Mais vous ne pouvez pas être certaine de vous échapper.

— Rien n'est jamais sûr dans la vie, Majesté. Pour ma part, j'ai trop perdu en si peu de temps pour m'en soucier encore.

— Et moi je ne veux pas vous perdre vous aussi ! s'exclama la reine, sur un ton de supplique.

— Vous ne me perdrez pas.

— Quel est votre plan au juste ? demanda Valentyna. Non, attendez. Je vais d'abord faire amener du lait chaud qu'on pourra allonger d'une petite liqueur pour vous aider à dormir et oublier la douleur.

Wyl accepta d'un hochement de tête. La reine passa la tête à la porte et envoya Stewyt, posté là pour la nuit, chercher un plateau.

— Voilà. Maintenant, dites-moi tout, reprit-elle en venant se lover à côté d'Ylena sur le sofa devant le feu.

Elle se tenait dangereusement près de lui ; pourtant, Wyl se serait tranché la gorge plutôt que de lui demander de s'écarter. S'il ne pouvait rêver d'obtenir plus, qu'il ait au moins ça.

— Je vais me rendre à Felrawthy et me présenter devant le roi Celimus – en veillant à ce que le roi Cailech soit présent lui aussi – et supplier le souverain de m'accorder l'indulgence de Morgravia.

— Mais dans quel but ? Je ne vois pas à quoi tout cela peut servir si au bout du compte je dois quand même l'épouser.

— Entre autres choses, j'obtiendrai qu'ils redéploient les légionnaires loin de la frontière. Leur présence met les nerfs du peuple de Briavel à rude épreuve, et à juste titre.

— N'avez-vous pas dit que ce n'était qu'une ruse ?

— C'est une supposition de ma part, Majesté. Je ne peux pas deviner à coup sûr ce qui se passe dans l'esprit imprévisible de Celimus. Je préfère prendre la précaution de voir ses troupes s'éloigner.

— Et vous croyez qu'il acceptera ? demanda la reine, d'un ton étonné.

— Oui. Je lui dirai que cela vous rend nerveuse et que vous vous sentez menacée. Bien sûr, c'est là le but de sa manœuvre, mais je vous présenterai sous un jour innocent. Je l'assurerai par ailleurs que vos préparatifs pour le mariage sont bien avancés, et je lui donnerai, par la même occasion, un gage l'assurant à la fois de votre loyauté envers lui et de la sincérité de votre demande.

— Quel sera-t-il ?

— Moi.

— Et il vous tuera ! s'exclama Valentyna, de nouveau au comble de l'exaspération.

— Il ne commettra rien de tel en présence de Cailech, Majesté. En revanche, il sera apaisé. Il se dira que vous m'avez livrée à lui parce que vous avez peur. La perfection de ce plan tient à sa simplicité. Ma présence confirmera que vous voulez la paix et ce mariage, mais également que vous le craignez, à un point tel que vous lui offrez sur un plateau ses ennemis qui ont sollicité votre protection.

— En quoi tout cela vous sauve-t-il, Ylena ?

— En rien, Majesté, mais laissez-moi le soin de me sauver moi-même. J'ai quelques tours dans mon sac.

— C'est désespérant de parler avec vous, Ylena ! répondit la reine. On dirait que vous êtes Romen et Wyl réunis dans une même personne.

Elle se tut soudain, comme frappée par l'énormité de ce qu'elle venait de dire sans avoir réfléchi.

— Vraiment ? Comme c'est étrange, répondit Wyl.

Ses yeux plongèrent dans ceux de la reine. Les lueurs des chandelles et du feu se combinaient pour nimber leurs visages magnifiques d'une douce lumière orangée. Elles étaient toutes proches l'une de l'autre. *Trop proches*, songea Wyl. *Si proches que je pourrais l'embrasser.* Une bouffée de délire souffla dans son esprit, embrumant son jugement. Son geste était une pure folie, il le savait, mais il fut incapable de résister. Il se pencha en avant, comblant la distance qui séparait sa bouche de la sienne. Les lèvres d'Ylena se posèrent sur celles de Valentyna.

La reine réagit comme si une flammèche incandescente venait de la brûler. Elle se releva d'un bond, essuyant frénétiquement sa bouche.

— Ylena ! bredouilla-t-elle, à la fois choquée et en colère.

C'était une vision atroce pour les yeux de Wyl.

— Je suis désolée, dit-il, incapable de trouver mieux. Je vous demande de me pardonner, Majesté.

La reine paraissait hésiter entre deux attitudes : partir ou gifler la femme devant elle. Puis elle se ressaisit.

— Non, dit-elle en retenant sa main. J'ai dû vous transmettre des signaux erronés – c'est moi qui vous demande de m'excuser, Ylena. Je n'aurais jamais dû venir dans votre chambre, ce soir. Et puis toutes ces discussions sur les bébés et le fait d'être un homme...

Elle eut un petit rire nerveux, puis l'horrible expression de dégoût passa de nouveau sur son visage.

Wyl se leva à son tour ; il se sentait infiniment désolé pour elles deux.

— La faute m'incombe entièrement, Valentyna. Je ne sais vraiment pas ce qui m'a pris. J'ai subi tant de choses ces dernières semaines. Toutes ces émotions ont troublé mon esprit, expliqua-t-il.

C'était une pauvre excuse – il le sentait bien – mais il parlait pour repousser le lourd silence qui ne manquerait pas de s'abattre entre elles, s'il en venait à se taire.

— Ces deux dernières journées ont été difficiles pour moi, poursuivit-il. Je n'ai pas beaucoup dormi et la tisane de feuilles de framboisier aura perturbé mon jugement, Majesté.

— Oui, répondit sèchement Valentyna, toujours profondément mortifiée. J'ai entendu dire qu'elle pouvait provoquer des hallucinations.

— Vous ne ressemblez en rien à Alyd, ajouta Wyl, intérieurement désespéré de cette mauvaise plaisanterie sur le dos de sa sœur bien-aimée et de son ami.

Quelqu'un frappa à la porte et la reine se tordit les mains d'angoisse.

— Ce doit être le lait chaud, dit-elle d'une voix où perçait une note d'hystérie difficilement contenue.

Wyl baissa la tête, honteux de lui-même comme jamais il ne l'avait été de sa vie.

— Je vous laisse, Ylena, parvint à articuler la reine avec grâce.

— Non, c'est moi qui vais vous laisser, Majesté, répondit Wyl de manière sibylline.

Il se pencha ensuite pour embrasser sa main qu'elle retira vivement, incapable de dissimuler le sentiment de répulsion qu'elle éprouvait. Wyl aurait pu se mettre à pleurer de désolation, regrettant amèrement son geste stupide. Jamais il ne pourrait se pardonner. La reine non plus d'ailleurs.

Rouge d'embarras, Valentyna ouvrit la porte et sortit, passant devant la servante que Wyl avait vue plus tôt dans la journée.

— Merci, dit-il d'un ton las à la jeune fille tandis qu'elle posait son plateau sur une petite table. Pouvez-vous dire au page de m'apporter du parchemin et de se tenir prêt à livrer des messages, s'il vous plaît ?

Il n'avait aucun bagage à faire et rien ne le retenait plus ici – hormis ses souvenirs. Il prit les lettres sur le bureau et souffla la chandelle. Il ne laissait derrière lui que les reliefs de ses missives hâtivement rédigées : de la cire à cacheter, des plumes brisées, des taches d'encre, et quelques feuilles froissées de lettres rageusement jetées sur le sol à peine entamées. Il les ramassa pour les poser sur les dernières braises du feu qu'il n'avait même pas pris la peine d'entretenir. Le papier se contorsionna et noircit, avant de s'embraser pour une brève éruption de flammes. Il les regarda danser jusqu'à ce que les mots d'explication péniblement griffonnés à la femme qu'il aimait ne soient plus que des cendres noircies – pareilles au sentiment auquel il s'était si fortement accroché avant de le réduire à néant en un instant.

Ses yeux se portèrent sur les lettres qu'il tenait à la main. Après plusieurs tentatives, il était finalement redevenu Wyl : ses mots étaient simples, francs et directs. Il n'y avait rien là-dedans du charme chantourné de Romen, des manœuvres retorses de Faryl ou de l'aimable courtoisie d'Ylena – rien d'autre que des excuses pour son impardonnable comportement et l'annonce qu'il se mettait en route pour Felrawthy. Pas d'adieux enrobés dans des mots sucrés, pas de promesse de retour, pas d'offre de réconciliation. Il allait partir et sortir de sa vie à jamais. Wyl avait pris soin de lui offrir tous ses vœux pour son mariage, l'exhortant à être courageuse et stoïque dans les épreuves qui l'attendaient. Qu'elle n'oublie jamais ni qui elle était, ni sa promesse de mettre au monde un héritier qui régnerait sur les deux royaumes avec sagesse et compassion. Wyl avait livré le fond de son âme. Il ne pouvait pas la sauver du martyre à venir, mais au moins pouvait-il lui dire qu'il avait entendu ses paroles et qu'il lui souhaitait le bonheur d'avoir un enfant à aimer. Il sentait que cette partie de la lettre la ferait pleurer. Pour le reste, elle lirait avec au cœur le soulagement qu'Ylena était partie.

— Qu'il en soit ainsi, murmura-t-il pour lui-même avant de marcher vers la porte d'un pas résolu.

Stewyt était assis dans le couloir. Il ne somnolait pas et n'avait même pas l'air fatigué. *Même pas la peine de frotter ces yeux-là*, songea Wyl.

—Merci d'avoir attendu, Stewyt, dit-il.

—C'était un plaisir, ma dame. Je suis là pour vous servir, répondit le garçon, d'un ton d'une incroyable maturité. Puis-je prendre soin de ces plis ?

—Merci, répondit Wyl.

—Je vais immédiatement les porter à leurs destinataires.

—Non, Stewyt. Je préférerais que tu les donnes demain matin. Il n'y a rien là-dedans qui ne puisse attendre et je préfère ne déranger personne à cette heure de la nuit.

Le jeune garçon hocha la tête, puis marqua une hésitation. Il venait de noter le changement de tenue.

—Y a-t-il quelque chose d'autre que je puisse faire pour vous, ma dame ? Souhaitez-vous que je fasse monter une collation ou que je relance le feu ?

Wyl l'interrompit d'un geste de la min.

—Rien, merci, dit-il en se forçant à sourire. (Il n'avait aucunement l'intention d'avertir le jeune page de ses mouvements.) Je suis épuisée et le sommeil m'appelle.

—Je veillerai à ce qu'on ne vous dérange pas, ma dame. Bonne nuit.

Stewyt salua avec solennité, avant de se fondre dans l'ombre du couloir pour organiser la distribution du courrier aux petites heures de la matinée.

Wyl attendit ce qui lui parut une éternité, car il voulait être sûr que le page indiscret ne remarque pas son départ. Sur la pointe des pieds, il quitta sa chambre et descendit les escaliers. Sur l'un des paliers, il aperçut un portrait de Valentyna qu'il n'avait encore jamais vu. À la faible lueur des candélabres, sa haute silhouette semblait sortir du mur pour s'avancer vers lui. L'expression sur son visage le frappa ; c'était un air accusateur, avec comme une amorce de sourire moqueur sur les lèvres. *Si seulement tu savais la vérité*, songea-t-il. Comme il regrettait de ne pouvoir la lui dire. Il tendit une main vers le tableau, dans l'intention de toucher ses lèvres ; elle n'atteignit que ses seins. *Ça ira tout aussi bien.*

—Adieu, mon amour, murmura-t-il.

L'instant suivant, il dévalait les dernières marches avant d'enfiler à toutes jambes un couloir dont il se souvenait fort bien de son séjour au château en tant que Romen. Il traversa l'arrière-cuisine – où dormait une aide qui aurait dû normalement s'activer au-dessus du chaudron posé sur les braises. Affalée sur la table, la jeune fille avait l'air épuisé, et ses lèvres entrouvertes laissaient échapper un petit ronflement régulier. Wyl sourit. Un instant, il envia cette vie simple, avec pour unique souci la volée de bois vert que ne manquerait pas de lui administrer le cuisinier au matin. Par la porte, il se glissa dans l'un des innombrables potagers du château, dérangeant deux chats occupés à mâchouiller un rat. L'un d'eux s'enfuit avec sa proie dans sa gueule, l'autre souffla de colère. Wyl les ignora, regarda alentour pour s'orienter, puis mit le cap sur les écuries – et au-delà vers le nord.

Chapitre 12

Ce matin-là, Valentyna déjeuna tôt, seule sur la terrasse attenante à sa chambre, dans laquelle elle venait d'emménager. Tout d'abord, après avoir appris le meurtre de Romen, elle avait voulu s'accrocher au souvenir de tout ce qu'ils avaient si brièvement partagé dans son ancienne chambre, chaque mot, chaque sourire, chaque caresse. Toutefois, à mesure que le spectre hideux du mariage approchait, elle avait préféré s'éloigner des choses qui lui rappelaient le seul homme au monde qu'elle eût aimé, hormis son père. Elle s'était donc installée dans celle qu'occupait naguère sa mère. Avec ses couleurs douces et chaudes, ses tentures et ses tapis magnifiques, elle était exactement le nid dont elle avait besoin. C'était de sa mère qu'elle tenait son goût pour les choses simples et belles. Tout comme elle, elle préférait la beauté d'une simple rose au luxe criard d'une pièce surchargée. Baignés de lumière naturelle, ses nouveaux appartements contribuaient à créer une atmosphère chaleureuse et sereine. Or, la sérénité, voilà précisément ce dont elle avait besoin en ces instants. Les événements de la nuit précédente continuaient à faire planer une ombre sur son esprit; elle avait mal dormi et s'était éveillée avec au cœur un sentiment de terreur. Elle ne se sentait guère d'appétit, mais elle avait choisi de suivre les préceptes de son père, pour qui on ne pouvait affronter les mauvaises nouvelles et chasser une humeur sombre sans avoir le ventre plein. Elle avait donc commandé un petit déjeuner léger, composé d'un petit pain au lait, d'un œuf mollet, d'une poire et d'un pot de thé bien fort.

Ce n'est qu'après avoir mangé l'œuf et la poire – sans les savourer véritablement – et bu une première tasse qu'elle porta son regard sur la lettre toujours cachetée d'Ylena, posée sur un bord du plateau. Valentyna se doutait qu'elle devait contenir son lot d'excuses admirablement tournées et terriblement obséquieuses. D'avance, leur lecture lui faisait horreur, tout comme l'idée de revoir cette femme qui s'était tant méprise sur le sens de son affection. Elle sentait que son propre visage brûlait toujours de l'horreur et de la gêne mêlées qu'avait provoquées l'erreur d'Ylena. Toutefois, elle s'interrogeait encore pour savoir si cet intense embarras lui était entièrement imputable ou s'il était à mettre au compte de la sœur de Wyl. *Les deux sans doute,* se dit-elle lugubrement.

Elle se servit une deuxième tasse – accompagnée cette fois-ci d'une rondelle de citron plutôt que de miel – puis attendit encore d'avoir pris une gorgée avant de briser le sceau de la lettre. Quelle ne fut pas sa surprise de constater qu'elle ne contenait rien de ce à quoi elle s'était attendue. Il y avait une brève formule pour excuser ce qu'Ylena appelait son « impardonnable comportement », suivie d'une phrase tout aussi concise pour confirmer qu'elle était déjà en route pour Felrawthy. Ylena exigeait qu'on ne la suive pas, tout en précisant que nul ne pourrait d'ailleurs suivre sa trace. Irritée de découvrir qu'Ylena avait profité du couvert de la nuit pour partir, la reine ne comprenait pas le sens de cette dernière remarque. Comment ses soldats n'auraient-ils pas pu suivre la piste d'une jeune noble partie seule sur un cheval ? Ylena l'incitait par ailleurs à avertir séance tenante Celimus qu'elle lui envoyait la sœur de Wyl Thirsk en gage de sa loyauté envers le royaume de Morgravia.

La seconde partie de la missive était plus aimable dans son contenu, et même dans la forme, et cela évoquait à Valentyna des choses que son père lui disait. Toutefois, ces mots paraissaient avoir été écrits par quelqu'un moins accoutumé que ne l'était le roi Valor à se montrer affectueux, et qui pourtant se souciait sincèrement d'elle et de son bonheur. *Franchement,* songea Valentyna en tapotant nerveusement la table du bout de ses doigts, *Ylena ne me connaît pas assez bien pour m'exprimer ainsi sa tendresse, sur ce ton empreint de familiarité.*

Elle sentit ses yeux picoter et pressa ses mains dessus. Elle n'avait aucunement l'intention de pleurer, mais les larmes vinrent quand même. Comme elle détestait son comportement erratique de ces dernières journées. D'après la description que lui avait faite Wyl, il y avait de cela bien longtemps déjà, elle s'était attendue à découvrir une Ylena Thirsk douce et fragile. Même après avoir appris avec quelle force d'âme elle avait surmonté les épreuves, Valentyna avait été époustouflée de la confiance en elle-même montrée par la jeune femme arrivée la veille à la cour de Briavel.

Elle reposa la lettre et prit la tasse entre ses deux mains, laissant la vapeur réchauffer son visage dans ce petit matin de printemps encore frais. Ce qui l'avait frappée, c'était l'attitude si masculine qu'avait eue Ylena pendant son court séjour à Werryl. La chose lui était apparue bien avant le baiser, avant même le souper ; dès leur promenade dans le jardin aromatique, son esprit réceptif avait senti que derrière l'apparence d'une jeune noble bien née, Ylena pensait et agissait comme un homme. Valentyna se piquait de savoir juger les caractères, mais l'attitude d'Ylena ne lui paraissait pas simple à cerner, tout en étant assez évidente à percevoir – du moins à ses yeux. Dans un premier temps, la reine avait pensé que son imagination faisait tout, mais au cours du souper, Ylena s'était mise à parler de Celimus et de Cailech avec l'assurance d'un général dans un conseil d'officiers. Elle avait bien trop souvent entendu son père s'adresser ainsi à ses soldats pour ne pas le remarquer. Pourtant, la plupart des jeunes femmes nobles auraient été bien en peine de discuter de ces choses-là – et plus encore de les prendre à leur charge.

Au-delà de ça, Valentyna s'interrogeait également au sujet de l'étrange habitude qu'avait Ylena d'aller et venir tout en réfléchissant. En toute honnêteté, cette vision l'avait à peine moins ébranlée que la pitoyable tentative de baiser. La ressemblance avec Romen était trop intense pour ne pas la frapper. Elle se souvenait comment il lui avait fallu détourner le regard, combien son cœur s'était mis à battre. Et puis bien sûr, il y avait ce dramatique incident dans la chambre d'Ylena – dont Valentyna s'imputait l'entière responsabilité. Ylena avait tant perdu – ses deux parents, son frère, son mari tout juste épousé, l'ami de sa famille, ce Gueryn Le Gant dont elle était si proche... Et il avait encore fallu qu'elle apprenne la tragédie qui s'était déroulée à Felrawthy. L'émotion l'avait submergée – c'était évident – et elle avait cherché réconfort et affection auprès d'une personne qui semblait disposée à les lui offrir. D'évoquer le baiser qui s'était ensuivi, Valentyna émit involontairement un soupir de dégoût. Pourtant, la justification qu'elle était en train d'échafauder lui paraissait trop nette et trop propre, comme si elle voulait à tout prix trouver une explication au mystère que représentait Ylena Thirsk.

Une petite voix dans son esprit lui soufflait que la situation était bien plus simple – Ylena a un faible pour les femmes, voilà tout. *Non, même cela ne tient pas debout*, se dit Valentyna. Une femme qui aime les femmes n'a pas d'amoureux qu'elle épouse dès que possible. Lorsque Wyl Thirsk avait raconté l'exécution d'Alyd Donal au cours du souper avec son père le roi Valor, il leur avait décrit l'amour brûlant qui unissait sa sœur au garçon depuis leur plus tendre enfance.

Elle ferma les yeux d'agacement ; à cet instant, la pensée insistante qui s'était tenue en embuscade à la lisière de sa conscience pratiquement depuis l'arrivée d'Ylena s'infiltra dans son esprit, posant devant elle un nouveau mystère insoluble qui lui fit l'effet d'un coup au creux de l'estomac. Le mouchoir d'Ylena – celui qu'elle lui avait tendu lorsqu'elle avait pleuré dans le jardin –, c'était celui qu'elle-même avait un jour donné à Romen ! Comment Ylena pouvait-elle l'avoir en sa possession ?

Cette subite révélation prit tellement la reine de court qu'elle reposa sa tasse sur la table, puis se leva comme une somnambule pour venir s'appuyer à la rambarde. Est-ce qu'elle s'imaginait des choses, maintenant ? Non ! C'était bien son mouchoir. Elle en avait même fait mention à Elspyth lors des funérailles d'Aleda. La jeune femme de Yentro s'était mise à sangloter ; Valentyna avait passé un bras autour de son épaule et lui avait tendu un magnifique carré de batiste rehaussé de broderie. Les mots qu'elle avait alors prononcés lui revinrent à l'esprit : « J'ai donné à Romen le même mouchoir, avait-elle murmuré. Gardez-le. Mes deux meilleurs amis en ont maintenant chacun un. »

Elle répéta les mots pour elle-même. Loin en contrebas, elle apercevait l'incessant va-et-vient sur le pont de Werryl. Aucun doute, c'était définitivement le même mouchoir. Sa propre mère les avait brodés et Valentyna les considérait comme de véritables trésors, et elle ne les avait offerts qu'à des personnes qu'elle tenait en haute estime. Cependant, Romen était mort dans un bordel de Briavel ! La seule fois que Romen et Ylena s'étaient rencontrés, c'était entre Pearlis et Rittylworth. Ensuite, leurs chemins s'étaient séparés et jamais ils ne s'étaient revus avant qu'il meure. Or, Valentyna n'avait remis ce mouchoir à Romen que bien longtemps après son départ de Morgravia et des Razors – à la fin de son séjour en Briavel, alors que ses jours étaient déjà comptés.

Une nouvelle idée traversa l'esprit de Valentyna – peut-être cette horrible femme, Hildyth, avait-elle volé le mouchoir de Romen. Mais pour quelle raison ? Pourquoi un carré de tissu qui ne signifiait rien ? Et quand bien même l'aurait-elle volé au Fruit défendu, comment Ylena pouvait-elle aujourd'hui l'avoir en sa possession ?

Wyl, Romen, Ylena et Hildyth… que pouvaient-ils bien avoir en commun ? Et pour commencer, pourquoi les associait-elle ainsi dans son esprit ? Certes, Wyl et Ylena étaient unis par le sang. Wyl et Romen avaient combattu ensemble pour défendre son père, et lui sauver la vie à elle. Romen avait sauvé Ylena, pour tenir une promesse faite à Wyl. Et Hildyth dans tout ça ? Elle n'avait de lien qu'avec l'homme que Valentyna avait aimé, un lien mortel : une lame plongée dans le cœur.

Non, il y a forcément autre chose, se dit-elle. Elle secoua la tête comme pour nier ce qui lui paraissait de plus en plus évident, en vain. L'idée s'insinuait toujours plus profondément dans son esprit embrasé – une pensée claire et lumineuse qui traversa le maelström de son âme pour s'y ficher comme une flèche. Une image que deux personnes en qui elle avait toute confiance lui avaient déjà soufflée – Fynch, à sa façon évocatrice et subtile, puis Elspyth avec plus d'insistance.

Fynch lui avait dit qu'il pensait que Wyl et Romen ne formaient qu'un en esprit. Cette pensée évoqua instantanément l'image de Filou et leurs discussions sur l'aura de magie nimbant le chien. Elle se souvenait maintenant combien Fynch avait été troublé lorsque le chien de Wyl, d'ordinaire si hargneux, avait immédiatement adopté Romen. Et Romen lui-même avait immédiatement crié le nom du chien, sans jamais l'avoir vu auparavant. Plus étonnant encore pour Fynch, Filou avait tout de suite fait la fête à cet étranger. La reine se souvint également du moment où Fynch lui avait décrit les yeux de Wyl changeant de couleur le jour où la sorcière avait été brûlée. Encore une discussion au sujet de la magie dont elle n'avait pas tenu compte. Par la suite, Elspyth elle-même lui avait tenu des propos similaires. Elle l'avait suppliée d'accepter l'idée de réincarnation, confirmant par là même qu'elle aussi estimait que Wyl vivait d'une certaine manière en Romen. Elle avait affirmé que l'amour défunt de la reine pourrait bien être présent en esprit dans une nouvelle personne – une femme peut-être. Wyl… Romen… Ylena.

Une violente nausée secoua Valentyna, qui n'eut que le temps de tourner la tête pour ne pas souiller ses vêtements. Elle s'effondra au sol, renversant la vaisselle posée sur le plateau. De lourds sanglots sans larmes l'agitèrent. Plus rien n'avait de sens.

Elle demeura ainsi, couchée sur le sol, jusqu'à ce que le frais et l'odeur de ses vomissures la ramènent au présent et à l'inflexible réalité à laquelle elle ne pouvait pas échapper. Aujourd'hui était le jour important entre tous de l'ultime essai de sa robe de mariage. Il allait lui falloir procéder aux préparatifs de sa toilette et supporter stoïquement les aiguilles et les bavardages des couturières, avant de pouvoir tenir un bref entretien avec Crys. Le nombre de jours avant que le roi de Morgravia la mette dans son lit se comptait désormais sur les doigts de ses mains.

Valentyna reprit ses esprits égarés, renvoya toutes ces idées de magie et de réincarnation au fin fond de sa conscience et s'arma de courage pour faire face aux devoirs de sa charge royale dans les jours à venir.

Dorénavant, elle allait consacrer toutes ses forces à la paix.

Elle avait une guerre à éviter et un mariage à préparer. Elle allait faire exactement ce qu'Ylena lui avait suggéré. Elle allait écrire une lettre pour apaiser Celimus en offrant la sœur de Wyl Thirsk en gage. Qu'est-ce qui aurait pu la retenir maintenant qu'Ylena s'était sacrifiée ?

Crys s'était levé plus tard que la reine, mais il avait pris connaissance de sa lettre avant de s'habiller. Wyl lui suggérait deux options. La première consistait à tenter de rattraper Elspyth, dont il avait le sentiment qu'elle s'était engagée sur une voie bien périlleuse, sans pour autant, disait-il, être exposée à un grand risque dans l'immédiat. Tout comme Crys, Wyl se sentait le devoir de protéger la jeune femme. Avec si peu de personnes ralliées à leur cause, il était plus que légitime qu'ils veillent les uns sur les autres. Sinon, il suggérait de se glisser dans la ville de Pearlis sous un déguisement, de façon à répandre le bruit de la trahison de Celimus à l'égard de la famille Donal, en particulier au sein des rangs de la légion. Wyl lui communiquait une liste de noms d'hommes fiables, à qui Crys devait communiquer cette information. Il lui demandait également de raconter le sort fait à Alyd et à Ylena. *Emportez la tête de votre frère*, avait écrit Wyl. *Donnez-leur des preuves.* Wyl insistait par ailleurs sur la nécessité de se montrer patient. Qu'il ne commette rien d'irréfléchi et qu'il invite tous les légionnaires à suivre son exemple. De même, qu'il évite autant que possible de leur mentir. En revanche, il recommandait une nouvelle fois à Crys de ne rien révéler à la reine, si celle-ci venait à l'interroger sur Ylena. Il fallait à tout prix préserver le secret. Wyl concluait en lui souhaitant bonne chance et en l'assurant qu'ils se reverraient très bientôt. En post-scriptum, il lui rappelait de ne pas oublier le mot de passe, car il n'était pas certain de se présenter à lui en tant qu'Ylena.

Cette dernière ligne arracha un sourire lugubre à Crys. Dans les temps à venir, n'importe quel étranger était susceptible de venir à lui en prétendant être Wyl. *Comme tout cela doit être effrayant pour lui*, songea Crys. Il réfléchit ensuite à son départ imminent. En toute honnêteté, il appréciait de repartir vers l'action, de contribuer utilement à la chute de Celimus. Wyl avait raison, il existait des méthodes plus subtiles et moins sanglantes pour se venger du roi que de tenter de l'assassiner comme il en avait d'abord eu l'intention.

Il allait partir ce jour même, dans la matinée, et à coup sûr, Valentyna s'en sentirait soulagée.

Valentyna serra les dents et endura la séance d'essayage. Comme prévu, les couturières virevoltèrent autour d'elle pendant plus d'une heure. Malheureusement, aucune d'elles ne la piqua d'une aiguille, ce qui lui aurait donné un prétexte pour laisser s'échapper une part de la colère qui bouillait en elle. Elle trouva néanmoins la force de leur sourire lorsqu'elles contemplèrent leur œuvre, car c'était la plus immaculée des robes qu'on puisse imaginer.

Elle avait demandé de la simplicité et c'était très exactement ce qu'elle avait obtenu. Mais pour le mariage, dame Eltor s'était véritablement surpassée. Couturière attitrée de la reine depuis son plus jeune âge, elle connaissait les goûts de Valentyna sur le bout des doigts. Inutile de lui dire à quoi devait ressembler la reine de Briavel dans une robe de mariée ; avec cette toilette somptueuse, elle avait su saisir l'essence même de l'élégance de Valentyna. Ses lignes fluides et son drapé impeccable épousaient à merveille la silhouette parfaite de la reine ; toutes les petites mains en eurent le souffle coupé.

— Vous êtes une femme désormais, murmura la couturière en réponse aux sourcils légèrement froncés de la reine.

Valentyna venait d'apercevoir la découpe de l'encolure, partant de chacune des épaules pour plonger en profond décolleté révélant le velouté sans défaut de sa gorge.

— Bien sûr, il faudra vous coudre dedans, très chère, l'avertit dame Eltor à travers les épingles tenues entre ses lèvres.

Ayant connu la reine lorsqu'elle n'était qu'une toute petite princesse, la couturière était depuis longtemps dispensée des formules de déférence et de l'obligation d'appeler Valentyna par son titre.

— C'est la seule solution, conclut-elle d'un ton fataliste.

Valentyna hocha la tête distraitement.

— C'est fini ?

— Non, répondit la couturière. Ne bougez surtout pas, mon enfant.

La reine de Briavel ne put retenir un sourire en entendant la recommandation que cette brave dame Eltor lui avait prodiguée en tant d'occasions qu'elles en avaient perdu le compte.

L'unique parure était une fine rangée de perles piquées au col et aux manches, qui s'arrêtaient juste en dessous du coude.

— Je parie que d'ici la fin de l'été, toutes les femmes de Morgravia et de Briavel porteront des manches dessinées ainsi, Majesté, dit l'une des aides avec enthousiasme.

Valentyna et dame Eltor échangèrent un regard dans le miroir. À elles deux, elles donnaient le ton de la mode féminine en Briavel depuis des années, même si Valentyna ne cherchait à éblouir personne avec sa garde-robe.

— Voulez-vous voir ce que ça donne avec le voile ? demanda dame Eltor, en sachant à l'avance quelle serait la réponse.

— Pas aujourd'hui, Margyt, implora Valentyna avec une petite moue suppliante. La prochaine fois, promis. Pour l'heure, j'ai quelques urgences à traiter. Et un royaume à gérer.

La couturière hocha la tête, avec sur les traits une expression donnant l'impression qu'elle endurait un interminable calvaire.

— La prochaine fois, alors, dit-elle, conciliante, avant d'ajouter d'un ton soudain plus ferme : Ce qui est dans quatre jours, je vous le rappelle, Majesté. N'oubliez pas.

Valentyna émit un grognement.

— Merci à toutes, dit-elle, en s'extirpant aussi vite que possible de sa robe.

— Et pour les fleurs ? demanda dame Eltor.

— Votre collègue, dame Jen, s'en occupe. Elle a choisi des roses blanches pour la décoration, des souffles de fée pour le bouquet et une couronne de boutons de neige pour ma coiffure, répondit la reine. J'aurais préféré de la lavande.

— Ça n'aurait pas convenu, objecta dame Eltor, depuis longtemps rompue aux idées bien arrêtées de Valentyna. Les boutons de neige feront écho aux perles et mettront en valeur la Pierre de Briavel, que vous porterez en sautoir je suppose.

Valentyna confirma d'un hochement de tête. Elle devait bien admettre que la robe lui allait à ravir avec sa coupe subtilement structurée et son impressionnante fluidité. La reine n'appréciait pas le style « arrondi », très en vogue ces derniers temps chez les dames de la cour. En revanche, elle adorait la manière exquise avec laquelle sa couturière avait su mettre en valeur sa silhouette presque athlétique avec un profond décolleté, de même que l'absence de toute ornementation qui n'aurait fait que surcharger. Pour tout dire, elle avait l'impression qu'elle aurait pu mettre cette robe avec ses bottes de cavalière en dessous, prête à partir chevaucher. L'idée lui fit venir un sourire. Malgré elle, son goût pour cette robe soulevait une question : si son peuple acceptait ses allures de garçonne sans y trouver à redire, pourquoi elle-même n'acceptait-elle pas les manières « masculines » d'Ylena Thirsk ?

— Parce que ça ne colle pas ! se dit-elle.

— Pardon, Majesté ? demanda dame Eltor, la robe précieusement posée sur ses bras tendus, prête à être rangée dans son cocon de mousseline pour être rapportée sans accroc à l'atelier de Werryl.

— Rien, murmura Valentyna, gênée d'avoir exprimé à voix haute ses tourments intérieurs. Merci, Margyt, nous nous verrons bientôt.

Elle accompagna dame Eltor et ses aides jusqu'à la porte et fit venir un page.

— Va me chercher Stewyt, s'il te plaît, Ross. Et prie également le duc de Felrawthy de me rejoindre dans mon jardin d'hiver, dans une heure.

Le garçon salua d'une révérence et partit porter ses messages. Valentyna noua ses cheveux à la hâte, regrettant de ne pas pouvoir les porter ainsi à son mariage, nattés dans le dos. Elle ramena les petites mèches folâtres, souffla de dépit en considérant le résultat, avant de les laisser reprendre leur liberté. Un petit coup discret frappé à la porte annonça l'arrivée du page.

— Stewyt, merci d'être venu si vite.

— Majesté, répondit le garçon avec une profonde révérence. En quoi puis-je vous être utile ?

Stewyt la déconcertait bien souvent avec ses manières qui n'étaient pas de son âge. Parler avec lui donnait parfois l'impression de discuter avec Krell – ou quelqu'un du même acabit. Elle se dit subitement que Stewyt ferait un excellent chancelier dans les années à venir ; il avait toutes les qualités requises pour occuper la fonction – discrétion et attention envers toute chose et toute personne. Sa qualité d'écoute était rare, si bien qu'il n'était jamais nécessaire de lui répéter quoi que ce soit. Tandis que ces pensées lui passaient par la tête, elle s'aperçut qu'il ne la quittait pas des yeux, avec sur le visage une expression affable et patiente.

Elle s'éclaircit la voix et mit un peu d'ordre dans ses idées.

— Je voulais m'entretenir avec toi au sujet de dame Ylena.

— Oui, Majesté. Vous avez reçu sa lettre, je suppose ?

— C'est le cas, je te remercie. Cela dit, ce n'est pas toi qui me l'as apportée – elle était sur mon plateau ce matin.

— C'est exact, Majesté. Dame Ylena m'a expressément demandé de ne pas vous déranger cette nuit. Elle m'a dit que le contenu de ses missives ne revêtait aucun caractère d'urgence. J'ai donc veillé à ce que les deux missives soient portées ce matin.

— Les deux missives ?

— Oui, il y en avait une autre pour le duc de Felrawthy, précisa Stewyt. J'espère qu'il n'y a pas de problème, Majesté.

— Non, tout va bien. J'ai par ailleurs été informée que dame Ylena avait quitté le château au cours de la nuit. Avait-elle l'air d'être troublée en quoi que ce soit lorsque tu l'as vue ?

Stewyt fronça les sourcils.

— Non, Majesté. Elle était très enthousiaste pour autant que je m'en souvienne, peut-être même un peu trop si je puis me permettre cette observation.

Valentyna hocha pensivement la tête, impressionnée comme à l'accoutumée par l'attitude ô combien mature du garçon.

— Continue.

— Vous voudrez bien excuser mon initiative, Majesté, mais j'ai pris la liberté de suivre dame Ylena.

— Ah ?

— Oui, j'avais trouvé son ton et ses manières un peu étranges. Elle a déployé des efforts quelque peu excessifs pour me montrer à quel point elle se sentait fatiguée – alors que tout au long de notre conversation, elle m'avait au contraire paru parfaitement éveillée.

—Et tu avais vu juste, bien sûr, commenta Valentyna.

—Précisément, confirma le garçon, sans chercher à tirer gloire de la pertinence de son jugement. Je suis parti porter les plis comme elle me l'avait demandé, avant de faire demi-tour pour voir si mon instinct ne me trompait pas. Le chancelier Krell m'a dit de toujours suivre mon instinct, Majesté, ajouta-t-il. C'est ainsi que j'ai vu dame Ylena quitter sa chambre en toute hâte.

—Elle m'a avertie dans sa lettre de son intention de partir au cours de la nuit, indiqua Valentyna, désireuse de ne pas donner à penser au garçon que la dernière des Thirsk pouvait avoir un comportement répréhensible.

Elle ne pouvait pas se permettre de laisser courir de tels ragots, fort susceptibles d'être utilisés contre elle par la suite.

—Tu n'as pas oublié, Stewyt, que je t'ai demandé de garder le secret sur sa présence parmi nous. C'est d'ailleurs pour ça que je t'ai affecté à son service, ainsi que Florie en femme de chambre.

Stewyt hocha la tête avec solennité.

—Je n'ai dit mot à quiconque de sa présence au château, Majesté.

—S'est-il passé autre chose dont tu jugerais bon de me parler ?

—Eh bien..., répondit le page, d'un ton un peu embarrassé.

—Oui ?

—Elle..., commença-t-il, toujours hésitant. En passant devant votre portrait sur le premier palier du grand escalier, Majesté, elle s'est arrêtée... intentionnellement.

—Et ? insista Valentyna, sans bien comprendre ce qui faisait hésiter le garçon.

—Elle l'a touché, Majesté. Elle a touché votre... euh, votre poitrine, Majesté.

Valentyna sentit un sentiment d'alarme monter en elle.

—A-t-elle dit quelque chose ?

—Elle a murmuré un adieu à votre intention, Majesté. En toute honnêteté, je dois dire qu'elle essayait d'atteindre votre visage, mais elle était trop petite.

—Je vois. Merci, Stewyt !

La reine congédia le page et sortit sur ses talons pour rejoindre Crys Donal, qui l'attendait déjà dans son jardin d'hiver.

—Bonjour, Majesté, dit-il avec une profonde inclinaison du buste.

—Crys, on dirait que vous êtes paré à partir, dit-elle en remarquant son manteau de voyage.

Elle s'approcha de lui et le surprit par un baiser fraternel posé sur sa joue. Elle avait l'impression qu'il était le dernier des alliés qui lui restaient.

Les joues du duc de Felrawthy rosirent.

—C'est cela même, Majesté, j'ai décidé de partir. Je crois que c'est préférable, compte tenu de vos soucis avec la légion à la frontière, et tout ça.

Je sais que je suis une épine dans votre pied et je suis d'accord avec Ylena pour penser que je serai sans doute plus utile en Morgravia, toujours comme épine, mais cette fois dans le pied de Celimus, dit-il avec un sourire somme toute bien lugubre.

— Vous avez discuté de tout ça avec Ylena ? s'étonna la reine.

— Non, elle m'a envoyé un message que j'ai reçu ce matin. Elle me suggère d'infiltrer la légion et de répandre la nouvelle du massacre dont ma famille a été victime, ou toute autre information susceptible de tourner l'armée contre le roi, Majesté.

— Tel est donc son plan ?

Crys secoua la tête en signe d'ignorance.

— Je ne sais pas quel peut être son plan, Majesté.

Valentyna s'assit dans son fauteuil préféré près de la fenêtre, tournant le dos à son invité pour qu'il ne puisse pas la regarder dans les yeux.

— Crys, depuis quand le duc de Felrawthy en titre – ou n'importe lequel de ses prédécesseurs – prend-il ses ordres auprès d'une jeune noble d'importance mineure ?

Un instant de silence un peu lourd s'établit entre eux – tout comme elle s'y était attendu –, suivi peu après d'un rire tout aussi étrange.

— Majesté, Ylena Thirsk n'est pas une noble dame ordinaire. Son nom à lui seul parle pour elle.

Il s'apprêtait à poursuivre, mais elle l'interrompit.

— Le fait qu'elle soit la fille du grand Fergys Thirsk et sœur du tout aussi grand Wyl Thirsk ne fait pas nécessairement d'elle un stratège militaire, n'est-ce pas ? J'aurais cru qu'une femme telle qu'Ylena se serait plutôt intéressée à la broderie, à l'art de dresser une table ou à celui de recevoir des invités tout en entretenant une conversation élégante.

— Tout comme vous, Majesté, répondit Crys.

Valentyna se retourna vers lui pour le fixer. Crys regretta instantanément sa remarque gentiment sarcastique.

— Pardonnez-moi, Majesté, je ne voulais pas vous offenser. J'admire le talent avec lequel vous parvenez à être à la fois une femme magnifique et le monarque d'un grand royaume. N'importe qui doué d'un tant soit peu d'esprit voit combien cela requiert autant de qualités féminines que masculines.

Au prix d'un grand effort sur elle-même, Valentyna parvint à produire un sourire pour signifier qu'elle ne se sentait aucunement offensée. De toute évidence, Crys était sincère dans son compliment. Mais il était tout aussi évident qu'il cherchait à protéger Ylena, ou du moins à lui dissimuler quelque chose.

— Je ne sais pas, Crys. J'avais juste l'impression qu'Ylena serait cette jeune femme aimable et classique que je vous ai décrite.

— C'est ce qu'elle était, Majesté, j'en suis sûr. Seulement tant de choses se sont passées. Comme on dit, le sang finit par parler.

— On le dit, en effet, répondit Valentyna d'un ton sibyllin. Si vous me permettez d'aborder une question douloureuse, que saviez-vous au juste de sa relation avec Alyd ?

— Qu'ils étaient passionnément amoureux l'un de l'autre. Les lettres d'Alyd débordaient de son amour pour les deux Thirsk. Ils étaient devenus sa famille pendant toutes ces années passées à Stoneheart. Mais qu'est-ce qui vous trouble au juste, Majesté ?

La reine hésita. Pouvait-elle lui parler à cœur ouvert ? Elle avait tant besoin de partager ce secret avec quelqu'un. Après tout, Crys était sûrement aussi fiable que n'importe lequel de ses conseillers.

— Pensez-vous qu'elle puisse avoir un penchant pour les femmes ?

Le duc de Felrawthy prit un air profondément choqué.

— Ylena ? Non ! Qu'est-ce qui a bien pu vous faire penser ça ?

Valentyna fit la grimace.

— Quelque chose qui s'est passé hier soir entre nous, mais je préférerais ne pas en parler.

— Si ce n'est que nous en parlons effectivement, répondit-il avec un sourire. (Il commençait à entrevoir ce qui avait dû se passer – et qui expliquait ce départ précipité. Il se sentait infiniment désolé pour Wyl.) Non, Majesté. Ylena nous écrivait elle aussi et ses lettres étaient celles d'une jeune femme profondément amoureuse d'Alyd. Elle ne parlait que de lui, de leur mariage et des enfants qu'ils auraient.

— Elle voulait donc avoir des enfants tout de suite.

— Bien sûr ! Même Alyd disait qu'ils allaient se mettre à fonder une famille aussi vite que possible. (Il rit.) Ils se sont même mariés plus tôt qu'on ne l'attendait, ils ont été incapables d'attendre plus longtemps.

Valentyna secoua la tête. Elle se souvenait de la confusion d'Ylena lorsqu'elle lui avait parlé de grossesse. C'était comme si la jeune femme ignorait de quoi il s'agissait.

— Eh bien, elle n'est pas enceinte, voilà au moins une certitude. Si elle a précipitamment quitté le dîner hier soir, c'est à cause de sa menstruation.

Sans doute sous le coup de toute la tension contenue dans cette étrange conversation, Crys fut incapable de retenir le rire qui lui vint. Imaginer Wyl en butte aux tracas féminins lui paraissait tellement drôle soudain.

— Je ne vois pas ce qu'il y a de risible, Crys, le sermonna Valentyna d'un ton agacé.

— Rien, Majesté. Je crois que je perds un peu mes esprits, s'excusa-t-il, manifestement embarrassé.

Valentyna avait l'absolue conviction qu'il en savait plus long qu'il voulait bien le dire – sans toutefois parvenir à concevoir ce qu'il pouvait bien lui cacher.

— Y a-t-il quelque chose que vous sachiez et qui pourrait m'être utile, Crys ? Je vous en supplie, aidez-moi à y voir clair dans cet océan de ténèbres.

Le duc posa sur la reine un regard empli de sincère compassion.

—Majesté, Ylena vous est absolument fidèle. Après ce que Celimus a fait à sa propre famille et à celle à laquelle elle venait de s'allier, elle n'a plus aucune loyauté envers son souverain légitime. Nous aimons tous Morgravia, mais nous combattrons du côté de Briavel aussi longtemps que Celimus sera sur le trône. (À la grande surprise de la reine, il mit un genou en terre devant elle.) Vous pouvez avoir confiance en moi, autant que vous pouvez avoir confiance en elle. Avec courage et grandeur, Ylena est descendue dans la fosse aux lions. Quoi qu'il advienne, que Celimus la fasse tuer ou non, jamais nous ne la reverrons, ça, je peux vous l'assurer.

Ces derniers mots avaient été prononcés d'un ton amer.

Valentyna posa ses mains sur la tête penchée devant lui, profondément émue de ce qu'elle venait d'entendre.

—Oh, Crys, je ne veux pas qu'elle meure à cause de moi.

—Elle n'a plus rien d'autre à offrir que sa vie. Majesté, Ylena n'a plus le goût de vivre, ne le voyez-vous pas ? C'est pour cela qu'elle fait preuve d'une telle témérité, pour sauver quelqu'un qu'elle adore.

Il eut l'impression d'avoir été trop loin en évoquant ainsi l'amour, et la réponse de la reine le lui confirma.

—Je ne veux pas qu'elle m'adore, Crys ! s'écria Valentyna, surprise de voir l'expression de douleur que ses mots avaient fait apparaître sur le visage du duc.

—Alors acceptez son sacrifice et mettez-le à profit pour servir votre cause – ainsi qu'elle vous le demande.

—Je ne comprends même pas ce qu'elle veut faire en se rendant à Felrawthy, répondit la reine avec amertume.

Crys se releva.

—J'imagine qu'elle veut perturber les négociations qui se trament au nord, dit-il. Et sans doute, également, obtenir le repli de la légion sur Pearlis, pour que votre peuple se sente de nouveau libre et puisse se consacrer aux préparatifs du mariage. (Il prit la main de la reine dans les siennes.) Je ne crois pas que vous puissiez échapper à ce destin, Majesté, mais vous pouvez exiger d'être traitée sur un pied d'égalité. Par votre influence, vous pouvez agir sur la manière dont cette nouvelle ère sera perçue par les peuples réunis de Morgravia et de Briavel. Croyez-moi, si nous pouvons trouver un moyen de chasser Celimus, nous le ferons. En attendant, vous devez poursuivre les préparatifs de cette union, et faire votre possible dans l'éventualité où nous échouerions.

Elle avait déjà entendu d'autres personnes lui donner ces conseils. L'heure était venue pour elle de les suivre.

—Vous avez raison. Nous nous verrons donc à Pearlis.

—Je ne vais sans doute pas rallier directement la capitale de Morgravia, Majesté, dit Crys, comme si une nouvelle décision venait de s'imposer à son esprit.

—Vous n'allez pas vous rendre à Felrawthy tout de même ? demanda-t-elle subitement saisie par la peur.

— Non, Majesté. L'heure n'est pas encore venue pour moi de reprendre possession de mes terres. En fait, je pensais à Elspyth.

Une expression d'intense soulagement apparut sur ses traits.

— Vous allez vous mettre sur sa piste ?

— J'ai le sentiment que c'est ce que je dois faire. C'est une femme forte et solide, mais elle n'est jamais qu'une jeune fille perdue dans un royaume étrange, sans arme ni protection…

— En route pour les Razors afin d'arracher un prisonnier des griffes du roi des Montagnes, acheva la reine, en secouant la tête. Je me réjouis de cette décision, Crys. Merci.

Le duc haussa les épaules.

— Elspyth a été bonne avec moi lorsque j'ai eu besoin que quelqu'un me rappelle qui j'étais et quels étaient mes devoirs. Sans elle, je serais retourné ventre à terre à Tenterdyn, sans parvenir à quoi que ce soit, je le crains.

— À part perdre votre vie et priver Felrawthy de son duc.

— Oui, admit-il. Elle m'a sauvé de mon aveuglement et de ma colère.

— Cela dit, vous êtes tout à fait en droit d'être en colère et de vouloir vous venger, Crys. Grâce aux conseils d'Elspyth, vous êtes toujours en mesure de le faire.

Il perçut le chagrin derrière ses paroles d'encouragement.

— Je suis désolé que vous n'ayez pas cette même possibilité, Majesté.

Elle se contraignit à sourire.

— Oh, je trouverai bien un moyen.

Crys savait aussi bien qu'elle que sa remarque n'était qu'une pure bravade. Néanmoins, il lui rendit son sourire en serrant sa main dans les siennes.

— Comment ferez-vous pour la suivre ? demanda Valentyna en changeant de sujet.

— Pour commencer, je vais aller voir Liryk. Quelque chose me dit que votre commandant se réjouit qu'Elspyth soit sortie de votre vie, Majesté (il sourit en la voyant hocher la tête d'un air entendu), mais il pourra toujours demander à ses gardes quelle direction elle a prise en partant.

— En quoi cela vous aidera-t-il ?

— J'imagine qu'Elspyth était pressée de s'éloigner de Werryl. Elle voulait sans doute être le plus loin possible lorsque nous nous rendrions compte de son absence. J'en conclus donc qu'elle aura demandé à quelqu'un de la transporter. (Il haussa les épaules.) Cela me fera toujours un début de piste pour tenter de la retrouver.

Valentyna hocha la tête.

— Prenez soin de vous, Crys. J'espère que nous nous reverrons bientôt.

Il déposa un baiser sur ses mains. Puis le dernier de ses alliés quitta la souveraine de Briavel, la laissant seule avec ses sombres pensées, face à son triste destin.

Chapitre 13

Après avoir quitté Werryl, Wyl avait immédiatement mis le cap sur l'une des caches de Faryl à Crowyl et récupéré une bourse rebondie. Il se félicitait de ne pas avoir perdu le souvenir de ces magots dissimulés. Certes, l'idée d'utiliser de l'argent gagné en faisant couler le sang ne lui plaisait guère, mais il en avait absolument besoin pour éviter que le sang coule encore.

Il avait ensuite lancé sa monture au galop, aussi longtemps que la pauvre bête avait pu, avant de finir sa nuit de voyage au petit trot. Le lendemain matin, il avait consacré une bonne part de son argent à l'achat d'un nouveau cheval. Malgré sa nuit blanche, il était bien déterminé à poursuivre à la même cadence. Fraîche et reposée, sa nouvelle monture n'avait été que trop heureuse qu'on lui lâche la bride. Son intention était de longer la frontière d'aussi près que possible, avant de passer en Morgravia lorsqu'il estimerait être suffisamment loin au nord pour piquer directement sur Felrawthy. Il ne pouvait pas courir le risque de tomber sur des légionnaires et d'être reconnu.

Vers la mi-journée le lendemain, il rallia le village de Derryn à un moment où, précisément, il avait besoin de faire souffler son cheval et de se reposer lui-même. Il avait faim également, mais par-dessus tout, il brûlait de prendre un bain. La douleur était partie et il se sentait aussi bien que possible compte tenu de sa fatigue ; cependant, les saignements paraissaient devoir durer quelques jours encore. Comme tout cela était gênant et désagréable.

S'il avait le choix, Wyl préférerait de ne plus jamais avoir à être une femme. Les soins, la politesse, l'exigence d'être toujours élégante et gracieuse n'étaient que quelques-uns des fardeaux pesant sur les épaules de la gent féminine. Il plaignait Valentyna, et l'admirait en même temps. D'une certaine manière, elle parvenait à faire face aux obligations de son sexe sans jamais céder en quoi que ce soit à la faiblesse. La reine de Briavel n'était pas quelqu'un qu'il considérait comme « frivole » – faute d'un mot plus précis. Ylena, elle, était frivole, mais c'était exactement ce qu'on avait toujours attendu d'elle depuis le jour de sa naissance. Une fille née dans une famille noble et riche, en particulier dans une maison aussi distinguée que celle des Thirsk, n'avait qu'une seule obligation dans la vie : faire un bon mariage. À cette fin, on lui enseignait l'art de régner sur une demeure ou celui de la broderie, dans l'espoir d'augmenter ses chances de trouver un bon parti. Dès l'arrivée d'Ylena à Stoneheart, alors qu'elle n'était qu'une toute petite fille, le roi Magnus avait affecté une véritable armée de femmes chargées de lui inculquer toutes ces choses. Ylena s'était révélée une élève assidue et douée.

Une vague de chagrin submergea Wyl. Qu'avait donc fait sa sœur pour mériter le sort affreux qui lui avait été réservé ? Elle n'avait pas d'ennemi, elle avait toujours un mot aimable pour chacun, et son sourire était capable de faire fuir la plus sombre des humeurs. En outre, c'était une beauté achevée. Qu'elle n'ait pas eu à l'esprit les mêmes pensées et ambitions que celles que nourrissait Valentyna n'était absolument pas de sa faute. Ylena suivait la voie tracée pour elle – tandis que la reine de Briavel était un cas unique. Pour autant, sa vie s'était effilochée en quelques semaines à peine et la période qui aurait dû être la plus heureuse de son existence avait viré au cauchemar. Wyl avait le cœur au bord des lèvres. Il fallait à tout prix qu'il cesse de pleurer ainsi sur sa sœur. Ylena était morte et aucune larme ni aucun remords ne la feraient revenir.

Wyl comprenait bien que son humeur morbide était à mettre au compte de sa fatigue et des règles du corps de sa sœur. Un bon repas et un peu de repos ne pourraient que lui faire du bien. Alors qu'il remontait au pas la rue principale du village, il vit que celui-ci ne comportait aucune auberge. Une jeune femme l'informa néanmoins qu'une certaine veuve du nom de Mona Dey proposait gîte et couvert aux voyageurs contre monnaie. Il mit son cheval aux écuries, paya pour qu'on s'occupe de lui et s'assura de pouvoir le récupérer rapidement si besoin était. Ensuite, il se mit en quête de la maison de la veuve.

Il régla d'avance, au grand bonheur de Mona, et fut conduit dans une petite chambre bien tenue, sur l'arrière de la maison. En bonne bavarde, la veuve ne tarda pas à lui raconter que feu son mari était un riche commerçant, un peu grigou sur les bords et fort porté sur les femmes, en particulier celles de mauvaise vie. Les « putains » avait-elle précisé en formant distinctement le mot avec sa bouche, mais sans le prononcer à voix haute. Mona avait poursuivi son caquetage, expliquant que son mari était mort entre les cuisses d'une jeunesse de vingt ans, appétissante et bien en chair, un poignard planté dans le dos jusqu'à la garde. Elle avait décrit tous ces événements avec une délectation perverse qui avait fait remonter des souvenirs douloureux pour Wyl.

— Une bourse d'argent, voilà tout ce que la catin a eu pour sa peine, dit Mona d'un air suffisant. Moi, j'ai eu le reste.

Son visage rayonnait de plaisir à l'évocation de ces souvenirs. Après cela, sa vie avait été un enchantement dont elle avait goûté chaque instant, dépensant l'argent de son mari mort avec un goût consommé de la vengeance, jusqu'à ce qu'il ne lui reste pratiquement plus rien.

— J'ai gardé juste ce qu'il fallait pour éviter d'être à la rue, dit-elle à Wyl sans la moindre amertume, et aujourd'hui je prends des hôtes payants et je mène une vie tranquille.

— J'imagine en effet qu'on ne trouve guère de lieux plus tranquilles que Derryn, observa Wyl, surpris de la candeur avec laquelle la veuve racontait sa vie.

— Vous avez mis dans le mille, ma chère, répondit Mona en riant, comme si elle venait d'entendre la plus drôle des plaisanteries.

Toute bavarde qu'elle était sur elle-même, Mona Dey se montrait en revanche d'une discrétion exemplaire au sujet de son hôte – au grand soulagement de Wyl. Ou bien elle ne s'intéressait qu'à elle-même, ou bien elle était particulièrement finaude, avertie que les étrangers appréciaient rarement de raconter leur vie. *Étonnant,* songea Wyl, *cette réputation d'être curieux et fouineurs qu'ont les aubergistes et leurs semblables.* En tout cas, il remercia la veuve et lui versa même quelques pièces supplémentaires pour sa discrétion car elle n'avait même pas demandé pour quelle raison la jeune femme voyageait seule.

— Le repas du soir est servi au coucher du soleil et pas après, dit Mona.

Avec une grimace de dépit, Wyl demanda si un en-cas ne pourrait pas lui être servi dans sa chambre, expliquant qu'il était épuisé et que ses règles l'avaient vidé de toute son énergie. Mona posa sur Ylena un regard de profonde compassion. *Voilà bien une peine que toutes les femmes comprennent*, se dit-il. Néanmoins, la pièce dans la poche de son tablier ne pouvait qu'inciter la veuve à se montrer aimable envers la jeune noble.

— Je vais voir ce que je peux vous préparer, ma chère, répondit-elle. Je me souviens du calvaire que j'endurais moi aussi à votre âge – surtout avec mon Garth qui ne voulait rien savoir et exigeait l'accomplissement du devoir conjugal.

Wyl ne mourait pas d'envie d'entendre cette histoire, mais Mona paraissait ne plus avoir d'autre auditoire disponible à Derryn. Il prit donc l'expression appropriée et prêta l'oreille attentive qu'on attendait de lui.

— Quelle douleur ! poursuivit Mona. Par Shar, j'avais toujours l'impression d'être sur le point de mourir. Et ma mère ne me soutenait même pas. Elle disait que mieux valait que je m'y habitue puisque cela allait durer le plus clair de ma vie. Ma mère était une femme dure, vous savez. Mon père était mort alors qu'elle était encore jeune, la laissant avec une flopée de marmots et pas d'argent. Ses menstrues la faisaient souffrir elle aussi. Elle devait rester couchée pendant une semaine à chaque lune, incapable d'aller travailler. Et nous, on avait faim.

La veuve semblait partie pour poursuivre le récit des cycles lunaires de sa mère, mais Wyl feignit de tomber en pâmoison. Le monologue cessa instantanément et Mona partit chercher des linges propres et des sels. Lorsque Wyl reprit quelque peu ses esprits, la veuve proposa à la jeune femme de prendre un bain. Sa maison comportait une pièce spécialement équipée.

— J'ai des herbes qui feront passer la douleur, proposa-t-elle d'un ton aimable.

Plein de gratitude, Wyl la remercia chaleureusement, s'attirant en retour un large sourire.

— Et je vais vous apporter également des feuilles de framboisier, ajouta la veuve. Il faut les mâcher directement. Bien sûr, le goût est horrible, mais c'est bien plus efficace qu'une infusion.

Wyl bredouilla une nouvelle formule de politesse et se laissa conduire jusqu'à la salle prévue pour les bains, avec un trou d'évacuation dans un coin et un énorme baquet au milieu, dans lequel le petit corps fourbu d'Ylena allait s'engloutir. Il aurait été tout disposé à se laver à l'eau froide, mais Mona ne voulut rien savoir.

— La chaleur, c'est ça qu'il vous faut, ma chère. Contre la douleur.

Wyl ne se sentait pas le courage d'expliquer que la douleur était partie, maintenant. Tout ce dont il rêvait, c'était d'être seul et au calme. Il la laissa donc prendre les choses en mains et organiser son bain en envoyant une armée de garçons chercher des brocs d'eau chaude à la forge où un énorme chaudron demeurait en permanence sur le feu. Finalement, le plaisir qu'elle éprouva à refermer la porte pour se glisser dans le baquet fut le deuxième plus grand bonheur de sa vie, juste derrière le premier baiser échangé avec Valentyna, lorsque Wyl était Romen et qu'elle l'adorait.

Après cela, il mangea un repas composé de viande froide, de quelques pommes de terre cuisinées à la crème et d'un morceau de fromage, puis alla se coucher entre les draps usés, mais propres, du lit loué par la veuve. Le sommeil le saisit presque instantanément.

À son réveil, Wyl était totalement désorienté. La nuit régnait à l'extérieur et tout était aussi calme que dans un tombeau. Mona avait aimablement laissé une chandelle dans la chambre, mais il n'en restait plus qu'une petite flaque de cire grésillante. D'après ses estimations, il avait dû dormir douze heures au moins. En s'efforçant de faire le moins de bruit possible pour ne pas réveiller la maisonnée, il se soulagea dans le vase de nuit, avant d'enfiler à la hâte sa tenue poussiéreuse mais si confortable. Wyl n'aimait pas l'idée de partir sans remercier Mona. Sans quoi que ce soit pour griffonner un mot, l'argent était la seule manière par laquelle il pouvait exprimer sa gratitude pour la qualité de l'accueil. Il laissa donc quelques pièces sur le lit qu'il avait refait ; à coup sûr, la veuve oublierait bien vite la jeune noble passée chez elle, mais peut-être se souviendrait-elle de la générosité d'Ylena.

Il ne voulait pas prendre le risque de traverser la maison, aussi, remerciant le ciel d'être au premier étage, il sortit par la fenêtre pour se laisser tomber dans la cour en contrebas. Il se réceptionna en roulé-boulé, comme il avait appris à le faire lorsqu'il était enfant. Son saut avait dû déranger un blaireau ou quelque autre créature de la nuit. Il l'entendit s'enfuir à l'aveuglette en grondant vers les bois qui frangeaient les limites de la ville. Wyl demeura immobile quelques secondes, tous ses sens aux aguets ; apparemment, il n'y avait personne alentour.

Cela étant, il prit quand même la précaution de gagner les écuries en passant par l'arrière des maisons. Comme il l'avait escompté, il y avait un commis d'écurie, en train de dormir dans un coin. Le garçon ouvrit péniblement un œil, troublé dans son sommeil par cette arrivée au beau milieu de la nuit. Il reconnut la jeune noble, pointa un box du doigt et murmura quelques mots totalement incohérents. Wyl récupéra son cheval, le sella et sortit aussi silencieusement que possible.

Il ignora les petits élancements que la faim faisait naître dans son estomac, pour s'élancer de nouveau sur la route ouverte devant lui. Rapidement, Derryn ne fut plus qu'un souvenir. *Encore une journée vers le nord et je pourrai obliquer en direction de Morgravia et Felrawthy*, se dit-il. *Cap sur la tanière de Celimus!* Avec un peu de chance, il se ferait tuer et prendrait possession d'un nouveau corps plus conforme à ses goûts.

Cailech se trouvait dans une grotte secrète de la Dent d'Haldor, occupé à examiner la situation qui allait se présenter devant lui. La suggestion qu'avait faite le mercenaire de Grenadyne de conclure une alliance avec Morgravia avait précisément touché au cœur de ce qui était le plus important à ses yeux. En fait, il était même secrètement vexé de ne pas avoir eu lui-même cette idée à une époque où négocier avec Magnus et le général Fergys Thirsk aurait sûrement été plus facile. Comment se faisait-il qu'il puisse voir si clairement aujourd'hui ce qu'il aurait dû faire alors, et que son instinct ne l'en ait jamais averti auparavant? Peut-être était-ce dû au fait que, depuis l'arrivée de Rashlyn dans les Razors, il avait repoussé toute perspective d'établir des liens avec Morgravia. Pourtant, d'ordinaire, Cailech n'était pas homme à se laisser influencer par les autres. Il tenta de se rappeler quelles avaient été ses motivations pour rejeter toute vision de royaumes voisins vivant en bonne intelligence, mais n'en trouva aucune. Il sourit en songeant que Rashlyn les avait peut-être effacées de sa mémoire – une pensée ridicule au regard de la loyauté que le *barshi* montrait à son égard.

Lorsque Aremys regagna la grotte pour lui rendre compte de sa première entrevue avec Celimus, Cailech ressentit une soudaine bouffée d'angoisse. Était-il en train d'aller au-devant de sa propre mort? Comment se faisait-il qu'il ait une bien meilleure vision des choses ici, dans les montagnes?

— Tu es bien sûr qu'il n'y a aucun piège? demanda-t-il au mercenaire.

— Oui, seigneur. Pour autant, j'ai pris toutes les précautions voulues pour assurer notre sécurité. Celimus prend des dispositions pour nous livrer les otages demandés, et j'ai même obtenu quelques garanties supplémentaires.

Aremys expliqua alors qu'il avait négocié en mettant dans la balance Ylena Thirsk, fille et sœur de deux généraux de Morgravia. Outre que ce nom signifiait quelque chose à ses yeux, Cailech ne voyait aucune objection à utiliser une noble de Morgravia en échange de leur sécurité. Cependant, restait une question importante.

— Et où est-elle cette Ylena Thirsk?

À l'intense surprise du roi des Montagnes, Aremys se mit à rire en haussant les épaules.

— Je n'en ai pas la moindre idée, seigneur. Mais il sera grand temps d'y songer plus tard. Vous serez de retour chez vous avant que j'aie à trouver une réponse à cette question.

Cailech sourit pour lui-même. Il aimait la manière de penser du colosse de Grenadyne. Le mercenaire l'avait impressionné dès leur première rencontre, même si de toute évidence il en savait plus qu'il ne voulait bien le dire, et cela en dépit de son intérêt inquiétant pour Galapek. Dans son for intérieur, Cailech tenait Aremys pour un ami. Bien sûr, il ne l'avait jamais dit, mais tous deux le savaient parfaitement. Ils se respectaient et s'admiraient mutuellement. Dans le fond, avec son esprit clair et tranchant et son humour pince-sans-rire, le mercenaire lui rappelait sans doute Lothryn. Son vieil ami lui manquait tant que sa simple évocation était une souffrance.

Découvrir qu'il avait été trahi par celui qu'il tenait pour un frère depuis l'enfance lui avait littéralement arraché le cœur. Comment Lothryn avait-il pu prendre fait et cause pour les Morgravians en tournant le dos à son peuple et à son roi ? Cailech s'était efforcé de donner le change devant Myrt, mais les silences obstinés de son nouveau second étaient éloquents. D'une certaine manière, Cailech admirait Myrt pour sa loyauté envers son ami. Loth aurait été bien inspiré de suivre l'exemple de Myrt en matière d'honneur, de fraternité et de confiance. L'orgueil de Cailech lui avait interdit de faire preuve de la moindre pitié à l'égard du traître – quand bien même il avait agi sous l'emprise de son amour pour la femme de Yentro et quand bien même il avait organisé leur fuite sans qu'aucun guerrier des Razors n'ait à souffrir. Peu importait au fond ce qui avait motivé le choix de Lothryn. La seule chose qui comptait c'était qu'il avait fait ce choix, et que c'était une faute.

Lorsque la nouvelle lui était parvenue qu'on ramenait Lothryn vivant, Cailech avait d'abord voulu l'égorger directement sur la grande dalle de pierre gelée à l'entrée de la forteresse. Il ne supportait pas que son compagnon de toujours devenu traître en franchisse ne serait-ce que le seuil. Puis Rashlyn était arrivé pour lui souffler de nouvelles idées, et le convaincre d'exercer une bien pire pénitence.

D'une manière ou d'une autre, Cailech s'était laissé envoûter par la voie de la magie. Plein de colère, il avait prêté une oreille horrifiée et fascinée à la fois à la description qu'avait faite son *barshi* d'une punition bien plus cruelle et raffinée qu'un simple coup d'épée. Rashlyn avait si judicieusement employé les mots « traître » et « trahison » que la rancœur du roi s'était muée en une soif de vengeance froide et mortelle. Il avait donc donné son accord à l'odieux dessein de Rashlyn, persuadé qu'en prenant possession de Lothryn, en brisant sa volonté et en le soumettant par la plus noire des magies, il parviendrait sans doute à gagner son respect. Son ami et ancien compagnon aurait à subir l'humiliation de savoir qu'il devrait porter à jamais le roi sur son dos, toujours soumis à Cailech et contraint de voir qui était le maître.

Du temps s'était écoulé depuis et Cailech percevait maintenant toute la perversité venimeuse de cette vengeance. S'il avait le pouvoir d'annuler la magie, il le ferait – d'autant plus qu'Aremys s'intéressait de très près à Galapek. En toute sincérité, sa victoire sur Lothryn était devenue vide de sens et même amère. C'était comme cette menace de transformer les siens en cannibales. Quelle ignominie ! Voilà à quelles extrémités il arrivait lorsque la colère prenait le pas sur son jugement éclairé. Comment avait-il pu laisser Rashlyn l'amener ainsi au cœur d'horribles ténèbres ? Cailech secoua la tête.

— Une pièce d'argent pour connaître vos pensées, seigneur, dit Aremys en s'approchant de Cailech assis sur une saillie rocheuse surplombant Felrawthy.

Il apportait un pichet de vin et deux verres ; il en servit un pour le roi et un autre pour lui-même. Myrt et les autres guerriers étaient occupés à affûter les lames et vérifier l'armement, tout en priant pour ne pas avoir à les utiliser.

— Je songeais à Lothryn et à la manière dont tu me le rappelles.

— Je prends ça comme un compliment, seigneur. Je n'ai entendu que du bien à son sujet – malgré ce qu'il a fait à la fin.

— Oui, on avait bien raison de l'apprécier, répondit Cailech, incapable de dissimuler le chagrin qu'il éprouvait.

— En revanche, personne n'a su me dire ce qui lui est arrivé. Je suppose que vous l'avez fait exécuter ?

— Oui... il est mort, répondit le roi d'un ton morne.

Son hésitation n'avait toutefois pas échappé à l'oreille d'Aremys.

— Ce qui n'empêche pas qu'il vous manque parfois, à ce que je vois.

Cailech hocha la tête.

— Il me manque en permanence. Nous avons grandi ensemble, nous nous protégions l'un l'autre, nous nous comprenions. C'est pour ça que sa trahison a été un tel choc. Nous nous aimions, Farrow. Nous étions frères en toute chose, hormis le sang.

— Étant donné la force des sentiments qui vous lient, pourquoi n'avez-vous pas trouvé un moyen pour épargner sa vie ? demanda Aremys en espérant amener le roi à en dire plus long sur Galapek.

— Bien mince est ce qui sépare deux extrêmes opposés, mercenaire.

— Que voulez-vous dire ?

— J'aimais Lothryn comme un frère et c'est pour ça que ce qu'il a fait m'a poussé à la pire des haines.

— Je comprends, dit Aremys, convaincu maintenant qu'il n'obtiendrait pas la confirmation qu'il avait espérée.

Un instant de silence s'étira entre eux, jusqu'à ce que Cailech se redresse en s'arrachant de ses pensées – pour poser la question qui taraudait également tous ses hommes.

— Est-ce que c'est bien prudent ce que nous faisons, Farrow ?

— Bon nombre considéreraient ça comme étant plutôt téméraire, compte tenu de la réputation du roi de Morgravia, répondit Aremys. Cependant, je crois sincèrement que lorsque vous le rencontrerez, vous – et vous plus que n'importe qui au monde – saurez le convaincre qu'une alliance est préférable à ces incessantes escarmouches qui ne demandent qu'à devenir une guerre ouverte.

Cailech hocha la tête, rassuré par la confiance manifestée par le mercenaire de Grenadyne.

—Et son mariage?

—Il doit toujours avoir lieu très bientôt, et c'est pour ça d'ailleurs qu'il nous faut agir vite. Dès qu'il aura les armées de Briavel sous ses ordres, comment savoir ce qui pourrait lui passer par la tête?

—J'ai cru comprendre que la légion avait été déployée sur la frontière. On a déjà fait plus aimable comme cadeau à sa belle, non?

—C'est une tactique pour l'effrayer, répondit Aremys. Celimus n'a aucun intérêt à repartir en guerre contre Briavel alors qu'un mariage lui suffit pour s'emparer du royaume.

—N'empêche, faire pression sur sa promise n'est pas la meilleure des façons pour conclure un accord historique entre deux royaumes.

—Apparemment, Celimus ne connaît pas d'autres méthodes. D'après ce que j'ai pu glaner, c'est une brute depuis son plus jeune âge. Pourquoi changerait-il maintenant qu'il est roi?

—Hmm… C'est exactement ce que je me disais, murmura Cailech pour lui-même.

Le silence qui suivit sonna étrangement aux oreilles d'Aremys, sans qu'il parvienne pour autant à mettre le doigt sur ce que le roi des Montagnes avait bien pu vouloir dire.

—Tout ira bien, seigneur Cailech. Simplement, vous ne devrez pas vous appesantir. Dites ce que vous avez à dire, puis poursuivez les négociations par le biais d'émissaires. L'essentiel, c'est que les deux monarques se rencontrent et apprécient ce qu'ils découvrent chez l'autre.

Cailech hocha la tête.

—Quand sommes-nous attendus?

—Demain. Il a prévu une petite réception en votre honneur. Je suggère que seuls Myrt, Byl et moi vous escortions, seigneur.

Le regard vert de Cailech s'étrécit jusqu'à devenir fin comme une lame.

—Une force bien réduite.

—Une preuve de confiance.

—Alors même que je me méfie de lui?

—Exactement.

Le roi des Montagnes partit d'un grand rire.

—J'espère que tu ne te retrouveras pas avec mon sang sur les mains, mercenaire. Sinon, tu te retrouverais avec des centaines de mes guerriers à tes trousses pour faire couler le tien.

Cailech leva son verre pour un toast, et Aremys l'imita.

—Aux traités, Seigneur.

— Et à l'amitié, Farrow. Merci de ton aide.

— Cela signifie-t-il que je suis libre maintenant ?

Cailech prit le temps de vider son verre.

— Oui, mais j'espère bien que tu rentreras avec nous à la forteresse.

— Si nous sommes encore en vie après cette aventure, j'en serai honoré, seigneur.

Celimus chevauchait sur la lande autour de Tenterdyn, découvrant les alentours de ce qu'il considérait désormais comme une possession royale.

— C'est magnifique, Majesté, dit Jessom qui trottait non loin.

Sa remarque faisait précisément écho aux pensées du roi.

— Je me disais justement que j'allais faire de Tenterdyn ma résidence d'été, tandis qu'Argorn fera une excellente villégiature hivernale, répondit Celimus avec un sourire satisfait.

Il tourna ensuite la tête vers les cimes majestueuses des Razors, nimbées de brume violette.

— Crys Donal et Ylena Thirsk pourraient bien désapprouver cette décision, Majesté, observa le chancelier, en veillant à ce que son ton ne donne pas l'impression qu'il y trouvait personnellement à redire.

— Pas du fond de leur tombeau ! aboya le roi avec humeur.

À cette seconde précise, Jessom prit conscience d'une chose qui avait si lentement sinué en lui qu'il n'avait pas encore vu qu'elle était là. Soudain, il lui apparut comme une évidence qu'il en avait soupé de la méchanceté absolue du roi, de son dédain envers ceux qui se pliaient à ses quatre volontés et se démenaient pour satisfaire ses lubies. Il n'avait d'égard pour personne et, pour lui, aucun de ses serviteurs ne valait mieux qu'un mendiant dans la fange. Dans le cas de Jessom, son engagement pour la cause de Celimus était allé jusqu'au meurtre, sans rien en obtenir en retour – pas même une ombre de remerciement. Jessom n'était pas un être fragile qui renâcle à l'idée de donner la mort ; non, selon lui, la puissance du royaume était incompatible avec toute notion de miséricorde ou de compassion. Un roi se devait d'être entouré de personnages prêts à toutes les manigances. Toutefois, dans le cas de Celimus, la période de brutalité faite pour asseoir son pouvoir tendait à se prolonger sacrément. En fait, le bain de sang allait crescendo.

Jeune et présomptueux, Celimus brûlait d'affirmer sa marque sur son royaume – et au-delà. Tout cela était bien compréhensible, mais depuis son arrivée dans la vie du jeune roi, Jessom avait espéré pouvoir façonner ce jeune homme exceptionnellement brillant en quelqu'un de plus fiable et plus subtil. Le chancelier avait mis son expérience et ses immenses talents au service de Celimus avec l'espoir que celui-ci bénéficie de son exemple et de ses enseignements.

Septième et dernier enfant d'un riche financier à l'origine d'innombrables projets – de la construction de ponts à l'ouverture de brasseries –, Maris Jessom avait vite compris que sa position de lointain cadet lui interdirait à jamais de gravir les échelons de la hiérarchie familiale. Ses trois frères aînés s'étaient partagé l'empire, à charge pour les autres enfants de se débrouiller par leurs propres moyens. Trois de ses sœurs avaient su profiter de leur condition pour faire de beaux mariages. En revanche, avec son profil d'aigle efflanqué, lui avait dû se faire à l'idée de trouver autre chose que son physique pour faire son chemin ; heureusement pour lui, restait son extraordinaire intelligence. Si les capacités de tous ses frères et sœurs avaient été réunies en une seule et même personne, tout cela n'aurait encore été rien comparé à l'ampleur de vision, au sens de l'adaptation et à la vitesse de décision du plus jeune. Même s'il maintenait le secret sur cette arme hors du commun dont il disposait, Maris avait la conviction que c'est à lui que son père aurait dû confier la gestion de son empire financier. Selon toute vraisemblance, lui seul avait hérité de la clairvoyance, de la perspicacité et de la roublardise qui avaient permis à leur père de devenir l'un des hommes les plus riches de Tallinor. Malheureusement, le vieux Jessom n'avait jamais semblé accorder la moindre importance à son septième fils dégingandé, et dès que Maris avait atteint sa maturité, on l'avait prié de quitter le toit familial pour s'en aller chercher fortune ailleurs. Sa mère, qui l'aimait bien, lui avait remis une bourse bien garnie.

— Utilise cet or avec sagesse, Maris, lui avait-elle dit, les larmes aux yeux en le serrant dans ses bras pour lui dire adieu.

C'était exactement ce qu'il avait fait, bourlinguant à travers tout Tallinor, d'est en ouest et du nord au sud, en tant que prêteur itinérant – un métier novateur et suprêmement lucratif, particulièrement pratique pour les emprunteurs qui voyaient l'argent venir à eux. Après avoir regardé le gringalet les inscrire dans son grand livre à couverture de cuir, ses clients espéraient sans doute qu'il ne viendrait pas réclamer le remboursement de ses traites. C'était une erreur. Les créanciers apprenaient à leurs dépens que Maris Jessom n'accordait aucune remise ; l'emprunteur rembourse ou perd tout, tel était son credo. En outre, la loi était de son côté, car jamais il ne venait demander un remboursement en avance et jamais il n'imposait de conditions accablantes au point de passer pour un usurier. Mais surtout, le jeune Jessom se montrait intraitable.

Son succès fut rapide et il lui fallut bientôt s'adjoindre les services d'un garde, puis d'un deuxième. Une nouvelle race de bandits était apparue, qui estimait raisonnable de voler les riches puisqu'ils avaient les moyens de perdre de l'argent. Malgré son équanimité d'ordinaire absolue, Jessom en avait conçu de la colère au point d'être bientôt à la tête d'une petite compagnie de mercenaires, qui tuait les détrousseurs pour passer le temps et conservait le butin pris.

Jessom vécut ainsi pendant deux décennies, établissant un immense réseau de contacts et relations dans toute la région, avant de venir s'installer à Tal – non loin de la demeure de sa famille. Là, il établit son propre empire bancaire, avec toujours à sa solde des mercenaires pour exécuter les basses œuvres. À cette époque, ses deux parents étaient morts et ses sœurs les moins bien loties s'étaient dispersées. Les autres, ceux qui avaient hérité des affaires paternelles, n'avaient pas vraiment connu le succès, à tel point qu'ils se montrèrent plus qu'agressifs envers leur cadet à qui tout réussissait.

C'est dans ces années-là que le roi Sorryn de Tallinor déclara que le commerce de l'argent – auquel semblait s'adonner un nombre toujours croissant de personnes – était un furoncle à la face de la société et qu'il convenait de libérer les pauvres de l'emprise terrible que les usuriers exerçaient sur eux. Jessom devina les temps qui s'annonçaient. Ainsi, lorsque survint la « grande purge » – ainsi qu'on la baptisa par la suite – il avait fui son royaume natal.

Il trouva asile en Morgravia. Il était un homme riche, mais sans terre ni patrie, ni plus aucune famille. Désabusé, il choisit de se chercher une nouvelle occupation. Il se sentait trop vieux pour créer un nouvel empire, aussi attendit-il de voir ce que les étoiles lui réservaient. Engranger des informations, observer les tendances, identifier les besoins, voilà quels étaient ses talents. Bien avant que quiconque ait vu qu'un roi avait peut-être besoin de plus qu'un général comme conseiller, lui avait compris que des perspectives s'ouvriraient un jour dans l'entourage royal.

Sous le règne de Magnus, la position de chancelier n'existait pas encore. C'était un roi qui en toute chose préférait la compagnie et les conseils de ses officiers et stratèges. Cependant, l'amitié n'est pas nécessairement source de conseils avisés. Pour Jessom, il ne faisait aucun doute que le nouveau roi allait avoir besoin de conseils plus éclairés que ceux qu'on lui prodiguait à la mort de son père. Même pour un nouvel arrivant, il était absolument évident que Magnus et Celimus n'éprouvaient aucun sentiment l'un pour l'autre. Le fils n'avait appris qu'une seule chose de son père : la haine. Maris Jessom se voyait volontiers comme un faiseur de roi. Il avait à sa disposition un réseau de messagers, mercenaires, informateurs et espions pour l'aider à façonner un royaume – plus des années d'expérience en matière de finance et une solide compréhension de la nature humaine.

Il avait observé Celimus pendant suffisamment longtemps avant son accession au trône pour savoir que le jeune homme était criblé de problèmes et qu'il lui faudrait des années pour lui enseigner comment diriger efficacement son royaume. Cependant, Jessom voyait aussi le charme puissant de Celimus. Il avait la conviction que le nouveau roi pourrait très bien mettre ce talent au service de Morgravia – et s'attacher la loyauté de ses sujets au lieu de consacrer tant d'énergie à les mépriser. Jessom devait bien admettre que la proposition de mariage à Valentyna de Briavel était un coup de maître. En revanche, l'assassinat de son père, le roi Valor, était parfaitement stupide. C'était l'acte d'un jeune arrogant, trop inexpérimenté pour comprendre qu'il lui aurait suffi d'évoquer sa puissance pour l'emporter. Jessom était convaincu que Valor aurait donné son accord à une union entre Celimus et sa fille, il était inutile de l'assassiner.

Le meurtre de Wyl Thirsk avait été une autre erreur magistrale – mais Jessom percevait bien que quelque chose d'informulé troublait le jugement de

Celimus sur ce sujet. Le chancelier avait eu l'occasion d'étudier le jeune général pendant suffisamment longtemps pour voir qu'il était loyal à Morgravia. Tout ce que Celimus aurait eu à faire pour le manœuvrer, c'était s'appuyer sur cette loyauté. Dès lors, l'exécution du cadet de la famille Donal, la mise à sac de Rittylworth, le massacre de Tenterdyn et quelques autres assassinats auraient été inutiles.

Le meurtre n'était pas sans conséquences. Il avait la fâcheuse tendance de revenir hanter celui qui l'avait commis et Jessom commençait à penser qu'il y avait bien trop de cadavres aux pieds de Celimus – dont le sang pour certains retombait sur ses mains – pour qu'ils échappent bien longtemps à la clameur et à l'infamie. Qu'une seule voix s'élève, une voix qui compte – que ce soit celle d'Ylena Thirsk, de Crys Donal ou même d'Aleda Donal –, que messire Bench soulève la plus petite objection, et une série catastrophique de questions s'abattrait sur le roi. D'avance, Jessom savait sur la tête de qui retomberaient toutes les fautes, et ce ne serait pas celle de Celimus.

Pourtant, si seulement il voulait bien l'écouter, Celimus pouvait encore devenir le grand souverain d'un empire tout-puissant et prospère. Il ne s'agissait plus de régner sur deux royaumes, mais sur les trois réunis – réaliser le grand rêve de Celimus. Tout n'était pas encore perdu ; plutôt que de la tuer, peut-être pouvait-il utiliser Ylena Thirsk à leur avantage – il y avait sûrement un moyen.

Jessom s'aperçut alors qu'il était en train d'agiter la tête en silence ; Celimus lui faisait face, une expression railleuse dessinée sur les traits.

— Majesté, puis-je vous parler franchement ?

— Bien sûr.

— Je me disais qu'avec l'alliance que vous pourriez conclure avec le roi des Montagnes, plus le mariage de conte de fées avec la reine de Briavel, vous aurez réalisé ce dont la plupart des souverains n'osent pas rêver – et encore moins tenter.

— Où veux-tu en venir ?

— Ce que je veux dire, c'est que vous êtes en mesure de prendre le contrôle des trois royaumes sans qu'on vous oppose de résistance, sans avoir à verser le sang, sans même que les autres souverains mesurent à quel point vous êtes devenu puissant.

— En quoi est-ce une bonne chose, Jessom ?

— Majesté, il existe un proverbe qui vaut pour presque tous les aspects de la vie – il ne faut jamais que la main gauche sache ce que fait la main droite.

— Ne tourne pas autour du pot, imbécile ! Parle franc.

Jessom prit une profonde inspiration pour masquer le dédain qu'il sentait monter en lui.

— Une fois devenue votre épouse légitime, Valentyna vous sera inféodée et ne pourra donc pas prendre fait et cause contre vous. Si d'aventure Cailech venait à trouver que l'alliance ne lui convient plus, il se retrouverait seul et isolé. Or, je le pense suffisamment avisé pour éviter cela – ce qui veut dire qu'il maintiendra la paix pour bénéficier des avantages du commerce, de la liberté de circuler et de la prospérité. En conséquence, Majesté, je pense que si on manœuvre bien, vous serez bientôt à la tête de l'empire dont vous avez toujours rêvé.

Est-ce que c'est assez clair pour toi, crétin? songea-t-il, se retenant *in extremis* de le dire à voix haute.

—Jessom, crois-tu vraiment que je ne pouvais pas trouver ça tout seul? répondit Celimus. Tu es convaincu qu'il te faut tout m'expliquer parce que je suis stupide au point de ne pas voir plus loin que le bout de mon nez?

La voix de Celimus s'était chargée de tonalités sarcastiques et dangereuses.

—Pas du tout, Majesté, répondit Jessom, parfaitement maître de lui, sur un ton d'exquise politesse. Je me disais juste que se débarrasser d'Ylena Thirsk ou de Crys Donal pourrait bien être un acte… « inconsidéré ».

—Tu préfères donc que je laisse courir ces deux dangers ambulants?

—Tout ce que je vous suggère, Majesté, c'est d'attendre. Bientôt, vous aurez Ylena Thirsk à votre merci, alors n'agissez pas avec précipitation. Prenez le temps de considérer chacune des situations possibles. J'imagine que la dernière des Thirsk doit se sentir extraordinairement isolée – elle n'a plus de parents, son ange gardien est parti et son frère bien-aimé est mort. Sa nouvelle famille et son nouveau mari nourrissent aujourd'hui les vers. Hormis Crys Donal, elle n'a plus personne vers qui se tourner. C'est une jeune élégante vulnérable qui, sans aucun doute, ne rêve plus que d'une chose, c'est de retrouver sa vie d'avant, avec ses appartements confortables, de jolies robes à se mettre et des servantes pour s'occuper d'elle. Songez-y, Majesté, vous pourriez être son sauveur. Oubliez le passé et déversez vos soins et votre or sur la pauvre jeune fille éplorée jusqu'à ce qu'elle devienne votre plus fervent soutien.

Celimus l'écoutait avec attention. Le rictus moqueur avait disparu de son visage.

—Elle a toujours été une enfant gâtée, effrayée par son ombre.

—Précisément, Majesté. Elle porte peut-être le nom de Thirsk, mais ce n'est jamais qu'une fillette dans le fond. Son monde s'est écroulé, et tout ce à quoi elle aspire, c'est qu'il renaisse de ses cendres. Si vous exaucez ce vœu, alors peu importe les histoires et les mensonges que vous lui livrerez pour excuser le passé. Elle gobera tout uniquement pour pouvoir retrouver le confort et la sécurité. Trouvez à la marier et gagnez-la à votre cause. J'irais même jusqu'à vous suggérer de la donner à un guerrier de Cailech. Ensuite, jamais plus elle ne vous causera d'ennuis.

Le cheval du roi commençait à piaffer.

—Je réfléchirai à ce que tu viens de dire, Jessom, répondit Celimus. Quand le roi des Montagnes doit-il arriver?

—Au milieu du jour, Majesté. Nous devrions peut-être regagner le domaine.

— Mon palais d'été, le corrigea Celimus avec un sourire dénué de toute cordialité, qui glaça le chancelier.

En toute honnêteté, Jessom se devait de reconnaître qu'il n'avait jamais vu la moindre trace de chaleur dans un sourire de son roi. Pourquoi donc y accordait-il de l'importance maintenant ? En fait, l'humeur de mécontentement et d'insatisfaction de Celimus l'avait pris par surprise et il la reconnaissait pour ce qu'elle était – l'annonce d'un danger. À l'instar du roi, lui aussi avait quelques réflexions à mener. Néanmoins, c'était un soulagement que Celimus ait accepté de ne pas tuer Ylena Thirsk immédiatement, alors que telle était certainement sa première intention. Petite victoire au demeurant. Maintenant, le chancelier priait Shar, le dieu qu'il avait adopté avec Morgravia, pour que Celimus et Cailech trouvent à s'entendre. Était-ce beaucoup demander pour obtenir la paix ?

Le roi partit ventre à terre, mais Jessom regagna Tenterdyn au petit trot, silencieux et méditatif, absorbé par ses sombres pensées.

Chapitre 14

Valentyna rédigea sa lettre à Celimus l'après-midi même du départ de Crys Donal. Elle choisit soigneusement ses mots, soulignant qu'elle confiait Ylena Thirsk à ses bons soins. Son ton sous-entendait nettement qu'elle souhaitait que la jeune femme soit traitée correctement, quand bien même elle serait, de ce fait, prisonnière de la couronne de Morgravia. La reine ajoutait que son désir était que les ennemis de Morgravia ne soient pas considérés comme des amis de Briavel, et que malgré les paroles d'Ylena faites pour toucher le cœur, elle-même n'avait pas souhaité agir contre la volonté de son futur époux. Ces mensonges lui donnaient la nausée, mais elle prit sur elle-même, détaillant à loisir l'avancement de ses préparatifs, allant jusqu'à lui dire combien sa robe était jolie, mais sans la lui décrire pour autant. Elle précisa l'importance – loin d'être négligeable – de la délégation qui l'accompagnerait en Morgravia, puis évoqua son désir de revenir rapidement en Briavel après la cérémonie, pour y organiser une seconde célébration à l'intention de son peuple. Avec le dégoût au bord des lèvres, elle se dit que l'instant était bien choisi pour glisser quelques mots décrivant la liesse de Briavel à l'idée de leur prochaine union.

Quand elle eut fini, elle était révoltée par ce ton doucereux qu'elle avait employé pour mentir et protéger sa vie, et par la facilité avec laquelle elle avait sacrifié la précieuse existence d'Ylena Thirsk. Cela la mettait hors d'elle et l'anéantissait. Celimus ne manquerait pas de tuer la jeune femme – et de quelle manière… D'horribles pensées déferlèrent dans son esprit. En songeant que Wyl Thirsk avait donné sa vie pour sauver Briavel, tandis qu'elle-même montrait le plus grand mépris pour le sort d'Ylena, elle sentit la culpabilité l'envahir. Ses doigts la démangeaient de déchirer l'odieux parchemin.

Un souvenir retint sa main, celui des paroles d'Ylena lui lançant à la face qu'elle n'obéissait à personne et qu'elle décidait en conscience de se livrer à Celimus. C'était son choix de se sacrifier et Valentyna comprit qu'elle n'aurait fait qu'alourdir son chagrin en ne respectant pas sa volonté. *De toute façon, sa vie n'est plus que ruines désormais*, songea Valentyna. D'une façon ou d'une autre, Celimus la traquerait sans merci, jusqu'à avoir annihilé la maison Thirsk ; voilà au moins une certitude absolue. Quitte à en finir, Ylena voulait que sa vie serve à quelque chose. Il fallait que son sacrifice pour Briavel – l'ennemi éternel – fasse écho à celui de Wyl et donne un sens à toutes les morts et destructions qui étaient survenues. Offrir du temps à Valentyna en trompant Celimus, emporter la victoire un peu vaine d'avoir le dernier rire, voilà tout ce qu'Ylena pouvait faire pour venger ses chagrins.

—Quelle tristesse, murmura Valentyna assise à sa table. Ton sacrifice ne servira à rien, Ylena, ou si peu. Je n'échapperai pas à ce mariage.

De crainte de changer d'avis, elle fit partir la lettre sur-le-champ, allant jusqu'à l'écurie la remettre en personne au coursier.

—Combien de temps ? demanda-t-elle.

Briavel disposait d'un réseau de relais, et elle était bien certaine que les messagers morgravians feraient preuve de toute la diligence voulue.

—Deux jours si on galope sans arrêt, Majesté, répondit le jeune homme.

—Utilisez tous les chevaux qu'il faudra pour que cette missive arrive au plus vite.

—Je chevaucherai comme le vent, Majesté, dit-il.

Puis, sur un ultime salut du buste depuis sa selle, il partit sans attendre. Les sabots de sa monture résonnèrent sur le pont de Werryl. Il filait déjà vers le nord-est.

Valentyna fit volte-face pour rentrer. Elle se sentait vide et plus seule qu'elle ne l'avait jamais été. Le fait d'être enfant unique lui avait appris à s'occuper seule et à utiliser son imagination, mais rien encore ne l'avait préparée à perdre toute sa famille, tous ses amis, tous ses alliés. *Et pourtant, je suis loin d'être aussi seule qu'Ylena l'est. Et elle, elle abandonne sa vie sans regret.* Tout bien réfléchi, voilà qui expliquait sans doute ses élans d'affection un peu étonnants. La reine n'était toujours pas parvenue à oublier le souvenir du baiser d'Ylena. Il semblait qu'il la hantait en permanence. Il y avait tant de tendresse dans ce baiser... Non, plus que ça encore. C'était un baiser plein d'amour. Une fois seulement quelqu'un l'avait déjà embrassée comme ça, et c'était Romen. Bien sûr, ce n'était pas la même bouche, pas le même visage, mais la passion qu'elle y avait mise lui rappelait douloureusement celle de l'homme qu'elle avait aimé. L'évocation de ces marques physiques de l'amour la mettait en colère – dans une colère brûlante qui lui donnait envie de se battre. Ce n'était pas après Ylena qu'elle en avait, mais après celui par qui tous ces malheurs étaient arrivés. Tout en marchant vers le château, dans un état d'abattement absolu, elle envoya un page chercher le commandant Liryk.

Il se présenta peu après, légèrement essoufflé.

—Majesté, vous vouliez me voir ?

Valentyna fut frappée de voir à quel point Liryk paraissait soudain vieilli. Elle avait fini par considérer sa présence et celle de Krell à ses côtés comme quelque chose d'éternel. Pourtant, l'homme qui se tenait devant elle avait largement entamé sa septième décennie. L'idée qu'un jour il puisse ne plus être là la tétanisa. Elle risquait de perdre bientôt un autre de ses soutiens. Sa résolution n'en fut que plus ferme.

—Oui, commandant Liryk. Merci d'être venu si rapidement. En l'absence de chancelier à ma cour, je voudrais que ce soit vous qui convoquiez l'assemblée des nobles.

—Bien sûr, répondit Liryk, un sourcil levé malgré ses manières accortes. Faut-il que je les convoque tous ?

—Oui. Et c'est urgent. Combien de temps vous faut-il pour organiser cette réunion ?

Il marqua une petite pause et Valentyna se demanda s'il réfléchissait à la question posée ou à l'état d'esprit de sa souveraine. De toute évidence, il imaginait qu'elle était sur le point de faire quelque chose de spectaculaire.

—Trois jours, Majesté, si les messagers partent immédiatement.

—Alors, faites-les partir tout de suite, s'il vous plaît. J'apprécierais que vous considériez cette question comme votre première priorité.

—Comme il vous plaira, Majesté. (Elle parut attendre quelque chose et, comme escompté, l'objection arriva.) Tout cela est bien inattendu. Peut-être faudrait-il que je leur fournisse quelques éclaircissements sur l'objet de cette assemblée ?

Valentya sourit ; elle s'était attendue à cette demande.

—Dites-leur qu'il s'agit de la sécurité du royaume, répondit-elle, avant de tourner les talons.

Son attitude n'avait rien d'agressif, mais elle était suffisamment ferme pour que Liryk comprenne que l'entretien était clos.

—Merci, Liryk, ajouta-t-elle, juste au cas où il aurait voulu tenter de la dissuader.

Valentyna entendit un soupir derrière elle, suivi de craquements d'articulations mises à rude épreuve tandis que le commandant saluait, puis enfin le bruit de la porte qui se refermait. Elle ferma les yeux, remerciant Shar qu'il ne se soit pas lancé dans une discussion qui l'aurait obligée à expliquer chacune de ses décisions. Les dés étaient lancés maintenant. Il ne lui restait plus qu'à choisir soigneusement ce qu'elle allait dire à ces hommes pour les amener à changer d'avis sur l'union imminente de Briavel et de Morgravia.

À peu près au moment où les nobles de Briavel, passablement étonnés, répondaient à la convocation de leur reine, Wyl se laissait prendre par une patrouille de Morgravia. À son grand soulagement, il s'agissait de légionnaires, et non pas de vulgaires mercenaires. Ils étaient jeunes pour la plupart – il n'en reconnaissait d'ailleurs aucun – mais tous devaient connaître son nom. Un silence de plomb s'abattit sur la petite troupe lorsque Wyl eut fini sa petite introduction.

—Vous êtes la sœur du général Wyl Thirsk? demanda le chef du détachement, d'un air incrédule.

— Exactement, répondit Wyl, toute sa fougue retrouvée.

Il savait ne rien pouvoir changer à ce qui allait arriver, mais le fait d'entendre son nom prononcé avec tant de dévotion lui avait redonné confiance, et il se dit qu'il parviendrait peut-être après tout à mettre fin aux agissements de Celimus. Et peut-être vivrait-il dans un autre corps pour se battre et lutter.

Il se demanda si Valentyna avait bien suivi son conseil au sujet de la lettre à Celimus. Leur séparation avait été si étrange et douloureuse. Sans doute la reine de Briavel n'avait-elle été que trop heureuse de se débarrasser d'une encombrante invitée.

— Mais que faites-vous par ici ? s'étonna le jeune officier, incapable de retenir plus longtemps sa question. Nous avions entendu dire que vous aviez disparu.

Wyl n'était pas disposé à en dire plus que nécessaire.

— Quel est votre nom ? demanda-t-il.

— Harken, répondit le jeune homme. Capitaine Harken d'ici la fin de l'année, si tout va bien.

— Avant toute chose, Harken, n'oubliez pas à qui vous parlez. Je suis la fille du général Fergys Thirsk, duc d'Argorn, et la sœur du général Wyl Thirsk. Traitez-moi, je vous prie, avec les égards dus à une noble.

Harken s'empourpra soudain sous ce rappel aux convenances. Ses joues et ses oreilles devinrent rouges.

— Par... pardonnez-moi, dame Thirsk.

Lorsqu'il vit que sa réprimande avait porté, Wyl regarda délibérément par-dessus son épaule avec une expression de crainte sur le visage. Il entendait poursuivre selon le plan fixé, en espérant que la reine de Briavel avait fait ce qu'il fallait pour que sa mort prochaine ne soit pas vaine.

— Ce n'est rien, Harken. Sont-ils partis maintenant ?

— Qui ça, ma dame ? demanda l'homme, désireux de se montrer serviable.

Il regarda dans la direction indiquée par Wyl, imité par ses hommes qui commençaient à devenir nerveux.

— Les hommes de la garde de Briavel qui m'ont conduite ici. (Les hommes tirèrent leur épée, dans un tintement métallique qui emplit complètement l'atmosphère l'espace d'un instant.) Ne vous inquiétez pas ! Ils n'en ont pas après vous. Ils se sont uniquement assurés de ma personne jusqu'ici, ils m'ont escortée si vous préférez.

Wyl retint son souffle, espérant que ses manières détachées et ses explications assenées avec conviction suffiraient à les convaincre que la jeune femme avait été conduite par un détachement armé.

— Pourquoi vous ont-ils amenée ici, ma dame ? demanda Harken, plein de bon sens.

— Je suis un cadeau, répondit Wyl avec un sourire, goûtant l'ironie de ses paroles. Un présent pour votre roi.

Le futur capitaine avait l'air étonné auquel Wyl s'attendait.

— Je ne comprends pas.

— Vous n'êtes pas censé comprendre, mais votre souverain, lui, le comprendra très bien. En revanche, vous provoquerez sa colère si vous ne me conduisez pas à lui sans délai. Vous savez, je n'ai pas l'intention de m'enfuir, ajouta Wyl en lorgnant du côté de la corde qu'une main nerveuse étreignait fébrilement. Tout ce qui vous est demandé, c'est de m'escorter jusqu'à Tenterdyn, et m'attacher sera sans doute superflu.

— Range ça ! aboya Harken à un soldat, à peine moins âgé que lui. Tu sais à qui nous avons affaire, non ? ajouta-t-il, sans doute plus en colère contre lui-même que contre la jeune recrue. Dame Thirsk doit être traitée avec tous les égards.

— Merci, Harken. Je suis sûr que mon frère serait fier de vous.

— Je ne l'ai jamais rencontré, ma dame. Il est mort la semaine même où je suis entré dans la légion, mais votre nom signifie beaucoup pour moi. Tout ce que j'ai toujours voulu, c'est m'engager dans la légion pour servir sous les ordres du général Thirsk.

— Seriez-vous le fils de Laud Harken ?

— Oui, ma dame. Je suis étonné que vous ayez entendu parler de lui.

Wyl songea qu'il commettait peut-être une erreur, mais apprendre que ce garçon était le fils d'un des meilleurs soldats de la légion était une véritable surprise.

— Mon frère disait le plus grand bien de Laud Harken. Comment va-t-il ?

— Il est mort, ma dame. Il est tombé récemment quelque part au nord.

— Comment ?

Harken haussa les épaules, gêné du tremblement apparu dans sa voix.

— On m'a dit que la flèche d'un Montagnard l'a tué, ma dame, mais mon père n'était pas d'accord avec ce qui s'était passé à Rittylworth. Il aura sans doute trop parlé.

Des murmures se firent entendre dans la troupe. Les légionnaires n'étaient pas loin de verser dans la haute trahison, mais cela montrait à quel point le nom de Thirsk demeurait révéré dans les rangs de la légion. Il incitait à l'honnêteté. Wyl comptait précisément sur ce fait pour que Crys parvienne à semer le trouble jusqu'à Pearlis.

— Je comprends Harken et je vous présente toutes mes condoléances. Maintenant, il va falloir me conduire à Tenterdyn.

La section poursuivit sa patrouille, tandis que le futur capitaine partait seul avec la jeune femme. Wyl en était ravi car il allait pouvoir tirer quantité d'informations d'un garçon si facile à manipuler. Ils chevauchèrent quelques instants en silence, puis Wyl décida qu'il était temps d'attaquer.

— J'imagine que la lettre de Briavel doit être arrivée ?

— Désolé, ma dame, répondit Harken en fronçant les sourcils. Je n'en suis pas informé.

Wyl sentit la déception s'emparer de lui ; après tout, Harken ne lui apprendrait peut-être rien.

— J'ai cru comprendre que la reine Valentyna devait envoyer un courrier pour prévenir de mon arrivée.

Harken hocha la tête.

— Il y a moyen de savoir ça. Dès notre arrivée, je mènerai mon enquête.

— Qui est votre général désormais ? demanda Wyl.

Il apercevait la masse de Tenterdyn dans le lointain. La route ne serait plus très longue maintenant.

— C'est le roi qui est notre général, ma dame.

Wyl sentit la bile lui brûler la gorge. Celimus avait donc réussi à faire main basse sur la légion.

— Je vois. J'ai entendu dire également qu'il va tenir des pourparlers avec le roi des Montagnes ?

— Oui. On m'a prévenu que la rencontre doit avoir lieu aujourd'hui. Le roi Cailech arrive à la mi-journée et il y a un banquet donné en son honneur.

— Cela a l'air de vous plaire, Harken ?

— C'est le cas, ma dame. Si notre roi épouse la reine Valentyna et si cette rencontre permet d'aboutir à une trêve avec les Razors, alors la paix régnera pour longtemps.

Wyl contraignit le visage d'Ylena à sourire.

— Je croyais que tous les jeunes hommes de votre âge rêvaient de partir à la guerre.

— C'est que je suis fiancé, ma dame. Et je rêve d'Alys plus souvent que je ne rêve de tuer pour mon roi, répondit-il en lui retournant un sourire tout timide.

— C'est bien ; le rêve est joli. Vous pensez donc que votre roi réussira à concrétiser ces deux opérations ?

Harken eut un sourire lugubre.

— S'il y a quelqu'un au monde qui peut réussir, c'est bien le roi Celimus.

Wyl sentait bien que, malgré son jeune âge, Harken ne se laisserait pas aller à dire quoi que ce soit qui puisse sonner comme une traîtrise, même si son ton laissait sous-entendre quelque chose.

— Imposer la paix dans la région serait une bénédiction.

— La reine est-elle aussi belle qu'on le dit ? demanda soudain Harken.

Wyl hocha la tête.

— Encore plus magnifique que vous ne pouvez l'imaginer.

— On m'avait également vanté votre beauté, ma dame, commença Harken avant de s'interrompre brutalement, comme saisi d'effroi.

» Pardonnez-moi, ma dame, je ne voulais pas vous offenser.

— Il n'y a pas d'offense. J'imagine que je fais peur, habillée en homme et après avoir chevauché pendant des jours, répondit Wyl. Ce n'est pas facile d'être jolie dans cette situation.

—Je suis désolé, dame Ylena, c'était vraiment rustre de ma part. Me permettez-vous de vous demander pour quelle raison vous venez vous présenter au roi ? D'après certaines rumeurs…

—Il aurait essayé de me tuer ? acheva Wyl à sa place. (Le jeune homme confirma d'un hochement de tête.) C'est la vérité, Harken. Votre roi n'est pas un homme bon. Je suis désolée d'avoir à le dire, mais je pense que vous le savez. Vous avez le sentiment que la mort de votre père n'est pas aussi nette et franche qu'on a bien voulu vous le dire, et vous avez très probablement raison. Si Laud s'est élevé contre l'odieuse manigance du roi à Rittylworth, alors il l'a payé de la pire des façons. Je suis vraiment peinée pour votre famille et vous-même.

Les yeux du légionnaire étaient devenus comme des assiettes. Les premiers signes de la peur apparurent sur son visage innocent. L'entrée de Tenterdyn était en vue. Wyl parla vite.

—Écoutez-moi. Je suis venue pour effrayer le roi. Croyez-moi, je ne suis pas là pour m'opposer à la paix. Tout le monde espère que le mariage de Celimus avec la reine de Briavel scellera une union durable entre nos deux royaumes, et peut-être parviendra-t-il également à ouvrir une ère de paix avec le roi Cailech. Cependant, Celimus n'est pas une personne digne de confiance. N'oubliez jamais ça, Harken. N'oubliez pas ces mots prononcés par une femme qui aime Morgravia et son peuple… et qui est par-dessus tout fidèle à la légion.

Le jeune homme perçut nettement le désespoir dans la voix d'Ylena.

—Je ne veux pas vous amener là-bas, dit-il, de plus en plus frappé de stupeur.

La sentinelle s'avançait.

—Il le faut. Mais il faut également que vous fassiez toujours ce que dit votre cœur.

—Je ne comprends pas, répondit Harken d'une voix misérable.

—Vous comprendrez. Vous êtes un légionnaire, habitué à obéir, mais jamais un officier de la légion ne doit faire de tort à un Morgravian, hormis s'il s'agit d'un traître. Gardez cette pensée au cœur et ne laissez pas ce roi vous plonger dans les ténèbres. Soyez fidèle à la légion avant tout.

—Qui va là ? cria l'homme de faction à l'entrée de Tenterdyn.

—Dites la vérité, souffla Wyl à Harken. Plus personne ne peut me sauver.

Le jeune homme jeta un coup d'œil plein d'angoisse à la jeune femme à ses côtés. Leur conversation avait fait naître une étrange tension entre eux. Wyl se sentait désolé pour le jeune officier, déchiré entre son devoir et son instinct. Il ne savait pas grand-chose, mais il avait bien perçu tout ce qu'il y avait d'abject dans le fait de livrer Ylena aux griffes implacables du roi.

—Oh, soldat ! Je n'ai pas ma journée pour toi, cria la sentinelle. Qui est-ce que tu amènes ici ?

Wyl s'éclaircit la gorge.

—Je suis dame Ylena Thirsk et je voudrais parler au roi Celimus.

Le garde éclata de rire.

— C'est ça ! Et moi, je suis dame Twinkle et je vais me marier avec lui. Qu'est-ce que tu fous au juste ? gronda-t-il à l'intention de Harken.

— Surveille ton langage ! répliqua Harken.

Les yeux du garde aperçurent alors les insignes sur l'uniforme du légionnaire. Ylena sourit de la méprise du vieux soldat.

— C'est bien dame Ylena Thirsk, poursuivit Harken d'une voix devenue ferme. Elle a déjà été fouillée, mais tu peux recommencer si tu veux.

Subitement moins arrogant, le garde appela un autre homme qui demanda à Wyl de mettre pied à terre. Ylena fut fouillée et les lettres de mission de Harken soigneusement examinées. *De toute évidence*, songea Wyl, *le roi a sacrément peur d'être assassiné.* Le garde les fit entrer finalement, l'air penaud. Un soldat plus gradé vint s'enquérir de ce qui se passait, et ses sourcils se haussèrent sur son front à l'annonce du nom de l'arrivante.

— Va chercher le chancelier, ordonna-t-il à l'homme à côté de lui, avant de se retourner vers Ylena, avec un petit sourire minaudier. Si vous voulez bien patienter, ma dame.

» Merci, Harken, dit-il ensuite au légionnaire. On prend le relais maintenant. Rejoignez vos hommes.

Wyl tendit une main au jeune homme.

— Merci de m'avoir escortée. (Il espérait que ses yeux disaient bien plus que ses mots.) Je vous renouvelle toutes mes condoléances pour la mort de votre père.

Harken avait un air pensif et troublé.

— Est-ce qu'une lettre est arrivée de Briavel au sujet de dame Thirsk ? demanda-t-il.

L'officier du poste de garde secoua négativement la tête.

— Non, rien de Briavel. Je le saurais car tout ce qui arrive passe par moi.

— Peut-être ferais-je mieux de rester…, commença le jeune homme.

— Non, Harken. Vos hommes vous attendent. Allez reprendre votre poste, répliqua l'officier d'un ton qui ne souffrait aucune contestation.

Wyl connaissait cet homme et sa tendance à rudoyer les jeunes recrues. Lorsqu'il était général, il avait eu l'intention de l'écarter de son commandement, mais les vicissitudes de la vie en avaient décidé autrement. En tout cas, ce qui était sûr, c'est qu'un homme tel que lui était parfaitement à sa place dans le premier cercle auprès de Celimus.

Harken salua du buste. Lorsqu'il se redressa, Wyl nota la colère et l'inquiétude dans son regard. Sur un ultime salut de la main, Harken quitta les lieux.

— Ah, le voilà, murmura le vieux soldat.

Wyl se retourna pour apercevoir le chancelier Jessom qui sortait de la bâtisse principale, un air de grand contentement sur le visage. Jessom se hâta de transformer sa mine satisfaite en un petit sourire, mais Wyl avait tout vu.

Que Jessom ait éprouvé de l'étonnement – voire de l'irritation – pour recevoir une personne qu'il aurait voulue morte aurait paru plus logique à Wyl. Son plaisir évident l'étonnait.

Jessom marchait d'un pas étonnamment vif. Il traversa la grande pelouse entre les bâtiments principaux et le poste de garde à une allure dont on ne l'aurait pas cru capable.

— Ylena Thirsk, dit-il, comme convenu et presque à l'heure prévue.

Wyl se sentait un peu perdu. Il conserva une mine impassible, mais son esprit cherchait en tous sens une explication à ce singulier développement. Il ne dit rien, dans l'attente d'éclaircissements supplémentaires.

— Notre roi se demandait à quel moment vous nous seriez livrée. Voilà qui fera un parfait cadeau d'anniversaire pour lui. Je pense qu'il remerciera grassement cet Aremys pour vous avoir remis entre nos mains.

Ils attendaient l'arrivée d'Ylena ? Comment était-ce possible alors qu'aucune lettre de Valentyna n'était parvenue ? Et que voulait-il dire au sujet d'Aremys ?

Wyl se dit qu'il lui fallait gagner un peu de temps pour y voir plus clair.

— Excusez-moi, est-ce que je vous connais ?

Le sourire de Jessom s'étrécit encore.

— Mille excuses, nous n'avons pas été présentés. Je suis Jessom, chancelier et conseiller du roi de Morgravia.

— Depuis quand le roi Celimus s'embarrasse-t-il de solliciter des conseils ? demanda Wyl du ton le plus acide possible, observant avec plaisir le semblant de sourire s'évanouir du visage de Jessom.

— Merci, Bern. Je vais m'occuper d'elle, dit Jessom à l'officier.

Le soldat salua avant de les quitter, trop heureux de passer la responsabilité à quelqu'un d'autre. Le rictus qu'avait provoqué la remarque d'Ylena n'avait échappé ni à Wyl ni au chancelier. L'air maussade, Wyl se laissa conduire à l'intérieur du domaine. Jessom ne paraissait pas l'amener vers la maison principale. Et de toute évidence, ils avaient d'autres plans pour dame Thirsk.

Lorsque Jessom lui parla, ce fut d'un ton dur.

— Vous n'êtes pas en très bonne posture, Ylena Thirsk. Je vous recommande de ne rien faire qui pourrait la rendre pire.

Wyl fit venir un sourire lugubre sur les lèvres d'Ylena.

— Comment pourrait-elle devenir pire, Jessom ? Le serpent qui est assis sur le trône de Morgravia n'entend sûrement pas faire preuve de la moindre pitié. Je n'ai pas peur de lui.

— Soit. Mais je vous recommande de ne pas insulter ouvertement le roi Celimus. Il pourrait vous en cuire.

— Vous ne comprenez pas, chancelier. Je n'ai pas peur de mourir. Je ne crains ni Celimus ni ses tortures barbares. Que l'occasion me soit donnée et je l'insulterai volontiers – lui et la putain qui lui a donné le jour.

Jessom était d'ordinaire un homme parfaitement maître de lui-même. Toutefois, les mots dans la bouche de la jeune femme le firent sursauter.

— Lorsque Aremys a annoncé qu'il pouvait vous livrer à nous, Ylena, je ne suis pas sûr que notre roi ait bien compris à quel point vous étiez devenue héroïque. Il semblerait que vos efforts pour survivre vous aient endurcie. Cependant, je crains que cela ne fasse qu'augmenter le plaisir qu'il prendra à vous faire du mal. Pourtant, croyez bien que je ne suis pas un homme cruel, et que je n'approuve pas ceux qui torturent les femmes. Une nouvelle fois, pour vous-même, je vous supplie de tout faire pour que les choses se passent au mieux.

Wyl éprouvait une certaine satisfaction d'avoir déstabilisé le chancelier – ne serait-ce qu'un tant soit peu. Mais plus important à ses yeux était d'avoir entendu mentionner le nom de son ami. *Aremys a dit qu'il pouvait me livrer?* se demanda Wyl. *Que se passe-t-il?*

— Vous me voyez ravie si j'ai pu vous impressionner, chancelier, mais en toute franchise telle n'était pas mon intention. Je ne supplierai pas le roi de m'accorder sa pitié. Il fera de moi ce que bon lui semblera.

— Je me demande bien quelles sont vos intentions? Qu'avez-vous à gagner à le défier?

— Tout sera expliqué en temps voulu, répondit Wyl sur un ton bien mystérieux.

De toute évidence, la lettre de Valentyna n'était pas arrivée.

Le visage du chancelier trahissait son profond ébahissement. C'était un homme habitué à avoir des informations sur tout et tout le monde, il n'était donc pas étonnant qu'il se sente si perdu.

— Le roi vous verra à son heure, dit Jessom sur un ton plus impersonnel. En attendant, vous resterez là.

Ils étaient arrivés devant un petit bâtiment extérieur édifié à l'ombre d'un chêne gigantesque, qu'Aleda Donal utilisait naguère comme cellier pour ses provisions.

— Je crains que vous ne soyez arrivée un peu tôt, Ylena, reprit Jessom. Nous attendons le roi Cailech d'un instant à l'autre.

Wyl émit un bruit de bouche plein de mépris.

— Puis-je vous suggérer de faire un brin de toilette? dit Jessom en désignant un baquet d'eau. Et si vous le souhaitez, je peux vous faire apporter une robe.

— Je ne le souhaite pas. Je verrai le roi dans la tenue dans laquelle vous me voyez, chancelier. Et au fait, votre nouveau statut de serviteur du roi (Wyl insista à dessein sur le mot « serviteur » et se réjouit intérieurement de voir que le message était arrivé à bon port) ne vous dispense pas de vous adresser à une noble avec les titres et formules d'usage. Vous m'appellerez donc dame Ylena Thirsk ou dame Ylena Donal, comme il vous plaira. En tout cas, accordez-moi le respect qui m'est dû, prisonnière ou pas.

Le chancelier était pour le moins déconcerté par l'attaque, mais il se ressaisit et sa riposte ne se fit pas attendre.

— Morgravia vous a oubliée, damoiselle, et votre nom est traîné dans la fange à chaque occasion. Descendez de votre piédestal, Ylena. Votre lignée ne m'impressionne pas et je me demande combien le peuple vous respectera lorsque votre tête pourrira au bout d'une pique aux portes de Pearlis. Tiens, je vais vous faire une faveur, je vais faire chercher la tête d'Alyd Donal pour que vous puissiez pourrir côte à côte. Romantique, non ? dit-il d'un ton inhabituellement cruel, tout en attachant l'une des chevilles de la jeune femme à une énorme poutre à l'intérieur du cellier.

» Et maintenant, lave-toi, femme ! Et prépare-toi à rencontrer ton souverain.

Pour la première fois de son existence, Wyl cracha sur quelqu'un. C'était la seule idée qui lui était venue à l'esprit pour montrer sa haine envers cette créature servile. L'idée que Jessom puisse le tuer sous le coup de la colère le tentait également. Dans le corps du chancelier, il occuperait une position unique pour mener sa vengeance.

Malheureusement, Jessom n'était pas un homme violent, et il était bien plus subtil dans l'art d'infliger des tourments. Il fit claquer sa langue en signe de reproche, comme un parent qui gronde un gamin.

— Et vous voulez être traitée comme une dame ? (Il rit, émettant un ricanement plein de morgue et de haine.) On m'a craché dessus toute ma vie, Ylena, dit-il en essuyant la salive de la jeune femme sur son pourpoint. Mais j'ai systématiquement vaincu mes ennemis.

Le bruit d'une cloche à l'entrée de Tenterdyn le fit se retourner. C'était le signal de l'arrivée du roi Cailech.

— Adieu Ylena. Nous nous reverrons le moment venu.

Chapitre 15

Fynch et Filou étaient en bordure des Razors, sur le point de s'engager sur un minuscule sentier non gardé par lequel ils allaient pouvoir pénétrer au cœur du massif montagneux. Ils n'avaient croisé aucune patrouille et leur trajet depuis les Terres sauvages avait été parfaitement calme. C'était une bonne chose pour Fynch qui avait besoin de temps pour réfléchir. Filou n'était pas du genre à faire la conversation ; il répondait aux questions et en posait parfois lorsqu'il le jugeait important, mais pour le reste il demeurait silencieux. Fynch adorait la présence énorme et massive du chien à ses côtés, qui le faisait se sentir en sécurité et pas du tout esseulé.

— Pourquoi marche-t-on, au fait ? demanda Fynch. Le Thicket aurait pu nous envoyer sur place.

— *Tu peux nous envoyer là-bas si tu veux*, répondit Filou, avec une note d'amusement dans la voix. *La chose est trop dangereuse cependant. Il aura peut-être noté l'envoi d'Aremys, mais sans savoir ce que c'était, et même avec un peu de chance, il l'aura oublié. En revanche, il y a eu ensuite le transfert de Wyl en Briavel, la mort d'Elysius, la venue du roi dragon et l'instant où tu as absorbé tes pouvoirs, autant d'activités magiques intenses qu'il est bien difficile de louper.*

Fynch hocha la tête en considérant l'ampleur de ces tourbillons magiques survenus en si peu de temps.

— Crois-tu qu'il soit au courant de la mort d'Elysius ?

— *Je pense qu'il doit avoir ressenti quelque chose, mais ce qui est plus grave, c'est qu'il a sans doute senti le transfert des pouvoirs.*

— Comment le perçoit-il ? Ressent-il une forme de douleur ?

Le chien ouvrait la voie sur le sentier. Ni l'un ni l'autre ne se retournèrent ; pourtant, ils venaient de quitter officiellement Briavel.

— *Peut-être, mais il est plus vraisemblable qu'il ressente comme un genre de coup de sang. Ce n'est pas vraiment douloureux, mais il perd le contrôle de lui-même et peut-être même connaissance. En fait, il est plus étourdi et désorienté que frappé de douleur.*

— Peut-il savoir ce qui provoque ça ? insista le garçon en écartant les branches basses d'un arbre.

— Qui peut savoir, Fynch ? J'imagine que ça aura été un choc pour lui d'apprendre que son frère était vivant pendant toutes ces années. À condition bien sûr qu'il ait compris que c'était la mort d'Elysius qui provoquait cette perturbation. En revanche, je doute fortement qu'il puisse envisager que la magie de son frère a été transmise.

— C'est une hypothèse, rien d'autre.

— Bien sûr. Mais souviens-toi que seules les créatures du Thicket connaissent ta sensibilité à la magie et ta capacité à l'utiliser. Rashlyn est certes un sorcier, mais il n'est pas sensible au monde naturel. Elysius était tout le contraire ; il ne formait qu'un avec la création de Shar. Son frère est une abomination au milieu du monde.

La piste grimpait fortement devant eux. Ils se mirent à marcher en silence, Fynch tout entier concentré sur le tapis de feuilles mortes, traître et glissant. Après un temps interminable, ils débouchèrent sur un plateau rocheux et nu ; les arbres poussaient à flanc, en dessous. Le temps avait fraîchi et une bise aigre soufflait. Tout essoufflé de la montée, Fynch frissonna. Il détestait le froid et son petit corps fluet le sentait généralement avant tout le monde. Il se félicitait donc que Filou ait trouvé une veste de laine dans la maison d'Elysius, et qu'il ait insisté pour qu'il la prenne.

— Nous serons à découvert pendant un certain temps. Il va falloir nous montrer très prudents.

Fynch s'accroupit pour souffler quelques instants. Il enfila la veste – appréciant d'être instantanément réchauffé –, puis but une gorgée d'eau de son outre.

— As-tu faim, Filou ? demanda-t-il, hésitant à autoriser l'animal à chasser.

— Je n'ai pas besoin de manger, Fynch. Je le faisais uniquement avec Wyl, pour conserver une apparence de normalité.

— Aucune nourriture ? s'étonna Fynch, incrédule.

— Aucune. Je suis une créature du Thicket.

— Ton corps est pourtant réel, non ?

Une petite note plaintive perçait dans la voix du garçon.

— Oui, bien réel. Ne t'inquiète pas.

Le garçon soupira.

— J'ai rarement faim moi-même. Je mange parce que je sais que c'est nécessaire, jamais parce que j'en ai envie.

— C'est à cause de ce que tu es et à qui tu appartiens – à cause de tes pouvoirs.

— Comment est-ce possible ? Je n'avais aucune magie jusqu'au jour de la mort d'Elysius.

— Fynch, tu as toujours eu la capacité d'utiliser une certaine magie. Tu ne le savais pas, c'est tout.

Fynch secoua la tête, trop perturbé et distrait par ce que Filou venait de dire tranquillement pour discuter de la question. Il but une nouvelle gorgée d'eau.

— Combien de temps nous faudra-t-il pour atteindre la forteresse ? demanda-t-il enfin, en s'essuyant la bouche d'un revers de main, imaginant le regard courroucé que lui enverrait sa sœur pour ce geste.

Il aurait donné n'importe quoi pour qu'elle le gronde encore, mais il doutait cependant d'avoir jamais l'occasion de revoir les siens.

— *La forteresse...*, répondit le chien. *J'ai réfléchi à la question et j'ai pensé à une chose : si on se repose l'après-midi, on pourra avancer plus vite la nuit.*

— Avec l'aide de la magie ?

Le chien ne répondit pas immédiatement, reniflant le vent à petits coups de museau. Fynch garda le silence ; il savait que Filou réfléchissait à la plus difficile des décisions.

— *Oui*, finit par dire le chien. *J'espère que Rashlyn suit un rythme de vie normal, auquel cas il ne percevra pas les à-coups de puissance pendant son sommeil. En fait, je ne pense pas qu'il saura de quoi il s'agit même s'il les ressent, mais je répugne à prendre le moindre risque.*

— Tu viens pourtant de changer d'avis, non ?

Le chien répondit d'une voix chargée de gentillesse.

— *Je crois bien que j'avais surestimé tes capacités physiques, Fynch. En l'état, je ne crois pas que nous soyons en mesure d'avancer aussi vite que je l'avais espéré. C'est que le chemin est long entre ici, à la frontière entre Briavel et les Razors, et la forteresse de Cailech tout à l'ouest. Il nous faudrait trop de temps, c'est sûr. Nous allons devoir courir le risque*, conclut-il avec une note de regret dans la voix.

— D'accord, mais fais en sorte de ne couvrir que de petites distances à la fois, dit Fynch avec un début de nervosité.

Le chien posa sur lui un regard empli de commisération.

— *Je suis désolé de te demander ça. Il va falloir que tu mâches des feuilles de sharvan à partir de maintenant.*

— Ne sois pas désolé. C'est mon destin, c'est tout, répondit Fynch, en espérant que sa voix contenait plus de courage qu'il n'en éprouvait réellement. (Il poursuivit ensuite sur un ton plus léger.) C'est ainsi que nous avons déjà voyagé, n'est-ce pas ? Entre Baelup et le Thicket ?

— *Oui, si ce n'est que cette fois-là, il a fallu faire appel au Thicket et à Elysius pour nous amener à eux. Désormais, nous avons tout le pouvoir voulu avec nous.*

— En es-tu sûr ?

Fynch n'avait pas la moindre idée de la marche à suivre pour appliquer cette magie. Après le transfert, il avait pensé qu'il sentirait en lui un réservoir de puissance dans lequel il pourrait se servir – un puits inépuisable et toujours disponible. Mais il ne sentait rien, aucun changement en lui-même. Aussi s'en ouvrit-il à son ami.

Filou examina la question ; Fynch attendit patiemment. Le chien poussa un soupir.

— *Les choses sont différentes pour moi. J'appartiens au Thicket et je m'en remets à lui pour m'alimenter en magie. Lorsqu'il a besoin de moi, je sens une énergie vibrer en moi. Tous ceux qui sont touchés par le Thicket la ressentent, j'en suis sûr. J'imagine que Wyl perçoit ses échos d'une manière ou d'une autre, et Aremys également. Tous deux ont été touchés par la magie des Terres sauvages.*

— Alors pourquoi est-ce que je ne la ressens pas ?

— *Je crois, Fynch, que c'est parce que tu es plus que nous*, répondit le chien d'un ton grave.

— Plus que vous ? répéta le garçon qui ne comprenait pas.

Filou tenta une autre approche.

— *J'appartiens au Thicket. Wyl, Aremys – et d'autres encore certainement – ont été touchés par lui. Ils n'ont pas acquis de pouvoirs, mais ils en ont été affectés d'une manière ou d'une autre. En revanche, Elysius, et toi maintenant, êtes liés au Thicket d'une manière que je ne comprends pas et ne peux expliquer. Nous, nous n'avons aucune magie si le Thicket ne nous la donne pas. Elysius et toi vous l'avez.*

— Oh, répondit Fynch, stupéfait.

— *Cela dit, je crois qu'il y a encore autre chose avec toi, mon ami.*

— C'est-à-dire ? demanda Fynch, sourcils froncés.

Filou émit un grognement sourd pour exprimer sa frustration, comme s'il était incapable de mettre des mots sur ce qu'il essayait de dire.

— *C'est comme si le Thicket et toi ne faisiez qu'un. Elysius, lui, passait à travers – je ne trouve pas de meilleurs mots – tandis que toi tu lui appartiens, tout comme lui t'appartient. Elysius n'a fait qu'ajouter ses pouvoirs à celui qui était déjà éveillé en toi. D'ailleurs, jamais le roi des créatures n'a rendu visite à Elysius. Je ne l'avais jamais vu auparavant, tout comme la plupart d'entre nous.*

La gravité de l'explication du chien lui fit l'effet d'une gifle. Les mots et ce qu'ils impliquaient terrorisaient littéralement le garçon. Tout ce que Filou suggérait paraissait mener à une incroyable conclusion ; c'était comme si le Thicket avait une emprise sur lui à laquelle il ne pourrait jamais échapper. Il ne voulait plus penser à tout ça, ni songer aux implications de la visite du roi dragon, ni même à la lueur qu'il avait vue dans son œil. C'était trop incroyable et trop effrayant.

— Quel était ton plan déjà ? demanda-t-il, s'efforçant délibérément de chasser la peur en changeant de sujet.

Filou sentit certainement la terreur chez le garçon, revenant en douceur à leur conversation antérieure.

— *On avance à pied dans la journée, puis à partir de la fin de l'après-midi tu dors autant que tu veux. On ne peut pas utiliser le transfert avant les premières heures du matin – moment où j'escompte bien que Rashlyn dorme.*

— Mais s'il ne dort pas ?

Si un chien pouvait hausser les épaules, c'est exactement ce que Filou aurait fait à cet instant.

— *S'il peut sentir ta magie, il n'y a pas grand-chose que nous puissions faire contre ça. Nous effectuerons des sauts assez courts de façon qu'il ne ressente rien de suffisamment long pour s'en inquiéter. Il ne peut pas te percevoir, Fynch, pas même avec sa propre magie.*

— Mais il peut me sentir arriver, c'est ça ?

— *Peut-être, je ne sais pas. En tout cas, au pire, je crois qu'il ne saura ni à qui ni à quoi il a affaire.*

— D'accord, répondit Fynch d'un ton fataliste.

En toute honnêteté, il s'était toujours senti plein de fatalisme, et il n'avait jamais été un enfant qui rêve de l'avenir et qui fait des projets. Il avait pris chaque journée telle qu'elle se présentait et goûté à tout ce que la vie lui offrait. C'était un petit garçon lumineux, et sa mère disait toujours qu'il était destiné à réaliser quelque chose de spécial, mais il n'avait jamais compris ce que cela voulait dire. Il se contentait de sourire sous le regard perdu dans le vague de sa mère qu'il aimait, malgré ses étrangetés. Il se mit à penser à elle. Souvent, elle disparaissait pendant des jours, mais finissait toujours par revenir. À son retour, elle était maussade et renfermée, et parfois en colère, mais contre elle-même, pas contre ses enfants. Un soir, alors qu'il rentrait tard de son emploi à Stoneheart, Fynch avait entendu ses parents se quereller. Son père traitait sa mère de traînée. Fynch n'avait aucune idée de ce que ce mot signifiait, mais la véhémence du propos l'avait frappé. Elle avait ri, de son rire grêle et moqueur, avant de lancer une réplique qui avait mis son père en rage. Une année plus tard environ, Fynch avait découvert le sens du mot « traînée » et demandé des explications à sa sœur. La fillette avait paru embarrassée et même peinée par sa demande, mais elle n'avait pu faire moins que lui expliquer en toute sincérité que leur mère était un esprit libre.

— Une sorte de folie s'empare d'elle parfois, avait-elle expliqué.

— Et que se passe-t-il alors ? avait demandé Fynch, qui ne comprenait pas tout à fait.

— Eh bien, elle s'en va, avait gentiment expliqué sa sœur en lui ébouriffant les cheveux. Parfois, elle a besoin d'espace et de liberté.

Fynch était un petit garçon qui appréciait que les choses soient clairement exprimées, et il avait donc insisté.

— Mais que fait-elle lorsqu'elle s'en va ?

Il se souvenait très nettement du soupir que sa sœur avait poussé.

— Elle laisse des hommes la prendre, Fynch. Cela ne signifie rien. Papa dit que c'est une folie et mieux vaut qu'on en reste à ça.

Le garçonnet qu'il était avait fini par comprendre. Il savait que sa mère était folle, qu'elle voyait des choses dans ses rêves et entendait des voix lui murmurer d'étranges paroles. La plupart des gens autour d'eux considéraient qu'elle n'avait pas toute sa tête, mais en réalité lui n'aurait pu l'imaginer autrement. Il l'aimait telle qu'elle était, avec toutes ses manies curieuses. Bien que troublé par ce qu'il venait d'apprendre sur sa vie, il n'en reparla jamais plus. En revanche, il y songea beaucoup, se demandant quels hommes avaient bien pu prendre du plaisir avec sa mère. Elle était jolie, sans aucun doute, avec sa petite taille et sa silhouette d'elfe. Et lorsqu'elle laissait ses boucles blondes crouler sur ses épaules, lorsqu'elle prenait un bain et s'habillait de propre, sa beauté coupait le souffle à son père. Il l'adorait comme une divinité – ce qui rendait ses passades d'autant plus douloureuses. Chaque fois qu'elle disparaissait, son père buvait jusqu'à tomber, cherchant sans doute dans l'alcool le baume qui adoucirait son chagrin.

Peu de temps après avoir appris le secret de sa mère, Fynch commença à se demander s'il était bien le fruit des œuvres de son père. De fait, il ne ressemblait guère à ses frères et sœurs – tous bruns et solidement plantés comme leur père –, tandis que lui-même possédait les mêmes cheveux bonds et la même grâce fine que leur mère. Depuis qu'il avait pris connaissance de ses « moments » comme elle disait, il avait lutté pour se convaincre qu'il était le portrait de sa mère, sans plus ; pourtant, l'idée le hantait. Il ne s'était jamais ouvert à quiconque de cette angoisse – du moins à aucune personne humaine. Le roi dragon avait lu en lui – Fynch en avait l'absolue conviction. L'œil de la créature avait flambé tandis qu'il plongeait au plus profond de l'âme du garçon. Le dragon avait-il découvert la crainte secrète de Fynch ?

Tout en montant toujours plus haut dans les Razors, Fynch réfléchissait à ce que le roi des créatures lui avait demandé. Peut-être, au fond de son cœur, avait-il toujours su que sa vie serait courte, ce qui expliquait qu'il avait toujours mis toute son énergie à jouir de l'instant. Qu'il en soit ainsi. Il n'avait plus peur de mourir, mais il entendait bien faire en sorte que sa mort ne soit pas vaine. Tout comme le roi dragon qui considérait la destruction de Rashlyn comme sa priorité, Fynch savait que sa loyauté allait à Wyl. Il ne partageait ce secret avec personne, pas même Filou. D'une manière ou d'une autre, il devait aider Wyl à vaincre Celimus. C'est pour cette raison qu'il avait accepté de s'exposer à la migraine en envoyant Wyl à Werryl. Contre l'avis de Filou, il avait également envoyé le pinson siffler sa chanson à Valentyna, pour l'encourager à attendre Ylena. Il s'était même exposé à des douleurs supplémentaires pour transmettre des rêves à Wyl, l'exhortant de combattre Celimus et de mourir encore s'il le fallait.

Fynch avait résolument fait vœu de débarrasser Morgravia de son roi, mais aussi de protéger Wyl et Valentyna. Au fond de lui-même, il pensait que Valentyna ne pourrait faire autrement qu'épouser Celimus… Il n'y avait pas grand-chose d'autre à y faire si elle voulait garantir la paix à son royaume. En revanche, il se demandait avec angoisse si elle survivrait à son mariage : Celimus était tellement cruel. Pire encore, il avait le sentiment chevillé à son âme que Wyl échouerait dans sa tentative de devenir Celimus. Lorsqu'il s'efforçait d'interpréter cette pensée effrayante, la seule justification qu'il trouvait à ses craintes était que Wyl haïssait trop Celimus pour vivre dans son corps. D'autant plus que sa vie en Celimus serait sa dernière vie – Elysius l'avait bien prévenu. Du coup, si Wyl ne parvenait pas à mettre un terme au Dernier Souffle en devenant Celimus, il était condamné à vivre une infinité de vies dans des corps différents. *À moins que l'inverse se produise*, songea Fynch, *qu'il meure dans la peau d'un garde quelconque, une flèche plantée dans le dos.* Une nouvelle idée apparut au garçon. En effet, que ce soit dans l'un ou l'autre des corps qu'il occupait, Wyl pouvait très bien mourir d'accident ou de cause naturelle. Or, le Dernier Souffle ne fonctionnait que si l'assassin était lié à Wyl par une arme ou un contact direct. C'était pour cette raison que Myrren n'avait pas pu utiliser la magie pour se sauver elle-même, car c'étaient les flammes qui avaient pris sa vie.

Filou interrompit ses pensées.

—*Nous ferions mieux de nous remettre en route. Nous sommes trop exposés ici.*

Fynch se remit debout, replaça son sac sur son dos, ferma sa veste, puis emboîta le pas du chien.

—*À quoi pensais-tu?* demanda Filou.

Fynch fut surpris, le chien posait bien rarement des questions aussi directes.

—Myrren, répondit-il.

—*Vraiment?*

—J'ai demandé à Elysius pourquoi elle n'a pas utilisé le Dernier Souffle pour se sauver elle-même et il m'a expliqué qu'elle savait qu'elle ne mourrait pas de la main de quelqu'un, que les flammes allaient la consumer. Par conséquent, le sortilège ne pouvait pas la sauver, mais elle l'a utilisé pour lancer une vengeance. Comme j'aurais préféré qu'elle ne le fasse pas, ajouta-t-il d'un ton plus amer qu'il ne l'aurait voulu.

—*Cela n'aurait rien changé pour Wyl*, répondit Filou d'une voix douce. *Celimus l'aurait quand même envoyé en Briavel. Wyl serait mort de la main de Romen. Ylena aurait péri au fond d'un cachot. Et Gueryn aurait disparu corps et âme dans les Razors.*

Fynch hocha lugubrement la tête.

—Tu as raison.

—*Je n'approuve pas pour autant ce que Myrren et Elysius ont fait, Fynch, mais la vie de Wyl était condamnée dès l'instant où Celimus est monté sur le trône. Dès lors, peut-être vaut-il mieux voir le Dernier Souffle comme un don plutôt qu'une malédiction.*

Fynch caressa la grosse tête du chien pour le remercier de la gentillesse dans sa voix. Personne ne pouvait approuver le Dernier Souffle, mais peut-être après tout en sortirait-il quelque chose de positif. Il songea au zerkon dans les Razors qui aurait si facilement pu tuer Wyl. S'il y était parvenu, cela aurait été la fin de Wyl. Elysius l'avait averti que la magie ne fonctionnait qu'entre humains. Ils étaient tous redevables à Lothryn s'il était encore en vie quelque part. Le destin d'un royaume n'avait tenu qu'à la bravoure d'un seul homme.

Fynch n'avait pas remarqué qu'il exprimait ces pensées à haute et intelligible voix dans son esprit. Ce n'est que lorsque le chien lui répondit qu'il compris qu'il devait faire des efforts pour mieux maîtriser la magie et rendre inaccessibles ses pensées.

— Fynch, n'as-tu pas encore compris que le sort des trois royaumes dépend de toi désormais ? Ce sont tes actions qui sauveront la Terre – pas celles de Lothryn ou de Cailech, ni celles de Celimus ou de Valentyna, ni même ce que Wyl peut réussir à faire. C'est toi, et toi seul, qui décideras de ce qu'il adviendra. C'est pour ça qu'on t'appelle le Destin.

Les larmes dévalaient le visage du garçon. *Je suis le Sacrifice*, songea-t-il en se hissant sur un rocher en saillie. *Qu'il en soit ainsi.*

Chapitre 16

Rashlyn s'arracha de sa torpeur, furieux de sentir des mains sur son front en train d'éponger la sueur que sa rage faisait naître. Il envoya un coup de poing dans le visage de la femme qui s'occupait de lui ; du sang se mit à couler de sa bouche.

— Va-t'en, femme ! gronda-t-il tout en s'efforçant de reprendre ses esprits pour comprendre où il était.

Il était dans une chambre qu'il ne connaissait pas. La nuit régnait à l'extérieur.

— Attends ! dit-il à la femme qui lui avait tourné le dos.

Elle le regarda ; un sillon rouge partait du coin de sa bouche jusqu'à son menton. Rashlyn lisait la haine dans ses yeux, mais il en avait l'habitude.

— Où suis-je ? demanda-t-il. Pourquoi ne suis-je pas dans ma chambre ?

— Le seigneur Cailech a dit de veiller sur toi jusqu'à ton réveil, répondit-elle d'un air maussade en essuyant le sang sur sa bouche. Et il a dit que tu n'aimerais pas qu'il y ait quelqu'un chez toi.

Rashlyn ignora la blessure qu'il lui avait infligée.

— Depuis combien de temps suis-je ici ?

— Deux jours.

La nouvelle lui causa un choc.

— Où est le roi ?

— Parti. (Le mot dans sa bouche sonnait comme une menace.) Il est parti avec l'homme de Grenadyne le jour même où tu as eu ta crise.

La femme appela quelqu'un et un homme entra dans la chambre. Il aperçut son visage tuméfié et braqua un regard dur sur le *barshi*.

— Je suppose que je ne suis plus le bienvenu, dit Rashlyn, dans l'espoir de lui faire perdre sa belle assurance.

— Tu n'as jamais été le bienvenu, *barshi*, répondit le Montagnard, pas le moins du monde intimidé. Nous t'avons accueilli ici parce que le roi nous l'a demandé. Ma femme s'est occupée de toi.

—Et je regrette la manière dont je l'ai remerciée, Rollo, répondit Rashlyn.

Il reconnaissait le couple maintenant – une sage-femme, soignante dévouée, et son mari, Rollo, un guerrier de haut rang de Cailech. Il ne serait sûrement pas prudent de les insulter plus longtemps.

—Je suis désolé, Kaylan, dit-il en se mettant lentement sur ses pieds. Je devais être en train de rêver. Je regrette de t'avoir fait mal.

—Fous le camp, salaud, gronda Rollo.

Rashlyn ne s'étonna pas du ton franchement hostile. Le peuple des Montagnes ne conserverait certainement pas l'attitude déférente qu'il s'efforçait d'avoir envers lui lorsque Cailech était là.

—Fais bien attention, Rollo. J'ai cru comprendre que ta fille attendait un enfant. Personne n'a envie que quelque chose de fâcheux arrive au bébé, non ? dit Rashlyn sur le ton de la conversation en passant négligemment devant le couple.

L'homme poussa un rugissement en armant son poing pour frapper le sorcier, mais sa femme le retint.

—Ne fais pas ça, Rollo. Qui sait de quoi il est capable ? dit-elle d'une voix affolée.

Elle avait oublié sa lèvre fendue, ravalé son orgueil blessé, et ses yeux suppliaient Rashlyn de partir et de laisser sa famille tranquille.

Voilà qui est mieux, songea Rashlyn, souriant de voir Rollo dompté et sa femme terrifiée. Un jour, il leur ferait payer le mépris qu'ils lui avaient montré. Il quitta la chaumière à l'atmosphère étouffante et avala avidement l'air frais de la nuit. Il clopina jusqu'à la source qui coulait non loin, pour y boire deux longues rasades d'eau recueillie dans ses mains. Cela le ragaillardit suffisamment pour lui permettre de regagner sans tituber sa chambre solitaire.

Il s'enferma à double tour, contrôlant soigneusement les verrous. Ce n'est qu'à cet instant, dans la sécurité de son antre, qu'il se relâcha quelque peu et laissa la peur s'emparer de lui. Que s'était-il passé ? Pourquoi avait-il perdu deux jours de sa vie ? Il savait parfaitement que ses périodes de ténèbres – lorsqu'il basculait dans son autre moi – étaient relativement longues, mais jamais il n'aurait pu imaginer qu'elles durent deux journées pleines. Jusqu'à présent, la plus longue de ses crises n'avait pas excédé une demi-journée – et quelle peur cela lui avait causé. Alors deux jours ! D'ordinaire, au cours de ces passages au noir – comme il les appelait –, il fonctionnait relativement normalement ; c'était juste comme s'il était quelqu'un d'autre. D'ailleurs, Rashlyn ne détestait pas cet autre moi. Par moments, il était plein de confiance en lui, plein de flamboyance et débordant d'imagination créative. Dans ces instants, son esprit était plus aiguisé que jamais, et des idées fabuleuses lui venaient même. Il se sentait invincible dans cet état. Aucune drogue qu'il connaissait ne produisait un tel état euphorique, ce sentiment de toute-puissance qui n'était que le prélude du pouvoir qu'il exercerait un jour sur la nature.

Sans le savoir, Rashlyn était parvenu à la même conclusion que son frère. Il croyait que la nature était le reflet de Shar ici-bas, donc, s'il parvenait à prendre le contrôle des créatures de la nature, il s'arrogerait le statut d'un dieu sur la terre. Si Elysius y parvenait, pourquoi n'y arriverait-il pas lui aussi ? Cela étant, lorsque la clarté revenait dans son esprit, il mesurait à quel point ses bouffées euphoriques étaient dangereuses également. Pendant ces instants, il devenait imprévisible, capable de tout. Il aurait volontiers sacrifié un de ses membres pour être capable de contrôler cet état particulier de son esprit tout en restant maître de lui-même. Mais malheureusement, le flot impérieux ne pouvait être endigué. C'était la folie ; il le savait et l'acceptait. Depuis des années, elle s'insinuait en lui. Son frère avait été le premier à la déceler, puis son père ensuite. Que leurs âmes soient maudites !

Cette fois pourtant, les choses lui avaient paru différentes. Son corps tremblait encore des effets de la crise, comme Kaylan l'avait appelée. D'habitude, il émergeait des ténèbres, comprenait qu'il s'était perdu, puis découvrait l'étendue de ce qui s'était passé en son « absence ». Aucun autre mot ne transcrivait aussi bien la réalité du phénomène. Cette fois, pourtant, les choses étaient différentes. C'était comme s'il avait eu un malaise et s'était évanoui. Cailech avait dû le voir dans cet état pour ordonner qu'on le soigne. Qui d'autre encore l'avait vu, en plus du roi, de Rollo et de sa femme ? Où était-il lorsque la crise était survenue ? Quelle était donc la dernière pensée consciente qu'il avait eue ?

Rashlyn était affamé, mais il ignora les grondements qui montaient de son ventre. À l'aide d'un sort, il fit naître une flamme, alluma un feu et mit de l'eau à bouillir. Il ajouta de l'écorce de verrun, une poignée de pétales d'arkad, puis s'efforça de chasser de ses pensées tout ce qui n'était pas son infusion. Ensuite, dès qu'il eut trempé ses lèvres dans le breuvage amer, ce fut comme si le ciel de son esprit se dégageait enfin, le soleil chassant les ténèbres de la nuit.

Il s'assit à la fenêtre, inspirant profondément l'air vif qui lui éclaircissait les idées et but lentement. Peu à peu sa décoction fit effet et il fut en mesure de remonter le fil de ses souvenirs.

Les choses lui revinrent. Il était parti chevaucher avec Myrt et l'homme de Grenadyne. Ses doutes au sujet de l'étranger ne s'étaient pas estompés, loin de là. Rashlyn demeurait convaincu qu'une aura de mystère l'enveloppait ; qu'il parvienne seulement à le toucher physiquement et il saurait. Rashlyn avait été déstabilisé d'apprendre de la bouche du roi que ce Farrow avait eu une étrange réaction au contact de Galapek. Indubitablement, il avait perçu la magie à l'œuvre sur le cheval, ce qui signifiait qu'il avait des pouvoirs lui-même ou qu'il avait été touché d'une manière ou d'une autre. Cailech n'attachait aucune importance à l'incident, mais Rashlyn ne croyait pas qu'il puisse s'agir d'une coïncidence. Le roi avait donc accepté d'obliger le mercenaire à monter Galapek, sous la surveillance de Rashlyn qui l'accompagnait.

Le *barshi* se souvenait maintenant que l'homme n'avait pas eu la réaction décrite par le roi. De deux choses l'une, soit le mercenaire était parvenu à contrôler les émotions provoquées par le cheval enchanté, soit ils s'étaient trompés et Farrow était bien sujet à d'intenses fatigues consécutives à ses mésaventures dans les montagnes. Pourtant, Rashlyn avait la conviction que l'étranger avait quelque chose à cacher. Il était trop sûr de lui, trop manifestement certain que la sortie à cheval constituait une sorte de test. Il avait habilement répondu aux questions de Rashlyn et esquivé son contact lorsque le *barshi* s'était approché. *Comment cela a-t-il pu arriver ?* se demanda-t-il. Le souvenir lui revint de l'étrange sensation qu'il avait éprouvée. Il tendait la main vers Farrow, prétendument pour lui remettre un petit flacon destiné à soigner ses migraines, mais en réalité, il voulait le toucher. Quelque chose l'avait touché lui en premier.

Il se concentra pour revivre l'instant où le cheval s'était mis à hennir furieusement, et lui-même avait envie de hurler, le corps disloqué sous l'effet d'une insupportable pression. Il avait eu l'impression que ses membres partaient dans toutes les directions. À dire vrai, l'expérience n'avait pas vraiment été douloureuse, mais si intensément effrayante. Ensuite, la nausée l'avait submergé... puis le noir complet. Kaylan avait parlé d'une « crise ». Il avait dû se souiller pendant son inconscience.

— Ce n'est pas ma folie qui a provoqué ça, murmura-t-il. Mais quoi alors ? La magie, se répondit-il avec un petit rire, comme si un accès de démence était en train de s'emparer de lui. Une magie surpuissante, souffla-t-il encore comme le souvenir s'imposait à lui plus nettement.

Galapek l'avait ressentie lui aussi, et c'est pour ça qu'il avait crié. Le *barshi* se demanda si le cheval éprouvait la même fatigue que lui maintenant. Dans tous ces événements, il y avait encore autre chose... un sentiment d'épouvante. Il n'en discernait pas les contours, mais la certitude était maintenant ancrée en lui qu'une force implacable et terrible marchait dans sa direction. Pour la première fois de sa vie, Rashlyn sentit la terreur le saisir.

C'est au moment où l'attention générale était tout entière focalisée sur Brackstead et dame Donal qu'Elspyth avait pris la décision de quitter le château de Werryl. Elle s'en voulait de partir ainsi, sans un adieu à Crys, ni même à la reine. Valentyna l'avait accueillie chaleureusement lorsque Crys et elle ne savaient plus vers qui se tourner. Elle leur avait offert un asile et les avait protégés sans la moindre hésitation. Son départ en catimini ne manquerait pas d'être vu comme un affront et elle en concevait du regret. Pourtant, elle préférait encore cela à des histoires sans fin, des adieux déchirants. Plus que tout, elle voulait éviter qu'on tente de la faire changer d'idée, ce que la reine n'aurait pas manqué d'essayer. Mieux valait qu'elle s'en aille discrètement, sans rien emporter, pas même le cheval sur lequel elle était arrivée.

Ce qui la chagrinait, c'était le caractère sournois de son départ sur lequel on pourrait se méprendre ; ça et le fait de n'avoir pas laissé de lettre à l'intention de Wyl. Elle lui devait bien ça pourtant. Pourquoi n'avait-elle pas pris quelques instants supplémentaires pour écrire un petit mot à dame Ylena

Thirsk ? Elspyth avait la certitude que Wyl finirait par venir, et qu'elle aurait au moins pu l'assurer qu'elle n'allait pas tenter quoi que ce soit d'inconsidéré – en lui promettant également de revenir un jour. Malheureusement, son esprit était obnubilé par Lothryn, si bien qu'elle avait saisi la première occasion pour partir sans rien dire. Elle savait que Krell et Liryk se réjouiraient de son départ. Les coups d'œil et les grimaces qu'ils échangeaient ne laissaient aucun doute sur ce qu'ils pensaient d'elle. D'ailleurs, elle ne se faisait aucune illusion, et elle savait parfaitement qu'ils goûtaient fort peu qu'elle dise à voix haute tout le mal qu'elle pensait de Celimus, mais aussi que Valentyna ferait mieux de ne pas l'épouser. À certains moments, elle avait eu l'impression que l'un ou l'autre aurait pu la faire taire en recourant à des méthodes plus douloureuses qu'un simple regard chargé de reproches.

Dès qu'elle avait vu le détachement royal franchir le pont de Werryl, elle avait pris son sac et s'était glissée hors des murs, en passant par la porte d'une petite cour rarement utilisée – dont Valentyna lui avait dit avoir fait grand usage lorsqu'elle était enfant. Elle avait quitté le château pour se perdre dans les rues de Werryl, au lieu de franchir directement son pont magnifique. Un mur d'enceinte entourait le cœur de la ville et Elspyth entendait dissimuler sa fuite en se fondant dans la foule qui, chaque jour, allait et venait par la grande porte nord. Elle pensait bien trouver quelqu'un qui accepterait de l'emmener jusqu'à Crowyll. Là, elle pourrait acheter quelque canasson décharné pour rallier Banktown tout au nord en ménageant ses pauvres jambes. Ensuite, elle obliquerait vers l'ouest, en direction de Felrawthy. Tel était son plan général, mais elle était prête à s'adapter au gré des circonstances, et à aller là où on voudrait bien l'emmener.

C'est la petite fille de l'homme qui conduisait l'attelage d'une brasserie qui l'aperçut la première. Le chariot avançait doucement, au pas lent du lourd cheval de trait, lorsqu'il vint à la hauteur d'Elspyth, noyée dans le flot des piétons qui s'écoulait lentement sous les voûtes de la grande porte. Les gardes ne prêtaient guère attention à ceux quittant la cité, ainsi Elspyth avait la quasi-certitude qu'elle ne serait ni arrêtée ni interrogée. En fait, personne ne devait encore la rechercher. Cela dit, l'expérience lui ayant appris la prudence, elle était toute disposée à accepter une couverture discrète – *exactement comme cette famille*, songea-t-elle en clignant de l'œil à la petite fille à la frimousse ornée d'un sourire.

— Où est-ce que tu vas ? demanda la fillette avec la tranquille curiosité des enfants affranchis de toute idée de convention.

Elspyth lui fit son plus beau sourire.

— Je vais vers le nord, répondit-elle.

— Et qu'est-ce que tu vas y faire ? poursuivit la petite fille.

— En fait, je rentre chez moi, mentit Elspyth en lançant un coup d'œil en direction du père avec une moue dubitative.

Il excusa l'esprit inquisiteur de sa progéniture d'un haussement d'épaules fataliste.

— Tu as une famille ?

— Non, répondit Elspyth, surprise d'une telle question dans la bouche d'une enfant. Il n'y a personne dans ma vie pour se soucier de moi, mais je viens du nord et j'y retourne parce que je me sens bien là-bas.

— Le nord de Briavel.

— Non, le nord de Morgravia, répondit-elle avec emphase.

— Et c'est où ?

Elspyth rit.

— Très loin d'ici. Je viens d'une petite ville qui s'appelle Yentro.

— Et il va falloir que tu marches tout le chemin jusque là-bas ? demanda la fillette, comme si elle avait su où diable pouvait bien se trouver Yentro.

— Chut, Jen. Laisse la damoiselle tranquille, dit son père d'un ton embarrassé. Excusez-la, ajouta-t-il en tournant la tête vers Elspyth. C'est qu'elle s'ennuie dans ces longs voyages, et celui-ci ne fait que commencer.

— Ce n'est rien, je vous en prie, répondit-elle.

Sa décision était prise : elle ferait la route dans ce chariot. Elle se retourna vers la fillette.

— Tu sais, j'ai connu une jolie dame qui s'appelait Jen. Elle avait de magnifiques cheveux roux comme les tiens.

C'était un mensonge, bien sûr, mais Elspyth avait besoin d'un prétexte. Elle savait que Shar lui accorderait son pardon car sa cause était noble.

Les yeux de Jen s'agrandirent de plaisir.

— C'est vrai, je suis jolie moi aussi ?

— Je trouve que tu es très belle, et je suis sûr que ton père pense comme moi.

— Est-ce que tu veux t'asseoir à côté de moi ? demanda Jen.

Elle aurait voulu pouvoir embrasser l'enfant. Ses paroles étaient exactement celles qu'elle brûlait d'entendre – et voyager avec une famille était la méthode la plus sûre et la plus discrète qu'elle pouvait rêver.

Elspyth se tourna vers l'homme.

— Oh, mais je ne sais pas si ton père…

L'homme eut la réaction qu'elle avait escomptée.

— Montez, vous êtes la bienvenue parmi nous, dit-il aimablement. Nous allons à Coneham si ça vous arrange.

— Je suis sûre que oui, répondit-elle avec un sourire. Où est-ce exactement ?

— Grimpez ! C'est au nord de Brackstead.

Jen se tassa contre son père pour faire de la place à Elspyth.

— Merci, dit-elle avec soulagement. Nous arrêterons-nous à Brackstead ? ajouta-t-elle du ton le plus innocent.

À dire vrai, elle n'avait aucune envie de tomber sur Valentyna et Crys.

— Non. Nous ne faisons pas de haltes dans les auberges, répondit l'homme. Nous nous tassons à l'arrière, tout simplement. Pour le reste, nous avons tout ce qu'il nous faut avec nous.

Elspyth sourit. C'était parfait.

— Merci. Je suis sûre que je trouverai à occuper Jen en chemin.

— Je m'appelle Ericson, dit l'homme, tandis qu'une expression d'intense gratitude passait sur son visage fatigué.

Elspyth ressentit une pointe de culpabilité d'avoir aussi adroitement abusé un aussi brave quidam.

Le chariot s'engagea sous la porte nord. Jen babillait sans cesse, racontant tout ce qui lui passait par la tête, tandis qu'Elspyth acquiesçait et répondait aux questions. Elle serra son manteau bleu autour d'elle pour se protéger de l'air frais du matin. En passant devant les soldats, Elspyth fit son possible pour ne pas attirer l'attention sur elle. Cependant, elle n'avait jamais dû mesurer à quel point elle était jolie. Ses cheveux noirs et son frais minois ne pouvaient que capter les regards.

— Que Shar vous guide, lui dit l'une des sentinelles.

C'était une formule anodine, utilisée en Morgravia comme en Briavel pour souhaiter bon voyage, mais ce fut surtout le clin d'œil qui l'accompagnait qui la fit sourire.

— Ne restez pas partie trop longtemps, poursuivit le garde, encouragé par sa mine avenante. Je ne vais plus pouvoir fermer l'œil avant de vous revoir.

Elspyth fit un geste de remontrance, comme pour signifier qu'il n'était pas convenable de parler ainsi devant sa famille, mais le chariot avait avancé et le soldat ne vit pas son air amusé. Elle agita la main en guise de salut.

Cela faisait bien longtemps qu'Elspyth ne s'était pas sentie aussi sereine. Peut-être était-ce de savoir qu'elle prenait en cet instant une grande initiative pour retrouver son amour. *J'arrive, Lothryn*, se dit-elle en elle-même. Elle supplia Shar de faire en sorte que son aimé puisse bientôt entendre ses mots.

Pendant qu'Elspyth savourait sa victoire, Gueryn discutait avec Rashlyn, rétabli, qui avait décidé de venir le visiter.

— À qui est-ce que ça ferait du tort ? demanda Gueryn.

— À personne, mais je ne comprends pas le sens de ta demande, répondit le *barshi*.

— C'est parce que je pourris sur pied ici.

— En quoi est-ce mon problème ?

— Parce que tu es censé prendre soin de moi, dit Gueryn d'un ton plein d'acidité. Alors soit tu fais ce qu'il faut pour, soit je te promets, Rashlyn, que je trouverai un moyen de me tuer. Même s'il faut pour cela que je me cogne la tête contre le mur jusqu'à la faire éclater !

Gueryn savait à quel point son propos sonnait désespéré, il l'entendait dans sa voix. Même s'il était peu probable qu'il parvienne à concevoir une méthode pour mettre fin à ses jours, la menace sonnait bien réelle et le *barshi* prit un air pensif. Gueryn choisit d'enfoncer le clou.

— Cailech a bien ordonné qu'on prenne soin de moi. Je refuse de rester enfermé, jour après jour, dans ton cachot puant.

— N'est-ce pas pourtant ce que les prisonniers sont censés faire ?

Le ton désinvolte du sorcier porta l'irritation de Gueryn à son comble.

— Laisse-moi aller travailler, par l'enfer ! Je suis prêt à fournir une journée de labeur pour pouvoir respirer le grand air et faire bouger mes muscles. Tu peux même me laisser enchaîné si tu veux.

— Oh, mais c'est bien ce que j'ai l'intention de faire, murmura Rashlyn.

Gueryn sentit qu'il perdait tout contrôle de lui-même. La seule chose qui le retenait de saisir le *barshi* à la gorge était le souvenir de la magie dont il avait déjà usé sur lui. Rashlyn l'avait menacé de la rendre douloureuse la prochaine fois.

Par un immense effort de volonté, il mit de l'humilité dans sa voix.

— Cailech a accepté qu'on m'autorise à marcher dehors chaque jour afin que j'entretienne autant que possible ma condition physique. Et par Shar, je suis prêt à travailler pour ça.

— Où ?

La question prit Gueryn par surprise. Il arrêta de marcher de long en large pour se tourner vers le sorcier.

— Où quoi ?

— Où veux-tu travailler ?

Avait-il réussi ? Il allait maintenant lui falloir négocier avec plus de prudence qu'une souris passant sous le nez d'un chat. Il fit en sorte de maintenir l'exaspération dans sa voix, comme si la perspective d'échapper à la solitude et au désespoir de son cachot était tout ce qui comptait pour lui. Personne ne devait deviner quelles étaient ses véritables intentions, et surtout pas Rashlyn.

— Où ? Mais n'importe où ! Aux cuisines, dans les vignobles, aux écuries…

Il passa une main nerveuse dans ses cheveux argentés pour renforcer son air hébété.

— Ta préférence ?

— Quelle importance ? répliqua-t-il, se demandant si Rashlyn n'était pas en train de jouer avec lui. Je sais m'occuper des chevaux, mais les travaux des champs ne me font pas peur. Et si tu veux que je gratte les casseroles, je le ferai avec joie. Pourquoi ne choisis-tu pas, toi ?

— Les cuisines ne me paraissent pas une bonne idée, Morgravian, murmura Rashlyn. Je ne tiens pas particulièrement à te voir tourner autour des couteaux et autres ustensiles.

Le sorcier fourragea dans sa barbe broussailleuse et quelque chose en tomba. Si déguenillé Gueryn fût-il, et si sale qu'il pût se sentir, la crasse de Rashlyn lui soulevait le cœur.

— Alors laisse-moi travailler aux écuries, dit-il. Je nettoierai les litières, je les brosserai, leur apporterai de l'eau ou les passerai au dressage. Je ferai tout ce que le maître d'écurie me demandera.

Rashlyn fixa sur lui ses petits yeux noirs. On ne pouvait y apercevoir aucune trace de chaleur humaine.

—Je parlerai à Maegryn, dit-il après un long moment de silence. Mais n'oublie pas ce que je t'ai dit, soldat. En l'absence du roi des Montagnes, tu n'as aucune protection sur laquelle compter, hormis ce que mon bon vouloir voudra bien t'accorder.

—J'ignorais que tu étais de sang royal, grinça Gueryn.

—Fais bien attention, Le Gant, l'avertit le sorcier, les lèvres tordues en un rictus cruel au milieu de sa barbe crasseuse.

Gueryn émergea dans l'air pur et vif d'une lumineuse matinée de printemps. Ses yeux le lancèrent, mais son corps tout entier exulta sous la douce caresse du soleil. Enfin, il pouvait respirer autre chose que l'air humide et vicié de sa cellule. Il avait gagné.

Deux gardes le flanquaient et il ne les connaissait ni l'un ni l'autre. Un homme s'approcha. Rashlyn n'était nulle part en vue.

—Je suis Maegryn, le maître d'écurie, dit l'homme en venant se poster devant lui.

Gueryn hocha la tête.

—Merci de m'autoriser à travailler aux écuries. Je ne te décevrai pas.

Maegryn émit un bruit de bouche méprisant.

—Tu n'as plutôt pas intérêt, soldat. Suis-moi.

Gueryn s'exécuta, aussi vite que le lui permettaient ses chevilles entravées.

—Vous n'allez quand même pas lui laisser ça toute la journée? dit Maegryn aux deux gardes.

—Ce sont les ordres de Rashlyn, répondit l'un d'eux en haussant les épaules.

—Et qui est-il pour donner des ordres? répliqua Maegryn, avant de marmotter bien vite quelque chose dans sa barbe.

» Qu'Haldor me protège!

Gueryn saisit sa chance.

—Il m'a dit qu'il était la voix du roi des Montagnes lorsque celui-ci n'est pas là, dit-il à Maegryn, occupé à trancher ses liens.

Le maître d'écurie se releva; ses yeux impassibles ne laissaient guère deviner ses pensées.

—Et moi, je suis le roi des écuries, nom d'un chien! Rashlyn ferait mieux d'y réfléchir à deux fois avant de venir donner des ordres dans mon domaine.

Les gardes éclatèrent de rire.

Gueryn exécuta une preste révérence du buste.

—Votre Seigneurie, dit-il.

Il sut qu'il venait de remporter une petite victoire lorsque Maegryn lui répondit d'un sourire.

— Merci, ajouta Gueryn, les yeux ostensiblement posés sur ses chevilles libérées.

— T'excite pas trop, soldat. Jos va rester aux alentours pour garder un œil sur toi.

Gueryn se tourna vers le garçon, massif et emprunté, qui se tenait à ses côtés.

— Enchanté de faire ta connaissance, Jos.

Le grand gars salua d'un signe de tête sur laquelle un grand sourire étirait sa bouche mutilée.

— Me crée pas de problème, c'est tout, dit-il de sa voix un peu déformée.

— Tu as ma parole, l'assura Gueryn, en regardant également en direction de Maegryn.

— Es-tu bon à quelque chose au moins ? demanda le maître d'écurie avec une pointe de malice.

— En tant qu'officier de la légion, sûrement.

— J'aimerais que ton roi fasse preuve de manières aussi agréables.

— Le roi de Morgravia est un menteur et un lâche doublé d'un meurtrier. Si l'occasion m'est donnée, je le tuerai de mes propres mains.

Maegryn émit un petit sifflement.

— Eh bien ! Cailech a intérêt à surveiller ses arrières.

— Comment ça ?

— Le peuple des Montagnes est sur le point de passer une alliance avec ton peuple, soldat.

— Quoi ?

Les sourcils de Gueryn se touchaient presque ; c'était une blague sans aucun doute.

— Si Cailech parvient à ses fins, les Razors et Morgravia seront bientôt des alliés, expliqua Maegryn.

Gueryn était stupéfait.

— Mais on ne peut pas faire confiance à Celimus !

Maegryn haussa les épaules.

— Qu'est-ce que j'y peux, Le Gant ? Je ne suis que le roi des écuries. Tout ce qui concerne la marche du royaume des Montagnes n'est pas de mon ressort. Et maintenant, suis-moi, car j'ai l'impression que tu as autant besoin d'exercice que mes chevaux.

Jos demeura tout l'après-midi auprès de Gueryn, ne le quittant pas des yeux, appliquant ses ordres à la lettre. C'était une pitié que sa bouche soit ainsi déformée ; cela donnait l'impression d'avoir affaire à un crétin, alors qu'il était loin d'en être un. Et puis, comme l'avait admis le jeune homme timidement, les autres gardes se moquaient de lui. Gueryn trouva le jeune homme agréable et courtois. Il riait aux blagues de Gueryn et en fit même quelques-unes lui aussi. Non, le garçon n'était pas un imbécile, juste la victime malheureuse des dieux qui l'avaient fait naître ainsi. Gueryn se fit la promesse de faire un effort particulier avec Jos. Tout ce dont il avait besoin, c'était de prendre confiance en lui, et son bec-de-lièvre deviendrait invisible si sa personnalité prenait toute sa mesure.

En toute sincérité, Gueryn devait admettre qu'il éprouvait du plaisir à s'activer au milieu d'autres hommes, après des semaines de noir désespoir. Il avait monté, bouchonné et donné à boire à six chevaux, et il se sentait bien, malgré ses muscles endoloris et ses articulations grippées. Il n'avait pas songé qu'il pourrait finir sa journée aussi épuisé qu'il l'était.

— Un bon après-midi de boulot, soldat, dit Maegryn en lui tendant un chiffon pour s'éponger. De la bonne sueur honnête sur ton front.

— Appelle-moi Gueryn, dit l'officier. (Maegryn accepta l'offre d'un signe de tête.) Est-ce que je pourrai revenir ? demanda-t-il ensuite.

— Demain, ce sera parfait. Je serai content de te revoir. Jos t'amènera s'il veut bien.

— Et Rashlyn ? Tu iras lui parler ?

— C'est un fou. Personne n'écoute ce qu'il dit. Nous ne dirons rien, et si ça se trouve, il ne viendra même pas voir ici.

Le visage de Gueryn montra le soulagement qu'il éprouvait.

— À demain alors.

D'un signe de tête, il indiqua ensuite au garde qu'il était prêt à le suivre. Ils échangèrent un sourire avant de se mettre en route vers les geôles. Peu à peu, Gueryn nouait des relations d'amitié, des petits riens qui le rapprochaient sacrément de Galapek, et cette seule pensée le consolait de son corps épuisé. Demain, il apercevrait peut-être l'étalon que l'étranger – Aremys – lui avait dit être Lothryn. Cette histoire demeurait encore trop incroyable à ses yeux, mais Gueryn n'avait pas oublié le contact de la magie noire de Rashlyn sur lui-même – ni le meurtre d'une femme qu'on avait voulu lui faire prendre pour Elspyth. Il fallait qu'il voie le cheval de ses yeux.

À demain alors, se dit-il pour lui-même en emboîtant le pas de Jos.

Chapitre 17

Crys apprécia l'amabilité avec laquelle le commandant de la garde de Briavel accepta de lui consacrer du temps, malgré les exigences de sa charge. Si Liryk était dérangé en quoi que ce soit, il ne le montrait absolument pas.

— Pardonnez-moi de vous détourner de vos missions, commandant Liryk, dit Crys. C'est juste que je me fais un peu de souci au sujet d'Elspyth, et la reine s'inquiète elle aussi.

— À juste titre, duc, répondit vivement Liryk. Ce n'est qu'une jeune femme lancée seule sur les routes dans un pays qui n'est pas le sien. Quels que soient mes efforts pour les empêcher de nuire, les bandits de grands chemins et autres tire-laine existent toujours, et Elspyth constitue la plus tentante des cibles.

— Comme vous dites. Par où devrions-nous commencer ?

— Pour commencer, allons voir les hommes qui étaient de faction pendant que nous étions à Brackstead.

— Combien de portes compte la ville ?

— Cinq portes principales. Mais comme vous l'avez fort justement souligné, elle a dû tenter de sortir de façon aussi anonyme que possible par les endroits les plus fréquentés, autrement dit, par le pont de Werryl ou la porte nord.

Il leur fallut une heure environ pour retrouver et interroger les hommes en question. Ils firent chou blanc, jusqu'à ce qu'arrive un jeune soldat qu'on venait d'aller chercher au mess. Il s'essuya la bouche en toute hâte, et son visage exprimait toute l'inquiétude qu'il éprouvait d'être ainsi convoqué. Son supérieur fit les présentations.

— Voici Peet. C'était l'un des trois gardes de faction à la porte nord ce matin-là.

Liryk et Crys avaient déjà interrogé les deux autres du matin, ainsi que ceux du peloton de l'après-midi. Crys était sûr maintenant que ce dernier témoin ne leur apprendrait rien de plus, et il se résignait déjà à se lancer sur une piste devenue froide.

— Mon commandant, dit Peet à son supérieur, avant de saluer Crys d'un ton empreint de nervosité. Seigneur duc.

Liryk s'éclaircit la gorge.

— Tranquillise-toi, soldat, tu n'as rien commis de répréhensible. Nous avons juste besoin de ton aide.

— Ah ? répondit le garde, d'une voix pas tout à fait rassurée.

— En fait, nous espérions que tu te souviennes d'une jeune femme qui a quitté Werryl hier. Nous pensons qu'elle a pu emprunter la porte nord, probablement à une heure matinale où tu étais préposé à la garde.

Peet hocha la tête, avant de porter un regard rassuré sur ses deux interlocuteurs.

— Je vais faire de mon mieux, commandant. Pouvez-vous la décrire ?

Liryk se tourna vers Crys, qui se risqua à l'exercice.

— Eh bien, elle est frêle de stature, avec des cheveux bruns et un air avenant. En fait, elle est très jolie. (Il fit un sourire entendu à l'intention du soldat.) Elle m'arrive à peu près là, précisa-t-il en montrant un point entre son coude et son épaule, et je pense qu'elle portait un genre de robe dans les tons bruns avec un chemisier tirant sur le rose, ainsi qu'une paire de bottes. Je n'en suis pas certain, mais c'étaient les habits qu'elle portait à notre arrivée à Werryl.

Il savait qu'Elspyth n'avait rien pris des vêtements que Valentyna lui avait fait porter.

Peet prit une mine chagrinée et parla d'une voix désolée.

— Des centaines de personnes passent chaque jour par cette porte et cette description correspond à des dizaines de femmes passées hier. (Il écarta les bras en signe d'impuissance.) Il y a tellement de monde qu'on ne peut pas tous les surveiller – à moins d'avoir des ordres bien précis.

Crys hocha la tête ; il comprenait.

— Je sais. C'était au cas où.

Liryk poussa un soupir.

— Je suis vraiment désolé.

Et il était sincère. Certes, il ne goûtait guère le climat que la jeune femme de Yentro avait suscité, mais il n'était sûrement pas heureux de la savoir seule en route pour les montagnes. Pour tout dire, il estimait que Crys avait été bien trop désinvolte lorsqu'on avait annoncé sa disparition, et de toute évidence, il avait changé de point de vue, *mais un peu tard peut-être*, songea-t-il.

— Merci, Peet. Vous pouvez retourner manger, dit le commandant au jeune garde.

— Au fait, j'y pense, dit soudain Crys, elle devait avoir un manteau sur elle. Les matins sont frais et elle l'avait sûrement enfilé. Un manteau bleu. Est-ce que ça te dit quelque chose ?

Peet, qui était déjà en train de partir, pivota sur lui-même.

— Un manteau bleu ?

Crys confirma d'un hochement de tête.

— Est-ce que ça t'évoque quelque chose ? demanda-t-il en remarquant l'intense concentration du soldat.

— Oui, seigneur duc, ça me dit quelque chose. Je me souviens d'une femme en manteau bleu. Je crois que ses cheveux étaient bruns, mais la capuche était rabattue, si bien que je ne suis pas sûr.

Liryk s'avança.

— Parle, maintenant. Dis-nous tout.

Les sourcils de Peet se froncèrent.

— C'était juste une blague innocente, commandant. Parfois, les gardes sont bien longues et cette fille était vraiment jolie.

Liryk soupira.

— Allez, Peet. Qu'as-tu dit ?

Le soldat se mordilla une lèvre, en proie à une intense réflexion.

— Je lui ai souhaité que Shar guide sa route, dit-il en tournant la tête vers Crys, tout aussi impatient d'apprendre la suite. Puis j'ai ajouté quelque chose disant qu'il faudrait qu'elle se hâte de revenir car je ne pourrais plus trouver le sommeil avant de la revoir. (Il haussa les épaules.) C'était dit sans mauvaise intention, c'était juste pour passer le temps en parlant à une jolie fille.

Crys sourit.

— Pas de problème, Peet. Était-elle seule ?

— Non. Pour autant que je m'en souvienne, elle était accompagnée d'une famille. J'ai cru que c'était la sienne.

— Allez, va au fait maintenant. De quoi te souviens-tu ? insista Liryk. Laisse remonter le souvenir en toi. Tu as fait des exercices pour apprendre à te rappeler une scène en détail, n'est-ce pas ?

— Oui, commandant, répondit Peet. Je me souviens maintenant. Elle voyageait avec une petite fille et un homme qui conduisait un chariot. La femme et la fillette étaient en train de rire. L'attelage n'avait qu'un seul cheval.

— A-t-elle dit quelque chose ?

— Non. Elle a juste fait un geste. Elle avait l'air heureux.

— Et l'homme ? De quoi te souviens-tu à son sujet ?

— Pas grand-chose, commandant. Il a dit qu'il se rendait à Coneham. Son chariot transportait des tonneaux de bière – deux seulement –, ce qui me paraît d'ailleurs étonnant maintenant que j'y pense, alors que ça ne m'avait pas frappé sur le moment.

— Pourquoi ça ? demanda Crys.

Liryk se tourna vers lui.

— Parce que notre brasserie est au nord-ouest de la ville. Il n'avait donc pas besoin de passer par Werryl – et en particulier par la porte nord –, pour une livraison à Coneham. En fait, cela paraît très étrange. (Liryk se tourna vers son ordonnance.) Interrogez la troupe et trouvez tout ce que vous pourrez sur cet homme. Prenez la description que va vous donner Peet. Notez tout ce qu'il dit.

— La jeune femme a des ennuis, commandant ?

— Non, Peet. Mais il faut que nous la trouvions et tes informations vont nous y aider.

Peet salua et sortit, escorté de l'ordonnance.

— Pas grand-chose à se mettre sous la dent, j'en ai peur, dit Liryk.

— Mais toujours quelque chose néanmoins. Je vais rester encore un peu, au cas où le témoignage de Peet réveille des souvenirs chez quelqu'un.

— Donnons-nous une heure.

— Ensuite, je partirai pour Coneham et advienne que pourra, dit Crys.

Le chariot ralentit, puis s'arrêta. Elspyth fut tirée du sommeil dans lequel elle avait sombré. Elle supposa qu'ils s'arrêtaient pour manger et se sentit embarrassée de n'avoir rien à partager avec ses hôtes. En revanche, elle avait de l'argent, celui que Crys avait voulu qu'elle garde lors de leur périple vers Werryl.

« Vous en aurez besoin si nous sommes séparés », avait-il dit.

Elle lui savait gré maintenant de sa générosité. Au moins, elle pouvait toujours payer son écot pour son voyage en compagnie d'Ericson et de sa petite fille.

Elspyth aperçut une cabane à l'écart de la route. Elle savait qu'ils avaient quitté l'axe principal, parce que Ericson l'avait avertie qu'il empruntait un raccourci par une piste moins fréquentée. Elle ne s'en était pas plainte, uniquement heureuse d'aller vers le nord plus vite que sur ses deux pieds.

— Cela fait combien de temps que je somnole ? demanda-t-elle en s'étirant.

Elle ne se souvenait pas être passée à l'arrière du chariot, ni même avoir éprouvé de la fatigue, mais de toute évidence c'était ce qui s'était passé puisque c'était là qu'elle se trouvait présentement.

— Des heures, s'exclama une voix chantante. Le thé fait toujours dormir les dames.

Elspyth n'avait pas la moindre idée de ce que la fillette pouvait bien vouloir dire. Peu après la sortie de Werryl, ils avaient bu un thé tous ensemble, sur le bord de la piste. La chose lui avait d'ailleurs paru étrange, puisqu'ils venaient à peine de quitter la ville, mais Jen avait insisté, clamant qu'elle avait faim et soif. Ericson avait répondu qu'une tasse de thé et un morceau de fromage feraient l'affaire pour caler sa fille qui n'avait pas déjeuné. Elspyth s'en était accommodée et avait avalé de bon cœur l'en-cas au goût étonnant.

— Où sommes-nous ? demanda-t-elle, imaginant qu'ils devaient être à environ deux heures au nord de la ville.

— Non loin de Sharptyn, répondit Ericson en sautant à bas du chariot.

Elspyth tombait des nues.

— Sharptyn ? Non, ce n'est pas possible ! affirma-t-elle, sourcils froncés. Cela ne colle pas.

Elle repassait la carte de Briavel dans son esprit. Sharptyn était à l'ouest, presque en Morgravia, à des heures de route de Werryl. Elle secoua la tête comme pour en chasser les dernières brumes. Sans doute se trompait-elle.

— Vous êtes vraiment sûr ?

Il grimaça un sourire où transparaissait quelque chose de déplaisant.

— Oh oui, absolument.

— Mais Sharptyn est à l'ouest. Vous m'avez dit faire route vers le nord, s'exclama-t-elle en ressentant une pointe d'inquiétude au creux de l'estomac.

Le rictus ne quitta pas le visage d'Ericson.

— J'ai dit ça ? Eh bien, c'est pourtant ici que nous sommes maintenant.

Ericson n'avait plus rien de l'homme gentil et fatigué qu'il était le matin même. Il avait la mine d'un prédateur satisfait de lui.

— Jen ? appela-t-il.

Elspyth tourna la tête vers la petite fille, les yeux agrandis par l'étonnement et la peur.

La voix de la fillette résonna à ses oreilles.

— Je suis désolée, Elspyth. Tellement désolée, chantonna-t-elle, sans même regarder la jeune femme. Mais Ericson t'a choisie. Moi, je ne voulais pas. Moi, je t'aime bien.

— Ericson ! cria Elspyth tandis que des hommes sortaient de la cabane. Qu'est-ce que ça veut dire ?

— Rien de personnel, répondit-il en saluant les nouveaux arrivants d'un signe de tête. Juste du commerce, rien de plus. Allez les gars, attrapez-la !

Elspyth n'avait plus le temps de penser. Elle retroussa sa robe et se mit à courir. Elle contraignit ses jambes à aller plus vite qu'elles l'avaient jamais fait, tout en criant de toute la puissance de ses poumons. Même la fuite de la forteresse de Cailech ne lui avait pas causé pareille frayeur. Elle avait suivi les autres, mais là, elle était seule. Elle entendait les cris et les sarcasmes des hommes sur ses talons qui se moquaient d'elle. Au fond d'elle-même, elle doutait de pouvoir les semer, mais au moins il fallait qu'elle essaie.

Elle pensa à Lothryn et à sa tentative pathétique pour aller le sauver qui n'avait abouti à rien d'autre qu'à la jeter dans un piège dont elle ne sortirait pas vivante. Jamais il ne saurait qu'elle avait tenté de le rejoindre. Elle cria une dernière fois au moment où un homme jaillit d'un buisson pour la saisir. Son bras la percuta au côté, lui coupant le souffle. Les autres arrivèrent, haletant et toujours riant. Ensuite, Ericson la força à boire encore du thé qu'elle avait ingurgité plus tôt dans la journée. Tout devenait clair maintenant : elle avait été droguée. Elle tenta de cracher le liquide, secouant la tête de droite à gauche, se provoquant volontairement des haut-le-cœur. Ericson la frappa. De saisissement, elle ouvrit la bouche pour hurler, mais la seule chose qu'elle obtint, c'est de permettre à son agresseur de lui verser sa drogue au fond de la gorge.

Les hommes la relâchèrent, comme si elle avait cessé de les intéresser – provisoirement tout au moins – maintenant qu'elle avait avalé le narcotique. Elle eut le temps de les compter – six avec Ericson – puis le ciel se mit à tournoyer et les arbres donnèrent l'impression de vouloir lui tomber dessus. Elle sentit quelque chose qui tentait de venir jusqu'à elle, quelque chose de puissant qui s'efforçait d'entrer en contact – du moins c'était l'impression qu'elle avait. De toute façon, il était trop tard. Elspyth sombra dans l'inconscience pour la seconde fois. Elle ne pouvait plus crier.

Fynch avait perçu la peur d'Elspyth tandis qu'elle fuyait, puis senti qu'elle tombait. Il n'avait jamais rencontré la femme de Yentro, mais sa terreur et son impuissance l'avaient littéralement assailli. Il étendit sa conscience vers elle et la vit telle qu'elle était maintenant, allongée sur le sol, inconsciente, avec des hommes penchés sur elle.

Filou se tourna vers le petit promontoire sur lequel se tenait Fynch, raide et immobile. Le vent aigre passait sur eux en sifflant. Le chien se demanda s'ils ne feraient pas bien de s'encorder. Fynch ne pesait pas bien lourd et une tempête furieuse paraissait venir sur eux ; il risquait d'être précipité dans le vide.

Étonné par la posture du garçon et ses yeux hermétiquement clos, le chien s'approcha de lui.

— *Fynch ! Que se passe-t-il ?*

Le garçon ne répondit rien et Filou le poussa du bout du museau, stupéfait de ne pas percevoir ce qui troublait ainsi son ami.

Fynch vacilla, puis ouvrit les yeux.

— C'est l'amie de Wyl, Elspyth. Elle a des ennuis, expliqua-t-il en se prenant la tête à pleines mains.

Filou savait à quel point cela faisait mal d'utiliser la magie. Elysius s'était toujours montré prudent au sujet de ses pouvoirs. Les efforts qu'il avait faits pour être aux côtés de Myrren – et lui apporter la force dont elle avait besoin tout au long de son calvaire – l'avaient pratiquement tué. Or, Fynch, tout frêle et sans expérience, paraissait s'ouvrir totalement à la magie, non pas par désir de puissance, mais par méconnaissance de ses dangers. De toute évidence, il avait répondu à l'appel de la jeune fille. Pourtant, ce n'était pas son problème ; il avait une tâche à accomplir.

— *Nous devons nous hâter, Fynch*, commença le chien.

— Non. Elle est blessée et elle a des problèmes. Elspyth est celle qui a fui les Razors avec Wyl. Elle l'a aidé. Je ne peux pas l'abandonner, murmura Fynch du fin fond de sa douleur.

— *Mâche un peu de sharvan*, suggéra Filou, bien déterminé à ne pas montrer combien ce contretemps l'ennuyait.

Du fond de son sac, Fynch ramena une poignée de feuilles sèches prélevées dans le stock d'Elysius. Il s'assit et se mit à les mâchonner tranquillement.

— *Comment sais-tu cela ?* demanda Filou.

— Je l'ai vue, répondit le garçon.

— *Je ne suis pas sûr de comprendre. Elspyth a le don ? Comment pourrait-elle t'atteindre sinon ?*

Fynch secoua sa tête douloureuse.

— Je ne crois pas. Wyl ne m'a jamais dit qu'elle était éveillée à la magie. À dire vrai, je ne suis même pas sûr qu'elle ait senti ma présence.

— *Comment ça ?*

— Elle ne m'a pas vraiment appelé. J'ai senti sa peur, puis entendu ses cris. Ensuite, j'ai suivi sa trace. (Fynch posa ses grands yeux graves et emplis de douleur sur le chien. Filou sentit son cœur se serrer à la pensée de tout ce que le garçon devait endurer.) Je crois que c'est le Thicket.

— *Qui t'aurait transmis son appel ?*

Fynch hocha lentement la tête. Sa douleur s'estompait et il ne voulait pas la raviver.

— Tu m'as dit quelque chose tout à l'heure au sujet de Wyl, touché par le Thicket et donc sensible à la magie même s'il ne peut pas l'utiliser.

— *Oui, je me souviens.*

— Eh bien, Elspyth est la nièce de la veuve Ilyk, une voyante qu'Elysius connaissait et qu'il a même utilisée une fois. Tu t'en souviens ?

— *Oui.*

— Donc, même sans être directement éveillée, Elspyth a peut-être une vague sensibilité à la magie. Une fois, Wyl m'a dit qu'elle avait rêvé que Lothryn l'appelait.

— *Et ?*

Fynch allait mieux. Sa tête allait mieux. La brume s'était dissipée et seule subsistait une trace de douleur. Il cracha la pulpe de sharvan sur le sol.

— Je suppose qu'elle a lancé un appel magique sans même s'en rendre compte, et il se trouve que le Thicket était à l'écoute. En quelque sorte, je crois que le Thicket nous a tous liés les uns aux autres.

Filou considéra la question et jugea que la chose était plausible.

— *Et que penses-tu maintenant, révéré Fynch ?*

— Il faut que je découvre ce qui lui arrive.

— *Mais nous ne pouvons pas nous écarter de notre route*, objecta Filou d'un ton grave, dans l'espoir de rappeler au garçon que désormais plus rien ne comptait hormis la mission assignée par le roi dragon : détruire Rashlyn et débarrasser le monde de sa magie maudite.

— Je sais, répondit Fynch avec une tentative pour sourire à son ami. Je vais envoyer un espion.

— *Alors choisis-en un qui va vite. Il faut y aller maintenant.*

Fynch plongea son regard au cœur du panorama devant lui. Il savait ce qu'il cherchait et ne tarda pas trouver un faucon qui planait toutes ailes déployées, l'œil rivé vers le sol.

— Là-bas ! s'exclama-t-il en le montrant du doigt.

— *Je le vois.*

Fynch referma les yeux et puisa dans la magie d'Elysius pour convoquer l'oiseau de proie.

Filou vit l'oiseau pivoter sur l'aile et comprit que Fynch venait d'établir le contact. Le faucon décrivit un large cercle, avant de fondre sur eux, certainement curieux de découvrir qui pouvait bien l'appeler. Il se percha sur le bras tendu de Fynch et laissa même le garçon le caresser pour le remercier d'avoir répondu. Filou était impressionné, il savait qu'Elysius avait réussi pareil exploit auparavant, mais pas avec la même maestria. D'après ce que les créatures du Thicket avaient dit, Elysius les avait suppliées de l'aider. Or, l'oiseau avait répondu instantanément à l'appel de Fynch. De toute évidence, le faucon sentait qu'il n'avait d'autre choix que de se soumettre.

Normalement, Filou n'aurait pas dû entendre l'échange entre le garçon et l'oiseau, mais Fynch ouvrit généreusement son esprit pour permettre au chien de suivre ce qu'ils se disaient.

—*Je voudrais que tu trouves quelqu'un pour moi*, demanda Fynch.

—*Qui?* répondit l'oiseau, d'un ton tout à fait naturel.

Filou se demanda si le faucon savait à qui il s'adressait.

—*Il s'agit d'une femme, qui ressemble à ça.*

Filou partagea l'image que Fynch transmettait.

—*Où?*

—*À une demi-lieue environ à l'est de Sharptyn.*

Fynch transmit une nouvelle image, en l'occurrence une vue aérienne de Briavel. Filou était stupéfait. Est-ce que c'était le Thicket qui fournissait ces informations pratiques au garçon?

—*Et quand je l'aurai trouvée?*

—*Préviens-moi. Je t'enverrai de l'aide.*

—*Avec tes pouvoirs, tu ne pourrais pas aller voir toi-même?* demanda l'oiseau sur un ton d'impertinence.

—*Je pourrais, mon ami, mais je perds des forces et un peu de ma vie chaque fois que j'utilise mes pouvoirs. Tu peux m'épargner cette peine si tu fais le voyage pour moi et si tu deviens mes yeux là-bas.*

—*D'accord, je ferai ce que tu demandes, si tu me dis qui tu es.*

—*Bien sûr. Je m'appelle Fynch et je viens de Morgravia, où j'étais garçon de commodités au château de Stoneheart.*

—*Oh, tu es sûrement plus que ça*, répliqua le faucon avec une pointe de dédain pour l'humilité du garçon. *Dis-moi la vérité si tu veux que je te rende ce service.*

—*Mais tout ce que j'ai dit est vrai*, dit Fynch d'une voix égale.

—*Non, non. Il y a encore un secret*, insista l'oiseau.

Sa curiosité devenait contagieuse et Filou lui-même retenait sa respiration. Fynch ne disait rien. Un silence pesant s'était établi entre eux trois, alourdi par le poids du secret que l'un d'eux refusait de révéler.

—*Tu dois me dire*, reprit le faucon. *Je suis comme toi, Fynch, j'ai besoin de faits... et de la vérité.*

D'où l'oiseau pouvait-il tirer ses certitudes? Depuis longtemps, Filou avait appris à ne pas interroger la magie, chaque réponse conduisant à une nouvelle question. Il musela donc ses propres interrogations et écouta.

—*Je suis Fynch*, répondit le garçon, d'une voix subitement pleine et puissante, emplie d'une autorité comme Filou n'en avait jamais entendu auparavant. *Et je suis le roi des créatures.*

Fynch s'évanouit à l'instant même où il prononçait le dernier mot. Le lien était rompu. Le faucon décolla du bras du garçon juste à temps pour ne pas tomber avec lui, il s'éleva dans les airs et s'éloigna des montagnes. Filou était trop stupéfait de ce qu'il avait entendu pour dire quoi que ce soit. Il suivit l'oiseau dans le ciel jusqu'à ce qu'il ne soit plus qu'un point minuscule sur l'horizon. Puis, à l'instant où il disparut, le chien s'arracha à son trouble pour venir se coucher tout contre Fynch. Il fallait lui tenir chaud jusqu'à ce qu'il reprenne conscience.

Chapitre 18

Cailech arriva à l'entrée du domaine de Tenterdyn, dans le duché de Felrawthy, escorté de deux guerriers uniquement. À sa gauche, il y avait son fidèle Myrt et, à sa droite, celui qu'il appelait maintenant son ami, Aremys Farrow.

En fait, Farrow était une énigme pour lui. Cet homme dissimulait des secrets – de cela Cailech était absolument sûr – mais il était aussi droit et honnête. Le souvenir de la réaction qu'avait eue le colosse de Grenadyne au contact de Galapek le hantait néanmoins. De toute évidence, il nourrissait des soupçons au sujet de l'animal. La tentative de Rashlyn pour faire jaillir la vérité avait lamentablement échoué, et le *barshi* avait fini plongé dans l'inconscience sans qu'ils aient progressé en quoi que ce soit. En fait, le plus ahurissant pour Cailech avait été d'apprendre que son étalon avait été perturbé lui aussi, puis que Farrow avait tranquillement ramené son cheval et son sorcier à la forteresse. S'il avait conspiré contre le royaume des Razors, le mercenaire n'aurait-il pas abandonné les deux à une mort certaine, ou fui sur Galapek en laissant Rashlyn mourir ?

Rien n'était vraiment cohérent à ses yeux. Malgré ses doutes, il avait donc décidé de faire confiance à Farrow. Cailech considérait qu'il savait juger le caractère des hommes et son instinct l'avait rarement trompé. En fait, Lothryn avait été son unique erreur, mais il lui avait fallu près de quarante années pour s'en apercevoir. L'évocation de la trahison de son ami fit venir un rictus sur ses lèvres.

— Quelque chose ne va pas, seigneur ? demanda Aremys, notant l'expression sur le visage du roi.

— Tout va bien, répondit Cailech. Je regrette seulement que Lothryn ne soit pas avec nous.

Il s'était attendu à ce que Myrt approuve et renchérisse, mais seul un lourd silence fit écho à sa remarque. De plus, son guerrier et le mercenaire ne venaient-ils pas d'échanger un regard à la dérobée ? Qu'est-ce que tout cela signifiait ?

— Vous n'avez pas besoin de lui pour réussir, seigneur, répondit Aremys. Vous seul êtes capable de mener à bien ce que nous avons entrepris.

— Il avait sa manière bien à lui de me rendre serein.

Ses deux compagnons ne répondirent rien. Que répondre à cela d'ailleurs ? Aremys pensait que Cailech n'avait aucun droit de se plaindre après ce qu'il avait fait subir à son ami, mais n'étant pas en mesure de le dire haut et fort, il préféra garder le silence. Le garde de faction s'avançait vers eux.

— Êtes-vous prêt, seigneur ? demanda Myrt.

— Comme jamais, répondit Cailech en coulant un regard vers son nouvel ami.

Aremys hocha la tête en signe d'encouragement.

— Lothryn serait fier de ce que vous faites, souffla le mercenaire.

— Oui, il le serait, Farrow. C'est une décision qu'il aurait forcément applaudie.

— Alors vous lui rendez hommage en agissant ainsi.

Cailech sourit. Il y avait de la gratitude sur son visage, et aussi quelque chose de plus indéfinissable dans ses yeux. Du chagrin, peut-être ? Du moins, c'est ce qu'Aremys espérait.

— Je suis Aremys Farrow, dit le mercenaire au garde. Je crois savoir que nous sommes attendus ?

Le garde confirma d'un hochement de tête.

— C'est le cas. Patientez ici, s'il vous plaît.

Il siffla en direction du poste de garde, puis agita la main.

— Vous pourriez saluer comme il se doit en présence d'un souverain, glissa Aremys au garde, tandis qu'on ouvrait les grilles.

La mine décontenancée et confuse du soldat le rasséréna. Un instant, il avait craint que les Morgravians aient décidé de se montrer irrespectueux envers le roi des Montagnes. Connaissant le tempérament de Cailech, il était à craindre qu'il prenne la mouche et fasse tout rater par son emportement.

— Pardonnez-moi, seigneur, bégaya l'homme en exécutant une profonde révérence.

Cailech et ses amis échangèrent des coups d'œil satisfaits.

Un officier arrivait.

— Bienvenue, seigneur, dit-il avec toutes les marques de respect voulues. Farrow, dit-il ensuite à l'intention d'Aremys avec un petit signe de tête.

Le mercenaire tendit les rênes aux hommes qui venaient d'arriver pour s'occuper des chevaux.

— Capitaine Bukanan, ravi de vous revoir, répondit Aremys. Voici Myrt, second guerrier du peuple des Montagnes.

De loin, Celimus vit le roi des Montagnes arriver à la grande porte, échanger un coup d'œil avec Farrow, puis bondir de son magnifique étalon avec grâce et légèreté. Le souverain de Morgravia ne put retenir sa surprise. Pour une étrange raison, il s'était figuré que le roi des Razors serait brun, massif et poilu avec des yeux enfoncés et un air chafouin. Il n'avait pas imaginé qu'il puisse être ce grand combattant blond, rasé de près et vêtu sans affectation. Pourtant, il aurait parié que son ennemi arriverait tout engoncé dans des vêtements d'apparat chamarrés, proclamant son statut de roi. Il avait eu tort sur toute la ligne. L'homme ne portait aucun bijou visible et, malgré sa simplicité, sa tenue dégageait une grande élégance. Celimus n'aurait pas détesté posséder le somptueux manteau ornant les larges épaules de Cailech, dont les teintes chatoyaient dans la lumière du jour. Toute l'attitude du roi des Montagnes était marquée du sceau de la modestie, et pourtant, il émanait de lui un sentiment d'indestructible assurance. Voilà qui était bien déstabilisant pour Celimus qui avait eu l'intention de prendre de haut son homologue des Montagnes – et pas uniquement sur le plan physique. Cailech l'avait bel et bien mystifié. Sa mise discrète qui mettait en valeur sa mâle présence faisait subitement paraître Celimus déplacé, comme un paon affecté dans sa tenue de courtisan. D'un geste rageur, il arracha le torque d'or passé à son cou.

—Je crois que je n'aurai pas besoin de ça, grogna-t-il à l'intention de Jessom, placé dans son environnement immédiat comme à son habitude.

—Je m'en occupe, Majesté, répondit-il d'un ton parfaitement neutre, dans lequel rien n'indiquait qu'il souriait intérieurement de la déconfiture de Celimus, qu'un seul coup d'œil sur Cailech avait suffi à déstabiliser.

Pour le souverain de Morgravia, son voisin des Razors avait des allures de guerrier venu inspecter ses domaines, mais en tout cas pas celle de quelqu'un disposé à mener des pourparlers. Un ennemi et rien d'autre. *Quelle arrogance d'arriver aussi simplement vêtu!* En même temps, Celimus ne pouvait s'empêcher de l'envier pour sa décontraction. Il vit le capitaine Bukanan échanger quelques mots avec les nouveaux arrivants et son regard s'étrécit. Il allait devoir se montrer très prudent avec ce « petit roi » des Razors, pour le moins déconcertant.

—Il est l'heure, Majesté, dit Jessom.

Celimus ne répondit pas, distrait par ses pensées. Il s'écarta de la fenêtre pour passer à longues enjambées devant le chancelier, en direction du grand escalier de Tenterdyn. Il avait eu l'intention de s'y poster de façon que Cailech monte vers lui dans une posture humiliante. Or, rien dans l'attitude du roi des Montagnes ne suggérait qu'il venait misérablement quémander les faveurs d'une audience. Pour tout dire, il donnait l'impression d'avoir une foi absolue en lui-même. C'était l'exact contraire de ce à quoi Celimus s'était attendu, et il en restait tout décontenancé.

Au prix d'un effort sur lui-même, Celimus chassa son air étonné pour se composer une expression intense et brillante. Puis il sortit à la rencontre du roi qui venait le voir.

Jusqu'ici tout va bien, songea Aremys en observant les mouvements devant la façade de la vaste demeure qui, peu de temps auparavant, était encore celle de la famille Donal. Puis il ressentit une soudaine bouffée de crainte en apercevant Celimus, flanqué de son chancelier et de divers officiers, qui sortaient par la grande porte.

— Seigneur, le roi Celimus vient vous accueillir. Puis-je vous accompagner jusqu'à lui ? demanda Bukanan.

Aremys remercia Shar que Celimus respecte aussi scrupuleusement le protocole. C'était un signe encourageant indiquant que le roi de Morgravia traitait son ennemi juré avec courtoisie et sur un pied d'égalité. Même si, à n'en pas douter, il fallait surtout y voir la main de Jessom.

— Merci, capitaine, répondit Cailech.

Il jeta ensuite un ultime coup d'œil à Aremys, qui ne manqua pas de noter la lueur dans son œil. *Quelque chose entre le plaisir et l'espièglerie*, songea Aremys. En toute sincérité, il admirait cet homme, seul et sans arme, qui marchait hardiment au milieu du camp ennemi, avec uniquement des promesses à offrir.

Aremys rattrapa Myrt devant lui pour demeurer dans le sillage du roi. Il s'émerveilla du superbe manteau que Cailech avait choisi pour cette occasion si formelle. De teinte brune avec des reflets d'argent, il était fait de la laine la plus fine, brossée jusqu'à la rendre plus brillante que la surface de l'eau. C'était la laine d'une chèvre angora qu'on ne trouvait qu'au plus haut des montagnes, et Aremys avait noté avec quel soin les Montagnards surveillaient leurs deux grands troupeaux. Imperméables à l'eau, les longs poils de ces chèvres étaient aussi doux au toucher que la soie. Les femmes des Razors avaient fait la fierté de leur roi en lui offrant ce magnifique manteau. Les fils naturellement argentés avaient été rehaussés de mailles noires et pourpres subtilement agencées pour composer un motif unique et incomparable. Aremys s'ébaubissait de voir que le résultat rendait encore plus impressionnante la haute silhouette de Cailech. Sur le plan de la taille et de l'allure, le roi des Montagnes soutenait largement la comparaison avec le souverain de Morgravia ; il était cependant plus âgé et sans doute un peu plus rude.

Myrt tira Aremys de ses pensées d'un coup de coude et les trois hommes s'avancèrent pour être présentés formellement à Celimus.

La danse des rois venait de commencer.

— Seigneur Cailech, bienvenue à Tenterdyn, notre résidence d'été, dit Celimus d'une voix affable.

Il vit le visage de Farrow tressaillir légèrement et s'interrogea sur le sens de cette crispation. Celimus reporta son attention sur son invité, encore plus excédé de découvrir la voix chaude et profonde de Cailech. Il avait soudain l'impression d'être un petit garçon accueillant son père. Son estomac se contracta.

— Roi Celimus, c'est un véritable honneur de vous rencontrer.

Au grand étonnement des Morgravians – comme de tous les témoins de cette rencontre historique –, Cailech salua de la tête et du buste son homologue du sud.

— Merci d'accepter ces pourparlers, poursuivit Cailech.

Pour la première fois de son existence, Celimus demeurait sans voix. Non seulement il n'avait pas envisagé que Cailech ait cette apparence, mais en plus, il n'avait pas pensé qu'il puisse faire preuve d'une aisance gracieuse à la hauteur de son élégance. Le roi des Montagnes lui rendait certes hommage, mais d'une manière si empreinte de noblesse qu'elle en paraissait carrément obséquieuse.

Tout le monde attendait la réponse de Celimus. Elle vint finalement.

— Je suis très intrigué, roi Cailech, dit-il en cherchant ses mots (fort déconfit, par ailleurs, par son timbre plus haut perché, même si ses courtisans vantaient toujours sa voix de velours), à l'idée de découvrir ce que cette rencontre pourra offrir à Morgravia. Venez, nous sommes là pour discuter.

Il n'avait pas fait preuve de l'éloquence dont il était capable, mais les circonstances n'étaient pas ordinaires.

Le capitaine Bukanan, qui avait déjà été informé des conditions de la rencontre, s'approcha de Myrt.

— Si j'ai bien compris, je dois venir avec vous ?

Myrt confirma d'un hochement de tête.

— Nous allons nous rendre dans un endroit choisi par mon roi et attendre un message indiquant qu'il est rentré sain et sauf. D'autres... personnes viennent avec nous, bien sûr.

Il avait failli employer le mot « otages ».

Au demeurant, et cela n'importait guère, Bukanan savait qu'il servait d'otage. Le capitaine hocha la tête pour lui signifier qu'il avait compris, puis prit congé de Celimus. Myrt fit de même avec Cailech. Jessom remit à Myrt les ordres de mission nécessaires, après qu'Aremys eut contrôlé que tout était bien conforme à ce qui avait été accepté.

À l'intérieur, Celimus conduisit la petite délégation jusqu'à un vaste salon, flanqué d'une immense cheminée à chaque extrémité, et au milieu duquel trônait une énorme table. Aremys n'avait pas eu l'occasion de découvrir ces lieux lors de sa précédente visite à Tenterdyn. Des tapisseries ornaient les murs percés de grandes fenêtres au fond d'alcôves. D'élégants volets intérieurs frappés des armes de la famille Donal permettaient, au besoin, de plonger la pièce dans l'obscurité. Par sa simplicité, la pièce offrait la possibilité aux Razors, qui se découpaient dans le lointain, de projeter jusqu'ici leur majestueuse beauté, et d'impressionner les visiteurs.

— J'ai pensé que vous apprécieriez d'avoir une vue sur votre royaume, dit Celimus.

Maintenant qu'il avait eu le temps de se ressaisir quelque peu, son charme naturel se manifestait plus nettement.

Cailech lui sourit en retour.

— N'ayant jamais eu l'occasion de le contempler depuis un tel lieu, je vous remercie de cette délicate attention.

La réponse plut à Celimus. Désignant du bras l'homme mince à ses côtés, il poursuivit les présentations.

— J'ai pris la liberté de ne garder avec moi que mon chancelier, Maris Jessom…

— Seigneur Cailech, glissa Jessom, avec une courbette.

— … qui est en quelque sorte l'homologue de votre Aremys Farrow, poursuivit Celimus. J'ai pensé que ce serait mieux ainsi.

— Je vous sais gré de ces dispositions, Majesté.

— Eh bien, asseyons-nous, enchaîna le roi de Morgravia, et goûtons quelques rafraîchissements du sud.

D'un signe de tête, Jessom alerta un serviteur, et des plateaux furent immédiatement apportés. Celimus invita d'un geste Cailech à prendre place à sa droite, de façon à lui permettre de profiter de la vue. Aremys fut convié à sa gauche.

— Je vais plutôt tenir compagnie au chancelier, dit-il du ton le plus déférent qu'il était capable de prendre, avant de venir se placer de l'autre côté de la table avec Jessom.

— À ton aise, répondit Celimus, pas le moins du monde dérangé.

— Bien joué, Farrow, murmura Jessom. Vous feriez un excellent courtisan.

— Ce n'est pas mon monde, Jessom. Vous le savez bien, répliqua Aremys, ravi de ne plus être sous le feu du regard de Celimus.

En fait, le souverain surveillait un serviteur en train de servir Cailech.

— Cailech, que diriez-vous si nous nous dispensions de nos titres et du protocole ? dit Celimus en levant son verre.

— J'ai bien cru que vous ne le proposeriez jamais, répondit Cailech avec un sourire, en levant son verre à son tour.

— À nous, dit Celimus avec un grand geste pour faire tinter son verre contre celui de Cailech.

Il vit nettement la lueur amusée dans les yeux verts du Montagnard.

— À Morgravia et aux Razors ! répondit Cailech.

Les deux hommes vidèrent leur verre à l'unisson.

— Encore ! cria Celimus à destination des serviteurs.

Ses joues s'étaient empourprées sous l'effet de l'importance historique du moment qu'ils vivaient.

— Votre père ne serait-il pas fier de ces pourparlers ? demanda Cailech tandis qu'on les resservait.

Celimus n'était pas préparé à une question aussi déconcertante.

— Mon père ? répéta-t-il, instantanément en colère contre lui-même d'être pris en défaut.

Cailech hocha la tête. La lueur amusée était toujours là dans son regard. Son visage demeurait indéchiffrable, cependant.

— Euh… sûrement. Bien sûr, poursuivit Celimus.

— Et moi, je crois qu'il aurait été choqué, dit Cailech.

— Pourquoi dites-vous cela ?

— Parce qu'il n'avait pas une vision de la paix de l'ampleur de la vôtre, Celimus.

Aremys félicita silencieusement le roi des Montagnes. Subitement, voilà que ces pourparlers étaient devenus l'idée de Celimus. Par la grâce de cette remarque, c'était le désir de paix et d'harmonie de Morgravia qui réunissait deux nations ennemies à la même table.

Celimus chercha la ruse derrière les mots, mais ne vit rien d'autre que la franchise sur le visage de Cailech. Pris à contre-pied une fois encore, il savourait les louanges que lui tressait son ennemi.

— J'aime à penser que je parviendrai à réunir nos royaumes, Cailech, répondit-il, s'échauffant au fur et à mesure à l'évocation de cette paix qu'apparemment il voulait tant. Ainsi que celui de Briavel.

— D'ailleurs, en quelques jours, vous pourriez bien accomplir cette œuvre magistrale. Vos trouvères écriront des chansons pour célébrer cet exploit, des pièces de théâtre seront jouées et, sans le moindre doute, tous les artistes de votre royaume diront aux générations futures l'importance de ce moment dans l'histoire de Morgravia.

Aremys sentit le regard alarmé que Jessom lançait dans sa direction. Le compliment de Cailech était certes empli de miel, mais sans doute convenait-il de le diluer un peu avant qu'il tourne à la mélasse. Jusque-là, Celimus l'avalait goulûment. Aremys avait cependant la conviction que le roi de Morgravia commanderait lui-même les chants, les odes et les pièces à sa gloire si on venait à les oublier. Wyl lui avait dit à quel point Celimus était vaniteux, mais il l'avait également mis en garde, car il était intelligent. Sous la surface tout en charme se cachait un esprit des plus retors. *Oui,* songea Aremys, *Cailech ferait peut-être bien d'être prudent.*

Les serviteurs avaient été renvoyés, et ils n'étaient plus que tous les quatre dans la salle.

— Expliquez-moi un peu comment vous vous inscrivez dans ce tableau, Cailech ? demanda Celimus en se laissant aller contre le dossier de sa chaise.

— C'est simple, je veux que nous cessions d'être ennemis. Je ne vois aucune raison justifiant la situation présente hormis notre propre entêtement. Je vous tends la main de l'amitié ; tendez-moi la vôtre et je vous offre une alliance pour l'avenir. Mon peuple respectera les frontières, et il n'y aura plus ni menaces ni incursions sur votre territoire.

Celimus hocha la tête.

— Et qu'est-ce que votre peuple y gagnera ?

— La liberté de circuler sans crainte d'être blessé ou harcelé. Nous voulons la possibilité de commercer librement avec Morgravia et Briavel. Je vous suggérerais également d'envoyer une délégation visiter le royaume des Razors, de façon à mieux connaître mon peuple, sa culture et son mode de vie. En échange, peut-être autoriserez-vous la venue d'une délégation des Razors en Morgravia ? Je crois sincèrement que la paix a tout à gagner des échanges de la compréhension mutuelle.

—Intéressant. Je ne vois rien à redire à ce que vous proposez, Cailech. Il faudrait bien sûr mettre en place une assemblée de représentants de nos deux royaumes chargée de superviser le… (Celimus chercha le mot le mieux adapté)… le rapprochement de nos deux nations.

—Bien sûr. Je suis entièrement d'accord. Cela dit, je ne crois pas que nous pourrons un jour former une seule et même entité, roi Celimus, précisa Cailech, s'adressant à son homologue avec une courtoisie formelle retrouvée. Nos mœurs sont trop différentes. En revanche, nous sommes parfaitement semblables à bien des égards. Je veux pour mon peuple les mêmes choses que vous pour le vôtre. Je veux que la jeunesse des Razors soit éduquée et instruite. Je veux la liberté de commercer pour que nos deux royaumes prospèrent ensemble. Je veux que les miens mangent à leur faim et dorment au chaud, avec la certitude que les leurs soient en sûreté, quelques frontières qu'ils franchissent.

Aremys aurait pu applaudir l'éloquence de Cailech. Il doutait que Celimus trouve quoi que ce soit à critiquer dans ce qui lui était présenté. D'ailleurs, il paraissait écouter attentivement, et surtout loyalement. Cailech poursuivit.

—Pour autant, mon peuple n'entend pas devenir morgravian, et je sais que votre intention n'est pas de transformer les vôtres en Montagnards. Reconnaissons que nous sommes différents, mais acceptons nos différences. Nous apprendrons à admirer chez l'autre ce qui fait que nous sommes pour l'un le fier peuple des Montagnes, et pour l'autre le peuple raffiné de Morgravia.

—Bravo, murmura Jessom à Aremys, sous couvert de s'éclaircir la voix.

Avant que Celimus puisse répondre, il y eut un coup frappé à la porte. Celimus tourna un regard courroucé en direction de son chancelier.

—Occupe-toi de ça, Jessom, ordonna-t-il, inutilement d'ailleurs puisque le chancelier s'était déjà précipité.

Les trois hommes demeurèrent silencieux, tandis qu'il écoutait le message qu'on lui délivrait à la hâte. Jessom se retourna ensuite.

—Majesté, pardonnez cette interruption. La reine Valentyna vous fait parvenir une lettre urgente. Apparemment, vous aviez demandé à être averti séance tenante.

Celimus hocha la tête.

—Pardonnez-moi, dit-il à Cailech.

—Ne faites jamais attendre une femme, Celimus, en particulier lorsqu'elle est fiancée et reine de surcroît, répondit le roi des Montagnes avec malice.

Celimus rit.

—Fais entrer le messager, ordonna-t-il.

L'homme pénétra dans le salon, salua, puis s'approcha de Celimus.

—Majesté, ce message a été envoyé en urgence.

Celimus le congédia d'un geste négligent de la main, sans un mot, puis brisa le sceau de cire. Il parcourut la missive tandis que Jessom faisait sortir le messager comme on chasse une volaille. À cet instant, le chancelier se rendit compte qu'il retenait son souffle – comme tout le monde dans la pièce. Aremys comprit lui aussi à quel point la proposition de Cailech avait fait naître une tension. Ils avaient tous été suspendus à ses lèvres, impatient que Celimus donne son accord au rapprochement formel entre les deux royaumes. Pour tout dire, le messager n'aurait pas pu tomber plus mal.

— Rien de grave ? demanda Cailech d'un ton calme et posé, tout en interrogeant Aremys du regard sur ce qu'il convenait de faire.

Aremys indiqua qu'il n'en savait rien en secouant négativement la tête. Au moins, personne n'avait remarqué leur échange.

— Farrow, dit Celimus, surprenant Aremys au point de le faire sursauter.

— Oui, Majesté ?

— Au sujet de la livraison d'Ylena Thirsk...

Subitement, la voix du roi s'était chargée de notes sournoises ; tout dans son attitude trahissait la ruse. Aremys entendit un signal d'alarme résonner dans sa tête.

— Oui ?

— Nous sommes toujours d'accord, n'est-ce pas ?

Aremys espéra ne pas avoir rougi. Son col était un peu serré soudain ; il dut faire un effort pour déglutir comme si de rien n'était.

— Bien sûr, Majesté.

— C'est intéressant, dit Celimus en se levant. Écoutez un peu ça...

Et il leur lut la lettre de Valentyna.

Lorsqu'il eut fini, Aremys était sûr que tout le monde pouvait entendre son cœur battre à tout rompre dans le silence de plomb. Il se força à regarder le roi de Morgravia dans les yeux et débita le plus énorme mensonge qu'il eût jamais inventé, avec un tel aplomb que lui-même faillit croire qu'il disait vrai.

— C'est la vérité, Majesté, confirma-t-il. J'ai fait parvenir un message à la reine de Briavel pour lui demander d'envoyer Ylena.

Les sourcils de Celimus se froncèrent.

— *Tu* as fait ça !

Aremys hocha la tête, bien déterminé à ne pas regarder en direction de Cailech. Il était sûr que son ami devait sourire de le voir en si inconfortable posture, même si dans le fond la situation n'était pas franchement drôle. Cailech ne saurait jamais à quel point Aremys marchait au bord du précipice, aux côtés du plus dangereux des hommes.

— Tu connais donc personnellement la reine Valentyna ?

— Pas personnellement, Majesté.

— À quel degré la connais-tu alors ?

— Je suis désolé, Majesté, je ne peux rien vous révéler. Je suis sûr que vous comprenez.

Jessom vit une colère terrifiante flamber dans les yeux de Celimus. Pourtant, en présence de Cailech, tranquillement en train d'observer, il n'était pas question de laisser la situation dégénérer. En tout cas, le chancelier était stupéfait par cette lettre. Il avait imaginé qu'Ylena avait été amenée à Tenterdyn par quelque réseau mystérieux du mercenaire. Le fait que la reine Valentyna soit impliquée dans cette affaire le laissait en état de choc.

—Majesté, intervint Jessom en prenant son ton le plus suave, Ylena Thirsk est ici.

—Ici ? répéta Celimus.

Un ouragan se préparait dans ses yeux. Jessom ne connaissait que trop bien tous ces signes.

—Oui, Majesté, elle est arrivée quelques minutes à peine avant vos invités. Les circonstances m'ont empêché de vous l'amener.

Le roi braqua un regard si plein de haine sur son chancelier que même Aremys – qui pourtant se souciait comme d'une guigne du sort de ce laquais méprisable – en fut saisi. Dans le même temps, Aremys vit aussi que l'attention du roi avait été détournée. Sa colère visait maintenant Jessom et non plus lui-même. Il profita de l'avantage.

—Comme nous le savons, Majesté, Ylena s'est rendue en Briavel. J'ai des contacts là-bas et, avant l'attaque que j'ai subie à Timpkenny, j'avais demandé qu'on la suive et qu'on ne la quitte pas des yeux.

—Pourquoi faire une chose pareille, Farrow, alors que je voulais que tu la ramènes en Morgravia ? Pourquoi ne pas l'avoir capturée, par le cul poilu de Shar ?

Le juron fit rire Cailech.

—Excellente, Celimus. Il faut que je la note, celle-là.

Le souverain de Morgravia reprit son sang-froid. Le rire lui avait rappelé qu'un autre souverain était en train de l'observer.

Avec la plus parfaite expression d'innocence, Aremys commença à embellir son mensonge, tandis que son esprit cherchait en tous sens un moyen de voir Wyl avant tout le monde, pour faire concorder leurs récits. Que Wyl raconte autre chose, et ils étaient morts.

—Je me suis dit que cette Ylena serait dangereuse où que je la garde en Morgravia, Majesté. Or, comme je ne lui avais pas encore mis la main dessus, j'ai pensé que mieux valait simplement la faire surveiller. Je pouvais m'en emparer plus tard dès lors que je savais où la trouver. Je me suis également dit qu'elle était prisonnière de ses peurs, Majesté. Si elle se sentait en sécurité en Briavel, alors elle n'allait sûrement pas quitter ce royaume – ce qui m'éviterait d'avoir à la chercher encore.

—À quel moment as-tu décidé de mener ta mission pour moi ? demanda Celimus, qui suivait pas à pas le raisonnement du mercenaire.

Bonne question. Il inventait ses excuses au fur et à mesure. Le souvenir de la mise en garde de Wyl au sujet de l'esprit vif de Celimus lui revint en mémoire.

—Immédiatement, Majesté. J'étais dans le nord et Ylena Thirsk était sans doute bien plus au sud. Il était donc inutile que je me hâte et coure le risque d'être découvert. Je savais que mes agents la pisteraient et la garderaient à l'œil jusqu'à ce que je sois prêt à agir. Je n'avais nullement l'intention de me retrouver dans les Razors, Majesté. Ça a été une surprise pour moi. (Il se tourna vers Cailech qui, comme il s'en doutait, affichait un sourire amusé.) Encore une chance que j'aie mes contacts en Briavel.

— Soit. Et que s'est-il passé ensuite ? insista Celimus comme décidé à prolonger l'agonie d'Aremys.

Le mercenaire se demanda si l'idée du roi n'était pas de l'obliger à s'humilier avant de l'envoyer au bourreau.

— Mes agents occupent des postes stratégiques en Briavel, Majesté. Il m'a suffi de leur faire passer un message depuis les Razors.

Celimus se tourna vers son hôte.

— Bien sûr, vous étiez informé de l'envoi de ce message, Cailech ? Si Aremys est bien votre prisonnier, comme il le prétend, vous surveillez certainement tout ce qu'il peut transmettre à destination d'un royaume ennemi ?

Celimus avait formulé ça comme une question, mais tous percevaient le défi contenu dans ses paroles.

Cailech ne marqua pas la moindre hésitation. Aremys lui ayant exposé son intention d'utiliser Ylena Thirsk comme appât, il s'en remit entièrement à lui. En fait, il n'avait pratiquement aucune idée de la nature du bras de fer qui venait de s'engager.

— Oui, je l'ai autorisé à envoyer un message à un dignitaire de la cour de Briavel. N'oubliez pas, Celimus, que nous étions ennemis il y a peu encore. Je ne voyais donc pas d'objection à agir contre vos intérêts. Autoriser Aremys à transmettre un message en Briavel ne me posait pas de problème. Cela étant, si j'avais su qu'il travaillait pour votre compte, je ne me serais peut-être pas montré si généreux.

Satisfait, Celimus reporta son regard glacé sur le mercenaire qui en cet instant aurait volontiers embrassé le roi des Montagnes. *Peut-être serai-je encore vivant pour le faire*, songea-t-il avec soulagement.

— Au fond peu importe, Celimus. Est-ce que tout cela n'a pas permis d'aboutir au résultat que vous espériez ?

La question de Cailech prit tout le monde de court.

— Pardon ? murmura le roi de Morgravia, incapable de formuler une question plus élaborée.

Le roi des Razors agita une main négligente.

— Il semblerait qu'on perde du temps sur des détails sans importance. Vous vouliez cette femme ? Vous l'avez. Aremys vous l'a fait livrer, comme il l'avait promis. Alors à quoi bon discuter ?

Cailech avait raison. C'était le sens du message contenu dans le regard de Jessom en direction de son roi. Pourquoi Celimus tenait-il tant à avoir cette conversation en public ? Au fond, il se ridiculisait. À moins de se fourvoyer complètement, Jessom avait bien l'impression que Farrow disait la vérité.

Non, rien ne justifiait les sautes d'humeur de Celimus, ni sa pensée capricieuse. D'ailleurs, après la question de Cailech, tout le corps de Celimus parut se détendre. Aremys se fit la réflexion que les deux monarques n'avaient rien à s'envier mutuellement sur le plan de l'inconstance.

— En effet, mon ami, à quoi bon discuter ? dit Celimus. Vous avez raison, ajouta-t-il avec une petite inclinaison de la tête à l'intention de son invité. (Il se tourna ensuite vers le mercenaire.) Merci, Aremys, de m'avoir fait remettre Ylena. En toute honnêteté, je n'aurais pas cru que tu me donnes l'appât que tu m'agitais sous le nez *avant* que ton nouvel employeur et toi-même ayez regagné le territoire des Razors. Après tout, Ylena représentait en quelque sorte votre assurance sur la vie.

Personne ne se méprit sur le sens de ses dernières paroles.

Aremys choisit cet instant pour saluer d'une révérence, et dissimuler le soulagement visible sur son visage qu'avait fait naître l'intervention de Cailech. Lorsqu'il se redressa, il avait mis un semblant d'ordre dans ses idées.

— Majesté, comme je l'ai déjà expliqué, je suis un mercenaire dont les services sont toujours à louer. Vous avez toujours fait preuve de générosité à mon égard et j'aurais été bien téméraire de ne pas faire confiance à un aussi puissant monarque, dit-il en ponctuant ces paroles d'un signe de tête respectueux. J'aimerais pouvoir travailler pour vous aussi souvent que possible, Majesté. Ylena Thirsk ne représente rien pour moi. En fait, le message que j'ai fait parvenir à l'entourage de la reine disait simplement que la personne à qui elle offrait asile était votre ennemie jurée et que la reine serait bien avisée de ne pas encourir votre colère en l'accueillant chez elle.

— Et par Shar, ça a marché ! s'exclama Celimus. Tu es un vrai renard, Aremys Farrow.

Et toi un serpent ! songea Aremys.

— Je ne suis qu'un mercenaire, Majesté. Je saisis les occasions lorsqu'elles se présentent. Voulez-vous que je la tue pour vous, Majesté ?

— Je crois que je pourrai m'en charger lorsque le besoin s'en fera sentir, répondit Celimus avec un sourire cruel sur les lèvres. (Cailech fronça les sourcils, mais se garda bien d'intervenir.) Alors, où est-elle ? poursuivit le roi en se tournant vers son chancelier.

— Dans une dépendance à l'extérieur, Majesté. Je l'ai avertie que vous la verriez à votre heure.

— Dans quel état est-elle ?

— Étonnamment vif, répondit Jessom.

— Tiens, la petite Thirsk aurait repris du poil de la bête ? Je crois que ça va me plaire. Et à vous aussi, Cailech. Connaissez-vous la famille Thirsk ?

— De réputation uniquement. Il s'agit de la fille du général Fergys Thirsk, je suppose.

— Hmm, oui, la sœur de Wyl Thirsk, enfin rendue à mon affection, dit Celimus en riant. Amène-la-moi aux festivités de cet après-midi, Jessom. J'aimerais que Cailech voie comment on s'occupe des traîtres en Morgravia.

Aremys eut l'impression que son sang s'était figé dans ses veines ; il fallait à tout prix qu'il prévienne Wyl. L'idée que son ami allait mourir une nouvelle fois dans les heures à venir le perturbait au point qu'il ne parvenait presque plus à respirer. Il desserra le col de sa chemise.

— Pourrais-je la voir ? se surprit-il à dire, sans même avoir réfléchi avant de parler.

— Pourquoi cela ? demanda Celimus, avec un coup d'œil en coin.

Aremys réfléchissait à toute vitesse.

— Elle savait que je la suivais, Majesté. Je voudrais juste lui rappeler que j'attrape toujours mes proies.

— Tu as un fond vindicatif, Farrow, s'exclama Celimus en frappant dans ses mains. Jessom t'accompagnera.

» Prépare-la pour nous, ajouta-t-il à l'intention de son chancelier.

Le souverain de Morgravia se tourna ensuite vers le roi des Razors.

— Allons prendre l'air. Que diriez-vous d'une sortie à cheval – juste nous deux ? J'ai vu votre cheval et il est magnifique. J'aimerais l'essayer.

Cailech sourit.

— Avec plaisir. Dois-je conclure que l'entretien est fini ? Avons-nous un accord ? demanda-t-il, avec un soupçon de méfiance.

— Mon ami, répondit Celimus, utilisant pour la deuxième fois ce vocable pour s'adresser à son ancien ennemi, je suis sur le point d'épouser la plus belle femme de notre temps. Aremys que voici m'a livré la dernière des Thirsk, que je vais me faire un plaisir de voir mourir bientôt. Je crois donc que je n'ai nulle envie de voir planer l'ombre de la guerre sur nos royaumes. Puisque c'est bien ce qui arrivera si nous ne concluons pas une alliance ?

Cailech scrutait attentivement Celimus, notant tous les artifices qu'il déployait en s'exprimant, et l'évidence s'imposa à lui. Le roi de Morgravia n'avait nullement l'intention d'honorer sa parole. Tout ce qu'il voulait, c'était s'emparer de Briavel et du royaume des Montagnes. Un mariage lui offrirait le premier et un semblant d'amitié lui donnerait le second. Les yeux des deux monarques se croisèrent, et chacun lut en l'autre comme dans un livre ouvert.

— Oui, ce serait la guerre, répondit finalement Cailech, en mesurant à quel point ces pourparlers n'avaient été qu'une comédie.

Soudain, l'idée qu'il avait pu croire s'entendre avec cet homme – ou simplement faire appel à son bon sens – le fit sourire. L'enthousiasme d'Aremys l'avait gagné, mais tous deux avaient oublié un point essentiel : Celimus n'avait que faire de l'amitié ou de l'harmonie. Tout ce qui lui importait, c'était d'imposer son autorité sur ses voisins. Il voulait dominer le continent, voilà quel était son rêve. Ni Aremys ni Cailech n'avaient pris en compte la rapacité et la folie des grandeurs de Celimus. Ils s'étaient précipités dans cette aventure tête baissée, bêtement convaincus que le roi de Morgravia voulait lui aussi la paix et la fraternité entre leurs peuples. *Quel innocent j'ai été*, songea Cailech. *Et je suis piégé maintenant. Va-t-il seulement me laisser repartir ?* Après tout, peut-être n'en avait-il rien à faire de la vie des otages, surtout maintenant qu'Ylena avait été livrée – un peu prématurément. *Pourquoi ? Qu'avais-je à y gagner ? Pourquoi ai-je fait confiance à ce fou de Morgravia ?*

—Alors, mieux vaut l'éviter, répondit Celimus.

Cailech dut faire un effort pour se souvenir de quoi il était question. *Ah oui, la guerre.* L'heure était venue pour lui d'abattre son dernier atout, le dernier rempart entre lui et la mort. Celimus le tuerait à coup sûr, ou le ferait tuer par ses hommes pour ne pas se salir les mains avec du sang des Razors.

—Roi Celimus, dit Cailech en se levant à son tour pour regarder son ennemi au fond des yeux. Mon émissaire, Aremys, pèche sans doute par excès de confiance, mais ce n'est pas mon cas. Jusque-là, je ne pouvais pas savoir avec certitude si nous allions nous entendre. Mieux valait que je prenne certaines précautions, au cas où votre volonté ne rejoindrait pas la mienne.

Aremys eut l'impression que la température venait de chuter brutalement. Les feux qui brûlaient gentiment dans les âtres à chaque extrémité de la pièce ne parvenaient pas à réchauffer l'atmosphère devenue glacée. Malgré lui, il admira le sang-froid de Celimus qui avait à peine bronché sous la menace. La tension devenait palpable entre les deux souverains. Qu'est-ce que Cailech avait bien pu garder dans sa manche ?

Celimus posa la question qui brûlait les lèvres d'Aremys et de Jessom.

—Ah, une autre assurance, si j'entends bien. Expliquez-moi un peu, seigneur Cailech, que je comprenne pourquoi vous n'avez pas peur alors que vous n'avez aucune confiance en moi et que vous êtes à ma merci, sur mon territoire, dans ma maison, sous la garde de mes hommes ?

—Ne le prenez pas personnellement, Celimus. Ce ne sont rien d'autre que des précautions élémentaires pour un roi.

Celimus hocha la tête d'un air patelin pour dire qu'il saisissait parfaitement.

—Deux mille de mes guerriers sont actuellement massés tout autour dans les collines.

—Deux mille !

De toute évidence, le chiffre estomaquait Celimus.

Cailech eut un sourire aimable.

—Et deux mille renforts se tiennent prêts un peu plus haut.

Aremys ferma les yeux. Il avait vraiment sous-estimé Cailech. Et Celimus avait commis la même erreur.

—Et quelles sont leurs instructions ?

—De raser Tenterdyn si mon second, Myrt, ne leur donne pas un signal avant le crépuscule.

—Le crépuscule ? Vous n'avez pas prévu une grande marge pour les festivités.

—Je n'étais pas sûr de rester à dîner.

—Bravo, Cailech ! Vous êtes décidément un homme selon mon cœur. Vous serez à l'heure pour retrouver vos hommes.

— Vivant ?

— Vivant, répondit Celimus avec un grand rire.

Aremys eut la sensation qu'un nœud dans son ventre venait de se défaire.

— J'espère au moins que Farrow et vous me ferez l'honneur de manger avec moi, poursuivit le roi.

Cailech hocha la tête. Ses yeux verts luisaient de triomphe.

— Et notre accord ?

— Il entre en vigueur aujourd'hui, mentit Celimus. Je vais donner instruction à mes hommes de ne plus prendre les gens des Razors pour cible. Je vais également convoquer une délégation, que Jessom conduira, et je vous suggère de faire de même de votre côté. Ensemble, elles organiseront les modalités de fonctionnement de cette union. Serrons-nous la main, devant témoins, pour sceller formellement l'union de nos deux royaumes.

Le roi de Morgravia offrit sa main et le roi des Razors la saisit.

— À la paix, dit-il, convaincu désormais que jamais celle-ci ne régnerait aussi longtemps que Celimus serait sur le trône.

— À la paix, répondit Celimus, en riant intérieurement.

Chapitre 19

Wyl avait entendu le bruit des pas, mais il s'était attendu à voir des soldats arriver – pas les deux hommes qui pénétraient présentement dans l'appentis.

— Regardez, Ylena, dit Jessom avec une note de triomphe dans la voix. Je vous ai amené un visiteur.

Aremys se mit à parler avant que Wyl puisse répondre ; c'était son unique chance de pouvoir glisser un avertissement.

— J'ai pensé qu'il serait poli de ma part de venir me présenter, dame Ylena. C'est moi qui vous ai débusquée pour le compte du roi Celimus. C'est moi également qui ai incité votre protectrice à vous remettre à Morgravia.

Il vit la surprise s'estomper doucement sur le visage d'Ylena. Jessom n'avait rien vu, il en avait la conviction. Ylena avait bien marqué une hésitation avant de répondre, mais tellement infime que lui seul avait pu la saisir.

— Félicitations… messire. Approchez un peu que je puisse cracher sur vous et l'infâme travail que vous avez accompli.

Bien joué, Wyl, songea Aremys. *Merci de sauver ma vie. Et maintenant, comment vais-je sauver la tienne ?*

— Vous êtes bien toutes les mêmes, femmes et filles de légionnaires, mais ne croyez pas que vos hommes sont différents. J'ai entendu ce qui s'est passé à Rittylworth…

Aremys fut interrompu par l'arrivée d'un légionnaire.

— Chancelier Jessom, le roi souhaite vous parler avant sa promenade à cheval.

— Accordez-moi une minute, Farrow. Je reviens tout de suite, dit Jessom. Essayez de ne pas trop énerver ce petit chat sauvage. Ses griffes sont acérées.

Sur un ultime petit sourire, il sortit.

— Que fais-tu ici ? demanda Wyl dans un murmure.

— Écoute-moi, Wyl ! ordonna Aremys, dans un murmure tout aussi angoissé. Ils vont te tuer.

— Parce que tu crois que ça me fait peur ?

Le colosse fronça les sourcils. Il n'avait pas songé que ce n'était pas vraiment une catastrophe.

— Je… je suppose que non.

— C'est pour ça que je suis ici. Je veux qu'*il* me tue.

Aremys secoua la tête.

— C'est trop pour moi, grogna-t-il. (D'un coup d'œil par-dessus son épaule, il observa Jessom en train de parler dans la cour avec Celimus.) Écoute, je t'ai utilisé comme monnaie d'échange dans une négociation. J'ai dit à Celimus que je pouvais te livrer à lui – c'était mon assurance pour que Cailech et moi sortions vivants d'ici.

— C'est ce que j'avais cru comprendre, répondit Wyl avec une pointe de sarcasme.

— Je ne pouvais pas savoir que tu allais te livrer de toi-même. J'avais dit ça uniquement pour gagner du temps.

— Eh bien me voilà. Moi, ce que j'aimerais savoir, c'est comment diable Cailech et toi pouvez bien être ici, ensemble ?

— C'est à cause du Thicket… lorsqu'il nous a séparés.

Le visage d'Ylena s'éclaira.

— Oui, j'avais compris ça. Tu as un plan ?

— Rien, répondit Aremys, en fixant le joli minois d'Ylena de ses yeux emplis de désespoir.

— Je pense à quelque chose. Quand partez-vous ?

— Ce soir, répondit Aremys.

À cet instant, il entendit les pas de Jessom qui revenait. D'un geste, il prévint Wyl qui fit venir un air furibond sur le visage d'Ylena.

— Fous le camp ! hurla-t-il.

Jessom entra pile pour entendre son cri.

— Par Shar, Farrow ! Je vous avais prévenu.

— Ne vous inquiétez pas pour moi, répondit-il. Au fait, qu'allez-vous faire d'elle ?

Le chancelier prit quelques instants pour réfléchir.

— Eh bien, le roi veut la voir morte, comme vous le savez.

C'était une entrée en matière un peu dramatique, faite pour effrayer Ylena.

— Parfait, je n'attends que ça ! s'exclama Wyl.

Jessom fut incapable de dissimuler la surprise que lui provoquait l'attitude d'Ylena.

— J'étais sur le point de dire que j'espérais bien le détourner de cette idée, mais il semblerait que la jeune dame soit déterminée à mourir, répondit Jessom en secouant la tête, l'air dubitatif. J'imagine que le roi voudra faire un exemple.

— C'est risqué, non ? demanda Aremys.

Le chancelier poussa un soupir.

— Il va vouloir impressionner son homologue royal.

— Non, ça ne lui ressemblerait pas de faire ça, intervint Aremys, au désespoir d'éviter la mort de Wyl – que Wyl lui-même appelait pourtant de ses vœux.

— Nous verrons bien. Et maintenant, allons-y –, je suppose que vous avez obtenu satisfaction. Adieu, Ylena. Préparez-vous à rencontrer votre roi.

— Ce n'est pas mon roi, Jessom ! cria Wyl dans le dos des deux hommes.

Le souvenir d'avoir mis un genou en terre devant Magnus remonta à sa mémoire. Il avait aussi fait le serment de protéger Celimus au péril de sa vie.

— Et c'est avec plaisir que je vais la donner, murmura-t-il pour lui-même.

Il espéra que Shar l'exauce et fasse en sorte que l'âme de Magnus en soit avertie.

Cailech laissa Celimus monter son magnifique étalon blanc, élevé dans les Razors. Le silence du roi morgravian disait tout le plaisir qu'il éprouvait à chevaucher sur la lande derrière Tenterdyn, en direction des montagnes.

— Il est extraordinaire, dit finalement Celimus, tandis qu'ils faisaient halte aux abords d'un bosquet.

— Il est à vous.

— Je ne peux pas...

— Permettez-moi de vous l'offrir pour sceller notre accord historique. J'ai élevé ce poulain depuis sa naissance. Il a un frère, identique. Sa mère est la meilleure de mes juments et son père est un mâle issu des meilleures lignées. Il vous conviendra autant qu'il me convient. Ainsi, nous aurons chacun un étalon blanc de la même famille. Une belle image, n'est-ce pas ?

Celimus accorda au roi des Razors l'un de ses sourires éblouissants. Ce cadeau lui plaisait plus que tout ce que Cailech avait offert jusque-là, et il signifiait plus pour lui que l'accord qu'ils venaient de conclure.

— Merci. Je penserai à vous chaque fois que je le monterai.

— Il s'appelle Feu Follet. Il est pareil aux étoiles filantes qu'on aperçoit dans le ciel des Razors.

— Que pourrais-je vous offrir en retour ?

— Oh, je vais bien penser à quelque chose, répondit Cailech avec un petit haussement d'épaules.

Les deux hommes rirent.

— Sérieusement, dites-moi. Tout ce que vous voudrez...

— Faites attention. Le choix est immense et je pourrais me décider pour votre promise.

Celimus eut un sourire carnassier.

— D'accord... Alors tout ce que vous voudrez parmi tout ce qui est ici, à Felrawthy.

— Nos pères seraient fiers de l'entente que nous venons de passer, Celimus, dit Cailech d'une voix subitement pensive.

— Pas le mien. Je ne l'ai jamais rendu fier en quoi que ce soit.

— Ce que vous avez accompli aujourd'hui entre nos deux royaumes – et ce que vous vous apprêtez à réaliser entre Morgravia et Briavel – devrait le faire s'asseoir dans sa tombe pour applaudir.

L'image plut beaucoup à Celimus. Il rit, goûtant au plaisir de la compagnie de Cailech, en dépit du fait qu'il s'apprêtait à le trahir froidement. Il aimait bien Cailech, car il sentait qu'ils étaient de la même eau. Bien sûr, ils ne se ressemblaient pas physiquement, mais ils avaient la même… *comment dit-on déjà ?* Celimus retrouva le mot désignant cette chose impalpable qu'il avait reconnue chez Cailech. « Étoffe » – voilà, ils étaient de la même étoffe. Ils étaient tous les deux rois, et tous les deux pareillement ambitieux. Celimus était convaincu que le roi des Razors était tout aussi brutal et impitoyable qu'il l'était lui-même. Cette proximité lui plaisait ; elle lui inspirait une confiance plus profonde que le degré de communion de leurs caractères respectifs. Moins spectaculaire et extravertie que la sienne, la personnalité de Cailech ne lui paraissait cependant pas moins immense et dominatrice. Magnus, son père, avait toujours considéré ces traits comme des défauts. Or, c'étaient ceux-là mêmes, précisément, que Celimus retrouvait chez un autre homme que son père avait jugé puissant, talentueux et intrépide. Celimus agita la tête.

— Mon père me haïssait, Cailech. En vérité, nous nous détestions mutuellement. Il a tué ma mère – j'en ai l'absolue conviction – et s'il avait pu exprimer un souhait à réaliser, nul doute qu'il aurait choisi de me voir mort, moi aussi.

Cailech fut sur le point de dire que ces remarques étaient peut-être exagérées – paranoïaques –, mais il se ravisa prudemment. Le jeune roi était en train de se livrer ; inutile de s'opposer à lui frontalement. *Ce n'est certainement pas quelque chose qu'il avait prévu pour cet entretien.*

— Vous imprimerez votre propre marque dans l'histoire du royaume, mon ami. Tournez la page, car il n'est plus que poussière maintenant. Bien sûr, on ne l'a pas oublié, vous sentirez toujours son ombre au-dessus de vous, mais vous vous rappellerez toujours qu'il n'est plus que ça : une ombre et rien d'autre. Il ne peut plus vous faire de mal ou vous imposer quoi que ce soit. C'est vous qui dirigez Morgravia et insufflez votre vision à l'histoire. Votre peuple a beaucoup de chance.

À ces mots, la poitrine de Celimus se dilata de contentement. Puis l'écho des derniers mots de Cailech affadit sa satisfaction.

— En fait, non. Mon peuple ne m'aime pas. Il me craint.

Cailech se pencha sur sa selle pour caresser la crinière du cheval qu'il avait emprunté.

— Est-ce vraiment une mauvaise chose ?

— Votre peuple est en admiration devant vous. Le mien est terrorisé.

— Vous avez le pouvoir de changer ça, Celimus. D'ici quelques semaines, votre peuple mais aussi celui de Briavel et celui des Razors verront ce que vous avez réalisé – la paix dans toute la région. Une ère extraordinaire s'ouvre devant nous et ce sera grâce à vous. Je suis fier que vous m'ayez permis de participer à tout ça.

Celimus scruta le visage de Cailech pour y déceler la ruse, suspicieux soudain à l'idée qu'on soit uniquement en train de lui passer de la pommade. Pourtant, le regard vert et limpide du Montagnard était celui d'un homme uniquement déterminé à œuvrer pour la paix. Ses yeux exprimaient une sincérité si absolue qu'à cet instant, Celimus prit une décision qui allait totalement à l'encontre de ce qu'il était vraiment. Poussé par les encouragements de Cailech, il se mit au défi de relever le gant et de respecter l'alliance qu'il venait de conclure. Non, il n'allait pas trahir comme il l'avait initialement prévu ; il allait tenir ses promesses et épargner des vies. Il allait tout faire pour que l'union se concrétise – quitte pour cela à compromettre ses rêves d'empire. Pour l'une des rares occasions de sa vie, Celimus eut un sourire franc et sincère.

— Qu'il en soit donc ainsi, dit-il d'une voix où perçait l'émotion qu'il ressentait au fond de lui.

Cailech perçut tout ça et comprit qu'il venait tout à la fois de sauver la vie de centaines de malheureux et de gagner la paix pour son royaume. Il se sentit transporté à l'idée de ce qui venait d'être accompli par une simple conversation au détour d'une promenade à cheval.

— Rappelez-moi de vous offrir plus souvent des chevaux, dit-il en haussant un sourcil.

Celimus bascula la tête en arrière pour rire à gorge déployée, plein d'une joie enfantine.

— Galopons sur la lande que je vous montre de quoi ce magnifique étalon est capable.

Feu Follet partit comme une flèche et Cailech suivit. Au fond de lui, il ressentait une certaine forme de regret. Les mots du roi de Morgravia venaient d'éveiller le souvenir de Galapek, et du chagrin qu'il éprouvait d'avoir imposé un sort si immonde au pauvre animal.

Cette fois-ci, Gueryn fut autorisé à sortir sans entrave. Même ses mains bougeaient librement de chaque côté de son corps, et la chaleur du soleil printanier inondait son dos.

— Comment va, Jos ?

— Ça va, marmonna le garde.

— Tu es seul aujourd'hui ?

Le grand gars hocha la tête.

— On vous fait confiance, dit-il avec son sourire de guingois.

— Je ne m'échapperai pas, l'assura Gueryn. Si tu as des occupations plus importantes, n'hésite pas.

La réponse qui lui parvint n'était pas très distincte, mais Gueryn saisit néanmoins qu'il était actuellement l'occupation la plus importante de Jos.

— Je ne peux trahir le roi en vous perdant.

— D'accord, je comprends. Mais tu as ma parole.

Par cette conversation, il cherchait essentiellement à créer un climat de confiance et d'amitié. Il ne savait pas si l'occasion se présenterait à lui de fuir, mais ses chances ne pouvait qu'être accrues s'il parvenait à convaincre ses geôliers qu'il ne tenterait rien de ce genre. Bien sûr, descendre des Razors n'était pas une perspective des plus simples, d'autant que le souvenir encore cuisant d'une flèche dans sa chair ne faisait rien pour l'encourager. Pourtant, le printemps était là et Cailech et Myrt étaient au loin. Jamais des conditions aussi favorables ne seraient de nouveau réunies.

— Bien le bonjour, clama Maegryn en s'écartant d'un cheval dont il venait d'inspecter les sabots.

— Magnifique matinée, répondit Gueryn.

— Encore des courbatures d'hier ?

— Oui, mais c'est une bonne fatigue.

— J'ai quelque chose pour toi. Une petite sortie à cheval avec Jos et un autre garde.

— Oh ? Qu'est-ce qui me vaut ce plaisir ?

— Trois de nos étalons ont besoin de se dérouiller les pattes.

Gueryn voyait le reflet de son bonheur dans le sourire du maître d'écurie.

— Une sortie à cheval, dit-il comme s'il prononçait ces mots pour la première fois.

— Je serais bien venu moi-même, mais l'une des juments du roi est sur le point de mettre bas. Les choses ne se présentent pas au mieux, et il est préférable que je reste aux alentours.

— Je peux être utile à quelque chose ? proposa Gueryn, spontanément.

Il avait passé sa vie auprès des chevaux et mis au monde suffisamment de poulains pour dominer la question.

— Merci, mais je pense que le poulain sera là avant votre retour. D'ailleurs, mieux vaut qu'on ne soit pas trop nombreux autour de la mère. (D'un signe de tête, Gueryn indiqua qu'il comprenait parfaitement.) Jos, tu monteras Chargeur, il est là-bas en train de prendre le soleil dans l'enclos. Il a du caractère, mais n'hésite pas à lui lâcher la bride. Il a besoin de se défouler. Rollo t'accompagnera sur Dray, l'autre étalon.

— Et moi, Maegryn ? demanda Gueryn.

— Eh bien, Morgravian, je me suis dit que j'allais t'autoriser à monter quelque chose de très spécial. Il va falloir que tu nous prouves tes qualités de cavalier aujourd'hui.

Gueryn sourit.

— Pas de souci, Maegryn. Je monterais un âne pour le plaisir de sentir une selle sous mes fesses.

— Ce n'est pas un âne dont il s'agit, Le Gant. C'est le plus bel étalon du roi, une bête magnifique mais un peu rétive. C'est lui que tu entends là, en train de faire tout ce barouf.

Gueryn fronça les sourcils.

— Effectivement, il a l'air agité. Comment s'appelle-t-il ?

— Galapek.

Le plaisir d'apprendre qu'il allait monter avait temporairement atténué les capacités de réflexion de Gueryn. Il n'avait même pas envisagé que l'un des étalons à monter pourrait précisément être celui qu'il s'efforçait de voir.

— Galapek, répéta-t-il en s'accordant un moment pour se ressaisir et dissimuler toute expression sur son visage qui aurait pu le trahir. Quel triste nom pour un si beau cheval.

— On m'a dit que ça venait de la vieille langue du nord. Comment se fait-il que tu comprennes le norois ? demanda Maegryn, intrigué.

— Mes ancêtres du côté maternel viennent d'un lieu encore bien plus au nord qu'ici. On parle norois dans ma famille et je l'ai appris au berceau.

— Et qu'est-ce que ce nom signifie ? On se posait tous la question, intervint Jos, en mangeant la moitié des mots dans son excitation.

Un peu perdu, Gueryn se tourna vers Maegryn. Il n'avait pas saisi la question.

— Je crois qu'il dit qu'aucun d'entre nous ne sait ce que veut dire le nom « Galapek ».

— C'est le mot qu'on emploie pour désigner un traître, expliqua Gueryn un peu surpris.

Ainsi, les Montagnards ne savaient strictement rien au sujet de ce cheval, pas même l'ironie du nom choisi par le roi.

— Traître ? répéta Maegryn. Qu'est-ce que c'est que ce nom pour un cheval ?

Gueryn haussa les épaules.

— Votre roi a peut-être un sens de l'humour un peu particulier.

— C'est un nom stupide, oui ! Galapek est un cheval fantastique, comme jamais aucun Morgravian n'en a vu. Moi-même, je n'avais jamais vu une bête aussi magnifique.

— Il vient de Grenadyne ?

Les yeux du maître d'écurie s'enfoncèrent encore plus profondément dans son crâne.

— C'est un cadeau offert au roi. Je n'ai pas la moindre idée d'où il peut venir.

Gueryn perçut de la réticence. Il avait trop bien manœuvré jusque-là pour risquer de perdre le sentiment d'amitié naissant avec Maegryn, si fragile fût-il.

— Voyons voir ce superbe animal, dit-il. Tu m'as mis l'eau à la bouche.

— Le voilà, s'exclama Maegryn, sur un ton redevenu chaleureux. Admets-le, Le Gant, jamais tu n'en as vu un comme ça ?

Gueryn eut le souffle coupé. Galapek s'avançait vers eux d'une démarche fière et majestueuse, le poitrail avantageux. Il secoua la tête, faisant voleter sa crinière autour de lui en un mouvement d'une extraordinaire fluidité. Le soleil matinal allumait des reflets flamboyants sur sa robe noire. Aucun doute, il était éblouissant, mais Gueryn vit aussi l'horrible lueur dans ses grands yeux. Ils exprimaient une peur indicible, et des frémissements nerveux parcouraient tout son corps.

— Et voilà l'autre garde, poursuivit Maegryn. Rollo est l'un des hommes de confiance de Cailech, Le Gant. Alors pas d'entourloupe, hein ? C'est un archer redoutable. Il n'hésiterait pas une seconde à te planter une autre flèche dans l'épaule.

Rollo ne sourit pas. Il n'était pas du genre à plaisanter.

Avec une incroyable acuité, Gueryn ressentit une fois de plus la sensation de la flèche déchirant sa peau, ses nerfs et ses muscles pour se ficher dans l'os ; il n'avait aucune envie de l'éprouver de nouveau pour de vrai. Pourtant, il savait qu'il risquerait le coup si l'occasion se présentait.

— Ne crains rien, mentit-il avec une tranquille assurance.

Maegryn donna ses dernières instructions concernant les chevaux. Gueryn se laissa lier les mains entre elles par une entrave assez lâche.

— Juste une précaution, dit Rollo, mais tu peux quand même diriger le cheval.

Gueryn fit une grimace indiquant qu'il n'y accordait aucune importance. Ensuite, il prit appui sur les mains que Maegryn lui tendait pour une courte échelle, et bondit en selle. Les deux gardes se mirent en selle à leur tour puis, sur un signe de Rollo, le trio s'éloigna doucement.

— Faites-les boire au lac, leur cria Maegryn. Ils n'ont rien bu depuis ce matin.

Gueryn souriait. Cela faisait si longtemps qu'on le retenait captif qu'il en avait oublié à quel point il aimait la vie. Et en cet instant, la vie était fabuleuse.

Chapitre 20

Cette nuit-là, ils couvrirent une distance relativement courte à l'aide de la magie. Filou avait voulu faire un essai, essentiellement pour mesurer le degré de douleur que cela infligeait à Fynch. Le garçon avait assuré le transfert, puis dormi d'un sommeil agité, au cours duquel il avait crié à plusieurs reprises, de douleur, certainement. Au réveil, pâle et silencieux, il mâcha consciencieusement ses feuilles de sharvan.

Filou aurait bien voulu demander au garçon ce qu'il avait voulu dire la veille en donnant une réponse si incroyable au faucon, mais il n'osait pas. Lorsque Fynch avait émergé de l'étrange inconscience dans laquelle il avait sombré après le départ de l'oiseau, il était d'humeur solitaire et plus que réservée, et Filou avait senti que le moment était mal choisi pour lui parler. Mieux valait bouger, si bien qu'il avait proposé d'avancer un peu, puis de dormir ensuite jusqu'au milieu de la nuit. L'heure venue, Filou avait été sidéré de voir à quelle vitesse Fynch avait invoqué un « pont » avec le Thicket. Le bois magique avait répondu et Filou avait alors eu l'impression qu'un nuage lancé à toute volée l'avait frappé au côté. L'instant suivant, ils atterrissaient, le souffle coupé, sur un petit promontoire parfaitement sûr, plus loin dans les Razors, et plus près de leur proie.

— Tout va bien, Filou ? avait demandé Fynch dans un murmure.

— *Oui*, avait-il répondu.

Leur conversation s'était arrêtée là. La seconde suivante, Fynch dormait. Filou s'était réinstallé tout contre son compagnon pour lui transmettre sa chaleur.

Et maintenant, l'heure était venue de partir.

— *Attend-on quelque chose ?* se risqua à demander Filou.

— Le faucon. Je le sens.

— *Comment est la douleur ?*

— Elle n'est pas intolérable, répondit Fynch. Merci, ajouta-t-il. (Filou savait que le garçon était sincère.) Le faucon parle.

Fynch ouvrit son esprit pour partager leur échange avec Filou.

— *Où es-tu ?* demanda-t-il à l'oiseau à des lieues de distance.

— *Non loin de Sharptyn. Je l'ai trouvée.*

— *Parfait*, répondit Fynch d'un ton tout à fait naturel, comme si cette conversation avec un oiseau était une chose naturelle. *Que vois-tu ?*

— *On dirait qu'elle est prisonnière. Ses mains et ses pieds sont entravés. Il y en a d'autres, toutes des femmes. Des hommes les gardent. Il y a une enfant également – une petite fille qui paraît être la fille de l'un des hommes. La fillette parle à ton amie.*

— *Elspyth est-elle blessée ?*

— *Joli nom.* (Il y eut une pause.) *Pas blessée, mais elle a l'air d'être effrayée.*

— *Que font-ils ?*

Fynch se massa les tempes et Filou comprit que la douleur était revenue.

— *Je ne sais pas au juste. Je dirais qu'ils étirent leurs membres parce qu'ils viennent de sortir d'un abri.*

— *Fynch ! Il faut que tu arrêtes*, l'exhorta Filou.

Fynch hocha la tête.

— *Faucon, je te remercie. Puis-je t'ennuyer encore et te demander de rester sur place encore un peu ?*

— *Tu ne m'ennuies pas.*

— *Merci. Je te reparlerai bientôt.*

Fynch mit fin à leur conversation.

— *Tu ne peux pas continuer à faire ça*, dit Filou sur un ton de mise en garde.

— Nous devons la sauver, répondit Fynch d'un ton entêté.

— *Comment ?*

— Va voir Valentyna et arrange-toi pour obtenir son aide. (Le chien resta muré dans un silence obstiné pour montrer sa désapprobation.) S'il te plaît, Filou.

— *Nous avons une mission à accomplir.*

— Et je l'accomplirai comme je l'ai promis. Mais j'ai également promis que je soutiendrais la cause de Wyl. Je ne me le pardonnerai jamais s'il arrive quoi que ce soit à Elspyth.

— *Il n'y a rien que nous puissions faire.*

— Ce n'est pas vrai. Nous sommes juste trop loin, mais je peux arranger ça.

— *Non, Fynch !*

— Si ! Et si tu n'y vas pas, j'irai.

Un silence un peu lourd s'éternisa entre eux tandis que le chien colossal regardait le frêle enfant qui tenait à peine sur ses jambes tremblantes et se montrait pourtant implacable. Filou savait quelle douleur Elysius avait endurée, même en utilisant la magie avec parcimonie et prudence, et il n'osait pas imaginer le calvaire que le garçon supportait.

— *Tu vas m'envoyer ?*

— Et te ramener ici lorsque tu auras porté un message.

— *Ça va prendre des jours.*

— Pas si je t'envoie directement là-bas.

— *Fynch ! Ça va te tuer.*

— Fais-moi confiance. Je suis plus résistant que je n'en ai l'air.

Le chien paraissait pris au dépourvu. S'il refusait, il était convaincu que le garçon s'enverrait lui-même à Werryl.

— *Tu me promets de continuer seul ?* demanda-t-il.

Fynch plaqua ses mains sur ses yeux. Sa voix n'était plus qu'un petit filet à peine perceptible.

— Oui, bien sûr.

— *Rashlyn va sentir la magie*, l'avertit Filou.

— Peu importe. Elspyth risque de mourir.

— *Mais toi aussi.*

— Je suis déjà sacrifié.

— *Oh, Fynch.*

— Désolé, je ne voulais pas paraître cynique, mais il faut que tu fasses ça pour moi. Je vais écrire un message. Valentyna pourra envoyer des secours.

— *Parce que tu sais écrire ?* demanda le chien, à l'affût de la plus petite excuse susceptible de l'obliger à renoncer à cette folie.

— Je connais quelques lettres... suffisamment pour expliquer l'urgence.

Filou posa un regard grave sur lui.

— *Il y a une grotte là-bas. Il faudra que tu te reposes un peu avant d'avancer.*

— Je crois que tu as raison, admit Fynch.

Il fouilla dans son sac à la recherche d'un morceau de parchemin qu'il avait eu la bonne intuition d'emporter. En revanche, s'il avait bien une plume, il lui manquait l'encre.

— J'utiliserai mon sang, murmura-t-il avant de s'entailler tranquillement la main avec un petit couteau.

Il n'écrivit que cinq mots, mal orthographiés, mais suffisamment clairs : Elspyth, sud Sharptyn, cabanes, danger. Il dut plonger sa plume à plusieurs reprises dans la petite flaque de sang au creux de sa paume. Filou se sentait incapable de regarder, dégoûté par la tournure prise par les événements et totalement démuni.

— Tu la remets à Valentyna et à elle seule. C'est d'accord ?

— *J'ai compris.*

Fynch noua le mot autour du cou du chien à l'aide d'un lierre particulièrement résistant. Le résultat demeurait approximatif, mais cela tiendrait.

— Prêt ?

— *Vas-y !* répondit le chien, incapable de dissimuler plus longtemps sa réprobation.

— J'attends de tes nouvelles, dit Fynch en serrant le chien dans ses bras.

Sans rien ajouter, il propulsa Filou dans un tunnel magique reliant les Razors à Werryl.

Habitué à ce mode de déplacement, Filou se réceptionna impeccablement sur ses quatre pattes, vérifia que le parchemin était toujours là, puis s'orienta. Il se trouvait dans les bois non loin de la ville de Werryl, là où la reine aimait à chevaucher. Après un soupir, il piqua un sprint en direction du château. Sans l'ombre d'un doute, Valentyna allait tomber des nues.

Dans les Razors, Fynch vomit sous l'effet de la douleur, incapable de rendre autre chose que de la bile. Épuisé, il se roula en boule dans la grotte fraîche mais sèche, mâchonnant quelques feuilles de sharvan prélevées dans sa réserve en constante diminution, puis sombra doucement dans le sommeil. C'était le seul lieu où il pouvait oublier son atroce migraine.

L'après-midi du deuxième jour de captivité d'Elspyth touchait à sa fin. La veille, les heures s'étaient écoulées dans un brouillard, provoqué par la drogue et l'état de choc dans lequel la laissait sa situation. D'ailleurs, Elspyth restait trop sonnée pour se remémorer tout ce qui s'était passé, mais elle savait qu'elle était prisonnière parmi tout un groupe composé de femmes uniquement. Les hommes étaient ceux qui les avaient enlevées et les retenaient contre leur gré. À l'extérieur des cabanes, elle trouva le courage d'adresser la parole à l'une de ses compagnes d'infortune.

— Qu'est-ce qu'on fait ici ?

— Ah, tu as finalement retrouvé ta voix. Ne t'inquiète pas, nous sommes toutes pareilles lorsqu'on arrive ici.

— Quel est cet endroit ?

— Nous sommes prisonnières. Ils nous trompent, nous piègent, puis s'emparent de nous.

— Pour quoi faire ?

— Comment t'appelles-tu ? Tu n'es pas de Briavel, n'est-ce pas ?

— Je m'appelle Elspyth. Je viens de Yentro, au nord de Morgravia.

Les sourcils de la femme se froncèrent.

— Tu es bien loin de chez toi, Elspyth. Et je crains que tu finisses par regretter d'avoir été abusée par Ericson. Moi, je suis Alda, du sud-est de Briavel.

— Il nous a piégées, dis-tu ?

— Pour ses jeux, confirma Alda avec un hochement de tête.

Elspyth tourna des yeux ronds sur la femme. Par Shar, elle ne comprenait pas un traître mot.

— Ses jeux ? répéta-t-elle.

— En réalité, c'est pour eux tous. Lui, il est payé pour nous trouver.

— Alda, s'exclama Elspyth d'une voix devenue tremblante. Il va falloir que tu m'expliques clairement.

Un oiseau poussa un cri depuis le haut d'un grand arbre. Les deux femmes tournèrent la tête, mais aucune d'elles n'aperçut le faucon perché au sommet.

— Nous nous battons et ils parient sur nous. Au bout de trois victoires, ils nous vendent. Pour moi, encore une victoire et je suis partie.

Elspyth n'aurait jamais cru possible que sa vie devienne encore plus compliquée, mais elle avait tort.

— Vendues ?

— Il y a un vaste trafic d'esclaves au sud de Morgravia. Tu ne le savais pas ? demanda la femme, manifestement surprise.

— Je n'en avais pas la moindre idée.

— Et pourtant, c'est un commerce florissant. Des bateaux font la navette vers les îles exotiques depuis la baie de Cheem, à l'est de Ramon et à l'ouest d'Argorn. Ils embarquent régulièrement des esclaves. (Elle haussa les épaules devant le visage totalement incrédule de la nouvelle arrivante.) Au moins, ça permet de quitter cet endroit maudit – mais pour ça, tu dois survivre à trois combats.

Elspyth ne parvenait pas à croire à la réalité de ce qu'elle entendait.

— De quel genre de combat s'agit-il ? À mains nues ?

Cette fois-ci, la femme lâcha un rire dur, dans lequel Elspyth perçut distinctement une note de désespoir.

— Au couteau, innocente. Ce sont des combats à mort. D'ailleurs, dès ce soir, tu vas combattre pour ta vie, ma fille ! Pour ta vie et le droit de devenir esclave. Oublie qui tu étais, parce que cette personne n'existe plus désormais. (Soudain, son regard se fit mélancolique ; son air bravache avait disparu de son visage.) Un jour, peut-être, je reverrai mon fils... Mais avant ça, il faut que je gagne encore un combat.

Elspyth saisit le bras de la femme.

— Alda ! Je ne sais pas me battre.

— Aucune d'entre nous ne sait se battre, ma fille ! C'est l'instinct animal et lui seul qui m'a permis de rester en vie. Prépare-toi à l'idée de répandre un peu de ton sang sur le sol de la grande cabane, ce soir.

Elspyth ne put retenir ses larmes. Le choc était trop intense pour elle.

Alda repoussa la main d'Elspyth accrochée à son bras.

— N'attends rien de moi, ni d'aucune d'entre nous. Personne n'a d'amies ici. Tu ne peux jamais savoir qui tu vas avoir à tuer pour survivre. Il y a deux jours, j'ai tué une fille que j'aimais. Je ne veux pas te connaître, je ne veux pas me sentir désolée pour toi. Tu es peut-être celle que je vais affronter ce soir et de ta mort dépendra ma vie. Ils font ça pour s'amuser, ils parient sur nous, et ensuite ils nous vendent. Si j'ai bien compris, c'est Ericson qui a monté tout ça. Est-ce qu'il a utilisé sa petite fille pour t'appâter ?

Elspyth hocha la tête. Les larmes dévalaient le long de ses joues.

— Ça ne sert à rien de t'en vouloir. Je me suis fait avoir de la même manière, en acceptant une proposition aimable en apparence – monter dans le chariot, faire la route de Werryl à chez moi plus vite qu'à pied. Ils savent y faire, crois-moi.

— Que faisais-tu à Werryl ? demanda Elspyth, s'accrochant avec l'énergie du désespoir à cette conversation qui lui faisait oublier le sort qui l'attendait.

Elle entendit de nouveau le cri perçant de l'oiseau, mais n'y prêta pas attention. Elle était à genoux dans la poussière, et elle suppliait Alda de lui parler, misérablement accrochée à ses jupes.

— Peu importe ce que je faisais. Je ne veux plus te parler. Et ne pense surtout pas que nous sommes amies. Je ne peux rien pour toi et je ne ferai rien pour toi. Tu ferais mieux de te préparer. Ce soir, ce sera tuer ou être tuée. Mets-toi bien ça dans le crâne.

Alda se dégagea avec brusquerie pour marcher à grandes enjambées. Personne ne vit les larmes qu'elle versait sur sa propre cruauté. Quelle sorte de monstre était-elle devenue ? Qu'est-ce que ces hommes avaient fait d'elle ?

De son côté, Wyl se préparait lui aussi à recevoir la mort, à la nuance près que lui l'appelait de ses vœux. En la circonstance, mourir une fois encore allait lui permettre d'être sauvé, et il se demandait qui il allait bien pouvoir devenir. À dire vrai, il n'en avait rien à faire. Tout ce qu'il voyait, c'était qu'il ne supportait plus d'être Ylena. Il s'accrochait de toutes ses forces à une idée qu'avait exprimée Fynch, qui disait que des actes aléatoires pouvaient changer le cours du Dernier Souffle. En fait, il voulait à tout prix croire qu'il n'était pas condamné à finir dans la peau de Celimus. Autant la perspective d'épouser Valentyna le séduisait, autant celle de s'incarner dans le corps de l'actuel souverain de Morgravia lui faisait horreur. Chaque fois que l'image du visage de Celimus s'imposait à son esprit, il devait puiser au fond de son courage pour la chasser.

Au bout du compte, pour s'extraire de cette spirale de pensées déprimantes, il lava le visage d'Ylena et coiffa ses cheveux. Il les noua ensuite sur la nuque ; il ne voulait plus sentir les boucles blondes flotter vaporeusement sur ses petites épaules. En revanche, il conserva sa tenue de cavalière car il ne s'agissait nullement ici de mettre le corps de sa sœur en valeur, de la faire belle pour mourir. Cela étant, il brossa consciencieusement ses vêtements. Il n'était pas question qu'Ylena aille à la mort sale et en haillons. Wyl se souvenait que sa sœur avait toujours eu grand soin de son apparence, et c'était donc le moins qu'il puisse faire, sachant qu'il était sur le point de la faire mourir une seconde fois.

Il regarda son reflet dans le pauvre miroir que Jessom lui avait fait apporter – une relique usée qui, comme sa sœur, n'avait plus guère d'utilité pour quiconque. Pour autant, même sa surface ébréchée et piquée ne pouvait que révéler la beauté éthérée du visage de sa sœur. Ses traits s'étaient émaciés, mais cela ne faisait qu'ajouter encore à sa grâce évanescente, presque irréelle, qui évoquait le corps de sa mère que Wyl avait vu juste après sa mort.

La fièvre avait déserté ses traits pour les figer en un masque apaisé. Sa mère avait succombé en tentant d'inspirer une dernière fois mais, dans la mort,

Helyna de Ramon était demeurée d'une magnificence à couper le souffle. *Il en sera de même pour toi, Ylena*, se promit-il en scrutant le visage de sa sœur par ses yeux que le chagrin et les tourments avaient démesurément agrandis.

Wyl fracassa le miroir sur une pierre, jamais plus il ne refléterait ce visage triste et hanté.

Des bruits de pas résonnèrent. C'était Harken, accompagné de l'officier aperçu au poste de garde plus tôt dans la journée.

—Je croyais que vous étiez parti, dit Wyl en ravalant le torrent d'émotion qui le submergeait.

—Ma compagnie a été rappelée cet après-midi pour surveiller l'arrivée du roi des Montagnes.

—Tu es convoquée, intervint le vieux soldat, interrompant leur conversation. Mais ce gamin a insisté tant et plus pour te voir une dernière fois.

—Comme c'est aimable à vous de l'y avoir autorisé, répondit Wyl, d'un ton de fiel. Dommage que vous ne fassiez pas preuve de la même loyauté à l'égard du général Thirsk, comme on aurait pourtant pu l'attendre de la part d'un légionnaire.

—Il est mort, au cas où vous ne l'auriez pas remarqué, répondit l'homme avec un sourire cruel. Thirsk ne peut plus nous être utile à quoi que ce soit. Le sale gosse est sur le trône et il faut faire avec, c'est la seule solution pour survivre.

Wyl fit venir tout le mépris dont il était capable sur le visage d'Ylena.

—Espèce de lâche! La légion pourrait le renverser en un clin d'œil si seulement elle retrouvait son âme. Que vous est-il arrivé à vous tous?

Le vieux soldat ne prit même pas la peine de répondre, se contentant de tendre les chaînes à passer aux poignets d'Ylena. Wyl tendit obligeamment les mains; à quoi bon user son énergie avec un homme pareil? Il reporta son attention sur Harken, frappé de stupeur.

—Je suis désolé, bafouilla finalement le jeune homme. Il fallait que je vous revoie.

—Et je suis contente que vous soyez venu. Il n'y a rien que vous puissiez faire pour me sauver, mais je vous en conjure, dressez vos hommes contre la couronne!

Il s'était attendu que le vieux soldat frappe Ylena pour avoir osé dire ça, mais il se contenta de rire.

—Ne fais pas l'idiot, mon garçon. N'écoute pas les divagations d'une femme condamnée. Suis les ordres. C'est bien ce qu'on t'a appris à faire dans la légion, non?

—Harken, regardez-moi! ordonna Wyl. Faites au moins ce que je vais vous dire. Apportez votre soutien à la fiancée de Celimus. Lorsqu'il aura épousé Valentyna de Briavel, elle sera votre reine légitime. Aidez-la. Ne le laissez pas l'écraser, comme il l'a fait avec chacun d'entre vous. Faites en sorte que vos hommes lui fassent allégeance. Elle est votre ultime espoir contre la folie et la brutalité du roi.

Stupéfait, Harken hocha la tête. C'était tout ce qu'il était encore capable de faire.

— Oublie ça, petit. Laisse-moi faire ce que j'ai à faire. Je n'ai plus qu'un hiver à tirer dans la légion avant de me retirer au nord-ouest pour aller à la pêche. Après ça, je me fous de ce que pourra bien faire le gamin. Pour l'instant, nos ordres sont d'amener la fille à Sa Majesté, et c'est exactement ce que nous allons faire.

Wyl frotta les poignets entravés d'Ylena.

— Alors allons-y, dit-il.

Elspyth se tenait au milieu d'une quinzaine d'autres femmes dans une espèce d'enclos à bestiaux construit par Ericson et ses sbires à l'intérieur d'un grand bâtiment de pierre. On l'avait fait se déshabiller complètement, avant de lui donner un infâme morceau de tissu pour couvrir ce qu'elle pourrait. Le linge était constellé de taches de sang. Terrifiée à l'idée de mourir sans avoir pu sauver Lothryn, Elspyth dut puiser au plus profond d'elle-même pour ne pas hurler.

Les hommes avaient passé l'après-midi à boire. L'ivresse s'était emparée d'eux, portant leur excitation à son comble à l'idée des femmes nues prêtes à se battre, et à tuer. Le bruit assourdissant grimpa encore de plusieurs degrés lorsque les femmes furent poussées dans l'arène, agrippées aux bouts de tissu qui protégeaient bien peu leur pudeur.

L'odeur de l'alcool, à laquelle se mêlaient des relents de sueur, de vomi et de sang séché, souleva le cœur des plus fragiles de ces femmes. D'autres se mirent à gémir. Toutes savaient ce qui allait se passer. Dans les quelques heures à venir, certaines d'entre elles allaient périr. Elspyth parvenait à supporter la puanteur, mais la peur qui montait en elle allait sûrement lui faire perdre tous ses moyens. On lui avait dit que cela faisait plus d'une semaine que les hommes n'avaient pas ramené de chair fraîche. Elle allait donc être une pièce de choix au menu de ce soir. Elle avait déjà versé toutes les larmes de son corps, et plus personne ne viendrait la sauver. Si elle survivait à tout ça – que Shar la protège –, ce serait parce qu'elle aurait réussi à tuer trois pauvres malheureuses.

Du regard, elle parcourut les femmes regroupées dans l'enclos, se demandant laquelle elle allait devoir affronter. Elle vit que la plupart d'entre elles paraissaient en bonne santé, et que pas une seule ne devait avoir dépassé les trente-cinq printemps. Elle eut un sourire lugubre pour elle-même. Bien sûr qu'ils n'allaient pas choisir de plus vieilles, les corps nus n'offraient pas le même spectacle.

— J'ai entendu dire qu'ils violaient les gagnantes, murmura une femme non loin.

Les yeux emplis de panique, elle s'apprêtait manifestement à subir son baptême du feu.

— Qu'est-ce que tu croyais, imbécile ? Ils ne viennent pas que pour le spectacle, répondit une autre.

Elspyth grinça des dents et tourna la tête. Son regard capta celui d'Alda de l'autre côté de l'arène. Elle arborait un air tout à la fois calme et menaçant, comme si la violence était en embuscade sous sa surface impassible. La folie et la présence obsédante de la mort tourbillonnaient autour d'elles, mais Alda gardait ses yeux rivés sur Elspyth. L'ambiance était effrayante. Des torches furent allumées tout autour de l'arène et un homme entra dans le cercle pour annoncer le premier combat. Ses émotions à vif franchirent encore un degré. Elle ne voulait pas montrer sa peur à ces hommes. Alors, elle hurla intérieurement sa détresse à Lothryn. Elle savait qu'il ne pouvait rien faire, mais elle voulait lui dire au revoir.

C'est à Fynch que son cri parvint.

Le garçon s'éveilla, crucifié par l'angoisse horrifiée de la jeune femme. *Lothryn, je t'aime. Je suis tellement désolée ! Shar, au secours !* Le cri lui parvenait par un fil qui menaçait de se rompre à tout instant, plus ténu qu'un voile de brume dans le matin. Mais cette fois, Fynch réagit promptement.

On arrive. Tiens bon ! Puis le lien fut brisé et sa voix terrifiée ne fut plus qu'un souvenir, mais l'odeur persistante de sa peur flottait autour de lui. Fynch frissonna. La douleur était encore là, à se demander si elle était jamais partie, ou si elle le quitterait un jour. Il fut sur le point de prendre des feuilles de sharvan dans son sac, mais renonça. Il recourait de plus en plus vite à ce remède. Filou lui avait conseillé de lutter contre la douleur, pas de la laisser prendre le contrôle sur lui.

Il concentra ses pensées sur le chien et envoya un message.

— *Où es-tu ?*

— *Devant les portes du château. Je crois que je viens de rendre tous les habitants de Werryl fous furieux avec mes aboiements.*

Fynch sourit malgré lui.

— *Merci d'avoir accepté d'y aller, Filou.*

— *Comment te sens-tu ?*

— *Je vais bien. Je viens de me réveiller. J'ai de nouveau été en contact avec Elspyth. Elle a tout l'air d'être dans une situation désespérée.*

— *Le message n'a pas souffert. Ah, voilà du monde. J'espère qu'on se souvient de moi par ici.*

— *Personne ne peut t'oublier.*

— *Nous parlerons bientôt. Mâche des feuilles, tu auras besoin de toutes tes forces.*

Fynch ne répondit rien. Il mit fin à leur communication et éleva une prière muette à Shar pour qu'il fasse parvenir le message dans les mains de Valentyna. Elle seule avait le pouvoir d'agir pour sauver Elspyth.

Filou aboya une nouvelle fois pour faire bonne mesure ; deux gardes marchaient furieusement vers les grilles.

— Par Shar ! Regarde-moi la taille de cette chose ! glissa l'un d'eux à son jeune compagnon. Je vais lui envoyer une flèche en plein cœur s'il ne se calme pas.

—Attends! Ce ne serait pas le chien noir du petit garçon?

—Quel garçon?

—Tu sais bien... Fynch, le petit protégé de la reine.

—Par Shar, mais tu dis vrai. Je dois être devenu miraud pour ne pas l'avoir reconnu, dit le plus âgé des gardes, conscient par ailleurs d'avoir été surpris en pleine sieste alors qu'il était censé monter une garde vigilante.

—On le laisse rentrer?

—Tu vas d'abord aller prévenir le capitaine.

—On dirait qu'il porte un message autour du cou, observa le jeune garde en désignant le chien.

—Dépêche-toi donc! dit l'ancien.

Plusieurs minutes passèrent, pendant lesquelles Filou arpenta de long en large l'espace devant les grilles, sous le regard fasciné du vieux garde. Pour tout dire, le chien avait l'impression que l'homme s'était endormi. Il aboya, juste pour s'assurer que l'autre lui accordait toute son attention. Le sursaut du garde faillit le faire sortir de sa propre peau.

—Putain de bestiole, murmura-t-il, juste comme son supérieur arrivait à l'autre bout de la cour.

—Capitaine Orlyd, dit-il en saluant d'un coup de menton.

—Barnes, répondit le capitaine. Ah, voilà le fameux chien. Oui, je dirais que c'est bien le même. Le commandant Liryk a dit de le laisser entrer.

—À vos ordres, capitaine. Mais vous êtes sûr que ce n'est pas dangereux?

—C'est un chien, Barnes. Tu ne l'as jamais vu jouer par ici avec le garçon, Fynch?

—Euh... une ou deux fois.

—Alors tu sais bien qu'il ne ferait pas de mal à une mouche. Allez, active un peu maintenant, et voyons voir ce que raconte son message.

Lorsque la porte fut ouverte, Filou entra dans la place et s'assit bien gentiment pour qu'on puisse ôter le message de son cou. Fynch avait pris la précaution de tracer un « V » sur l'extérieur du parchemin plié, semblable à l'initiale brodée de la reine qu'il avait remarquée sur certaines de ses affaires.

—C'est pour la reine, dit Orlyd tout en tapotant l'énorme tête de Filou. Bon chien, va. Viens avec moi. (Filou se mit sur ses pattes pour le suivre.) Et intelligent avec ça...

L'homme et le chien prirent le plus court chemin vers les appartements royaux où Liryk et le duc de Felrawthy tenaient conseil avec la reine. Quelques serviteurs parmi les plus gradés de la maison royale s'interrogèrent sur la présence d'un chien dans cette partie du château, mais rengainèrent bien vite leurs récriminations en reconnaissant Filou.

Orlyd transmit un message à un homme qui s'essayait au rôle de secrétaire de la reine, puis constata une nouvelle fois à quel point le chancelier

Krell manquait à la maison royale. Si Krell avait encore occupé ce bureau, Orlyd aurait été directement conduit à la reine. Feu le chancelier avait un véritable don pour reconnaître les affaires vraiment importantes. Or, le capitaine était certain qu'il s'agissait précisément d'un cas d'urgence.

Liryk arriva, avec un air interrogateur sur le visage.

— Je suppose que c'est urgent, capitaine ?

— Je crois bien que oui, commandant, répondit Orlyd en tendant le message de Filou.

— Par Shar ! Mais c'est Filou, s'exclama Liryk en saisissant le parchemin.

À la seconde même où il se penchait pour caresser la tête du chien, Valentyna apparut au bout du couloir, elle cherchait un serviteur. En reconnaissant le chien de Fynch, elle poussa un cri de joie ; l'instant d'après, le chien lui léchait les mains tandis qu'elle riait de bonheur.

— Est-ce un message ? demanda la reine, encore tout sourire des marques d'amitié manifestées par le chien.

— Il semblerait, Majesté, répondit Liryk en lui tendant le billet.

— C'est Fynch, sans aucun doute. Je mourais d'envie d'avoir de ses nouvelles. Je suppose qu'il doit être dans les parages puisque Filou est ici, dit-elle tout en dénouant la liane autour du parchemin.

Il ne lui fallut que quelques secondes pour le lire.

— Que Shar nous protège !

Liryk, qui était en train de remercier le capitaine, se retourna d'un bloc.

— Un problème, Majesté ?

— C'est Elspyth. Elle a des ennuis.

— Comment le garçon peut-il savoir ça ?

— Je n'en ai pas la moindre idée. En tout cas, je me félicite que Crys ait fait durer ses adieux. Il n'est pas encore parti, n'est-ce pas ?

— Il doit encore être aux écuries. Capitaine Orlyd, prévenez le duc de Felrawthy qu'il ne doit pas quitter le château avant que la reine lui ait parlé.

— À vos ordres.

— Je vous suis, dit Valentyna au capitaine qui s'éloignait, avant de se tourner vers Liryk. Elle est à Sharptyn. Vous savez ce dont il s'agit, n'est-ce pas ?

Il hocha la tête, une expression lugubre sur le visage.

— Ça doit avoir un lien avec quelques affaires de disparitions toujours inexpliquées.

— Je suis certaine que c'est ça, dit-elle. (Ses yeux lançaient des éclairs.) Maintenant, nous savons où ces maudits retiennent leurs prisonnières. Liryk, Filou, suivez-moi ! Nous enverrons la garde avec Crys.

Oubliant les usages et le protocole auxquels il tenait tant, le vieil homme saisit la reine par le bras.

— Le duc ne va quand même pas prendre le commandement de mes hommes, Majesté ? Cela fait des mois que nous menons des recherches au sujet de ces disparitions.

Valentyna comprit que, dans l'excitation du moment, elle avait oublié quelque chose d'important. Son impulsivité la conduisait parfois à se montrer imprudente. Combien de fois son père ne le lui avait-il pas dit, même si en général il faisait allusion à sa manière de monter à cheval.

—Non, Liryk, dit-elle en plaçant sa main sur celle du vieil homme, c'est vous qui vous occupez de cette affaire. (Sa voix s'était faite douce et aimable.) Je demanderai à Crys de vous accompagner parce que Elspyth est son amie et parce qu'elle a confiance en lui. En outre, cela lui donnera une raison de partir, car je pressens en effet qu'il s'est senti obligé d'annoncer son départ du fait que sa présence ici puisse être source de problèmes. (Liryk hocha la tête.) Enfin, cela signifie que j'ai un homme de moins à envoyer.

—Merci, Majesté.

Valentyna n'esquissa aucun mouvement, laissant sa main sur celle du soldat.

—Commandant Liryk, sans vous, je ne pourrai jamais mener à bien tout ce qui m'attend. J'espère que vous comprenez à quel point je m'en remets à vos conseils et votre appui. Je ne me considère pas comme une île isolée de tout et coupée de tous.

Si étonnante qu'elle puisse paraître, cette confidence venait à point nommé pour le vieil homme, qui depuis longtemps soupirait après une marque de confiance de sa souveraine. Il eut un sourire, le premier depuis bien longtemps.

—Je vous remercie, Majesté, répondit-il d'une voix sourde. J'ai parfois le sentiment que les vieilles choses que nous sommes ne vous sont plus d'une grande utilité.

Valentyna fronça les sourcils.

—J'ai grandi avec vous à mes côtés, ce qui vous rend d'autant plus indispensable aujourd'hui. J'espère que vous êtes bien sûr que je ne ferai jamais rien qui ne soit pas dans l'intérêt exclusif de Briavel.

Valentyna savait que ce qu'elle venait de dire pouvait s'appliquer à pratiquement tous les événements qui s'étaient produits depuis qu'elle était montée sur le trône, de sa relation avec Koreldy au bannissement de Krell, en passant par la confiance manifestée envers Morgravia.

—Je ne doute nullement de vous, Majesté. Mais vous faites face à bien plus de pressions que n'en subissent généralement les souverains au cours de leur première année de règne. Et maintenant, allons libérer cette fille avant qu'il soit trop tard.

—Je sais que vous ne l'appréciez guère, Liryk, ajouta Valentyna, bien déterminée à aborder le sujet Eslpyth puisqu'ils en étaient à parler à cœur ouvert.

Il était grand temps qu'elle s'impose comme l'ultime autorité au sein du royaume. Jusqu'à présent, c'était comme si elle avait été en apprentissage, avec Krell et Liryk toujours là pour la guider, pour sourire benoîtement lorsqu'elle prenait une décision qu'ils estimaient sage, ou grimacer au contraire lorsqu'elle suivait son instinct pour aller contre leur avis. Elspyth relevait indiscutablement de cette dernière catégorie.

— Cela n'a rien à voir avec elle en tant que personne, commença Liryk. (Il la fixa ensuite, comme si les mots qu'il cherchait avaient été écrits sur son front. Elle soutint son regard sans rien montrer de ce qu'elle pensait.) C'est juste que le chancelier Krell et moi-même avions le sentiment qu'elle pouvait exercer une mauvaise influence.

— Une mauvaise influence sur moi vous voulez dire ?

Il poussa un soupir.

— Nous pensions qu'elle vous poussait à dire et penser des choses susceptibles de faire courir un risque au royaume.

— Jamais, messire. Jamais !

— Je suis désolé, Majesté.

— Vous avez le droit d'avoir votre opinion, et je serais d'ailleurs bien embêtée que vous n'en ayez pas. (Elle haussa un sourcil.) Mais je suis également en droit d'apprécier qui je veux sans avoir à être critiquée par les gens autour de moi. (Valentyna vit que ses paroles atteignaient leur cible et c'était exactement ce qu'elle voulait. Elle en avait soupé des coups d'œil exaspérés entre Krell et Liryk.) Oui, nous nous sommes rapidement liées d'amitié – les femmes le font souvent lorsqu'elles s'apprécient –, mais Elspyth semble connaître des choses que nous ignorons. Ce mariage avec Celimus n'est pas aussi net et franc que vous semblez le croire. Mon instinct me hurle que c'est une erreur, une mauvaise décision pour Briavel – et pourtant, je ne peux convaincre personne. Les nobles veulent ce mariage plus que tout, et le reste de Briavel le veut aussi pour vivre en paix. On dirait que je suis la seule à ne pas le vouloir, alors que la légion parade sur la frontière, prête à nous envahir.

» Je n'ai aucun choix, commandant Liryk, poursuivit-elle en baissant intentionnellement le ton jusqu'à murmurer entre ses dents. Je dois épouser Celimus parce que, apparemment, aucune autre option ne saurait être envisagée. Or, Crys Donal, Elspyth et Ylena Thirsk – tous morgravians – estiment sincèrement que c'est la pire décision que je puisse prendre.

Liryk comprit que son tour était venu de mettre les points sur les « i ».

— Majesté, avec tout le respect que je vous dois, si vous ne poursuivez pas les préparatifs du mariage, nous ne tarderons pas à franchir le point où un mariage peut encore sauver la vie de certains d'entre nous. Le roi de Morgravia menace de déclencher la guerre. Or, c'est une guerre que nous ne pouvons pas gagner, Majesté, pas même en faisant appel au patriotisme. Le seul poids de sa puissance militaire suffira à nous écraser, Majesté. Et c'est moi qui devrai conduire tous nos hommes au combat, tout en sachant pertinemment qu'ils se feront massacrer. (Sa voix vibrait de l'émotion contenue dans ses paroles.) Celimus n'est pas le roi Magnus, Majesté. Il n'a aucune compassion ; si nous allons à la guerre, il tuera tous les hommes de Briavel, puis leurs fils et les fils de leurs fils.

» Ce que nous voyons maintenant n'est que la menace. Il s'assure que nous comprenons que la seule chose qui puisse éviter le désastre annoncé, c'est vous, Majesté. Vous et votre dot. Si vous aimez Briavel et si vous aimez son peuple…

Valentyna recula, consternée qu'il puisse croire le contraire. Liryk poursuivit, ignorant le choc qu'elle ressentait à l'évidence.

— Si vous aimez Briavel et son peuple, reprit-il d'un ton devenu plus apaisé, vous devez épouser au plus vite le roi de Morgravia.

Il salua, sans réagir à la lueur éloquente dans l'œil de la reine.

— Je vais me préparer à partir pour Sharptyn, Majesté. Et je vous ramènerai cette femme de Yentro. Je vous promets d'y parvenir, ou de mourir en tentant de le faire.

Valentyna ne répondit rien. Elle regarda les larges épaules de Liryk tandis qu'il s'éloignait dans le couloir. Un vide immense semblait s'être creusé à l'intérieur d'elle-même.

Chapitre 21

À travers ses larmes, Elspyth regardait un corps se vider de son sang dans la sciure ; c'était celui de la femme qui s'était plainte un peu plus tôt. Une femme à peine plus âgée se tenait penchée au-dessus d'elle ; c'était elle qui l'avait tuée. Elle était en état de choc. Du sang gouttait de plusieurs longues estafilades sur ses bras et son torse. En fait, elle l'avait emporté sur un coup heureux porté à l'intérieur de la cuisse, presque à l'aine, et qui avait touché une artère. La mort n'avait pas été longue à venir. Les hommes n'avaient même pas fait la grâce à la perdante d'une agonie abrégée. Tout à leur excitation malsaine, ils avaient poussé des hurlements de joie et de dépit mêlés – et les gagnants avaient empoché avidement leurs mises. Les femmes dans l'arène contemplaient en silence une âme innocente en train de rejoindre Shar. La plupart d'entre elles ne savaient même pas comment elle s'appelait. Comme Alda l'avait dit à Elspyth, se lier d'amitié était inutile, car cela ne faisait que rendre les combats plus difficiles. Le corps fut tiré par les cheveux en dehors de l'arène. Il serait brûlé plus tard avec le reste des cadavres de cette soirée. La femme victorieuse, les yeux perdus dans le vague, fut poussée sans ménagement à l'extérieur.

— C'est sa première victoire, dit une voix à côté d'elle.

Elspyth n'avait pas remarqué qu'Alda s'était glissée là pendant le combat.

— Et la morte ?

— C'était son troisième combat. Si elle l'avait emporté, elle serait en route pour le bateau. Quelle imbécile ! Elle pouvait gagner facilement. Enfin, ça en fait toujours une de moins à tuer pour moi.

Elspyth leva le regard sur cette femme plus grande qu'elle. Cela lui brisait le cœur qu'une mère se soit à ce point endurcie. Et pourtant, c'était pour son enfant qu'elle voulait gagner à tout prix. Mais peu importe, Elspyth haïssait Alda.

— Va-t'en !

La femme de Briavel émit un bruit disgracieux avec la bouche.

— J'espère que tu seras la suivante, dit-elle en désignant du menton l'homme qui approchait. Il est temps que tu apprennes à quoi ressemble la réalité.

Elspyth l'ignora, le regard fixé sur l'obèse qui marchait en se dandinant, un parchemin à la main. Elspyth avait eu beau donner un faux nom, cela ne changerait rien à son destin.

— La suivante est Olivya, cria-t-il en consultant sa liste. (Sa voix était pleine de jovialité, mais les femmes étaient trop terrorisées pour y prêter attention.) Allons, gentes dames, laquelle d'entre vous est Olivya ?

Personne ne réagit. Des regards emplis de panique en croisaient d'autres pleins d'une inflexible résolution. Il y avait celles tétanisées par le destin et celles qui acceptaient leur sort et faisaient face.

— Allez, petite brunette, montre-toi. Ah, te voilà, ma jolie. Resserre un peu ta tunique et lève-toi, ordonna-t-il à Elspyth. C'est à ton tour de te battre.

Elspyth avait oublié avoir prétendu s'appeler Olivya. Devenues de coton, ses jambes refusaient de la porter, et encore plus de l'emmener au centre de l'arène. Des larmes coulèrent sur ses joues ; Elspyth ne voulait pas avoir à tuer. Pourtant que pouvait-elle faire d'autre si elle souhaitait rejoindre Lothryn ?

— Allez ma grande, on n'a pas toute la nuit, insista-t-il avec un regard noir.

Vicieusement, Alda poussa Elspyth dans le dos.

— Qui doit-elle affronter ?

— Ginny. Où te caches-tu, ma Ginny ?

— Non, laisse-moi me battre contre elle à sa place.

— Mais c'est que tu n'avais pas de combat prévu ce soir Alda, répondit le gros bonhomme. On s'est dit que ce serait mieux de te laisser mariner un peu avant ton troisième combat, ajouta-t-il avec un sourire dénué de toute humanité.

De grosses gouttes de sueur inondaient sa face grasse et poupine.

— Je te promets de faire un vrai spectacle, supplia Alda d'un ton désespéré.

Elspyth eut l'impression que son souffle restait bloqué dans sa poitrine. Qu'est-ce qu'Alda avait en tête ? Elle pouvait voir la soif de sang sur ses traits. De toute évidence, la femme de Briavel prendrait du plaisir à la tuer. Peut-être parce qu'elle était de Morgravia, ou simplement parce qu'elle était jolie. Une autre pensée surnagea dans son esprit enfiévré : Elspyth donnait surtout l'impression d'être une proie facile à vaincre. Alda la voyait certainement comme une victime toute désignée, ce qui lui donnerait un aller simple pour le bateau et une nouvelle vie.

L'impression d'être le dindon de cette horrible farce tira Elspyth de sa stupeur. Elle prit une profonde inspiration, emplissant ses poumons de l'air moite et saturé d'odeurs. Subitement, le bruit ambiant, la puanteur, la vue du sang encore humide sur le sol et le fait que l'énorme tas de saindoux et Alda soient en train de négocier sa vie – ou plutôt sa mort –, tout cela contribua à la galvaniser. Elspyth sentit la peur la quitter, remplacée par un torrent de colère incandescente. Remontée du plus profond de son ventre, la fureur traversa sa gorge pour jaillir en cri surpuissant. Dans chacune des fibres de son corps, elle sentit vibrer quelque chose qu'elle n'avait encore jamais éprouvé : la rage. Une flamme la dévorait, annihilant ses pensées et ses émotions, pour ne laisser dans son sillage qu'une ardeur palpitante. La panique – celle qui quelques instants plus tôt avait laissé une flaque d'urine à ses pieds – s'était envolée.

Consumée par la haine, Elspyth avait soif de sang. Elle fit un pas en avant, arracha le linge fragile qui la recouvrait, et gronda d'une voix rauque de prédateur.

— Laisse-moi affronter Alda !

Éberlué, le poussah se tourna vers elle ; voilà qui était nouveau et pour le moins inattendu. En règle générale, les femmes ne se battaient que sous la contrainte – se soutenant mutuellement pour entrer dans l'arène, s'excusant d'avoir à se faire mal, puis sanglotant sur le sang versé. Or, voilà que ces deux femmes brûlaient d'en découdre. Avec ce genre d'état d'esprit, le spectacle ne pouvait que plaire aux hommes.

Tout en réfléchissant, il passait sa langue épaisse sur ses lèvres.

— Eh bien, eh bien…, dit-il en s'approchant. (Des bouffées faisandées agressèrent les narines d'Elspyth.) Tu es bien sûre de toi, on dirait.

— Annonce le combat, répliqua-t-elle, pressée maintenant d'entrer dans le vif du sujet.

Si elle devait mourir, autant que ce soit tout de suite ; elle ne se sentait pas capable d'endurer des heures d'attente, à pleurer sur toutes celles qui mourraient.

De contentement, Alda frappa dans ses mains ; la fille de Morgravia avait dit qu'elle ne savait pas se battre. Les choses paraissaient écrites d'avance.

— D'accord, d'accord, répondit l'obèse. Et ne dites plus que je ne fais rien pour vous, les filles, ajouta-t-il avec un gloussement obscène. Allez Alda, retire ton chiffon. Enduisez-vous d'huile toutes les deux, j'annonce le combat.

Wyl avançait entre les deux hommes, les bras tendus devant lui, liés au niveau des poignets. Il n'avait pas peur. C'était la mort qu'il souhaitait ; il espérait seulement pouvoir préserver le corps de sa sœur de mauvais traitements. Pendant ces instants de marche silencieuse en direction du grand hall de Tenterdyn, il réfléchissait à ce qui pourrait être la mort la plus douce pour Ylena. Finalement, une lame dans le cœur était sans doute ce qu'il y avait de mieux – la méthode utilisée par Faryl pour exécuter Koreldy. De cette manière, une fois le corps lavé, préparé et habillé pour être ramené en Argorn, comme il en avait la ferme intention, personne ne pourrait voir l'horrible blessure. Pour tous, elle demeurerait éternellement belle.

Seulement, songea Wyl, *il est peu probable que Celimus ait en tête quelque chose d'aussi simple et direct qu'un couteau dans le cœur.* De toute évidence, il allait mettre tout cela en scène comme s'il s'agissait d'un jeu. De la même manière qu'il avait nargué Wyl – en l'obligeant à assister à la mort d'Alyd et au supplice d'Ylena –, il allait humilier sa sœur devant tous ses hôtes. Cependant, Ylena n'était pas celle qu'il croyait. L'Ylena d'aujourd'hui marchait vers la mort le cœur léger.

— Ça va, ma dame ? demanda Harken.

— Tout va bien, répondit Wyl. N'oubliez pas ce que je vous ai dit. Si le nom des Thirsk signifie quelque chose pour vous, alors soyez assuré que tous les miens auraient fait allégeance à la reine Valentyna à la seconde où elle serait devenue reine de Morgravia par le mariage. Suivez cet exemple pour le bien de tous.

Wyl percevait la peur de Harken, mais aussi sa fierté d'être ainsi distingué.

— Je le ferai pour vous, ma dame.

— Alors, je suis heureuse que nous nous soyons rencontrés.

— Silence, dit le vieil officier. Nous y sommes.

Le crépuscule était arrivé si tranquillement que Wyl ne l'avait même pas remarqué. Le nord paraissait avoir la capacité de se draper dans le calme du soir sans la cacophonie des oiseaux qui se sentaient obligés d'avertir le monde entier de l'imminence de la nuit. Néanmoins, la lumière était encore suffisante pour qu'il reconnaisse sans risque d'erreur l'homme qui l'attendait sur le perron de Tenterdyn pour l'accompagner vers la mort.

— Bien le bonsoir, Ylena, dit Jessom, plein d'exquise politesse. (Wyl ne répondit pas, se contentant de maintenir son regard braqué sur lui.) Comme vous voulez, poursuivit le chancelier, pas le moins du monde offensé.

— Merci, messires légionnaires, dit Wyl par la bouche de sa sœur.

C'était destiné au plus jeune des deux uniquement, et Harken accueillit le message d'un coup d'œil discret et entendu. Wyl avait pris soin de ne pas désigner le jeune capitaine. Jessom était bien trop fine mouche pour laisser le soldat repartir s'il soupçonnait l'existence d'une alliance entre eux, si mince fût-elle.

— Nous prenons le relais à partir d'ici, dit Jessom à l'escorte d'Ylena. (Deux gardes colossaux sortirent de l'ombre pour venir encadrer la jeune femme.) Suivez-moi.

Wyl passa devant des pièces qu'il avait déjà vues pour gagner une partie de Tenterdyn qu'il n'avait pas visitée. Des bruits de conversations et des éclats de rire lui parvinrent. Le bruit s'amplifiait à mesure qu'il approchait d'une aile, dont il se souvenait qu'elle était fermée par des portes closes. Elles étaient grandes ouvertes maintenant. Le couloir, éclairé par des torches, était plein de soldats. Deux rois étaient réunis en ces lieux, il n'était donc pas étonnant que la sécurité soit si bien assurée.

— Attendez ici, ordonna Jessom en touchant le bras d'Ylena. (D'une secousse, Wyl chassa cette main. Un mince sourire apparut sur les lèvres du chancelier.) Je dois avertir le roi que son agneau vient d'arriver.

Il n'y avait pas à se méprendre sur le sens de ces paroles. Si la bouche d'Ylena n'avait pas été rendue si sèche par l'angoisse, Wyl aurait craché une nouvelle fois sur le chancelier, ne serait-ce que pour le plaisir de souiller sa tenue.

Jessom franchit un coude et disparut. Le bruit du banquet meubla le silence tombé entre Wyl et ses gardes. Les bonnes odeurs de nourriture parvenaient jusqu'à eux, si bien que le ventre d'un des gardes se mit à gronder. En se tournant vers la source du gargouillis, Wyl croisa le regard renfrogné du coupable.

— Savez-vous qu'on m'amène ici pour me tuer, pour le plaisir de votre roi ?

Le garde haussa les épaules – avec un peu de gêne néanmoins.

— On ne fait que suivre les ordres, ma dame, intervint l'autre garde.

Wyl se tourna vers lui.

— Et en tant que légionnaire, ça ne vous fait rien de massacrer une femme innocente – noble de surcroît – héritière d'une famille qui a tout donné à la légion ? Vous êtes suffisamment âgé pour avoir connu mon père.

L'homme ne répondit rien, mais son regard disait tout ; on pouvait y lire de la pitié.

Jessom vint le tirer d'embarras.

— Venez, Ylena Thirsk. Votre roi vous attend.

— Je suis désolé, murmura le garde.

Wyl l'ignora. Tête haute, il s'approcha de Jessom, bien déterminé à faire en sorte qu'Ylena meure avec dignité et courage devant ces hommes qui avaient juré fidélité à sa famille – avant de la trahir.

Elspyth se tenait sur la bordure extérieure du cercle délimité par une corde tendue entre des pieux fichés en terre. Elle était nue, mais ne s'en souciait absolument plus, ignorant les cris déchaînés des hommes dont les yeux se délectaient de la vue d'un aussi joli corps. Tout ce qui comptait désormais, c'était la personne en face d'elle, de l'autre côté du cercle. Nue elle aussi, le souffle court, Alda espérait de toutes ses forces que son regard glacé suffirait à faire flancher la jeune femme de Morgravia, à la soumettre sans qu'elle ose frapper.

L'obèse excitait la foule, mais Elspyth faisait abstraction de tous ces bruits. Elle avait vu où se trouvait Ericson dans la foule et avait un instant joué avec l'idée de lancer son arme sur lui, un peu comme l'aurait fait Koreldy. Elle eut la vision de son visage empli d'étonnement, tandis que la lame vibrante s'enfonçait dans sa gorge jusqu'au manche. Au fond d'elle-même, elle savait qu'elle ne parviendrait jamais à réussir un tel coup. Son poignard tomberait dans la poussière à mi-parcours, au milieu des vivats surexcités, la laissant seule face à la détermination mortelle d'Alda. Le bruit d'une cloche résonna, la ramenant à l'horrible folie des instants qui s'annonçaient. Ses phalanges étaient devenues blanches, tant elle serrait fort le manche de cette petite lame qui était devenue son dernier rempart.

Elle entendit le bateleur adipeux rappeler qu'il s'agissait d'un combat à mort, mais aussi qu'Alda combattait pour une troisième victoire et le droit de partir en esclavage. Les hommes exultèrent, anticipant certainement les profits de sa vente, autant que les gains sur sa victoire. Elspyth obligea sa conscience à se replier tout entière dans un petit coin de son esprit. Pendant leur voyage jusqu'à Deakyn, Wyl – qui était alors Romen Koreldy – lui avait expliqué que le guerrier doit, avant le combat, replier l'intégralité de son être spirituel dans un petit sanctuaire inviolable à l'intérieur de son esprit. Sur le moment, elle avait eu un petit sourire indulgent, mais elle comprenait finalement ce qu'il avait voulu dire. Elle n'était pas sûre de procéder de la manière voulue, mais maintenant la peur n'avait plus prise sur elle. Sa fureur l'avait figée et une forme de torpeur s'était emparée d'elle. Elspyth ne ressentait plus rien d'autre qu'une rage glacée pour la femme qui lui faisait face.

La cloche retentit de nouveau et Alda commença à se déplacer en tournant. *C'est parti*, songea Elspyth. *Je dois tuer ou être tuée.*

— Pour toi, Lothryn, mon amour, murmura-t-elle, en se souvenant de quelle manière il avait sacrifié sa propre vie pour sauver celle des autres.

Elle eut l'intuition fulgurante que les sentiments qu'il avait dû éprouver à cet instant-là – la certitude de sa mort imminente, le chagrin de perdre son enfant à peine né, et les regrets que leur amour n'ait pas trouvé à s'exprimer – étaient exactement ceux qu'elle ressentait maintenant. C'était comme de trancher tous les liens, de se débarrasser de toutes les peurs et ne plus penser qu'à une chose : tuer ou être tuée.

Alda se fendit pour piquer ; l'esprit d'Elspyth bascula dans le néant.

Wyl pénétra dans un vaste salon, dans lequel régnait une douce chaleur ; un feu brûlait à chaque extrémité de la grande salle. Une petite foule d'hommes allaient et venaient le verre à la main. Il n'en reconnut aucun, ce qui semblait signifier qu'aucun d'eux ne verrait d'objection à ce qu'une Thirsk subisse un traitement odieux et indigne. Ses bottes crissèrent sur le sol et il s'aperçut qu'il piétinait des morceaux de verre brisé – les débris d'une des magnifiques coupes de verre rouge de feu la duchesse Aleda. Soudain, ces morceaux piétinés lui apparurent comme l'exacte représentation du destin de cette grande famille du nord, fracassée et oubliée.

Son regard se posa alors sur l'homme responsable de tout cela. Assis à l'extrémité de l'immense table de chêne de Jeryb, un verre à la main, Celimus portait des toasts, débordant d'orgueil satisfait, les joues légèrement rougies par le vin et l'ambiance pleine de jovialité. Tout autour de lui, on apercevait les restes de son festin. À sa droite, se tenait Cailech. Plus réservé dans sa joie, le roi des Montagnes avait par ailleurs fait largement moins honneur aux agapes. Wyl le connaissait suffisamment bien pour savoir que le sourire sur son visage était dénué de toute sincérité. Cailech leva son verre pour saluer quelque chose que Celimus avait dit, mais il s'abstint d'y tremper les lèvres. Dans le même temps, son regard pénétrant examinait chaque chose, nourrissant son esprit d'informations essentielles. Ses bras étaient nus et tous ses muscles bandés, comme s'il était prêt à bondir sur ses pieds pour fuir droit devant. Indiscutablement, Cailech n'était pas heureux d'être là, mais il donnait bien le change. À côté de lui se tenait Aremys, figé et rigide, le visage grave. Apparemment, il n'avait ni bu ni mangé.

Wyl observa les réactions – toutes différentes – que montrèrent les trois hommes à l'entrée d'Ylena. Celimus eut une expression de plaisir intense et sauvage ; ses yeux jetèrent des lueurs alors qu'il semblait anticiper ce qui allait arriver. Pour sa part, Cailech eut surtout l'air interloqué. Ses yeux se fixèrent sur Ylena avec une intensité presque insoutenable. Son mince sourire disparut de ses lèvres. En fait, Wyl comprit que la beauté d'Ylena l'avait tout à la fois surpris et estomaqué. Enfin, le pauvre Aremys avait l'air d'un chien enchaîné, de ceux qui savent qu'ils vont prendre une raclée. Il blêmit et son visage sans expression devint un véritable masque. Son désespoir était tel qu'il parvenait à peine à échanger ne serait-ce qu'un coup d'œil avec Wyl.

Peu à peu, le silence se fit, à mesure que les convives remarquaient leur présence. Jessom attendit néanmoins que le silence soit complet avant de parler.

— Messires, permettez-moi de vous présenter dame Ylena Thirsk, fille de feu le général Fergys Thirsk et sœur du très regretté général Wyl Thirsk, que Shar ait pitié de leurs âmes.

Quelques voix reprirent en écho la formule pour les morts. Wyl vit avec plaisir les lèvres de Celimus se contracter. Son sourire devint acide et Wyl comprit qu'il allait payer au prix fort le soutien exprimé envers sa famille.

— Ylena Thirsk, quel plaisir de vous revoir parmi vos amis morgravians, dit Celimus avec un sourire éclatant tout spécialement destiné à cette invitée de marque. Approchez, Cailech, venez voir la femme qui a échappé à mon juste courroux grâce à l'aide d'un mercenaire du nom de Koreldy.

Cailech braqua ses yeux verts sur le roi de Morgravia.

— Koreldy ?

— Vous le connaissez ?

— J'écorcherai la peau de ses os le jour où je remettrai la main sur lui.

Enivré par l'excellent vin des caves de Jeryb et fort satisfait d'être sur le point de se débarrasser de l'ultime descendante de la dynastie Thirsk qui avait tant assombri son existence, Celimus rejeta la tête en arrière pour éclater de rire.

— Alors je vous ai rendu un fieffé service, mon ami. Koreldy est mort.

Le visage du roi des montagnes était devenu de pierre ; ses yeux étaient indéchiffrables.

— En fait, poursuivit Celimus qui avait noté sa réaction et en jouissait fort, je crois que c'est ma promise qu'il faut remercier pour son trépas.

— Comment ça ? demanda Cailech, apparemment incapable d'en dire plus.

Celimus vida son verre avant de l'abattre sur la table. Des rigoles de vin rouge coulaient de chaque côté de sa bouche, pareilles à deux sillons de sang. *Une ressemblance tout à fait appropriée*, songea Wyl. *Le sang va couler ce soir.*

— Koreldy est parti chercher refuge en Briavel, en prétendant être le champion de ma reine. (Celimus esquissa un petit geste dédaigneux.) Bien sûr, elle ignorait tout de son identité – jusqu'à ce que je la lui révèle.

— Pourquoi ne dis-tu pas que c'est le seul moyen que tu as trouvé pour éviter que l'épée de Koreldy ne te tue, maudit couard ? cria Wyl.

Une vague d'exclamations retentit dans le vaste salon ; les yeux de Celimus flambèrent de haine. Il s'approcha d'Ylena jusqu'à la toiser de toute sa hauteur.

— Cette chienne de Thirsk ment. Elle n'était même pas là, comment pourrait-elle savoir ce qui s'est vraiment passé ? Où étais-tu d'ailleurs, Ylena ? À Rittylworth, n'est-ce pas ? Terrée au fond des caves d'un monastère avant de fuir pour Felrawthy. Comme il est juste et bon que ta route s'achève ici, Ylena. Personne ne viendra plus te sauver maintenant.

De mémoire de Wyl, jamais la voix de Celimus n'avait été aussi cruelle.

— Et je ne veux pas qu'on me sauve, fils de pute ! Remercions Shar que ton père ait tué ta mère. Et regrettons qu'il ne l'ait pas fait avant que tu naisses…

Wyl ne put terminer son insulte. Le coup donné en plein visage était parfaitement dosé. Tout devint noir pour Ylena. Un silence de plomb s'abattit sur la pièce. Jessom fut le premier à se ressaisir. D'un geste, il ordonna à l'un des gardes de relever la jeune femme étendue sur les dalles. Du sang s'écoulait d'une plaie qu'elle s'était faite sur un coin de la table.

Cailech tourna la tête vers Aremys, frappé de stupeur. Il n'avait pas la moindre idée du drame qui se jouait ici, mais il n'aimait pas ça du tout. De toute évidence, il existait un lien entre le mercenaire et la jeune femme. Pire, il avait l'impression que tout ce qui venait de se dire n'avait été prononcé qu'à sa seule intention. Pour autant, si Celimus imaginait que son homologue du nord pouvait prendre plaisir à voir une jeune noble humiliée et blessée de cette façon, il se trompait lourdement. Cailech était le premier à admettre qu'il n'était pas un roi tendre. En effet, il n'avait pas hésité à faire préparer la prisonnière de Morgravia pour la mettre à la broche, puis à la tuer pour tromper Gueryn. Mais après tout, n'était-elle pas une prise de guerre ? Elle avait été capturée en pleine tentative d'infiltration dans les Razors – et Cailech était partisan du vieil adage « œil pour œil, dent pour dent ». Celimus avait fait tuer trop des siens pour que Cailech ne fasse pas un exemple des prisonniers. Néanmoins, cette Ylena Thirsk n'était rien d'autre qu'un pion dans la partie entre Celimus et la famille Thirsk, et il ne voulait en aucun cas jouer un rôle dans cette affaire. Il haussa un sourcil pour interroger Aremys sans parler. Le mercenaire lui rendit un regard l'implorant de faire quelque chose.

Celimus se retourna vers ses invités ; sa main gauche massait les phalanges de sa main droite.

— Elle a la tête plus dure que la pierre – comme tous les trolls qui ont Thirsk pour nom. (Quelques rires nerveux s'élevèrent ici et là.) Prépare-la! ordonna-t-il à Jessom qui escortait le garde portant Ylena dans ses bras vers une porte latérale.

Cailech était pressé de mettre un terme à cette soirée. Il était grand temps de partir. Pourtant, la vue de cette beauté blonde qui avait magistralement tenu tête à l'homme que tout Morgravia craignait comme la peste l'incitait à en apprendre davantage. Il savait que Celimus l'observait. C'est donc d'une voix absolument neutre qu'il reprit la conversation.

— Vous me parliez de ce Koreldy, dit-il comme si l'interruption n'avait été qu'un incident sans la moindre importance.

Celimus reprit avec un aplomb au moins aussi grand, s'asseyant et invitant tout le monde à en faire autant, d'un ample geste du bras.

— Pardonnez cette interruption. Oui, je disais que j'avais révélé la véritable identité de Koreldy à la reine Valentyna qui en a été mortifiée, comme vous pouvez l'imaginer. C'était précisément ce mercenaire qui avait tué son père, le roi Valor.

— Je vois. Et ensuite?

— Eh bien, elle l'a banni, ce qui a permis à l'un de mes assassins de s'occuper de lui. Je n'avais aucune intention de laisser Koreldy courir le pays après m'avoir trahi.

Cailech ne parvenait pas à en croire ses oreilles.

— Vous avez une preuve de la mort de Koreldy?

— Un doigt orné d'une chevalière aux armes de sa famille, avec une pierre rouge sang.

— Je connais ce bijou, répondit Cailech, qui eut soudain l'impression qu'une part de lui-même venait de disparaître.

Certes, on l'avait privé du plaisir de régler lui-même son compte à Romen, mais il n'avait sûrement pas pensé que cela lui causerait un chagrin si intense. Malgré leurs différends et le sang versé entre eux, c'était un homme qu'il respectait. Il avait la conviction que Koreldy aurait préféré mourir par l'épée d'un guerrier des Montagnes que par le poignard d'un assassin morgravian.

— J'avais toujours cru que cet homme avait plusieurs vies, dit-il en s'efforçant de dissimuler l'amertume dans sa voix.

— Disons qu'il les a toutes utilisées le jour où sa route a croisé la mienne, mon ami, clama Celimus, avant d'ordonner qu'on serve du vin.

Cailech commençait à en avoir plus qu'assez que le roi de Morgravia lui donne du « mon ami ». D'un signe de tête en direction d'Aremys, il donna le signal du départ, mais le mercenaire ne réagit pas. Il avait parfaitement compris le sens du message, mais il demeurait assis, les yeux fixés sur la porte par laquelle on avait emporté Ylena. Le roi des Razors fronça les sourcils. Que pouvait-il y avoir entre ces deux-là?

— Cette femme… que va-t-il lui arriver? demanda-t-il en faisant tourner son verre à moitié vide.

— Elle va être exécutée en votre honneur, seigneur Cailech, répondit Celimus.

De surprise, Cailech renversa un peu de vin.

— Certainement pas en mon honneur.

Celimus haussa les épaules.

— Puisqu'elle va mourir de toute façon, j'aurais aimé qu'elle soit un présent pour vous. Vous n'êtes pas délicat à ce point-là quand même ?

C'était un défi.

Cailech n'appréciait ni la teneur du cadeau, ni l'insinuation dans le propos.

— Celimus, nous n'avons que trop abusé de votre hospitalité. Vous voudrez bien m'excuser, mais je vais devoir partir.

— Je ne pourrais jamais vous pardonner si vous partiez, mon ami.

— Et pourquoi ça ? demanda Cailech entre ses dents serrées.

— Nous avons encore un peu de temps avant l'heure prévue et j'aimerais que vous preniez part aux réjouissances.

— C'est-à-dire ?

La voix de Celimus prit une note sournoise.

— Va dire à Jessom que nous sommes prêts, dit-il à un serviteur.

C'était terrifiant. Jamais de sa vie Elspyth ne s'était battue avec quelqu'un, pas même des années plus tôt avec les autres enfants mimant des combats d'épée ou jouant à se faire la guerre pour de rire. Et là, elle se retrouvait face à une femme manifestement décidée à la tuer. Elspyth ne connaissait aucune ruse, aucune tactique pour tenter de se protéger.

Un rictus déformait le visage d'Alda. Dans l'esprit d'Elspyth, il n'y avait aucun doute, Alda se voyait en prédatrice et son adversaire était la victime offerte en pâture. La chasseuse lâcha un rire, bondit vers l'avant et feinta sur la droite. La proie tomba dans le piège, tentant d'esquiver par la gauche, pour ne trouver qu'une issue fermée. Le poignard fusa vers elle. Elspyth poussa un cri et fit volte-face pour fuir. La lame entama profondément la chair de son dos.

Les hommes rugirent de plaisir ; la cote d'Alda grimpa en flèche. Les cris devenaient de plus en plus assourdissants. La foule insultait Elspyth, criant que Shar l'attendait et qu'elle ferait aussi bien d'abandonner.

Alda fondit sur elle, visant cette fois-ci le visage. Le public apprécia d'autant plus que ce beau minois exprimait le plus grand désespoir. Elspyth réagit instinctivement, levant ses deux bras devant ses yeux ; une entaille apparut du poignet jusqu'au coude. Un filet de sang coulait tout le long. La blessure n'était pas mortelle, mais elle touchait le bras qui tenait l'arme. Elle le sentit s'engourdir et poussa un hurlement de désespoir.

Alda était à la fête. Elspyth comprit qu'elle ne faisait que jouer avec elle. Elle avait promis du spectacle en échange du choix de sa victime, et elle tenait parole. Combien d'autres entailles allait-elle lui infliger avant qu'arrive le coup de grâce ? À travers ses larmes, Elspyth vit Alda bondir. Le coup passa si près qu'Elspyth entendit l'air vibrer à ses oreilles. Alda rit de nouveau, plus durement; les tentatives de fuite de la jeune femme, maladroites et désordonnées, faisaient couler le sang toujours plus abondamment. Elle le sentait goutter dans son dos; son visage et sa poitrine étaient inondés de celui qui s'échappait de la plaie à son bras.

L'engourdissement lui faisait perdre la sensation du couteau dans sa main. Impressionnée malgré elle, elle se rendit compte que c'était exactement ce qu'avait voulu Alda. Et pas pour le spectacle uniquement. Celle qui allait la tuer lui infligeait des blessures stratégiques, faites pour amoindrir ses défenses. Pas étonnant qu'Alda soit encore en vie à son troisième combat. Et aucun doute, elle ne tarderait plus à être sur le bateau.

Doit-elle absolument y être? demanda une petite voix dans l'esprit d'Elspyth. Pourquoi devrait-elle l'emporter? Ne peux-tu pas trouver de l'énergie en toi? Ne peux-tu pas mourir en tentant d'attaquer au lieu de te laisser massacrer comme un agneau effrayé?

Elle sentit une fois de plus la morsure sadique de la lame dans sa chair, sur son sein cette fois-ci. Après la douleur fulgurante, elle sentit le sang couler le long de son ventre. Elspyth tituba. Elle n'osa pas porter les yeux sur les ravages causés à son corps. Lorsqu'elle les baissa finalement, elle n'aperçut que du rouge. Le sang se déversait, emportant ses forces et sa volonté de faire face et se battre. Face à elle, Alda se pavanait, intacte, sans une égratignure, et néanmoins couverte de sang – son sang à elle.

Alda fit alors quelque chose qui allait réveiller l'instinct de survie de son adversaire – l'instinct le plus primaire. En réponse aux cris des hommes rendus fous, qui lui hurlaient de mettre à mort la jeune femme réduite à l'état de plaie ambulante, le souffle court et comme écrasée par le poids de sa douleur et de son désespoir, Alda lécha le sang dont ses mains étaient barbouillées. Ce geste fit gravir encore un degré à la folie lubrique et abjecte du public.

Mais il permit également à Elspyth de renouer contact avec sa rage vibrante. Devant ce geste théâtral qui disait qu'Alda la considérait comme une proie misérable et à sa merci, Elspyth retrouva sa colère. Elle se redressa d'un bond, rejeta ses cheveux en arrière et poussa un hurlement de démence. Sa fureur jaillit hors d'elle-même, balaya toutes les défenses magiques érigées pour fuser vers la conscience d'un homme piégé dans le corps d'un cheval.

Pendant un instant, ce fut comme si Lothryn assistait au combat.

Tue-la, Elspyth! cria-t-il. *Survis!* L'instant suivant, le contact était rompu. L'image s'évadait de son esprit comme du sable coulant à travers les doigts.

—Lothryn! hurla Elspyth.

Seul le silence lui répondit – un silence épais comme une nuit de ténèbres –, puis la voix sinistre d'Alda qui avançait sur elle.

—Il est l'heure, Olivya, dit la femme d'une voix douce, comme une mère parle à son enfant.

Mais sa douceur n'était qu'un mensonge.

— Fais-le, salope ! Finis-en ! cria Elspyth, par-dessus la clameur survoltée de la foule, qui savait qu'un seul coup suffirait.

Alda ne s'était pas attendue à ça. Elle pensait que son adversaire allait sangloter, supplier, mais pas qu'elle allait l'agresser. Ses sourcils se froncèrent. Elspyth s'accroupit comme sous le poids de la douleur et lâcha son arme dans la sciure.

— Je n'ai plus rien à donner, murmura Elspyth. Plus rien.

Alda s'enragea.

— Tu n'as rien donné ! Tu n'as même pas essayé de te défendre, pauvre imbécile. Et maintenant, je vais partir d'ici. Merci Olivya. Ta vie va m'acheter un bien très précieux.

Alda s'approcha à grands pas.

— Fais vite, supplia Elspyth.

— Je vais faire vite, répondit Alda en essuyant le sang sur sa bouche, incapable de discerner la moindre chair dans tout le sang qui couvrait le corps d'Elspyth. Tends ta gorge ! ordonna-t-elle.

Elspyth tourna légèrement la tête sur le côté, bien consciente qu'elle avait tout d'un agneau offrant son cou au bourreau.

Dans son excitation, Alda ne voyait plus rien d'autre qu'une agnelle marchant volontairement à la mort. Elle ne vit pas la main d'Elspyth qui saisissait le couteau par terre à côté d'elle. Des hommes dans la foule l'aperçurent et crièrent à Alda de se méfier, mais la fureur et le bruit étaient assourdissants. Il n'y avait plus que la gorge de lait d'Olivya et la lame qu'elle élevait bien haut pour frapper.

Elspyth se demanda si Shar était à côté d'Alda, prêt à l'emporter, pendant qu'elle brandissait son poignard. Elle vit ses bras s'élever lentement, atteindre le sommet de leur course juste avant de s'abattre… Maintenant ! Elle ne savait pas si elle avait prononcé ce mot ou si elle l'avait juste entendu résonner dans sa tête. Quoi qu'il en soit, Elspyth réagit à une vitesse qu'elle n'avait encore jamais atteinte dans sa vie. C'était un instant à saisir pour un geste d'une précision absolue. Un jour, Wyl lui avait expliqué que lorsqu'une faille se présente dans la défense d'un adversaire, il faut frapper vite et sans réfléchir, avec toute la puissance et le poids du corps, comme un chat qui bondit. Elle sentit ses jambes la propulser vers l'avant. Tout son courage, chaque parcelle de son amour pour Lothryn la lancèrent dans un bond d'une incroyable sauvagerie. Pointée vers le haut, sa lame vint s'enfoncer jusqu'à la garde dans la gorge d'Alda.

Elspyth ressentit une brûlure à l'épaule ; le couteau d'Alda avait manqué son cou pour plonger le long de son omoplate. C'était une douleur effroyable, mais la blessure ne lui prendrait pas sa vie… Les yeux d'Alda exprimaient la plus grande surprise. Sa gorge émettait un immonde gargouillis au milieu d'un flot de sang.

Tremblante et choquée au fond de l'âme, Elspyth tomba à genoux à côté d'Alda et prit sa main dans les siennes. Elle ne voulait pas que la pauvre rejoigne son dieu emportée par la haine. Alda voulait parler, Elspyth le vit dans ses yeux, qui déjà devenaient vitreux. Voulait-elle dire le regret de voir s'envoler ses chances de partir ou le chagrin des actions hideuses qui l'avaient poussée si loin ? Elspyth ne le saurait jamais. Elle sentit une légère pression de la main de la mourante qui luttait pour ne pas partir. Pourtant, même ce combat-là était désespéré, et elle le savait.

Un lourd silence s'abattit sur le public. De grosses sommes venaient d'être perdues. L'opprimée venait de vaincre contre tous les pronostics.

Le sang d'Alda se mêlait à celui d'Elspyth, formant une petite flaque entre elles deux.

— Je suis désolée, murmura Elspyth, incapable de contenir ses larmes. Que Shar te guide vers la paix.

Alda mourut, un petit sourire sur les lèvres, comme pour remercier Elspyth de ses vœux. Puis ses traits se détendirent et son sang cessa de couler sur celle qui l'avait vaincue.

Des cris éclatèrent, troublant l'étrange silence incrédule. Des soldats faisaient irruption dans la grande maison. L'un d'eux était le commandant Liryk qui hurlait des ordres à la ronde. Ce fut Crys qui aperçut Elspyth en premier.

La vue des deux corps ensanglantés au milieu de l'arène l'horrifia, le figeant sur place. L'une des deux femmes était morte et l'autre sanglotait.

— Elspyth ! appela-t-il, dans le vacarme qui était reparti de plus belle. (Elle ne l'entendit pas.) Elspyth ! répéta-t-il en hurlant.

La fureur le gagnait tandis que des images atroces du massacre des siens assaillaient son esprit.

Elle releva la tête. Tout son corps tremblait.

— Crys ?

Sa bouche paraissait hésiter, comme si elle n'était pas sûre de la réalité de ce qu'elle voyait.

En quelques enjambées rageuses, il fut à ses côtés et la prit dans ses bras. Son sang coula sur lui. Tétanisé, Crys ne parvenait pas à articuler un autre mot. Il enfouit son visage dans ses cheveux défaits et trempés pour pleurer avec elle.

Des mains compatissantes l'écartèrent doucement d'Elspyth. Une couverture fut placée sur les épaules de la jeune femme, agitée de tremblements. Liryk saisit le bras de Crys.

— Ressaisissez-vous, dit-il.

Crys lui sut gré de ce rappel à l'ordre. Il devait montrer l'exemple devant les hommes. D'un hochement de tête, il exprima ses remerciements au vieux soldat.

— Elle est blessée, dit-il, précisément à l'instant où Elspyth s'effondrait sur le sol.

— Sortez-la d'ici ! aboya Liryk.

— Non, attendez, dit Elspyth d'une voix suppliante. Avez-vous attrapé les responsables ?

Liryk secoua la tête.

— Êtes-vous en état de nous aider ? demanda-t-il.

— Vous ne voyez pas ses blessures…

Elspyth interrompit Crys.

— Ça ira. Je vous en prie. Savoir que leurs têtes vont rouler dans la poussière est tout ce qui compte pour moi.

— Brave fille, dit Liryk, impressionné. (Il avait vu l'étendue des blessures de la jeune femme de Yentro et savait que bien des hommes auraient hurlé.) Désignez-les.

Tout en aidant Elspyth à se tenir debout, il passa sur son visage une serviette humide qu'un garde lui avait donnée. L'eau fraîche la ranima quelque peu.

— Venez, l'encouragea Liryk. Ils sont regroupés à l'extérieur.

— Et les femmes ? demanda-t-elle.

Liryk émit un sifflement.

— C'est un véritable choc. Nous n'avions aucune idée de l'ampleur de tout ça.

— Vous saviez ? s'exclama Elspyth, incapable de contenir son ton accusateur.

— Nous nous en doutions uniquement, corrigea Liryk. Mais effectivement, nous attendions de trouver une piste solide.

Elspyth émit un soupir exprimant son dégoût, toutefois elle n'ajouta rien. D'une pression sur son épaule, Crys venait de lui suggérer de retenir sa langue. Elle se tourna pour suivre Liryk, mais ses jambes refusèrent de la porter.

Crys lui prit doucement le bras et le sourire triste sur son visage réchauffa le cœur de la jeune femme.

— Laissez-moi vous aider, Elspyth, si vous ne voulez pas que je vous porte.

Il glissa un bras autour de sa taille pour lui permettre de s'appuyer contre lui.

— Merci, murmura-t-elle. Comment m'avez-vous retrouvée ?

— Plus tard, répondit Crys. Finissons-en d'abord ici.

À l'extérieur, Elspyth désigna les hommes qui organisaient les paris. Ensuite, elle prit un plaisir évident à demander à Crys de la conduire à l'endroit où Ericson tentait de se fondre dans la foule.

— C'est lui, dit-elle. Il s'appelle Ericson et c'est lui le responsable. C'est lui qui enlève les femmes pour ses « jeux ».

Elle avait craché ce dernier mot comme s'il avait été du poison dans sa bouche.

Ericson fut enchaîné et emmené à l'écart avec les sept autres hommes impliqués.

— C'est tout ? demanda le commandant.

— Oui. Les autres ne sont que de cruels spectateurs.

Liryk secoua la tête d'un air las.

— Sur le champ de bataille, nous faisons preuve de plus de respect que ces hommes n'en ont montré à ces femmes. Soldats, écoutez-moi maintenant, dit-il en s'adressant à sa troupe. Je veux le nom de chaque homme ici présent, avec la preuve qu'il dit vrai. Ceux qui ne peuvent le prouver seront exécutés. Les autres recevront quarante coups de fouet. S'ils survivent, qu'ils ramènent leur cul chez eux et qu'ils expliquent ça comme ils peuvent.

» N'oubliez pas, poursuivit-il en se tournant vers les prisonniers, que nous aurons une liste de vos noms et de l'endroit d'où vous venez. Si vous êtes repris à sortir du droit chemin, tous les biens de vos familles seront saisis – maisons, terres, argent, tous les biens. C'est clair ?

Elspyth vit chacun d'eux blêmir à l'annonce de la sentence qui les attendait. Peut-être allaient-ils prendre un tant soit peu la mesure du mal qu'ils avaient infligé aux pauvres captives. Elle n'éprouvait pas la plus petite compassion pour eux. Elle se demanda ce que Liryk réservait à Ericson et à ses sbires. Elle n'eut pas à attendre longtemps, car la rapidité et la sévérité avec lesquelles Liryk appliquait la justice l'impressionnèrent.

— Les responsables de cette infamie auront la tête tranchée, clama-t-il en fixant Ericson qui s'était mis à trembler.

Un lourd silence s'était abattu.

— Qu'attendez-vous ? demanda Liryk d'un ton tranquille à l'un de ses capitaines.

— Excusez-moi, commandant. Vous voulez dire maintenant ?

— Exactement. Et que tous regardent pour ne pas oublier que la reine de Briavel se montrera toujours sans pitié envers ceux qui ne respectent pas les lois sacrées de la vie.

Malgré sa faiblesse, Elspyth eut encore l'énergie de se sentir désolée pour le pauvre capitaine. Une soudaine pâleur était apparue sur son visage, mais il trouva le cran de saluer. Liryk faisait preuve d'une extrême fermeté envers ces hommes maléfiques, et elle ne l'en estima que davantage. Elle demeura consciente suffisamment longtemps pour voir Ericson s'agenouiller en sanglotant, tandis qu'on le forçait à mettre sa tête sur le billot. Elle chercha du regard la fille de l'infâme bonhomme, mais la fillette à la voix chantante n'était nulle part alentour lorsque la hache du bourreau s'abattit. La tête de son père roula sur le sol.

— On dit que, pendant quelques secondes, la tête sait qu'elle a été séparée du corps, dit Crys distraitement, tout en la soutenant contre lui.

— Tant mieux, murmura Elspyth avant de s'effondrer contre son épaule.

Chapitre 22

Wyl fut ramené dans le grand salon des Donal, où régnait une tension impatiente. De toute évidence, Ylena était attendue. Il vit le visage décomposé d'Aremys et regretta de ne pouvoir lui dire combien la mort ne l'effrayait plus désormais. Fuir le corps de sa sœur – par quelque moyen que ce soit – serait de toute façon une délivrance.

Sur un ordre de Jessom, deux gardes l'emmenèrent dans un étrange silence jusqu'à une extrémité de la pièce où un cadre de bois avait été érigé, à son intention exclusive, certainement. Sans que cela paraisse nécessaire, on lia au montant ses chevilles toujours entravées. *Voilà qui est nouveau*, pensa-t-il. Celimus devenait toujours plus créatif. Wyl fixa le souverain de Morgravia d'un air de défi.

Celimus prit le temps de savourer une gorgée.

— La dernière des Thirsk pieds et poings liés pour notre bon plaisir. Faites entrer les archers, dit-il, avant de se tourner vers le roi des Montagnes, dont le visage était devenu semblable à celui d'une statue. Venez, Cailech, je me suis dit que vous autres des Razors étiez...

Celimus marqua une pause.

— Barbares ? proposa Cailech dans un souffle.

Un sourire plein de ruse vint flotter sur les lèvres du roi morgravian.

— J'allais dire « espiègles et enjoués ».

Cailech ne répondit rien, pivotant sur lui-même pour observer la prisonnière qui l'intriguait au plus haut point. Ses yeux rencontrèrent un regard bleu acier dans lequel brûlait, haute et claire, une flamme de haine et de colère. Il eut le souffle coupé, comme chaque fois qu'il l'avait regardée. Il était époustouflé par son air de défi, son dédain absolu pour l'endroit où elle se trouvait et les hommes qui la regardaient. Elle savait forcément ce qui allait arriver, mais elle ignorait la peur et clamait son mépris à la face du monde entier. *Son âme a tout le courage des peuples du nord*, songea-t-il, fasciné par les longues boucles blondes qui tombaient sur ses épaules. Barbouillée et la mise défaite, Ylena Thirsk lui apparaissait comme la plus désirable des femmes.

Il dut détourner le regard, pour échapper à la fureur flamboyante de ses yeux.

— Pas de jugement ? demanda-t-il, comme deux archers entraient dans la pièce.

— Pas la peine, répondit Celimus. Elle paie le prix de la traîtrise des hommes de sa famille.

— Shar ne te pardonnera jamais ça, maudit chien. C'est comme avec la sorcière Myrren, toujours la même histoire qui recommence. (La similitude des situations venait de lui apparaître, lui arrachant un rire. L'esprit de Celimus établit le lien et Wyl le vit reculer.) Elle t'a vaincu et je te vaincrai moi aussi. Je ne crierai pas ! Je ne te donnerai pas cette satisfaction, espèce de lâche…

— Fais-la taire ! ordonna Celimus à un soldat.

Mais Wyl n'entendait pas s'arrêter. Il continua à crier tandis que le garde, bien embarrassé, s'approchait.

— Ton père a toujours souhaité que mon frère devienne roi à ta place, alors tu les as éliminés tous les deux ! Puis le roi de Briavel ensuite, et Koreldy et la famille Donal. Méfie-toi, Cailech, il voudra te tuer toi aussi. Et sa fiancée également. Il massacrera tout le monde jusqu'à ce que…

La bouche d'Ylena était obstruée. Plus un son cohérent ne sortit de derrière le bâillon, mais la colère de Wyl contre l'homme qui avait détruit tant de vies loyales demeurait toujours aussi vive. Il vit Cailech secouer la tête, un air plus que dubitatif plaqué sur le visage.

— Où vas-tu, Aremys Farrow ? cria Celimus, couvrant le tapage de la prisonnière. Et tiens-toi tranquille, Ylena, ou je t'agrandis la bouche au couteau.

Wyl se le tint pour dit. Il s'était promis de préserver le corps de sa sœur autant que possible. D'ailleurs, il n'y avait plus rien qu'il puisse faire désormais. Comme toutes les personnes présentes dans la pièce, il reporta son attention sur le mercenaire.

Aremys avait espéré que nul ne le verrait sortir subrepticement du salon. Il ne pouvait pas assister à ce qui se passait et il ne pouvait pas non plus sauver Wyl. Seul, il aurait été taillé en pièces avant même de l'atteindre. Tous deux mourraient, mais un seul aurait droit à une autre vie. Bien sûr, il pourrait toujours atteindre Celimus, mais ensuite ? Il n'avait pas d'arme sur lui. *Le mordre jusqu'à ce que mort s'ensuive*, songea-t-il amèrement en se redressant de la révérence qu'il s'était senti obligé de faire avant de sortir. Le souverain morgravian l'avait aperçu et il attendait maintenant une réponse.

— Mille excuses, Majesté, j'allais préparer les chevaux pour que nous soyons prêts à partir après… le divertissement.

— Tout sera prêt pour votre départ, Farrow. Je préférerais que tu restes. En fait, j'aurais cru que ça te ferait plaisir de voir ta proie succomber ?

— Pas de cette manière, Majesté, se risqua à dire Aremys.

Celimus ne réagit pas comme Aremys l'avait escompté. À dire vrai, Celimus jouissait littéralement de la gêne qu'il suscitait chez les autres. *Sauf chez Cailech*, songea-t-il avec un peu d'amertume. Le roi des Razors avait l'air plus troublé que réellement choqué.

—Ton roi est resté, poursuivit Celimus, et comme cette exécution est donnée en son honneur, j'entends que tu restes pour y assister, ordonna-t-il.

—Bien sûr, Majesté. Comme il vous plaira, répondit Aremys en regardant à la dérobée en direction d'Ylena.

Dans son for intérieur, il se dit que c'était sans doute préférable ; il fallait qu'il sache en qui Wyl allait s'incarner parmi les hommes présents dans la pièce. Soudain, une pensée effrayante le glaça : le sort de Myrren opérait-il si Wyl n'était pas tué par une arme tenue à la main ? Son esprit s'agitait en tous sens. Wyl ne lui avait jamais rien dit à ce sujet, mais peut-être n'en savait-il rien lui-même. Koreldy avait été tué par Faryl, d'un poignard plongé dans le cœur. Ylena avait planté une lame dans la gorge de la femme assassin. Si Celimus faisait tirer ses archers, personne ne serait lié à l'arme fatale pour le corps de la jeune femme. Ylena mourrait à coup sûr… mais Wyl aussi, peut-être.

L'impression d'avoir mis le doigt sur quelque chose d'essentiel le terrifia tant qu'il hurla dans le silence épais tombé sur la pièce.

—Majesté !

—Oui, Farrow ? répondit Celimus, dont l'humeur commençait à tourner au vinaigre.

Les yeux d'Aremys allèrent d'Ylena à Cailech. Il vit les sourcils froncés du roi des Razors et sut qu'il soupçonnait l'existence d'un lien entre elle et lui.

—Roi Celimus, dit-il en s'éclaircissant nerveusement la gorge, quelle fin calamiteuse, en particulier pour un banquet de fête. Pourquoi ne me laissez-vous pas l'emmener derrière pour m'occuper d'elle ?

—Tu as laissé passer ta chance, Farrow. Maintenant, laisse-moi l'achever à ma guise.

—Mais, Majesté…

Le reste de sa phrase resta bloqué dans sa gorge. La peur le mordit au ventre à l'instant où Celimus posa son regard sur lui. Il n'y avait plus la moindre indulgence pour l'émissaire du roi des Montagnes.

—Ne me pousse pas, mercenaire, ou tu vas finir comme elle.

—Et moi, je trouverais à redire qu'on inflige un tel traitement à un invité sous protection, intervint Cailech d'une voix glacée.

D'un signe de tête, il invita Aremys à poursuivre.

—Permettez-moi de finir la mission que vous m'avez confiée, Majesté. Laissez-moi lui ouvrir la gorge, ici même, devant vous.

C'était son ultime tentative, désespérée. Au moins, Wyl continuerait à vivre.

Celimus était coincé. Il avait voulu s'amuser en tuant Ylena, mais il avait nettement franchi les limites en menaçant Farrow. À voir l'expression sur le visage de Jessom, il savait que son chancelier l'exhortait à conclure cette affaire en douceur, que le mercenaire égorge Ylena et qu'on en finisse. Le roi de Morgravia était irrité, mais ce n'était ni le moment ni l'endroit pour faire un esclandre.

— Soit, dit-il, comme ça je n'aurai pas son sang sur les mains. Vas-y, Farrow, fais ce pour quoi je t'ai payé.

D'un coup d'œil, Aremys remercia Cailech. Sans son intervention opportune lancée sur un ton ferme, Celimus ne se serait sans doute pas radouci. Cailech lui rendit son coup d'œil avec une expression d'immense étonnement.

— J'aurais besoin d'un couteau, Majesté.

Celimus donna un ordre et l'un des gardes flanquant Ylena tira une lame monstrueuse de sa ceinture.

— Il est aiguisé, dit-il. Faites vite.

Aremys hocha la tête. Tout le monde voulait que cette horreur arrive à son terme. Il prit une profonde inspiration. Alors c'était ainsi qu'il allait finir. Il allait mourir aujourd'hui pour que Wyl vive en lui. Il se plaça devant la jeune femme.

— Ensemble ! souffla-t-il, avec un sourire désespéré.

L'ironie de ce mot lui donnait envie de hurler. En entendant le cri de guerre familial, Ylena se mit à pleurer.

Aremys brandit le poignard. Il savait où frapper pour trancher la jugulaire et assurer une mort rapide. Cependant, Ylena se mit à s'agiter comme un beau diable, hurlant malgré le bâillon, portant à son comble l'embarras de tout le monde – hormis les deux rois. En fait, les yeux de Celimus luisaient de contentement, et un renflement indiscret au bas de son ventre disait tout le plaisir malsain que lui inspirait cette scène atroce.

— Farrow ! Farrow ! criait Wyl de la voix suraiguë d'Ylena, bien décidé à empêcher le sacrifice de son ami.

— Que dit-elle ? demanda Celimus, déterminé quant à lui à faire durer l'agonie.

— Elle crie mon nom, répondit Aremys.

— Euh… je crois bien qu'elle dit « Farrow », Majesté, confirma l'un des gardes.

— Sans doute préfère-t-elle être tuée autrement ?

— Non, Majesté, affirma Aremys, du ton le plus ferme qu'il pensait pouvoir se permettre. C'est mieux ainsi.

— Un instant ! dit le roi. Laissons-la s'exprimer. C'est bien le moins que nous puissions faire, n'est-ce pas ?

Il promena un regard faussement miséricordieux sur tous les hommes rassemblés, jouant à merveille les monarques magnanimes.

Aremys tenait Wyl sous le feu de ses yeux pleins de colère.

— Pauvre fou, marmonna-t-il dans sa barbe.

Un garde retira le bâillon.

— Écarte-toi, Farrow, dit Celimus.

Le roi s'amusait follement. Le colosse obéit à contrecœur, non sans avoir jeté un coup d'œil en direction de Cailech. Le roi des Montagnes fronça de nouveau les sourcils, enregistrant chacune des nuances du drame en train de se nouer devant lui.

— Ylena, dit Celimus d'une voix presque tendre. En un dernier geste de générosité envers ta famille, je vais t'autoriser à choisir la manière dont tu souhaites mourir. Veux-tu que Farrow te tranche la gorge ou bien préfères-tu une flèche en plein cœur ?

— La flèche, répondit fermement Wyl, sans oser regarder son ami dans les yeux.

— Je m'en doutais. Excellent choix, Ylena, répondit Celimus, pratiquement sur le point de se frotter les mains de satisfaction. Merci Farrow, reprit-il. On dirait que ton rôle s'achève ici. Écarte-toi, maintenant.

Cette fois-ci, Aremys ne regarda rien d'autre que ses pieds tandis qu'il regagnait sa place près de la porte. Il ne voulait pas voir Wyl mourir.

— Ylena, ma chère, j'avais prévu quelques menus amusements avec les archers, mais puisque tout le monde ici semble vouloir une fin rapide, je vais les renvoyer et faire le nécessaire moi-même.

— Comme tu voudras, répondit Wyl sans ciller, sachant qu'il gâchait le plaisir de Celimus en se montrant si accommodant.

Le visage du roi s'assombrit tandis qu'un rictus retroussait sa lèvre.

— Un arc ! cria Celimus d'un ton furieux. Qu'on en finisse.

— Effectivement, ça traîne, dit Wyl du ton le plus excédé qu'il était capable de prendre.

Il ne parvenait pas à croire à sa chance. Celimus allait se charger de le tuer – et lui-même allait devenir le roi de Morgravia. Autant il en détestait l'idée, autant il éprouverait un plaisir indicible à finalement tuer Celimus.

— Dépêche-toi un peu Celimus, je suis pressée d'être partie ! cria Ylena.

Wyl vit l'étonnement sur les traits de Cailech devant le courage dont faisait preuve la jeune femme. Toutefois, ces paroles allaient être ses dernières. Celimus encocha une flèche. Wyl porta son attention sur Aremys, mais le mercenaire refusait de relever la tête. Il ne comprenait pas pourquoi – Aremys savait qu'il ne mourrait pas et qu'il allait devenir roi.

— Adieu, Ylena Thirsk. Que Shar t'envoie là où tes prédécesseurs ont fini. (Celimus banda son arc.) Dans le cœur ou dans l'œil ? À moins que je ne t'en laisse la surprise ? demanda-t-il avec une inimaginable cruauté.

Il produisait un effort terrible pour maintenir l'arc bandé. Tous percevaient la tension dans sa voix.

Wyl refusa de répondre et ferma les yeux. Celimus était un excellent archer. Il ne faisait aucun doute que la flèche allait le tuer.

La stupéfaction de Cailech était absolue. Cette femme était extraordinaire. C'était un crime de la laisser terminer sa vie ainsi. Ylena Thirsk faisait naître plus d'émotion en lui que toutes les femmes réunies qu'il avait connues dans sa vie. Cailech avait souvent été accusé d'être froid à l'égard de la gent féminine. C'était faux, il aimait les femmes – seulement, jamais il n'en avait rencontré une qui l'émeuve et le stimule véritablement. Pour la première fois, Ylena Thirsk avait allumé en lui un brasier de sentiments inconnus. Il voulait cette femme! Il n'aurait su dire d'où cette idée soudaine lui était venue, mais une chose était sûre, il n'allait pas la laisser mourir embrochée comme un animal par une flèche de Celimus.

Plus vif qu'un chat bondissant sur sa proie, Cailech s'avança pour dévier la main du roi, à la seconde même où celui-ci relâchait la corde tendue. La flèche monta droit vers le plafond pour aller se ficher dans une poutre avec un bruit sourd. Tous les hommes observèrent le trait qui vibrait dans le bois, ne sachant s'ils devaient être horrifiés du crime de lèse-majesté – ou soulagés de l'issue de ce drame. Wyl ouvrit les yeux d'Ylena, en proie à la colère. Pourquoi donc cette maudite flèche avait-elle manqué sa cible? Aremys serra les poings pour ne pas applaudir.

Celimus braqua le plus noir des regards sur son royal homologue.

—Je viens de prendre une décision au sujet du cadeau que vous m'avez promis.

Pas un muscle du visage de Celimus ne bougea. Pas un mot ne franchit le seuil de ses lèvres.

—Je la veux, elle, dit Cailech en pointant un doigt sur Ylena.

—Quoi? rugit Celimus.

—Vous m'avez bien entendu, répondit tranquillement Cailech. Je veux emmener Ylena Thirsk avec moi. Elle va venir dans les Razors et elle ne vous causera plus jamais le moindre problème.

—Mais en quoi peut-elle bien vous intéresser?

—Je suis sûr que si vous y réfléchissez bien, vous trouverez ce qui peut m'intéresser chez elle, répondit Cailech avec un clin d'œil.

Au plus grand étonnement de tous, Celimus se mit à rire. Tout doucement, Jessom relâcha la respiration qu'il retenait depuis bien longtemps. Sans doute le roi des Razors avait-il pris un risque, mais Jessom n'aurait pu songer à une meilleure solution. Lui-même avait suggéré de donner Ylena comme épouse à un guerrier des Montagnes. Il y avait fort peu de risques qu'elle parvienne à s'échapper des Razors. Ensuite, une fois conclu le mariage royal, plus personne ne se soucierait de la famille Thirsk. La liesse de l'union entre Morgravia et Briavel éclipserait tous les autres sujets.

—Majesté, c'est une occasion à saisir, se risqua à glisser Jessom.

Cailech eut un sourire.

—Vous voyez, Celimus. Même votre conseiller apprécie cette idée.

Une rage terrible s'empara de Wyl et Ylena se mit à hurler d'une voix hystérique.

—Tue-moi, salaud! Mais tue-moi donc!

—Oh, mais faites-la sortir d'ici! s'exclama Celimus, plus exaspéré que véritablement fâché.

Au fond, tout en regardant Ylena qu'on emmenait, il ne pouvait s'empêcher de trouver plaisante l'idée de Cailech.

— Vous m'aviez promis un présent – tout ce que je voulais, lui rappela Cailech.

— C'est vrai, dit Celimus en fixant Cailech au fond des yeux. Toutefois, je vais devoir y mettre des conditions. Koreldy a tenté quelque chose du même genre avec moi.

— Je ne suis pas Koreldy, siffla Cailech entre ses dents serrées.

— Pourquoi la voulez-vous ?

— Pourquoi un homme gorgé d'énergie ne la voudrait-il pas ? Vous laisse-t-elle indifférent à ce point ?

— Absolument. Son simple nom me donne envie de vomir.

— C'est de l'histoire ancienne maintenant. En tout cas, moi je n'ai pas ce problème avec elle. C'est une véritable beauté. Parachevons notre traité ! Je vais prendre une fille de Morgravia pour femme.

— Pour femme ? s'exclama Celimus, incapable de dissimuler son incrédulité.

— Pourquoi pas ? demanda Cailech avec un grand sourire.

Il se tourna vers Aremys, qui lui-même ne parvenait pas à dissimuler sa joie.

— Vous plaisantez, j'en suis sûr ?

— Jamais je ne plaisanterais avec quelque chose d'aussi sérieux que le sacrement du mariage. Si vous-même épousez une fille de Briavel, pourquoi ne pourrais-je pas fermer le triangle entre nos trois royaumes en épousant une femme de Morgravia ?

— Pourquoi pas, en effet, seigneur Cailech ? dit Jessom, décidé à prendre le risque de s'immiscer dans la conversation. C'est une union parfaite.

Ses yeux suppliaient Celimus de l'entendre – c'était encore mieux que ce qu'ils auraient pu imaginer dans leurs rêves les plus fous. Même Celimus pouvait comprendre ça.

— Il y aura des conditions, répéta Celimus, sourcils froncés, tandis que son esprit aiguisé examinait déjà les implications de cette nouvelle donne.

— Tout ce que vous voudrez, confirma Cailech. Mais je peux d'ores et déjà vous tranquilliser, Ylena Thirsk ne sera jamais autorisée à quitter les Razors. Je vous en fais le serment.

— Jamais ?

— Jamais.

— Et en tant que souveraine des Razors, une fois légitimement mariée, elle ne sera pas autorisée à prendre la moindre décision susceptible d'affecter Morgravia en quoi que ce soit. Dans le cas contraire, notre traité sera considéré comme rompu et je mènerai une guerre totale contre votre peuple. Et pas uniquement avec la légion, Cailech, mais avec toute la puissance combinée des armées de Morgravia et de Briavel.

— Elle n'aura que le titre de reine. C'est moi et moi seul qui suis le pouvoir dans les Razors.

— Bon, comment établissons-nous ça concrètement ? demanda Celimus en se tournant vers Jessom.

Cailech prit l'initiative de répondre.

— Je pars avec elle immédiatement. Vos hommes peuvent nous escorter jusqu'à la frontière pour s'assurer qu'elle est bien emmenée dans les Razors d'où jamais plus elle ne ressortira. Votre chancelier pourra ensuite rédiger les traités dans les formes, et vos délégués pourront se mettre en rapport avec les miens. Je signerai tout ce qu'il faudra pour formaliser notre accord concernant Ylena Thirsk.

Celimus secoua la tête. Il ne voyait aucune ruse. Cailech semblait sincèrement désirer Ylena.

— D'accord. Vous pouvez emmener Ylena Thirsk. Je vous l'offre en cadeau.

— Merci, répondit Cailech, lui-même surpris du plaisir qu'il éprouvait. (Il se tourna ensuite vers son compagnon.) Allez Aremys, prépare Ylena pour le voyage. Je vais la prendre en selle avec moi.

Chapitre 23

Pour finir, Wyl obtint de voyager sur sa propre monture, au moins pendant la première partie du trajet. Maussade et renfrogné, il se tenait en selle sur son cheval bai à côté d'Aremys. Tandis que les deux rois se faisaient leurs adieux, un lourd silence embarrassé s'appesantissait entre eux.

— Tu n'as pas la moindre idée de la colère que je ressens à cause de tout ce qui s'est passé ce soir, murmura-t-il finalement à son compagnon.

Aremys se hérissa.

— C'est l'idée de Cailech, pas la mienne. Cela dit, je mentirais si je ne disais pas que je suis prêt à embrasser le sol devant lui pour ça.

— Qu'est-ce que c'est censé signifier ? demanda Wyl en fixant le mercenaire.

D'un coup d'œil à la ronde, le colosse de Grenadyne s'assura que personne ne pouvait les entendre, et en particulier le chancelier.

— Je me suis dit une chose, expliqua-t-il à voix basse. Il se peut que le sort de Myrren ne fonctionne que lorsque l'assassin est en contact direct avec toi, d'une manière ou d'une autre.

— Je ne te suis pas, dit Wyl, sourcils froncés.

— Elysius t'a-t-il expliqué comment opère cette magie ?

Wyl haussa les épaules.

— Qu'y a-t-il à savoir ? demanda-t-il plein d'amertume, tandis qu'il apercevait les deux souverains en train de se saisir les mains et de venir épaule contre épaule, en signe de paix et d'entente selon la tradition des guerriers.

Aremys soupira. Il comprenait la colère de Wyl, même s'il ne pouvait prétendre ne serait-ce qu'imaginer ce qu'il devait éprouver à être ainsi piégé dans les corps d'autres personnes – ou la somme de courage qu'il lui avait fallu réunir pour affronter la perspective de la mort que Celimus entendait lui infliger.

— Dans ce grand salon, je me suis demandé s'il fallait que celui qui te tue tienne directement l'arme.

Son observation retint finalement l'attention de Wyl, qui la considéra un instant.

—Je n'avais jamais vu les choses sous cet angle. Tu veux dire que si la flèche avait été tirée à distance, peut-être serais-je définitivement mort à cette heure-ci ? En revanche, si tu m'avais égorgé, je serais devenu toi ?

—Exactement, murmura Aremys. Tu serais mort à jamais et tout aurait été perdu. C'est pour ça que j'ai agi comme je l'ai fait.

Le visage d'Ylena trahissait de nouveau le plus grand désespoir.

—Alors je dois à Cailech d'être encore en vie.

—Peut-être. En fait, je n'en sais rien, mais je n'ai aucune envie de mettre ma théorie à l'épreuve des faits, reconnut Aremys. Et j'aimerais autant que tu n'en fasses pas l'expérience.

Wyl se tourna une nouvelle fois vers Aremys. Le visage d'Ylena s'était apaisé.

—Merci.

Il ne put en dire plus. Cailech s'approchait.

—Ma dame, dit le roi des Razors.

Wyl ne parvenait pas à décrypter le ton aimable et le visage souriant du Montagnard. Il accueillit son salut d'un petit hochement de tête.

Aremys sentit une nouvelle peur lui nouer le ventre. Il n'avait pas encore eu le temps d'expliquer à Wyl que si Cailech venait de lui sauver la vie, la situation n'en était pas forcément meilleure pour autant. L'intention du roi des Montagnes était d'épouser Ylena. En fait, il se félicitait que ce ne soit pas à lui de l'annoncer, ou d'en supporter les conséquences.

Lorsque Cailech fut en selle, Celimus marcha jusqu'à eux.

—Bon voyage, mes amis. (Cailech répondit d'un hochement de tête et Celimus se tourna vers Wyl.) Tu t'en tires encore une fois, Ylena Thirsk, mais cette fois-ci, je crois bien que c'est la dernière. Je ne te reverrai plus jamais.

—Oh si, tu me reverras, Celimus, promit Wyl, avec un sourire déterminé sur les lèvres de sa sœur. Dans un endroit qu'on appelle l'enfer.

Celimus rit.

—Bonne chance avec elle, Cailech. À ce que j'ai compris, son mari n'a pu la saillir qu'une seule fois. Elle sera pratiquement comme une jeune vierge pour vous. En tout cas, n'oubliez pas la promesse que vous m'avez faite.

Les paroles de Celimus choquèrent Wyl, mais il en fit abstraction pour saisir son ultime occasion d'avoir le dernier mot. Jamais encore il n'avait entendu des accents si glacés et menaçants dans la voix de sa sœur.

—Et n'oublie pas la promesse que je te fais, Celimus. Lorsque nous nous reverrons, tu mourras et je te regarderai crever. Juste toi et moi, Celimus. Ainsi que les choses doivent être.

Ses paroles sonnèrent comme une prophétie aux oreilles de Jessom. Il ne voyait pas bien pourquoi, mais cette menace prenait des allures de prédiction dans la nuit froide du nord. Et pourtant, comment une jeune femme impuissante et prisonnière pourrait-elle réaliser cet exploit ? Ylena tenait son regard glacé sur le roi de Morgravia et un frisson parcourut l'échine du chancelier. Il eut soudain la conviction que quelque chose lui échappait, mais son esprit pourtant si affûté ne parvenait pas à concevoir de quoi il pouvait bien s'agir. Ylena était trop sûre d'elle, trop peu effrayée par Celimus. Par Shar, elle avait même souhaité sa propre mort ! Qui pouvait faire une chose pareille ? Cela n'avait aucun sens. Il se tourna vers Aremys et eut la surprise de voir qu'il tenait ses yeux fixés sur lui. Jessom eut l'intuition fulgurante que le nœud de cette intrigue se jouait entre Aremys et Ylena. Son regard s'étrécit sous l'effet de sa réflexion. Comme la petite troupe escortée de légionnaires s'ébranlait, le mercenaire le salua d'un signe de tête.

Jessom les regarda sortir de Tenterdyn en silence, comme frappé par une soudaine révélation. Malgré toutes les promesses que les deux rois s'étaient faites, ils n'avaient pas encore fini d'entendre parler de la famille Thirsk.

Le retour jusqu'à la frontière se déroula sans anicroches et en silence. Cela convenait parfaitement à Wyl. Il laissa son cheval suivre tranquillement, tandis que lui-même s'abîmait dans une intense réflexion sur la tournure qu'avaient prise les événements. L'idée de s'éloigner de Celimus le perturbait, mais Fynch l'avait bien prévenu du caractère éminemment aléatoire du Dernier Souffle. Peut-être était-ce une manifestation des caprices du sort ? En tout cas, cela ne signifiait pas que l'objectif final était modifié, mais juste qu'il arriverait en un autre temps et un autre lieu. Il escomptait bien croiser de nouveau le chemin de Celimus. *Et la prochaine fois, je n'échouerai pas.* Ses pensées dérivèrent vers le roi des Razors et ce qu'il envisageait de faire de sa sœur. Pourquoi Cailech avait-il retenu la main de celui qui était sur le point de l'assassiner ? Subitement, il ressentit une bouffée de gratitude. Après tout, peut-être le mercenaire avait-il vu juste ? Jusqu'à présent, tous ceux qui l'avaient tué tenaient directement l'arme dans leur main. Il vit Cailech faire un signe à Aremys, qui porta son cheval à la hauteur du sien. D'où il était, Wyl ne pouvait pas entendre ce qu'ils disaient. Aussi se replongea-t-il dans ses pensées.

— Qu'y a-t-il entre toi et Ylena Thirsk ? demanda Cailech, toujours aussi direct dans ses manières.

— Seigneur ?

— Ne joue pas les innocents avec moi. Je crois que je mérite mieux que ça.

Aremys soupira.

— C'est vrai, seigneur. Je ne voulais pas la voir mourir.

— C'était très clair. Mais la question est : pourquoi ?

— Parce qu'elle est innocente de tout ce dont Celimus l'accuse.

Cailech émit un bruit de bouche pour signifier son exaspération.

— Je suis assez grand pour le comprendre moi-même, Aremys. Dis-moi plutôt quelque chose que j'ignore. Quelque chose qui explique ce coup d'œil que tu m'as lancé pour me supplier d'arrêter cette mascarade.

Aremys comprit qu'il allait devoir cerner la vérité d'aussi près que possible. De toute évidence, Cailech n'avait aucune intention d'abandonner la question.

— Lorsque Myrt et ses hommes m'ont ramassé à l'est des Razors, j'avais perdu la mémoire, comme vous le savez, commença Aremys.

Cailech hocha la tête sans répondre. Les chevaux étaient passés au pas. Dans le lointain, ils apercevaient la lueur de torches allumées ; d'ici peu, ils allaient rejoindre les Montagnards.

— Lorsque mes souvenirs sont revenus, je me suis rappelé la mission qui était la mienne au moment où les voleurs me sont tombés dessus, poursuivit Aremys.

— J'aimerais bien entendre la fin de cette histoire avant qu'on fasse la jonction, observa Cailech d'un ton encore aimable.

Aremys hocha la tête, puis passa directement à l'essentiel.

— Celimus m'avait engagé pour trouver Ylena et la tuer.

— Je l'avais compris.

Aremys n'était pas étonné de la sagacité du roi des Razors.

— D'après ce que je sais, Celimus a planifié la mort de Wyl Thirsk, de Romen Koreldy, du roi Valor, peut-être même de son père, et de quantité d'autres personnes.

— Tu connaissais Romen ? l'interrompit Cailech.

— La chose ne m'est apparue que récemment, seigneur, mais en fait je ne le connaissais pas personnellement. J'avais juste entendu parler de lui.

— Pourquoi penses-tu avoir cité son nom lorsque tu as repris conscience ?

Une nouvelle fois, Aremys dut admettre que bien peu de choses échappaient au roi des Montagnes.

— Je suppose que c'est parce que Ylena Thirsk m'avait dit qu'il portait une épée bleue.

— Tu as donc été en contact avec elle ? observa Cailech, l'esprit plus que jamais en alerte.

— Oui, seigneur. Je l'ai rencontrée à Felrawthy – et je n'avais nullement l'intention de la tuer comme j'en avais reçu l'ordre. Si nous avons parlé de Koreldy, c'est parce qu'elle lui savait gré de lui avoir sauvé la vie la première fois. En fait, après avoir appris tout ce qui était arrivé aux Thirsk, et accepté l'idée que cette jeune femme était innocente de tout ce qu'on lui reprochait, j'ai suivi l'exemple de Koreldy et décidé de l'aider. Je suis certes mercenaire, seigneur, mais meurtrier de sang-froid, sûrement pas. C'est moi qui l'ai conduite en Briavel pour la mettre en sûreté. Nous nous sommes perdus à Timpkenny, lorsque je suis sorti pour prendre l'air et que j'ai été attaqué. (Son histoire devenait de plus en plus ridiculement bancale. Il se hâta de poursuivre.) Nous avions déjà décidé qu'elle irait à Werryl se mettre sous la protection de la reine, je suppose donc que c'est ce qu'elle a fait.

— Ce mot que tu as prétendu avoir envoyé à Valentyna de Briavel, c'était donc une ruse ?

Aremys confirma d'un hochement de tête.

— Il a bien fallu que je mente. J'étais piégé. Mais qui aurait pu croire que la reine la livrerait à Celimus comme elle l'a fait ? C'était ma vie, mais aussi la vôtre, qui étaient en jeu, sans compter celle d'Ylena. Vous vous souvenez, je vous ai dit que je n'avais pas la moindre idée de comment j'allais bien pouvoir livrer Ylena à Celimus ?

Cailech hocha la tête.

— On pourrait penser qu'Ylena Thirsk souhaite effectivement mourir. Peut-être a-t-elle forcé la main de la reine ?

— Peut-être... et franchement, qui pourrait le lui reprocher ? dit Aremys, qui ne souhaitait plus s'étendre sur ce sujet, inquiet d'avoir été déjà bien trop loin dans les mensonges.

— Et l'idée d'aller mettre du sel sur les plaies de la prisonnière, c'était pour prévenir Ylena, c'est ça ?

— Effectivement, seigneur. Il fallait que son histoire concorde avec la mienne devant Celimus. Sinon, on risquait fort de tous mourir là-bas.

— Le chancelier ne sait rien ?

— Rien, seigneur. Il nous a vus nous disputer, Ylena et moi. J'ai eu la chance qu'on lui passe un message pendant que j'étais dans le cellier avec Ylena. Nous avons eu quelques instants pour parler.

— Je vois, répondit Cailech.

Il garda le silence un moment. Ils étaient presque arrivés à leur point de rendez-vous. Déjà, ils pouvaient voir le capitaine Bukanan et les autres dignitaires qu'on faisait venir pour l'échange.

— Une dernière chose, Aremys.

— Oui, seigneur ?

— Pourquoi te soucies-tu d'Ylena Thirsk ? Comment se fait-il qu'elle exerce une influence sur toi ?

Nous y voilà, songea Aremys, frappé de découvrir qu'il n'avait aucune réponse à donner à cette question. Cailech ne le quittait pas des yeux tandis que son esprit cherchait fébrilement une explication à offrir au roi des Montagnes. La toile de mensonges qu'il avait subtilement tissée pouvait se déchirer en un instant s'il ne trouvait pas la bonne chose à dire maintenant.

— Que se passe-t-il, Aremys ? Pourquoi hésites-tu ? demanda Cailech d'un ton plus mordant. Me caches-tu quelque chose dont je devrais m'inquiéter ?

— Non, seigneur, ce n'est pas ça...

— C'est quoi alors ? (Aremys vit le trouble d'Ylena derrière eux, inquiète de cet éclat de voix.) Dis-le-moi donc avant qu'on rejoigne nos hommes, avant que je t'autorise à retourner dans les Razors, avant que je te...

Cette fois-ci, ce fut au tour d'Aremys de couper la parole à son interlocuteur.

— Je l'aime ! lâcha-t-il, stupéfait à la fois de s'entendre dire ça et de la véhémence dans sa voix.

Une chose était sûre en tout cas, il ne voulait plus être séparé de Wyl et c'était la meilleure raison qu'il avait trouvé à invoquer. En toute sincérité, ce n'était d'ailleurs pas si éloigné de la vérité : il aimait Wyl en tant que personne, il avait désiré le corps de Faryl, et il avait admiré Romen depuis son plus jeune âge. L'un dans l'autre, ce n'était donc pas un mensonge, même s'il ne disait pas toute la vérité.

Cailech fixa sur lui un regard empli d'étonnement. Pendant un instant, ils demeurèrent silencieux. Aremys comprit qu'il devait à tout prix soutenir le regard implacable de Cailech. En effet, détourner la tête aurait été une marque de faiblesse ou de tromperie. Qui pouvait savoir comment l'interpréterait le roi des Montagnes – finaud et roublard.

— Tu plaisantes, dit finalement Cailech.

— Certainement pas, seigneur, répondit Aremys tristement.

— Mais...

— Ne parlons plus de ça, seigneur, l'interrompit Aremys, heureux que l'obscurité de la nuit lui permette de dissimuler sa gêne. Je ne vous ai pas encore remercié pour ce que vous avez fait pour Ylena aujourd'hui. Permettez-moi de vous exprimer ma gratitude maintenant.

— Par le cul poilu d'Haldor, mercenaire, je ne l'ai pas fait pour toi, s'insurgea Cailech, toujours sous le coup de l'aveu d'Aremys. Je ne l'ai fait que pour des motifs purement égoïstes. Je mentirais en disant que je ne la désire pas – je n'ai jamais autant désiré une femme. J'ai dit que je la voulais et c'est la plus exacte vérité.

Myrt arrivait. D'un coup d'œil à Cailech, il vit que quelque chose n'allait pas.

— Bienvenue, seigneur, dit-il en accompagnant son salut d'un hochement de tête.

— Échange les prisonniers et fais partir l'escorte, Myrt, ordonna Cailech, avant de se retourner vers Aremys.

Myrt salua l'officier de la légion, puis suivit du regard le départ de toute la troupe. Lorsqu'il reporta les yeux sur Cailech, celui-ci était toujours en train de fixer Aremys, impassible comme une statue. Myrt ne savait absolument pas quelle conduite adopter.

— On te rejoint tout de suite, Myrt, dit Cailech. Occupe-toi de la noble que nous avons ramenée avec nous, avec tous les égards.

Myrt prit les rênes du cheval de Wyl et conduisit la jeune femme à l'intérieur du camp.

— Je veux qu'elle devienne ma femme, Aremys.

— Sans même la connaître, répondit le mercenaire, d'une voix posée, attentif à ne pas donner l'impression qu'il portait un jugement.

Cailech regarda les étoiles au firmament – et lui ouvrit son cœur.

— Jamais une femme ne m'a fait un tel effet, alors même que je n'ai pas échangé un mot avec elle. Elle est sale, échevelée, en colère. Elle est magnifique. Et je la veux.

— C'est sûr, ce n'est pas une femme comme les autres, confirma Aremys. Méfiez-vous, seigneur.

— De quoi ?

— Elle pourrait vous briser le cœur.

Aremys était sincère. D'avance, il savait que Wyl tempêterait tant et plus en apprenant les intentions du roi des Montagnes. *Combien de temps Ylena vivra-t-elle lorsque Wyl aura décidé de mourir une nouvelle fois ?* Quelques minutes, guère plus, dès qu'il aurait entendu le mot « épouse ».

Cependant, Cailech prit la mise en garde de son ami d'une manière tout à fait différente. Un large sourire entendu apparut sur ses lèvres.

— C'est donc ça, mon pauvre Aremys. Dame Ylena a repoussé tes avances.

— Non, seigneur. Je n'en ai jamais fait.

— Elle ne sait donc pas ? s'exclama-t-il, stupéfait.

Le mercenaire secoua la tête.

— Je préfère que les choses soient ainsi.

— Alors pourquoi me briserait-elle le cœur ?

— Parce que Ylena Thirsk a aimé son mari, Alyd Donal de Felrawthy. Et que jamais elle n'en aimera un autre.

— Nous verrons bien. Elle n'a plus rien d'autre aujourd'hui, déclara Cailech sur le ton de l'évidence. Sinon, c'est bon ? Je peux considérer comme réglée cette histoire entre nous ?

— Seigneur, comment ça ?

— Ça ne me dit rien que tu viennes tourner autour de la femme que j'essaie de séduire. Je n'ai pas envie qu'on se batte pour elle.

Pour la première fois depuis bien longtemps, Aremys esquissa un sourire.

— Bonne chance si vous voulez la conquérir, Cailech.

Le seigneur des Razors sourit et offrit sa main. Une nouvelle fois, elle était paume vers le haut, en signe d'absolue sincérité. Aremys vint poser la sienne dessus.

— Tu ne cesses pas de me surprendre, homme de Grenadyne. Et maintenant, aurais-tu l'amabilité de me présenter à ma future épousée ?

Elspyth était couchée sur une paillasse de fortune à même le sol, des monceaux de couverture posés sur son petit corps pour la protéger de la morsure du froid de cette nuit de printemps. Une torche jetait des lueurs blafardes sur son visage de craie.

— Suis-je en train de mourir ? demanda-t-elle à Crys qui lui tenait la main.

Il lui fit son petit sourire rusé qu'elle aimait tant.

— Non, mais il va falloir faire recoudre toutes ces blessures. Buvez ça, dit-il en l'aidant à se redresser avec une infinie douceur. Du thé sucré et bien chaud. C'est parfait pour se remettre d'un choc, c'est ce que dit toujours ma mère. (Il poussa un soupir.) Disait ma mère.

— Crys, ramenez-moi chez moi, dit-elle d'une voix suppliante en serrant sa main dans les siennes. Je sais que vous avez probablement d'autres choses à faire qu'aller à Yentro, mais je veux rentrer dans le nord.

— Et retrouver Lothryn ? demanda-t-il, de sa voix chaude et rassurante.

— Les deux. Je serai plus vite sur pied chez moi et je me sentirai plus près de lui avec les Razors tout proches. J'en ai plus qu'assez de courir le pays. J'ai l'impression que cela fait une vie entière que je n'ai pas dormi dans mon lit, mangé chez moi, fait quelque chose d'aussi simple qu'aller au marché. Il faut que je sache si ma tante est toujours de ce monde, il faut que je reprenne ma vie en main. Wyl n'a plus besoin de moi désormais.

— Si je vous ramène chez vous, me promettrez-vous de ne pas aller sur le territoire de Cailech ? (Le silence d'Elspyth fut éloquent.) Je ne vous laisserai pas gâcher votre vie. Vous savez ce que j'éprouve pour vous...

— Non, Crys, ne dites rien, supplia-t-elle d'une voix sans force.

— Ce n'est pas ce que je veux dire, insista-t-il. Je sais que votre cœur est pris, mais je tiens trop à vous pour vous laisser risquer votre vie. Et puis de toute façon, Wyl me tuerait.

La jeune femme trouva la force de lui sourire.

— Il serait en colère, je crois. L'avez-vous vu à Werryl ?

Il confirma d'un hochement de tête et rit.

— Particulièrement excentrique, notre ami. Un coup de sang l'a pris et il s'est risqué à montrer son affection à la reine de manière un peu appuyée...

La plaisanterie amusa Elspyth malgré elle, mais surtout à cause du sourcil que Crys haussait comiquement. Un petit rire l'agita, bien vite transformé en grognement sous l'effet de la douleur.

— Je ne devrais pas rire de lui, dit-elle, mais c'est plus fort que moi. J'aurais tellement aimé le connaître avant qu'il soit touché par le sortilège.

— Il valait le détour, et même plus, répondit Crys, bien décidé à la voir rire encore.

Une nouvelle fois, son humour tomba à point nommé. Elspyth se mit à glousser.

Ils furent interrompus par Liryk.

— Voilà qui est bien réconfortant, dit-il.

Crys s'éclaircit la gorge.

— C'est ce qu'il faut pour la maintenir consciente et lui faire oublier ses malheurs, expliqua-t-il avec un clin d'œil.

Liryk hocha la tête.

— Elspyth, je suis terriblement désolé que nous vous ayons laissée livrée à vous-même. (C'était la deuxième fois qu'il s'excusait, mais il eut, cette fois-ci, l'impression qu'elle l'écoutait avec plus d'attention.) J'ai promis à ma reine de vous retrouver pour elle.

— Je vous en prie, commandant Liryk. La faute m'incombe entièrement. C'était stupide de ma part de partir comme je l'ai fait. Et plus idiot encore de tomber dans le piège de cet homme. Au fait, avez-vous trouvé sa fille ?

— Oui, nous l'avons trouvée. Nous allons la ramener à Werryl et voir si nous pouvons mettre la main sur le reste de sa famille.

— C'est bien. Elle faisait partie du système – je le sais – mais elle est si jeune, encore. Son père s'est servi d'elle… Un peu comme il utilisait les femmes.

— En tout cas, il est parti répondre de ses actes devant Shar. Maintenant, ne le prenez pas mal, mais il va falloir aller vous faire recoudre, ma fille. Sinon, vos blessures risquent de s'infecter et vous pourriez mourir alors même qu'elles ne sont pas mortelles.

— Avez-vous un médecin parmi les hommes de la compagnie ? demanda Crys.

Liryk sourit nerveusement.

— Non, mais il se trouve qu'un certain maître Rilk est passé non loin il y a une heure environ. L'un de mes hommes l'a reconnu et amené avec lui.

Elspyth hocha la tête.

— C'est un médecin ?

Le commandant eut un air un peu embarrassé.

— C'est un tailleur. (Il attendit que passe le mouvement d'humeur de Crys pour s'expliquer.) Hormis peut-être dame Eltor, il n'y a pas dans tout le royaume de personne plus habile avec du fil et une aiguille. D'ailleurs, toute la noblesse de Morgravia lui achète des vêtements. C'est de là-bas qu'il revenait.

— Un maître tailleur pour me recoudre ? murmura Elspyth.

— Il a un fil de soie d'une incomparable douceur et sa main est légère comme une plume. C'est le mieux que nous puissions obtenir. Il est un peu nerveux bien sûr, mais il a accepté de s'occuper de vos blessures. Il faut les suturer sans tarder, et plutôt que de laisser un de mes hommes vous charcuter, je préfère confier votre peau délicate à un artisan chevronné.

À l'idée qu'un tailleur s'occupe de son corps comme d'un morceau de tissu, Elspyth sentit la tête lui tourner encore plus.

Les sourcils de Crys étaient obstinément froncés.

— Dans les circonstances présentes, je suppose que c'est la meilleure solution ?

Liryk confirma d'un hochement de tête. D'un signe, il avait déjà demandé à l'un de ses hommes d'amener le tailleur.

— Voici maître Rilk, dit-il. Maître Rilk, voici le duc Crys Donal et votre patiente, Elspyth.

Crys serra la main de l'arrivant.

— Elle a quatre grandes plaies.

Malgré la fraîcheur de la nuit, le petit homme transpirait. Crys se demanda s'il était en mesure d'assurer une tâche si effroyable.

— Vous allez tenir le choc ? demanda-t-il.

— Oh oui. J'ai déjà fait quelque chose du même genre, mais c'était pour le chien de mon fils. (Il tenta un sourire à la ronde, auquel personne ne répondit.) Je suis sûr que notre damoiselle a la peau bien plus fine. (Son ton se fit plus ferme et plus décidé.) Maintenant, si vous voulez bien placer cette jeune personne sur une table ? Il me faudrait aussi de la lumière, des linges propres et de l'eau chaude. Je suppose que vous avez un produit antiseptique. (Liryk hocha la tête.) Parfait, il m'en faudra beaucoup. Et enfin, avez de la gnôle ou de l'alcool ?

— Je crois qu'on devrait pouvoir en trouver, répondit Liryk.

— Faites vite alors, je vous prie. Il faut en mettre une bonne rasade au fond de la gorge de dame Elspyth pour calmer la douleur. Pas trop non plus, attention. Juste ce qu'il faut pour qu'elle pense à autre chose.

En fait, Elspyth était déjà un peu partie. Elle était effrayée, certes, mais bien trop exténuée pour maintenir son attention fixée sur les événements en train de se dérouler.

Filou était de retour aux côtés de Fynch, pâle et tremblant de l'effort qu'il venait de fournir pour ramener le chien.

— *C'est exactement ce que je craignais*, gronda la voix de Filou dans la tête du garçon.

— Ça va aller. Il faut juste que je dorme un peu.

— *As-tu pris un peu de sharvan ?*

— Non, laisse-moi tranquille.

Filou promena son regard alentour, manifestement exaspéré. Fynch n'avait pas avancé depuis son départ ; il était bien trop faible pour se transporter où que ce soit après avoir envoyé Filou à Werryl.

— Comment va Valentyna ? demanda le garçon dans un murmure.

— *Elle s'inquiète pour toi. Liryk et ses hommes sont partis immédiatement.*

— Bien… Ah, voilà le faucon.

Fynch fit un gros effort pour ouvrir son esprit, mais il voulait que Filou puisse partager ce qui allait se dire.

La voix aiguë et nasillarde du faucon s'insinua dans leurs têtes.

— *Elspyth est saine et sauve. Assez salement blessée d'après ce que j'ai pu en juger, mais vivante et en état de parler à certains des hommes qui sont arrivés.*

— *Que font-ils ?* demanda Fynch.

— *Je peux peut-être vous montrer ?*

— *Essayons*, répondit le garçon.

Un sentiment d'excitation se superposa à la douleur.

Filou soupira. Il avait le sentiment que Fynch mourrait avant qu'ils aient quitté le plateau.

Le garçon se concentra, yeux fermés.

— *C'est ça, faucon. Ouvre-moi complètement ton esprit. Je ne te ferai pas mal, je te le promets. Je veux juste voir par tes yeux.*

Quelques secondes s'écoulèrent, puis une image apparut dans l'esprit de Filou.

— *Je vois*, admit le chien à contrecœur.

Un auvent de toile avait été monté et des torches brûlaient tout autour. Des hommes portaient des chandelles, tandis que d'autres étaient penchés sur une silhouette recroquevillée. Le faucon devait être posté sur une branche basse. La vision était nette et ils distinguaient parfaitement.

— *On dirait qu'ils la recousent*, dit le garçon. *Je vois le commandant Liryk et... Attendez, mais c'est maître Rilk.*

— *Tu as raison*, dit Filou. *C'est le tailleur.*

— *Il la raccommode*, dit Fynch, éberlué.

Ils virent Rilk couper un fil, puis reculer en s'étirant le dos.

— *Elle est belle, n'est-ce pas ?* dit Fynch sans y penser dans l'esprit de ses compagnons animaux. *Je suis heureux que nous ayons pu faire quelque chose. Elle s'en sortira.*

— *Est-ce que c'est assez, Fynch ?* demanda l'oiseau.

— *C'est assez*, répondit Filou, bien déterminé à ce que Fynch se repose maintenant.

— *Je vais peut-être suivre la jolie jeune femme*, ajouta le faucon. *Je n'ai rien de mieux à faire.*

— *Merci, faucon*, répondit Fynch d'une voix faible.

La tête lui tournait.

— *Nous nous reparlerons bientôt*, dit l'oiseau.

Et leur communication fut rompue.

Filou était mécontent.

— *Je peux ressentir l'écho de ta douleur, Fynch. Il faut que tu cesses d'utiliser la magie pendant un certain temps.*

— *On ne peut pas*, gémit le garçon, avant de vomir devant lui sans pouvoir se retenir.

— *Nous n'avons pas le choix. Tu dois récupérer des forces avant que nous repartions. Nous allons camper ici. Je vais aller chasser. Tu n'as peut-être pas envie de manger, Fynch, mais je te rappelle que ton corps est mortel. Il a besoin d'être nourri.*

Le garçon ne répondit pas. Roulé en boule comme un petit animal, il dormait.

Chapitre 24

Valentyna s'observa dans le miroir et dut reconnaître dans son for intérieur – mais non sans une certaine maussaderie – que la robe était absolument ravissante.

— Oh, ma reine, quelle superbe mariée vous allez faire, dit dame Eltor. Le tombé est impeccable. (Elle fixa quelques secondes la somptueuse jeune femme devant elle et soupira.) Un sourire ne nuirait pas, cependant.

— Je suis désolée, Margyt.

— Je vais poser le voile maintenant, très chère, poursuivit la couturière.

La gaze vaporeuse parsemée de perles parachevait magnifiquement l'ensemble.

— Merci. Il est joli.

C'est tout ce que la reine parvint à dire.

— Valentyna, je ne suis peut-être pas la mieux placée pour vous parler, mais nous aimerions tous croire que cette union vous apporte de la joie.

Les deux femmes se connaissaient depuis bien trop longtemps pour se mentir.

— Je suis infiniment désolée, mais ce n'est pas le cas, répondit la reine. Je le fais pour Briavel, Margyt, parce que cela nous apportera la paix et, je l'espère, une nouvelle prospérité. Pour autant, je ne l'aime pas et il n'y a aucune joie dans ce mariage.

— À cause d'un autre ? se risqua à demander dame Eltor.

Valentyna secoua doucement la tête.

— Non. Parce que je ne l'aime pas, tout simplement. On ne peut pas commander à ses sentiments, n'est-ce pas ?

— Bien sûr, mon enfant. Mon mari et moi ne pouvons sûrement pas prétendre nous être aimés – comme c'est le cas d'autres couples que je connais.

— Au moins, vous vous entendez bien, répliqua Valentyna.

— Plus que ça, pour être honnête. Nous sommes les amis les plus proches qu'on puisse imaginer. Oui, nous nous entendons bien, tout comme vous finirez par bien vous entendre avec le roi Celimus. Vous y parviendrez, vous verrez. Vous nous donnerez de beaux héritiers et vous nous rendrez tous fiers.

Une ombre de sourire passa fugacement sur les lèvres de la reine.

— C'est mon vœu le plus cher.

Margyt Eltor tapota gentiment la main de la jeune souveraine.

— Quelques petits coups de ciseaux à ces fils et je vous libère, dit-elle.

— Pour les préparatifs, tout est au point ?

— Oui, Majesté, répondit dame Eltor en reprenant son rôle formel. J'emmènerai deux habilleuses et deux filles pour les petites courses de dernière minute. Toutes les autres robes sont également prêtes.

— Et ma nouvelle tenue de cavalière ?

— Elle est finie. Vous ne vouliez pas de nouvelles bottes ? demanda la couturière, sourcils froncés, déjà en train de calculer combien de temps il faudrait au cordonnier pour se mettre à l'ouvrage.

— Non, je me sens bien dans celles que j'ai.

— D'après ce que j'ai cru comprendre, Majesté, nous partons pour Morgravia dans dix jours ?

— C'est exact. Le mariage devait avoir lieu à la fin du printemps, mais je ne vois pas la nécessité de retarder encore l'échéance. Je vais faire porter un message au roi Celimus aujourd'hui même, cela devrait lui faire plaisir. J'enverrai quelqu'un vous confirmer tout ça très prochainement. En comptant large, le voyage devrait durer quatre jours. Je m'arrêterai dans quelques villes et villages pour saluer le peuple de Briavel.

— J'imagine que le convoi sera relativement important, dit Margyt, tout en coupant quelques points rabattus.

— Je suppose, répondit Valentyna qui ne s'en souciait guère au fond. Peut-être le commandant Liryk constituera-t-il plusieurs groupes qui emprunteront des chemins différents.

— Oui, ce serait sensé, approuva la couturière. Au fait, allez-vous offrir une bague au roi, Majesté ?

Valentyna confirma d'un hochement de tête.

— Sertie de pierres aux couleurs de Briavel.

— Magnifique, dit Margyt en aidant sa souveraine à retirer sa robe.

— Pourquoi êtes-vous seule aujourd'hui ? demanda Valentyna, d'une voix assourdie par l'épaisseur de tissu.

— Parce que je ne veux pas que mes filles aillent raconter partout que notre reine se rend à son mariage comme si elle allait à un enterrement, expliqua dame Eltor. Lors du dernier essayage, il m'avait bien semblé noter que vous ne preniez aucun plaisir à ces préparatifs. J'ai donc songé qu'un peu de calme et d'intimité seraient préférables.

— Merci, Margyt. Votre sensibilité vous rend irremplaçable à mes yeux, dit Valentyna, d'une voix qu'elle parvint à rendre enjouée.

Tout heureuse du compliment, la couturière répondit sur un ton espiègle.

— J'ai pourtant entendu dire que maître Rilk bénéficiait de nombreuses commandes lui aussi, Majesté.

— Oui, mais il voulait faire la robe de cérémonie, répondit Valentyna en se rhabillant.

— Quel toupet, ce bonhomme !

La reine rit de bon cœur. Dame Eltor et maître Rilk étaient mari et femme à la ville. À eux deux, ils réalisaient l'intégralité de la garde-robe de Valentyna.

— Avec votre permission, je vais me retirer, Majesté. Mes filles et moi avons encore beaucoup à faire.

— Vous êtes une perle. Je vous promets de sourire la prochaine fois que nous nous verrons.

— J'y compte bien, mon enfant. La prochaine fois que vous passerez cette robe, vous serez sur le point de prononcer des vœux sacrés dans la grande cathédrale de Pearlis.

Bien après son départ, les paroles de dame Eltor résonnaient encore aux oreilles de Valentyna. Elles lui rappelaient qu'elle ne pouvait plus quitter le chemin sur lequel elle était engagée. Sa réunion avec les nobles du royaume avait été un fiasco. Elle les avait convoqués pour leur dire une nouvelle fois combien ce mariage était une ineptie, mais ils l'avaient accueillie par des vivats enthousiastes, la félicitant chaudement d'avoir obtenu que la légion se retire de la frontière. Les troupes avaient commencé à s'éloigner et la nouvelle s'était propagée depuis le nord jusqu'à Werryl.

Elle avait écouté messire Vaughan lui dire de sa belle voix de basse tout le bien qu'il pensait de son initiative de livrer Ylena Thirsk au roi Celimus. Lorsqu'elle s'était étonnée qu'il soit au courant d'une telle chose, il s'était contenté de hocher la tête en confirmant que ses espions étaient partout.

— Vous voulez dire qu'on m'observe, messire ?

— On observe tout ce qui se passe à la capitale, Majesté, avait-il précisé, avec sa sempiternelle expression de gravité sur le visage.

Pour la première fois, elle prenait la mesure de ce qu'était la noblesse dans le royaume, un véritable réseau auquel bien peu de secrets pouvaient être dissimulés. Les réunir ainsi pour obtenir leur soutien était voué à l'échec. Ce jour-là, elle comprit qu'ils comptaient fébrilement les jours jusqu'au mariage. D'ailleurs, bon nombre d'entre eux feraient le déplacement avec leur famille jusqu'à Pearlis. L'arrivée inopinée d'Ylena Thirsk n'avait pas changé quoi que ce soit à leur position. Pire, ils avaient applaudi le fait qu'on renvoie la pauvre noble en Morgravia, dans les griffes du roi honni.

Valentyna n'avait même pas pris la peine de leur tenir son discours mûrement préparé. Au lieu de cela, elle avait distribué les sourires qu'on attendait d'elle, accepté avec grâce les félicitations, et dissimulé sa détresse infinie derrière le masque qu'elle était désormais condamnée à porter toujours pour paraître à la cour.

Rien ni personne ne pouvait la sauver de Celimus. Sans perdre un instant de plus, elle s'assit à sa table et entreprit de rédiger elle-même une lettre à son promis, fixant une date pour la cérémonie.

Wyl reconnut Myrt et plusieurs autres guerriers. Tous traitèrent Ylena avec égard et courtoisie. Il ne savait pas quoi penser au juste de sa nouvelle situation. Il se sentait en danger – son instinct le lui clamait sans cesse – mais en même temps, il était rassuré d'avoir retrouvé Aremys.

Quelqu'un lui tendit une écuelle d'une soupe épaisse.

— Ma dame. (En levant le petit menton d'Ylena pour voir qui lui parlait ainsi d'une voix douce, il reconnut Myrt.) Le seigneur Cailech nous a dit que vous aviez été maltraitée en Morgravia.

— Il a dit vrai.

— J'en suis désolé, d'autant qu'un long chemin nous attend encore. Le roi souhaite que vous mangiez quelque chose avant que nous partions.

— Nous partons ce soir ?

— Oui, ma dame. Nous voulons être loin dans les Razors pour le milieu de la nuit.

— Vous pouvez donc avancer sans problème dans le noir ? s'étonna Wyl.

— La lune suffit à nous éclairer, répondit Myrt, avant de s'éloigner sur un petit signe de tête empreint de respect.

Le brouet était étonnamment bon, réconfortant et délicieusement parfumé. Wyl ne laissa rien dans son bol, heureux de cette excellente nourriture. Aremys entra dans la grotte, une chandelle à la main. Un air pensif et indécis flottait sur son visage. Wyl se dit que le mercenaire allait peut-être avoir du mal à se ménager un entretien tranquille avec la nouvelle captive du roi des Montagnes.

— Nous levons le camp pour partir. Comment te sens-tu ?

— Bien nourri, répondit Wyl. Myrt m'a apporté à manger.

— Il sait que tu l'as reconnu ? demanda Aremys, soudain alarmé.

— Non, j'ai fait attention.

— C'est bien. Il voit clair.

— Que me caches-tu au juste sur la situation actuelle ?

— Certaines choses, mais laisse-moi d'abord t'expliquer ce que j'ai raconté à Cailech à notre sujet.

Wyl hocha la tête et Aremys lui exposa brièvement tout ce qu'il avait dit. Quelqu'un cria à la ronde que le roi allait donner le signal du départ. Aremys demanda si des éclaireurs avaient été envoyés pour s'assurer que Celimus n'avait pas organisé une traque. L'homme confirma, précisant qu'aucun espion morgravian n'avait été repéré.

— Bon, tu me racontes le reste maintenant, dit Wyl. On n'a plus guère de temps.

Aremys se gratta la tête. *Le mieux est encore de tout déballer*, songea-t-il.

—Cailech s'est entiché de toi.

—Que Shar me protège ! murmura Wyl. C'est forcément une plaisanterie.

Malheureusement, il comprenait combien tout cela était sérieux.

—Mais il y a pire, poursuivit le mercenaire.

—Comment les choses pourraient-elles être pires ? demanda Wyl en enfouissant la tête d'Ylena entre ses genoux serrés.

—Pendant que tu étais avec Jessom, Cailech a dit à Celimus qu'il voulait te prendre pour femme. (Wyl redressa la tête comme s'il avait été mordu. L'expression sur son visage reflétait le sentiment d'horreur que le mercenaire éprouvait.) Son annonce a pris tout le monde de court. Je n'ai rien pu faire.

—Je comprends, Aremys, répondit Wyl, avec dans la bouche un insupportable goût de bile. Tu ne pouvais rien faire là-bas, mais ici nous pouvons faire quelque chose !

Il se mit debout. Le sommet de sa tête arrivait tout juste au milieu du poitrail du colosse de Grenadyne.

—Je t'en supplie, Wyl, dit Aremys, en s'assurant qu'aucune oreille à la ronde ne pouvait les entendre. Il ne faut rien tenter pour l'instant.

—Et nous laisser emmener dans les Razors et enfermer dans la forteresse ? siffla Wyl. Tu es fou. Je m'en suis échappé une fois et je ne pense pas qu'il soit possible de rééditer cet exploit.

Aremys choisit de dire tout ce qu'il savait. Il n'y avait rien d'autre à faire.

—J'ai trouvé Gueryn, assena-t-il, sachant que cela mettrait un terme aux jérémiades de Wyl.

Ce fut le cas. Ylena saisit le mercenaire par le col de sa chemise.

—Tu es sûr que c'est lui ?

Aremys hocha la tête.

—Nous avons parlé. Je lui ai dit que je reviendrais le chercher. Il est enfermé dans un cachot et paraît en assez bonne forme compte tenu de sa situation. Cela dit, maintenant que Cailech sait que Koreldy est mort, je crains qu'il ne le tue. Et puis il y a Rashlyn, qui est le facteur le plus imprévisible dans tout ça. Apparemment, il a employé sa magie à plusieurs reprises sur Gueryn.

—Comment ça ?

—Trop long à expliquer. Disons qu'il l'a utilisée pour soigner sa blessure, ce qui est bien, mais aussi pour faire le mal, et Gueryn en a été profondément ébranlé.

Wyl se mit à marcher de long en large, en se tirant sur une oreille. Il réfléchissait à ce qu'il convenait de faire. Il n'avait aucune envie de suivre Cailech. La simple idée du sort qu'il lui réservait le mettait hors de lui. En même temps, il ne pouvait pas abandonner son ami le plus cher, l'homme qui avait été comme un père pour lui et surtout pas après la bien triste manière dont ils s'étaient séparés.

Aremys sentit que Wyl avait besoin d'un dernier coup de pouce pour se décider.

— J'ai aussi trouvé Lothryn.

Les yeux d'Ylena se mirent à luire dans la pénombre.

— Il est vivant ? Je le savais !

— Mais il n'a plus rien de l'homme que tu as connu, murmura Aremys.

— Comment ça ? demanda Wyl.

Le souvenir glaçant du rêve qu'il avait fait à Felrawthy l'assaillit – le cri angoissé d'un homme derrière la porte d'une écurie.

Avant qu'Aremys puisse répondre quoi que ce soit, Cailech apparut à l'entrée de la grotte.

— J'espère que je ne vous dérange pas, dit-il.

— Et j'imagine que ce serait le cadet de vos soucis si tel était le cas, répliqua Wyl doublement perturbé par ce que son ami venait de révéler, et par la vue du sourire désarmant de son ravisseur – l'homme qui voulait l'épouser.

— Probablement, admit-il volontiers, tandis que son sourire s'élargissait. J'espère que mes hommes vous ont traitée avec le respect qui vous est dû, ma dame.

— Merci, seigneur, répondit Wyl, en se souvenant des manières polies de sa sœur.

Ylena lança néanmoins un coup d'œil en direction d'Aremys, ce qui n'échappa pas à Cailech.

— Bien, je suppose qu'Aremys vous a informée des raisons qui vous valent d'être ici.

— En effet, seigneur Cailech.

Wyl ne trouvait absolument rien d'autre à dire. Il comprenait les raisons pour lesquelles son ami voulait le faire venir à la forteresse, mais la situation n'en était pas moins inextricablement périlleuse pour lui.

— Ne craignez rien, ma dame. Au sud, on nous tient pour barbares, mais le peuple des Montagnes pourrait bien vous surprendre.

— Romen Koreldy disait le plus grand bien de vous, seigneur. Il m'a décrit vos mœurs et je dois dire que j'apprécie à sa juste valeur votre degré de raffinement, dit Wyl, convaincu que mieux valait signaler tout de suite qu'il connaissait la culture des Razors.

S'il venait à faire preuve d'une aisance potentiellement suspecte, il pourrait toujours invoquer les leçons de Romen.

— Il a fait ça ?

— Il vous aimait beaucoup, répondit Wyl.

— J'espère que vous partagerez son sentiment, Ylena. Venez maintenant, nous devons partir. (Wyl n'avait plus le choix, il lui fallait prendre la main que lui tendait le roi et le suivre.) Vous monterez avec moi, ma dame, ajouta Cailech.

Heureusement, ni Aremys ni Cailech ne virent le voile de désespoir qui passa sur le visage d'Ylena.

Wyl serra les dents tandis que des mains puissantes le hissaient sur la selle. En revanche, la sensation du corps du roi collé dans son dos le glaça. Les bras de Cailech enserrèrent la taille menue d'Ylena, et ses mains prirent les rênes que tenait la jeune femme.

— Permettez, ma dame, dit-il gracieusement.

Wyl grimaça à l'intention d'Aremys. Gêné, le mercenaire détourna le regard.

— Êtes-vous confortablement installée, Ylena ? s'enquit le roi.

— Ne pourrais-je pas avoir un cheval ? se risqua à demander Wyl.

Il sentit le sourire de Cailech derrière lui.

— Il est bon que mes hommes me voient prendre possession de vous, ma dame. Ils doivent comprendre en quelle estime je vous tiens. La vie en Morgravia est finie pour vous, vous en conviendrez ?

— J'en conviens, répondit-il à regret.

— Il semble également que votre vie ne vaudra plus grand-chose en Briavel non plus dès que la reine se sera soumise aux caprices de son voisin et futur mari. Le royaume des Razors est le seul endroit où vous pouvez vivre, et être respectée, ma dame. Je ne vous cacherai pas que mes hommes s'étonnent de votre présence ici (Cailech parlait si près de l'oreille d'Ylena que Wyl en était écœuré), mais en nous voyant ainsi, ils ne manqueront pas de vous montrer toute la déférence due à une dame de haute lignée. Et qui sera leur reine dès que je vous aurai épousée.

Gueryn souriait encore du bonheur qu'il avait éprouvé à monter Galapek. Même le bruit de la porte se refermant sur son tombeau – comme il avait pris coutume d'appeler son cachot – puis celui de la clé dans la serrure ne ternirent pas la joie de cette journée.

Jos, Rollo et lui avaient mené les chevaux autour du lac, et plus loin encore. Ils étaient rentrés en fin d'après-midi après des heures de chevauchée. Gueryn s'était senti transporté. Bien sûr, il n'avait pas obtenu confirmation de ses doutes concernant le cheval, mais le plaisir d'être au grand air et en selle l'avait amplement consolé. En rentrant, alors qu'il revenait vers son sort misérable, il n'avait pu retenir ses larmes.

Jos lui avait fraternellement tapé sur l'épaule.

— Je suis désolé que vous soyez notre prisonnier, avait dit le jeune homme.

— J'en suis désolé moi aussi, avait-il répondu. En tout cas, merci de cette balade fantastique, si courte fût-elle.

— Alors, que penses-tu de notre étalon ? avait demandé Maegryn en l'apercevant.

— Je regrette qu'il ne soit pas à moi, avait affirmé Gueryn en toute sincérité.

— Comme tout le monde, avait rétorqué le maître d'écurie en riant. Mais il appartient au roi.

— Je peux le bouchonner ?

— Bien sûr.

Malheureusement pour Gueryn, qui avait espéré être seul quelques instants avec l'animal, Maegryn était resté.

Malgré sa présence, Gueryn avait réussi à murmurer à l'oreille de Galapek, le suppliant de donner un signe s'il était bien Lothryn. Rien ne s'était produit. Pour autant, il ne doutait pas de la sincérité d'Aremys, l'étranger qui était venu le voir dans sa cellule. Il avait cru chacun des mots incroyables et horribles qui étaient sortis de sa bouche. Sa propre expérience, terrible et glaçante, avec la puissance de Rashlyn l'avait convaincu que le mercenaire disait vrai.

En tant que Morgravian, Gueryn avait toujours tenu l'existence de la magie pour une superstition. Comme la plupart des habitants du royaume, il avait accepté sans sourciller les persécutions infligées à tous ceux suspectés d'être sorciers ou magiciens. Toutefois, depuis qu'il avait été lui-même confronté aux pouvoirs occultes et après avoir entendu le récit d'Aremys, il avait bien été obligé d'admettre qu'une magie était à l'œuvre sur Galapek, tout comme sur la personne de Wyl.

Inévitablement, le souvenir de Myrren de Baelup lui revint à l'esprit. Et avec lui, les tentatives de Wyl pour lui épargner des souffrances. Il s'en souvenait comme si c'était hier. À l'instant de la mort de la sorcière, les yeux de Wyl avaient changé de couleur, pour prendre les mêmes teintes que ceux de Myrren. Le visage de son Wyl bien-aimé avait reçu les stigmates qui avaient valu à la jeune femme d'être torturée et brûlée. D'ailleurs, il n'était pas le seul témoin de ce mystère. En effet, Fynch, le garçon de commodités de Stoneheart, était là également. Aucun d'eux n'avait suspecté la présence de la magie.

À l'évocation de ces images, la belle humeur de Gueryn s'envola. S'il acceptait l'idée que Wyl avait bel et bien été touché par la magie de la sorcière, alors pourquoi Lothryn n'aurait-il pas été transformé par quelque affreux sortilège ? Surtout si quelqu'un d'aussi puissant et mauvais que Rashlyn en était responsable. Mais qu'en était-il de Wyl ? En quoi la magie de Myrren l'avait-elle affecté ?

Il en était encore à se débattre avec cette question, toujours sous le coup de ce qu'il avait ressenti en imaginant que Romen Koreldy pouvait être Wyl, lorsque la clé tourna de nouveau dans la serrure, l'arrachant à son trouble. Il se recula dans l'ombre, s'éloignant du halo de la chandelle qu'on lui laissait désormais à titre de faveur.

Il reconnut immédiatement la silhouette qui s'encadrait dans le chambranle de la porte et son estomac se tordit de peur.

— Le Gant, dit Rashlyn de sa petite voix grinçante. Tu ne peux pas te cacher dans cette cellule.

— Tu es venu partager ma ration d'eau, Rashlyn ? Ou me faire la conversation ? demanda Gueryn en luttant de toutes ses forces pour repousser sa frayeur.

Le petit homme émit un ricanement.

— Après le traitement de ce soir, j'imagine que la conversation deviendra le cadet de tes soucis. Attrapez-le, ordonna-t-il à deux hommes qui pénétraient derrière lui.

Il ne connaissait ni l'un ni l'autre. La terreur s'empara de lui.

— Ton roi sera informé de ça, Rashlyn, dit-il d'une voix désespérée, d'où toute trace d'accent bravache avait disparu.

Si ce fou le tuait maintenant, qui resterait-il pour croire Aremys ?

— Mais c'est le roi lui-même qui m'a donné son autorisation, Le Gant. Il est d'accord pour que je t'utilise à ma convenance. Viens, je suis sûr que tu vas trouver ça intéressant.

Gueryn fit la dernière chose qu'il pouvait encore tenter. Il se battit contre les gardes, hurlant de toute la force de ses poumons dans l'espoir un peu vain que quelqu'un l'entende et puisse témoigner que le *barshi* l'avait emmené.

Chapitre 25

Recroquevillé sur le sol de la petite grotte dans laquelle ils s'étaient installés depuis plusieurs jours, Fynch était aussi immobile qu'un gisant. Tout au long de la première journée, Filou s'était fait un sang d'encre devant la faiblesse du garçon, mais ses longues périodes de sommeil avaient paru le requinquer quelque peu. Pour finir, le chien s'était dit que c'est ainsi que la magie devait opérer. De son côté, Elysius devait sans doute faire de même. Il regrettait cependant de ne pas avoir demandé plus d'informations au magicien décédé.

Le faucon leur avait annoncé qu'Elspyth se remettait elle aussi doucement, après avoir été recousue par maître Rilk. Après avoir appris que la jeune femme était en vie et en bonne voie de guérison, Fynch avait rendu sa liberté à l'oiseau, pour se concentrer sur sa propre santé et les épreuves qui l'attendaient.

Filou avait compris que le garçon n'avait pas la moindre idée de la nature de l'ennemi qu'il s'apprêtait à affronter. À dire vrai, lui non plus ne pouvait même pas l'imaginer, mais il avait entendu la gravité dans la voix d'Elysius lorsqu'il parlait de son frère. Et il avait aussi vu son angoisse à l'idée de transmettre sa magie à un enfant si jeune pour faire face à Rashlyn. Cela étant, toutes ces préoccupations étaient passées au second plan avec l'arrivée du roi dragon. Sa présence avait fait mesurer au chien l'immensité de la tâche qui les attendait. Le simple fait que le roi des créatures sorte de sa retraite au sommet de la plus haute montagne des Terres sauvages, où jamais aucun homme ni aucun animal ne s'était jamais aventuré, avait montré que le devoir incombant à Fynch allait au-delà de ce que peut concevoir un mortel.

Le chien n'avait toujours pas interrogé Fynch sur ce qu'il avait dit au faucon – *je suis le roi des créatures.* Ils avaient à peine échangé quelques mots depuis que Fynch avait si mystérieusement répondu à la question de l'oiseau. Mais Filou était patient. Pour l'heure, seules importaient la santé et la survie du garçon.

Fynch bougea doucement. Ses paupières frémirent tandis que la conscience peu à peu lui revenait, puis il ouvrit les yeux et fixa son regard sur le chien.

— Avec toi, je me sens en sécurité, Filou, dit Fynch.

Le chien aurait tellement voulu pouvoir protéger le garçon de tout ce qui l'attendait. Cependant, le moment était mal choisi pour l'effrayer. Il fallait qu'ils soient forts, ensemble.

— *Je suis toujours là, ne l'oublie pas*, répondit Filou.

Fynch s'assit et s'étira.

— Je me sens bien mieux.

— *Il faut que tu manges*, dit le chien, incapable de dissimuler l'exaltation dans sa voix.

— Tu parles comme ma sœur.

— *C'est sans doute parce que nous t'aimons tous les deux.*

Fynch serra le chien dans ses bras.

— Je vais donc manger pour vous deux.

D'un petit sort infime, le garçon fit naître un feu. Le chien était admiratif de la vitesse à laquelle Fynch avait su accepter et faire siens ses pouvoirs. Le garçon ne disait absolument rien sur la nature merveilleuse de la puissance qu'il détenait. Filou comprit qu'il prenait tout ça avec simplicité et sérieux, comme pour chacune des choses dans son existence. Jamais il ne s'amuserait à utiliser sa magie ou à en tester les limites, et jamais il n'entrerait sans raison en contact avec des animaux, ni n'essaierait de voir s'il était capable de voler… ou même de se rendre invisible. Fynch acceptait son sort comme il avait toujours accepté tout ce qui lui arrivait dans la vie.

Le garçon refusa le lapin que Filou avait chassé pour lui.

— Je ne peux pas. Ça me répugne pour une raison que j'ignore.

— Tu n'aimes pas le lapin ?

Le garçon fronça les sourcils.

— Si étonnant que cela puisse paraître, je crois que je n'aime plus la viande. Je trouverai bien quelques baies.

Ils découvrirent un buisson de cirrons non loin. Fynch grignota quelques fruits avec un morceau de pain.

— Je me sens suffisamment bien pour poursuivre notre voyage, dit-il entre deux bouchées minuscules.

— Il est temps d'avancer, confirma le chien.

Il fut sur le point de suggérer de marcher toute la matinée, pour que le garçon se repose l'après-midi avant de leur faire franchir une dizaine de lieues en direction de la forteresse pendant la nuit, mais Fynch le devança.

— Je crois que je vais tenter d'atteindre Rashlyn aujourd'hui.

L'annonce prit le chien de court.

— *Que veux-tu dire ?*

— Eh bien, j'en ai assez d'être patient. J'en ai assez d'être malade et épuisé par la magie. Si elle doit saper mes forces ainsi, alors ne perdons plus de temps. Utilisons-la carrément.

—*Mais qu'est-ce que tu racontes, Fynch ?*

—Je dis allons-y d'un coup. Je t'ai déjà envoyé jusqu'à Werryl – je sais que je peux nous emmener tous les deux jusqu'aux portes de la forteresse, si on a le courage d'y aller. (Un petit sourire timide apparut sur ses lèvres.) Enfin, sur place, on cherchera un coin un peu plus sûr.

—*Non !* s'exclama Filou. *C'est trop risqué, trop dangereux pour ta santé, trop...*

—Chut, Filou. Je connais mes limites.

—*Je n'en suis pas si sûr*, dit Filou, avec plus d'humeur qu'il n'en avait jamais montré au garçon.

Fynch savait que c'était la peur qui le faisait réagir ainsi.

—Fais-moi confiance. Je crois que je peux dissimuler ma magie.

—*Je ne comprends pas.*

L'exaspération cédait le pas à la lassitude dans la voix du chien.

Fynch haussa les épaules.

—C'est difficile à expliquer, mais je crois que j'ai rêvé d'une idée pendant que je dormais. Ou peut-être...

Fynch parut hésiter à poursuivre.

—*Peut-être quoi ?*

—Peut-être le roi dragon m'a-t-il parlé, finit-il d'un ton un peu gêné.

Filou était stupéfait, mais il insista.

—*Et ?*

—Je crois que je sais comment brouiller la magie pendant qu'elle opère. Que Rashlyn puisse la sentir ou non, je peux créer une confusion suffisante en lui pour qu'il ne parvienne pas à saisir ce que nous sommes.

—*C'est un risque énorme.*

—Oui, mais le temps joue contre nous. J'ai un mauvais pressentiment sur ce qui est en train de se passer.

—*Que se passe-t-il ?*

Le garçon grimaça.

—C'est juste une sensation difficile à expliquer. J'ai d'abord cru que c'était à cause de mes craintes pour Elspyth, mais c'était plus que ça. C'est au sujet de Wyl et de Valentyna. Il se passe quelque chose de mauvais dans les Razors, quelque chose de mal.

—*Quelque chose qui n'est pas naturel ?*

—Exactement. Je sens le mal dans le vent ou peut-être dans mon esprit. Je ne saurais dire au juste. Mais je l'entends dans mes rêves.

—*Que vois-tu ?*

—Je ne vois rien à proprement parler, je ressens, c'est tout. Il y a deux hommes qui souffrent. Je crois que je connais l'un d'eux, mais je n'en suis pas sûr... Comment pourrais-je l'être d'ailleurs ?

—*Et Rashlyn est derrière tout ça ?*

Fynch hocha la tête d'un air lugubre.

—Je crois qu'il est la source du mal. Bien sûr, je pourrais envoyer une créature pour voir... Le faucon, peut-être. Mais on peut faire plus vite. On peut y aller nous-mêmes.

—C'est peut-être pour ça que le roi dragon t'a parlé.

—Oui, c'est ce que je pense aussi. Alors tu me fais confiance? demanda Fynch en ramassant son petit sac pour le passer à son épaule.

—Maintenant?

Le garçon sourit de nouveau, plus franchement cette fois-ci.

—J'ai déjà ouvert un pont avec le Thicket. Il n'attend plus que nous.

Filou sentit la vibration magique autour de lui. Il prit une profonde inspiration.

—Je suis prêt.

Fynch passa ses bras autour de son cou, puis l'air s'épaissit autour d'eux. Filou savait ce qui allait se produire et il s'y prépara. L'instant suivant, ils roulaient sur le sol. Cette fois-ci, Fynch avait peaufiné sa technique et préparé un matelas d'air pour les recevoir. Filou se remit instantanément sur ses pattes, tandis que le garçon vomissait violemment dans l'herbe du sous-bois.

—Prends ton temps, murmura-t-il, impuissant, ravagé à l'idée du prix que la magie allait exiger du garçon.

Fynch attrapa son sac pour y puiser quelques feuilles de sharvan. Il les fourra dans sa bouche encore emplie de bile amère.

Filou ne pouvait s'empêcher d'éprouver de la culpabilité d'avoir accepté cette folie, alors même qu'il venait de convaincre le garçon de s'alimenter.

—Bois de l'eau, beaucoup d'eau, dit-il. *Je vais faire une reconnaissance.*

Fynch ne répondit pas, trop occupé à mastiquer pour faire couler le jus des feuilles le long de sa gorge en feu. Recourir à la magie était sans doute une bonne idée sur le plan tactique, mais une moins bonne pour sa santé. Il avait l'impression que la mort pouvait venir le chercher à tout instant.

Filou vit les yeux injectés de sang du garçon. Pour la première fois, un filet de sang se mit à couler de son nez. Le chien se sentit pris de colère envers le monde entier: lui-même, Elysius pour avoir transmis ses pouvoirs, le roi dragon pour avoir chargé un aussi frêle enfant d'une tâche aussi immense, et même Fynch pour avoir relevé le défi de les envoyer aussi loin. Il n'osait même pas imaginer ce qu'allait subir le pauvre petit corps de son ami. Il s'éloigna et sortit du bosquet. Son esprit broyait des idées aussi noires que sa fourrure.

À son retour, Fynch n'avait pas bougé, il paraissait mort. Fou d'inquiétude, il oublia instantanément ce qu'il était venu dire pour pousser le garçon du bout de son museau. Il se sentait sur le point de gémir.

—Filou, coassa Fynch.

Son visage était plus pâle qu'un linceul.

—Je suis là, dit le chien, soulagé. *Des hommes à cheval arrivent. Ils sont assez nombreux. Nous sommes bien dissimulés, alors il ne faut surtout pas bouger.*

— C'est Wyl, murmura Fynch à grand-peine.

Le chien était stupéfait. Wyl était censé être en Briavel, auprès de la reine Valentyna.

— *Comment le sais-tu ?*

— Lorsque j'ai lancé le transfert, j'ai essayé quelque chose. (Il fut pris d'une quinte de toux et du sang coula de sa bouche.) Je suis désolé, ajouta-t-il d'un ton épuisé.

— Non ! C'est moi qui suis désolé, dit Filou d'une voix où la colère donnait maintenant toute sa mesure. *Ça ne va pas, Fynch. Tu vas mourir si tu continues à utiliser cette magie.*

Fynch regarda tristement son ami.

— Je vais bientôt mourir de toute façon, Filou. Ne t'inquiète pas pour ça, j'accepte ma mort avec joie. J'ai rencontré Roark, j'ai rendu hommage au roi dragon et j'ai eu l'immense privilège de te connaître. Je suis prêt, conclut-il avec gravité.

Le chien ne savait plus quoi dire, si bien que Fynch essuya tranquillement sa bouche barbouillée de sang du revers de sa manche.

— Pendant le transfert, j'ai tenté de joindre Rashlyn tout en utilisant la magie du Thicket pour nous dissimuler. Au lieu de ça, c'est Wyl que j'ai trouvé. Je crois que le Thicket a fait ça délibérément.

— *Pourquoi ?*

— Probablement parce que Wyl n'est pas censé se trouver dans les Razors. Il devrait être en Briavel avec Valentyna. Le Thicket me prévient. Il sait que l'âme de Wyl et la mienne sont liées.

— *T'a-t-il dit quoi faire ?*

— Malheureusement non. C'est à nous de décider, Filou. Je crois qu'il faut les suivre à distance et examiner la situation. Il n'est sûrement pas ici de son propre chef.

— *Es-tu en état de les suivre ?*

— J'y arriverai, répondit Fynch.

Filou dut détourner la tête pour ne plus voir la douleur sur le visage du garçon.

— *On a encore quelques minutes. Allonge-toi pour l'instant.*

Pour une fois, Fynch obéit.

Crys émit un bruit de bouche pour exprimer son exaspération.

— C'est trop tôt encore.

— Je ne veux pas passer une seconde de plus dans cet endroit plein de sang, répondit Elspyth, grimaçant de douleur tandis qu'elle posait son manteau sur ses épaules.

— Je vous en prie, Elspyth. Laissez-moi au moins vous ramener à Sharptyn.

— Non, Crys. Je veux quitter la région. J'ai failli mourir ici – et je ne parle pas seulement de mes blessures. Avant que vous arriviez… (Sa voix se mit à trembler, mais elle se ressaisit.) Avant que vous ameniez la garde de Briavel, ce dont je vous remercie.

D'un petit geste de la main, il évacua gentiment la gêne qu'elle éprouvait.

— Maître Rilk dit que...

— Maître Rilk est tailleur, l'interrompit Elspyth. Je le remercie de ce qu'il a fait, mais maintenant je m'en vais.

— Où comptez-vous aller ? Pas dans les Razors quand même ? demanda-t-il d'une voix suppliante.

Son expression mortifiée ajoutait une blessure supplémentaire au cœur de la jeune femme.

— Non. Je ne suis pas en état. Je veux d'abord retourner chez moi. (Elle regarda autour d'elle.) On dirait que cette pièce a été... (elle chercha le mot juste)... nettoyée.

Crys prit la liberté de boutonner son manteau pour elle.

— Liryk et ses hommes ont fait du bon travail.

L'attention de Crys fit sourire la jeune femme. Elle aurait apprécié néanmoins qu'il ne montre pas aussi ouvertement ses sentiments à son égard.

— C'est vrai. Quand est-ce que la garde doit partir ?

— Aujourd'hui, je pense.

— Alors, il est temps que je m'en aille moi aussi. Et vous ? Où comptez-vous vous rendre ? demanda-t-elle.

De fait, où pouvait-il bien trouver refuge sans se mettre en danger ?

Un air chagrin passa sur les traits du jeune duc, mais il parvint à contenir son émotion.

— Pas en Briavel en tout cas. Je suis considéré comme une gêne là-bas, d'autant que Valentyna doit être en pleins préparatifs pour son départ en Morgravia.

— La pauvre. Elle a donc l'intention de s'imposer ce calvaire ?

— Elle n'a pas le choix. Je ne crois pas qu'elle puisse y échapper, Elspyth. Et puis, maintenant que Wyl est parti pour se faire assassiner par Celimus...

— Elle aurait pu refuser, dit-elle, avant de grimacer devant la mine désolée que ses paroles avaient fait naître chez son ami. Non, je sais – cela entraînerait immanquablement la guerre. La prochaine fois que nous le rencontrerons, pensez-vous que Wyl sera devenu roi de Morgravia ?

Crys éclata de rire.

— Ça je n'en sais rien, répondit-il avec un petit quelque chose dans la voix qu'il ne parvenait pas à cacher. Wyl est si stoïque. Comment a-t-il trouvé le courage d'aller se jeter dans la gueule du loup en sachant qu'une mort horrible l'attendait ?

Elspyth soupira.

— Je crois qu'on peut devenir héroïque lorsqu'il s'agit de ceux qu'on aime, Crys, dit-elle d'une voix abattue.

Il hocha la tête tristement et elle sut qu'il avait compris.

— Qui sait ? Il y aura peut-être une fin heureuse pour Wyl et Valentyna ? dit-il avec un enthousiasme un peu forcé.

— Mais pas pour nous, hein ? répliqua-t-elle.

— Il n'en tient qu'à vous, dit-il, regrettant dans l'instant ses paroles. Je suis désolé, Elspyth.

Elle accepta volontiers ses excuses.

— Venez avec moi, offrit-elle, sachant à quel point le duc de Felrawthy était attaché à l'amitié.

D'ailleurs elle n'avait plus guère envie de voyager seule avec des étrangers.

— Vraiment ? demanda Crys qui n'en croyait pas ses oreilles.

Le visage d'Elspyth s'éclaira d'un grand sourire.

— Pourquoi pas ? Mais il y a certaines conditions.

— Bien sûr. Pas de baiser ni autre tentative de séduction, répondit-il avec un sourire. Et que je ne dise pas que Lothryn est une cause perdue. Ou que vous êtes trop petite, trop fragile, trop féminine pour le sauver.

Elle rit de bon cœur.

— J'aime que vous fassiez de l'esprit pour dissimuler vos émotions, Crys, dit-elle avec affection.

— C'est tout ce qui me reste maintenant. Je me sens si brisé que je dois me cacher. Merci de m'autoriser à vous accompagner. Je ne vous laisserai pas tomber, Elspyth.

Tous deux savaient exactement ce qu'il voulait dire.

— J'apprécie ce que vous faites, dit-elle. Avez-vous eu l'occasion de parler avec Wyl avant son départ ?

— Oui. Il m'a suggéré de semer le trouble et la perturbation au sein de la légion.

— De quelle manière ?

— En ravivant le souvenir des Thirsk, en rappelant aux hommes que les Donal étaient loyaux et en soulignant que Celimus ne vise qu'à détruire les royaumes. (Il passa une main nerveuse dans ses cheveux.) Et qu'il détruit les âmes.

Elspyth posa une main sur son bras. C'était la seule consolation qu'elle pouvait lui offrir pour l'instant.

— Passerions-nous par Pearlis ? demanda-t-elle.

— Le supporteriez-vous ? Ce n'est sans doute pas aussi direct que vous le voudriez.

Elspyth examina la question un instant.

— Non, mais je ne suis pas en suffisamment bonne condition pour apporter quoi que ce soit à quiconque et deux jours de plus ne changeront rien à mon voyage.

— Parfait. Vous croyez que vous pouvez monter à cheval ?

— Prenons le chariot d'Ericson. Il n'en aura plus besoin maintenant, dit-elle avec le vague sentiment d'être un vampire. Vous avez un cheval, n'est-ce pas ? (Il confirma d'un hochement de tête.) Alors nous sommes prêts. Partons nuire aux intérêts du roi.

Crys sentit le frisson du danger lui parcourir l'échine. Il aimait l'esprit d'Elspyth. Il aurait voulu l'embrasser, lui dire que ses sentiments pour elle ne faiblissaient pas – au contraire – et qu'il était quasiment impossible qu'il puisse tenir toutes les promesses qu'il lui avait faites. Cependant, il se tut ; il lui devait bien ça.

Rashlyn recula pour admirer le fruit de son travail. Il était trempé de sueur. De grosses gouttes coulaient le long de sa barbe broussailleuse pour venir tremper la chemise infâme qu'il portait depuis des jours. Il gloussa.

— C'est mieux, murmura-t-il, beaucoup mieux.

Il but une gorgée de la mixture de jouvence qu'il avait préparée avant de s'atteler à son horrible tâche.

De par son expérience antérieure, il savait que la mise en œuvre de ce type de magie était épuisante. Maintenant, il avait l'impression qu'elle aspirait la vie hors de lui. Une part de son essence avait été nécessaire à la confection du sort. C'était son sacrifice, le prix à payer pour affiner la maîtrise qu'il avait de ces arcanes. En tout cas, il s'était indubitablement amélioré. Le chien se tenait devant lui sur ses quatre pattes, tremblant si fort que Rashlyn avait l'impression qu'il allait s'écrouler. Malgré la douleur qu'il ressentait de toute évidence, il gronda en montrant les crocs.

— Je pense que cela n'a pas été une partie de plaisir pour toi, dit-il à la pauvre créature. En fait, je crois que ça a dû être un véritable martyre. Je suis même surpris que tu aies survécu… et bien content en même temps.

Le chien gronda une nouvelle fois, tirant inutilement sur la chaîne qui le tenait attaché à un anneau dans le mur.

— Quel effet ça fait d'être un sale chien, Le Gant, une saleté de clébard morgravian ?

La bête bondit en avant, parvenant à faire vaciller le sorcier. Mais la chaîne l'arrêta brusquement et il s'effondra sur le sol, le souffle court, les yeux vitreux, vidé de toute énergie.

— Oh non, ne meurs pas rien que pour m'embêter. Je vais t'offrir à lui pour qu'il puisse te nourrir des restes qu'il ne mange pas, ou bien qu'il te casse quelques côtes à coups de botte si l'envie lui en vient. Je te conseille de changer d'attitude, chien morgravian. Tu n'es plus rien maintenant. Et d'ailleurs tu n'as jamais rien été, ajouta-t-il.

La mâchoire du chien claqua, mais si faiblement que Rashlyn n'entendit même pas ses crocs s'entrechoquer. Le sorcier était éperdu d'admiration devant sa propre magie. L'animal entendait et réagissait. Le cheval Galapek paraissait vide, mais le chien Le Gant était habité. C'était très bien.

Il était tout près de parvenir à une maîtrise totale. Il avait hâte maintenant de montrer sa dernière création à Cailech. Ensemble, ils régneraient non seulement sur les hommes et les terres, mais aussi sur les créatures et les oiseaux. *Imagine, Cailech, partir à la guerre vers le sud à la tête d'ours, de loups, de lynx et même de zerkons.* C'était encore plus excitant que tout ce dont Rashlyn ait jamais osé rêver.

Le *barshi* abandonna le chien vautré dans ses propres déjections, puis sortit en claquant la porte d'un autre tombeau. Terrassé par la douleur, et cherchant désespérément un moyen de se tuer, le chien gémissait faiblement. Il sombra dans l'inconscience et se mit à rêver qu'il courait à côté d'un magnifique étalon noir.

Chapitre 26

Tandis que la troupe de cavaliers gravissait les derniers contreforts menant à l'inexpugnable forteresse, Wyl sombra dans un silence maussade. La région éveillait chez lui un sentiment de familiarité, mais aussi une crainte aux contours flous qui n'était que la lointaine manifestation de Romen en lui.

Cailech avait été généreux au point de laisser Ylena tranquille pendant le voyage. La nuit, on l'avait laissé dormir seule dans une tente de peaux de bête montée pour elle par les guerriers. Pour ses ablutions, elle avait toujours de l'eau fraîche à sa disposition et Cailech lui avait même promis un bain dans une source d'eau chaude, où son intimité serait bien sûr préservée. Dans leurs conversations, il avait fait preuve d'égard et de courtoisie. Les longues heures à cheval étaient les seuls instants où s'établissait un contact physique entre eux. Wyl avait compris que Cailech appréciait sûrement d'avoir le petit corps souple et mince d'Ylena contre son torse. Malgré tous les efforts de Wyl pour se tenir aussi loin que possible en avant, la fatigue de la randonnée l'amenait insensiblement, vers la fin de la journée, à se laisser aller contre le corps puissant et ferme du roi des Razors. Par instants, pour lui faire découvrir la beauté grandiose des montagnes, ou quelque curiosité, Cailech attirait son attention en touchant son bras d'une main légère ou en murmurant quelques mots contre son oreille. Ensuite, il lui montrait un aigle planant dans le ciel ou une série de pics dont les silhouettes déchiquetées se découpaient contre le ciel. Chaque fois, Wyl se retirait un peu plus en lui-même.

Ils entamaient leur troisième matinée. Cela faisait deux heures environ qu'ils avaient levé le camp. Aremys ralentit l'allure pour se mettre à la hauteur de Cailech, au milieu du convoi, là où ses guerriers estimaient qu'il était le plus en sécurité. Au cœur des Razors, il ne craignait aucun ennemi, aucune embuscade, mais il respectait leur désir de protéger leur souverain. Wyl avait été surpris de constater qu'Aremys l'avait ignoré ces deux derniers jours, préférant la compagnie de Myrt et d'un autre homme appelé Byl. Mais il devinait l'angoisse et la gêne que le mercenaire devait éprouver face à cette situation.

—J'imagine qu'ils sont pressés d'arriver maintenant, dit Cailech en désignant du menton les hommes avec qui Aremys venait d'échanger quelques mots.

—C'est le cas. J'ai l'impression que les Montagnards ne se sentent bien qu'à la forteresse et aux alentours.

Cailech sourit.

—C'est une bonne chose. (Il prit une profonde inspiration.) Sentez-vous ce parfum dans l'air, Ylena ?

—Oui.

—Il vient de petites fleurs blanches qu'on appelle des larmes du dégel. Elles sortent dès la fin de l'hiver et fleurissent au milieu du printemps. Leur parfum intense enveloppe alors les montagnes, comme maintenant. Nous allons bientôt déboucher dans une vallée où vous verrez des tapis de fleurs à perte de vue. Je vous en cueillerai un bouquet.

Wyl se souvenait de la vallée ; elle était nue et désolée la dernière fois qu'il y était passé. Cela signifiait qu'ils n'étaient plus guère éloignés de la forteresse. Son estomac se noua à cette seule pensée.

—Ton amie est vraiment silencieuse, Aremys, dit le roi d'un ton amusé, comme si Ylena n'avait pas été là, cernée par des hommes armés, prisonnière de ses mots et de sa promesse de l'épouser bientôt.

Aremys haussa les épaules, n'osant même pas regarder dans la direction de Wyl.

—Je ne la connais pas suffisamment bien pour juger de sa personnalité, seigneur, répondit-il prudemment.

—Vous êtes stupéfiante, Ylena ! dit Cailech en se penchant au point que ses lèvres touchaient la nuque d'Ylena. N'êtes-vous pas heureuse d'avoir échappé une nouvelle fois à Celimus ? Ne pourriez-vous pas partager votre liesse avec nous ?

—Je voulais mourir, seigneur. Vous m'avez privée de ma vengeance.

—Comment ça ?

—Je voulais qu'il ait le sang des deux héritiers de la maison Thirsk sur les mains. Je voulais qu'il se mélange à celui des saints hommes de Rittylworth et des âmes loyales de Felrawthy qu'il a massacrées.

—Et à celui de Koreldy, ajouta Cailech d'un ton calme.

—Oui, à celui de Romen également, ainsi qu'à celui du roi Valor.

—Pensez-vous qu'il tuera sa fiancée ? demanda Cailech, d'une voix où perçait une véritable interrogation.

—Il en est capable, répondit Wyl en accusant le coup.

Le roi hocha la tête.

—Pensez-vous que ce soit son plan ?

—Non, répondit Wyl. Il veut des héritiers – trois peut-être, un pour chaque royaume, ajouta-t-il à dessein.

Cailech ne réagit pas de la manière escomptée.

—J'ai déjà un héritier, Ylena. Il s'appelle Aydrech, mais j'espère que vous me donnerez d'autres fils.

Wyl sentit la nausée monter, pour se mêler au malaise diffus hérité de Romen. Il riposta aux propos du roi d'une manière ô combien imprudente.

—J'ai entendu dire qu'Aydrech n'était pas véritablement de vous, seigneur ?

La main droite de Cailech lâcha les rênes pour venir se lever dans les airs. Les hommes obéirent, faisant stopper leurs chevaux. Cailech s'arrêta lui aussi. Aremys jetait des regards incertains à Wyl et au roi.

—Qu'avez-vous dit ? demanda Cailech d'une voix dure.

Trop tard pour reculer. En même temps, Wyl sentit qu'il n'avait rien à perdre. Il détestait sa vie dans le corps de sa sœur et la perspective d'être touchée par cet homme se précisait à chaque instant. Où qu'il se tourne, il ne voyait que la mort marchant vers lui. Par Shar, rien au monde n'aurait pu le convaincre que coucher avec Cailech pouvait servir sa cause.

—Vous avez parfaitement entendu ce que j'ai dit, seigneur. Et votre réaction prouve que je dis vrai.

Myrt s'approchait.

—Seigneur Cailech, est-ce que tout va bien ?

—Avance avec les hommes, Myrt. Il faut que je parle avec elle.

Le guerrier hocha la tête et risqua un coup d'œil subreptice en direction d'Aremys, qui percevait lui aussi les vibrations meurtrières dans l'air, sans comprendre pour autant ce qui se passait. Les autres cavaliers avancèrent, détournant les yeux, et Aremys ne put faire autrement que suivre.

—Attends, Aremys ! ordonna Cailech, en sautant à bas de sa monture d'un bond gracieux et félin. (Il vint se placer de façon à voir directement les yeux de sa promise. Wyl connaissait parfaitement ce regard.) Et maintenant, Ylena, dites ce que vous avez à dire ou je vous ouvre la gorge sur-le-champ.

—J'ai tout dit, seigneur, alors faites ce que bon vous semble, répondit Wyl. Celimus veut s'emparer de votre royaume et il veut vous détruire. Il rêve d'un empire, ne le voyez-vous donc pas ? S'il a plusieurs enfants de Valentyna, il veillera à ce que chacun d'eux prenne un trône.

—Il pourra toujours essayer, dit Cailech, avec une pointe de condescendance dans la voix, mais il n'y parviendra pas.

Wyl haussa les maigres épaules d'Ylena. En fait, le destin de ces rois ambitieux était la dernière de ses préoccupations. Il n'y avait qu'une souveraine dont il voulait protéger la vie. Malheureusement, c'était elle qui était la plus exposée.

—Cependant, ce ne sont pas vos prédictions qui m'intéressent, ma dame. C'est votre accusation.

Wyl ne répondit rien. Aremys se trémoussa sur sa selle.

—Que savez-vous au sujet de mon fils ? insista Cailech, avec dans la voix un feu couvant comme il n'en avait jamais eu avec Ylena.

— Uniquement ce que j'ai dit, seigneur.

— Et comment pourriez-vous connaître une telle information ?

Wyl évalua les différentes possibilités qui s'offraient à lui en cet instant de grande tension. Il fut tenté de prétendre avoir été visité par un rêve, mais l'idée qu'Ylena soit alors considérée comme une sorcière et remise à Rashlyn le retint. Comme plus personne ne pouvait faire de mal à Romen, il choisit d'en faire un bouc émissaire.

— Koreldy me l'a dit.

Ce fut un choc pour le roi des Montagnes.

— Comment pouvait-il savoir ça ?

Aremys était curieux de l'apprendre lui aussi, tout en appréhendant à l'avance la réponse que Wyl allait faire, et plus encore le nid de vipères qu'il s'apprêtait à libérer.

— Ne vous a-t-on jamais informé que Romen Koreldy et la reine Valentyna étaient amoureux, seigneur ? demanda Wyl, goûtant la surprise qu'il vit passer fugacement sur le visage de Cailech, avant que celui-ci parvienne à la dissimuler.

— Vous plaisantez ?

— Je n'ai aucunement le cœur à ça. Vous avez entendu Celimus vous dire que Romen avait séjourné au château de Werryl et qu'il avait été le champion de la reine Valentyna.

Cailech hocha la tête.

— Elle a succombé à son charme, dit-il.

Un sourire flotta sur ses lèvres à l'évocation des manières enjôleuses de Romen.

— Elle est tombée amoureuse de lui, seigneur, rectifia Wyl. Il ne l'a pas séduite… il l'a courtisée en toute sincérité.

— Ça ressemble bien à Koreldy, dit Cailech d'un ton dépréciateur. Et après ?

— Il lui a raconté des choses, de celles qu'on garde généralement pour soi. Un homme en dit toujours plus à une femme qu'il aime sincèrement qu'à une femme qu'il désire uniquement.

— Il lui a donc raconté pour mon fils, conclut le roi.

— Il lui a parlé d'un certain Lothryn dont la femme venait de mettre un enfant au monde, seigneur.

— Aydrech est la chair de ma chair, Ylena… La reine n'a peut-être pas entendu toute l'histoire.

— Elle le savait, seigneur Cailech, et elle me l'a dit. Lothryn avait tout raconté à Koreldy. Je suppose que Romen a été choqué, comme je le suis moi-même, d'apprendre que vous aviez pris la femme d'un autre uniquement pour qu'elle vous donne un héritier.

Ces mots firent revenir un sourire amusé sur les lèvres de Cailech, à la grande fureur de Wyl.

— Tout comme je le fais avec vous, qui étiez mariée à Alyd Donal. Mais je suis sûr qu'il n'en prendra pas ombrage si je vous mets dans mon lit, même si je regrette que vous me voyiez sous ce jour. Sincèrement, vous m'intriguez, Ylena. Vous avez allumé un feu en moi comme je n'en avais jamais ressenti auparavant.

— Et je suis censée être flattée, je suppose ? demanda Wyl, l'air incrédule. Que faites-vous de mes sentiments ? siffla-t-il. Vous me traitez avec le même mépris que celui que Celimus montre envers Valentyna.

Cailech ne réagit pas sous l'offense, changeant adroitement de sujet, au grand dam de Wyl qui avait espéré l'enrager au point de le contraindre à tuer Ylena. Cailech était trop subtil pour mordre à un tel appât.

— On dirait que vous éprouvez de l'admiration pour la reine, Ylena.

Wyl secoua la tête. Cailech était décidément très habile à dénouer les tensions. Wyl regarda dans la direction d'Aremys, tendu comme une corde, tout comme il l'avait été dans le salon de Felrawthy.

— C'est le cas en effet. Je l'admire plus que n'importe quelle autre femme que j'aie rencontrée.

Cailech émit un bruit pour exprimer son dégoût.

— N'est-ce pas elle qui vous a vendue à Celimus, en sachant parfaitement qu'il vous traquait pour vous tuer ?

La colère de Wyl devint incandescente.

— Si c'est ce que vous pensez, seigneur, c'est que vous êtes encore plus stupide que les Morgravians le disent.

La réaction de Cailech fut foudroyante. Wyl sentit le corps de sa sœur arraché de la selle. La force de Cailech était herculéenne. Entre ses mains, Ylena était comme une poupée de chiffon. Il la tenait à bout de bras dans son poing fermé sur le col de sa robe. L'extrémité des bottes d'Ylena ne touchait même pas le sol. Aremys bondit de son cheval, sans savoir vraiment ce qu'il devait faire.

Cailech attira la jeune femme contre lui.

— Ne vous risquez jamais plus à employer ce ton morgravian méprisant avec moi, dame Ylena. N'oubliez jamais que vous respirez parce que je le veux bien.

— Alors, cessez de le vouloir, seigneur, gouailla Wyl. Tuez-moi comme vous m'en menacez. Je ne veux pas vous épouser. Je préfère mourir. Ne comprenez-vous pas que je suis allée voir Celimus pour perdre ma vie ?

Cailech la scrutait au fond des yeux. Son regard vert n'était plus qu'un mince fil entre ses paupières.

— Vous vous êtes livrée à Celimus de votre propre volonté ?

Wyl hocha la tête – autant que le lui permettait son inconfortable posture.

Le roi des Razors relâcha Ylena et Wyl raconta son histoire.

— Valentyna était déterminée à me garder sous sa protection, tout autant que je l'étais à partir. Elle ne pouvait plus rien pour moi, mais moi je pouvais l'aider. En me livrant à Celimus comme si la reine m'abandonnait à lui, je pouvais obtenir que la légion se retire de la frontière. Une simple étincelle aurait suffi à déclencher la guerre, et Celimus est si imprévisible que je ne pouvais être sûre qu'il ne la souhaite pas. Je me suis donc sacrifiée.

— Pourquoi faire une chose pareille ? Pourquoi devriez-vous quoi que ce soit à la reine de Briavel ?

Wyl n'avait aucune réponse à donner à cette fort pertinente question.

— Parce que Wyl est mort en tentant de les sauver, elle et son père. Mon frère avait sûrement une bonne raison pour faire ainsi allégeance à Briavel, seigneur. Imaginez-vous qu'un Thirsk aurait agi de cette façon si la cause n'était pas juste ?

Cailech ne répondit rien. Ses yeux demeuraient fixés sur le visage d'Ylena. Wyl tourna la tête vers Aremys, dont l'expression le suppliait de regagner la confiance de Cailech.

— J'ai décidé de donner le peu qui me reste en ce monde à la cause du général Wyl Thirsk – la reine Valentyna. Plus rien ne me retient dans cette vie, quand elle a toutes les raisons de vivre. Ne vous y trompez pas, seigneur Cailech, Valentyna est l'ultime rempart entre Celimus et le royaume des Razors.

— Comment ça ?

— Je pense qu'elle peut l'influencer. Si elle s'y prend adroitement, Valentyna peut le détourner de la guerre.

— Je ne la connais pas, mais je suis d'accord, admit Cailech. Il s'est passé quelque chose à Felrawthy. Je n'ai aucune certitude, mais mon instinct me trompe rarement. Je crois que Celimus pourrait bien tenir la promesse que nous nous sommes faite.

— Et vous, seigneur ?

— Je n'ai aucune raison de déclencher une guerre, ma dame. Pourquoi sinon serais-je allé perdre mon temps et gaspiller ma salive là-bas ?

— Je dois admettre que j'ai été impressionnée de vous y voir.

— Alors peut-être pourrions-nous bâtir quelque chose sur ces bases.

Wyl jeta un regard aigu en direction de Cailech.

— Que voulez-vous dire ?

— Ce que je veux dire, Ylena, c'est que je comprends que ça vous dégoûte d'être ici, je comprends votre peur du royaume des Montagnes, de son peuple, et en particulier de son roi. Pour autant, ma détermination à établir une paix durable avec le sud est un point de départ sur lequel nous pouvons construire une nouvelle relation entre nous. Vous comprenez bien que votre vie ne vaut plus rien en dehors des Razors, non ?

Ylena hocha la tête.

— Bien, alors acceptez ma protection. Je l'accorde à qui me plaît. Je ne vous presserai pas, ma dame, mais je ferai de vous ma femme. J'ai donné ma parole à Celimus, et c'est pour ça qu'il a accepté de vous laisser partir. (Cailech la vit prendre une inspiration pour dire quelque chose, mais il ne la laissa pas parler.) Je sais que vous souhaitez mourir, je l'ai vu dans vos yeux. Mais je ne peux laisser disparaître ni votre beauté ni votre esprit plein de feu. Vous êtes l'ultime représentante de la grande famille Thirsk, Ylena. Ne voulez-vous pas qu'elle continue à vivre ?

Wyl ne s'était pas attendu à ce que Cailech aborde précisément la question qui lui tenait à cœur, celle qui faisait souffler en lui une tempête d'émotions et de douleurs. Il sentit les yeux d'Ylena s'embuer et détourna la tête. C'est précisément du fond de ce puits de désespoir qu'il aperçut une silhouette noire. L'instant suivant, elle avait disparu. Filou ! Aucun doute, c'était bien le chien qu'il avait vu. Alors Fynch était forcément près d'ici. Pourquoi ?

Des rafales de questions et de peurs mêlées déferlèrent dans son esprit. Wyl avait froid et se sentait épuisé. Le petit corps d'Ylena avait besoin de repos, d'autant plus qu'il était évident que Cailech n'allait pas lui accorder cette fin douce et rapide qu'il souhaitait. En dépit de ses angoisses innombrables, la proximité de ses amis faisait naître en lui un nouvel espoir. Leur présence ici était un mystère, mais elle était aussi la promesse d'une aide à portée de main. Il n'avait d'autre possibilité maintenant que de suivre Cailech. Il reconsidérerait ses options une fois à l'intérieur de la forteresse.

Il fit donc une réponse qui, il le savait, ne pourrait que plaire au roi des Montagnes.

— Je le souhaite plus que tout au monde, seigneur. Mais je ne vois pas comment le nom des Thirsk pourrait survivre.

— À travers moi, Ylena, répondit gentiment Cailech, à la fois soulagé par sa réponse et envoûté par sa beauté empreinte de mélancolie. Je vous fais une promesse. Tout enfant qui naîtra de notre union portera votre nom. Bien sûr, Celimus en sera fou de rage, mais ça c'est plutôt une satisfaction, ajouta-t-il avec un clin d'œil à l'intention d'Aremys.

» La chose vous convient-elle, ma dame ? Je vous autoriserai même à l'appeler Fergys, ou même Wyl, pour honorer vos morts.

— Cela me convient, seigneur, répondit Wyl, désarçonné par la générosité de Cailech.

— Venez, ma dame. Laissez-moi vous conduire à votre nouveau foyer et vous montrer à votre peuple. Je ferai de vous une reine, Ylena.

Wyl soupira et fit venir un pâle sourire sur le visage de sa sœur.

— Vous m'honorez, seigneur, dit-il.

Son esprit cherchait désespérément un moyen de fuir les Razors au plus vite. Ou du moins, de mourir en essayant.

Au retour de Filou, Fynch parvenait à peine à lever la tête.

— *C'est bien Wyl, comme tu l'avais dit. Je crois qu'il est avec le roi Cailech*, annonça le chien.

La nouvelle le fit se redresser ; il ne parvenait toujours pas à s'asseoir, tout juste à ouvrir les yeux.

— Comment sais-tu que c'est le roi des Montagnes ?

— *Je les ai entendus parler et j'ai vu les hommes lui montrer de la déférence. De plus, son manteau est infiniment plus beau et Ylena est avec lui sur son cheval.*

— Par Shar, comment cela a-t-il pu arriver ?

— Ça ne sert à rien de s'épuiser à chercher. En tout cas, ils se disputaient. À ce que j'ai pu comprendre, Wyl était en Briavel, mais il a convaincu Valentyna de le livrer à Celimus.

— Celimus ! Où est-il ?

— Leur conversation ne me l'a pas dit. Mais j'ai compris que Wyl a tenté de se faire tuer.

— Il ne peut pas inviter la mort ! s'exclama Fynch, avant qu'une quinte de toux lui déchire la gorge. (Filou vit du sang sur la main du garçon lorsqu'il la retira de devant sa bouche.) Elysius nous a mis en garde, souviens-toi… lorsque Wyl est sorti en rage de la chaumière dans les Terres sauvages.

— Je me souviens. Il prend des risques. Le roi s'est mis en colère, mais les choses se sont arrêtées là.

— Il faut qu'on puisse le voir, Filou, murmura Fynch d'une voix chevrotante, désespéré de son impuissance.

— Tu ne m'as pas l'air en grande forme.

Filou s'efforçait de parler d'un ton aussi calme que possible.

— Ça va aller, mentit Fynch, sans tromper le chien.

— Alors lève-toi et allons-y.

Le chien s'élança d'un bond. Fynch voulut se redresser, en vain. Il réessaya. La silhouette de Filou apparut devant lui.

— Je suis tellement désolé, murmura le garçon.

Le chien entendit à peine sa plainte misérable ; son esprit cherchait la meilleure solution.

— On ne peut pas rester ici, Fynch. Les sentinelles pourraient nous trouver.

— Je peux peut-être ramper quelque part, gémit le garçon, infiniment désolé d'être un poids pour son ami.

— Puise de la force en toi pour te hisser sur mon dos.

De toute évidence, Fynch mesurait l'étendue de sa faiblesse, sinon il aurait refusé. Le garçon fit appel à tout ce qui lui restait de volonté pour grimper sur le chien.

— Je suis désolé, Filou.

— Ne parle pas dans mon esprit ! Économise-toi. Et maintenant, laisse-moi chercher un endroit sûr et sec.

Filou se déplaçait lentement et en silence, attentif à ne pas déranger l'enfant sur son dos. Il sentait à peine son poids. Fynch s'endormit et le chien en fut soulagé. Au moins, dans le sommeil, la douleur disparaissait. Soudain, une idée s'imposa à lui – avec une telle force qu'il dut s'arrêter. Le Thicket ! Sa magie pouvait sûrement les envoyer dans un endroit sûr. Elle l'avait déjà fait auparavant lorsqu'ils voyageaient. Il invoqua le lieu magique, mais une déception terrible lui revint. En effet, il n'était plus relié au Thicket comme autrefois. Bien sûr, il pouvait ressentir sa magie, mais uniquement par l'intermédiaire de Fynch. Le Thicket était désormais centré sur le garçon. Filou faisait partie de Fynch et n'avait plus le pouvoir d'invoquer la puissance. Il regretta de ne pouvoir avertir que Fynch se mourait, puis il comprit que le Thicket le savait probablement, et qu'il avait pris sa propre décision.

Il hâta le pas en direction d'une crête et envoya une prière dans le vent magique, suppliant qu'on protège cet endroit des intempéries. Que ce lieu ne devienne pas le tombeau de Fynch, le minuscule garçon de commodités du château de Stoneheart.

Le faucon avait tenté d'établir le contact avec Fynch, sans obtenir de réponse. Il avait suivi la jolie jeune femme et son compagnon jusqu'en lisière de la grande ville du sud que les hommes appelaient Pearlis. De toute évidence, ils se dirigeaient vers le cœur de la cité, et c'était un endroit où il ne pourrait pas les suivre. Il voulait en avertir Fynch. Il soupira en observant leurs deux silhouettes se fondre dans le flot incessant des personnes entrant et sortant par les portes de la ville. L'heure était venue pour lui de repartir. Le faucon infléchit son vol par la droite, pour suivre une nouvelle direction. L'air était plus doux par ici et il n'aurait rien eu contre quelques journées de chasse, avec la caresse du soleil pour réchauffer ses plumes. Dans cette région, le printemps se préparait déjà à accueillir l'été. Pourtant, c'est vers le nord que l'oiseau venait de bifurquer, vers des confins plus froids et un jeune garçon qui l'intriguait. Il l'avait obligé à lui obéir et osait s'annoncer comme le roi des créatures.

Elspyth ignorait qu'un oiseau de proie venait de lui faire un adieu silencieux. Elle ne se sentait pas très vaillante. Malgré ses bravades, elle remerciait Shar de lui avoir envoyé un ange gardien en la personne de Crys Donal. En vérité, sans la présence du duc à ses côtés, elle se demandait bien comment elle aurait pu ne serait-ce que quitter Briavel. La volonté était une belle et bonne chose, mais sans forces physiques pour la transporter, elle ne permettait pas d'aller bien loin. Ses blessures lui rappelaient à chaque instant les épreuves qu'elle avait subies, et la douleur sapait son énergie. Jamais elle n'aurait pu rallier Morgravia si elle avait dû affronter son épouvante d'aller seule sur les routes. Pour l'heure, Yentro paraissait n'être qu'un rêve lointain. Les Razors et Lothryn, eux, étaient un fantasme inaccessible.

S'apitoyer sur son sort était tout à la fois épuisant et inutile. Elle repoussa la vague de mélancolie qui menaçait de la submerger et laissa Crys la protéger de son corps contre les poussées de la foule. Jusqu'aux abords de la ville, ils avaient fait la route dans le chariot, avant de l'abandonner sur le bord du chemin ; il ferait le bonheur de celui qui le trouverait. Ensuite, le cheval de Crys les avait portés tous les deux, mais ils avançaient lentement dans la masse compacte des cavaliers et surtout des piétons autour de Pearlis. Cela dit, la ville était loin d'être aussi pleine que lors de sa dernière visite, lorsqu'elle était venue avec sa tante pour le tournoi. Elle avait l'impression qu'une vie entière s'était écoulée. En réalité, si elle comptait le nombre de lunes depuis cet événement, les doigts de ses deux mains y suffisaient amplement. Si peu de temps s'était donc passé depuis la première fois qu'elle avait posé ses yeux sur Romen Koreldy à Yentro – avant qu'elle apprenne qu'il n'était plus le fringant mercenaire, mais le général Wyl Thirsk de Morgravia.

Elle pensa au pauvre Wyl piégé dans le corps d'Ylena et son cœur se serra. Où pouvait-il être aujourd'hui ? Ylena était-elle morte ? Wyl était-il devenu quelqu'un d'autre ? Seul le temps lui apporterait des réponses – le temps et un mot de passe qui leur garantirait qu'il avait survécu.

— Une pièce pour savoir ce que vous pensez, murmura Crys derrière elle.

— Que vous me serrez de trop près, répondit Elspyth.

Il resserra son étreinte.

— Mon unique excuse légitime, dit-il.

— Y a-t-il toujours pareille affluence ici ?

— Oui, c'est ce que j'ai cru comprendre. En tout cas, c'était une excellente idée de votre part d'abandonner le chariot et les vêtements trop luxueux.

— Quel effet ça fait d'être une personne ordinaire ?

— C'est mieux. Le nom des Donal est une malédiction par les temps qui courent.

— Il faudrait vous trouver un nom.

— Je pourrais être votre frère, qu'en pensez-vous ?

— D'accord. J'ai toujours rêvé d'avoir un frère.

— Et comment voudriez-vous que votre frère s'appelle ?

— Jonothon.

— Alors, tel est mon nom désormais. Je vais descendre et mener le cheval par la bride. Avec un peu de chance, nous passerons inaperçus.

— Ils ne tiennent pas registre des voyageurs à Pearlis.

— Quoi qu'il en soit, quelqu'un pourrait me reconnaître. Alyd et moi… nous ressemblons beaucoup.

— Vous avez bien fait d'attacher vos cheveux comme ça.

— Merci, sœurette. Nous y voici. Ne regardez personne dans les yeux, mais prenez garde à ne pas détourner ostensiblement la tête.

— Parlons plutôt. Vous me rendez nerveuse avec vos instructions.

— Quel âge peut-elle bien avoir maintenant notre cousine Jemma ? demanda Crys avec un naturel incroyable.

Ils étaient en train de franchir la grande porte. Elspyth répondit en riant.

— Oh, je crois bien qu'elle est en âge de se marier. On m'a dit qu'elle était très jolie.

— Je n'aime pas trop les filles aux cheveux blonds. Je préfère les beautés brunes, comme tu le sais, poursuivit-il sur le ton de la conversation. (D'un signe de tête, il salua un garde, qui l'ignora purement et simplement.) Pas question que je l'épouse, même si cela te permettrait de venir en ville vivre avec nous, poursuivit-il en riant à son tour.

—Nous sommes passés, dit Elspyth en touchant son épaule avec soulagement.

—Bien joué.

—Et maintenant?

—Messire Bench et sa femme sont de vieux amis de ma famille. Je pense que ça nous fera un bon point de départ. Ils pourront nous procurer des remèdes contre la douleur. Vous êtes toute pâle.

—Pensez-vous que nous serons les bienvenus?

Crys lui sourit.

—Faites-moi confiance.

—C'est ce qu'on dit souvent avant de mourir, gémit-elle.

Néanmoins, la belle assurance du jeune duc la réconfortait. Elle sentait que sa blessure à l'épaule s'était rouverte. Heureusement que son manteau était suffisamment foncé pour ne pas trahir son secret.

—Hâtons-nous, dit-elle.

Il leur fallut plus de temps qu'escompté pour rejoindre le quartier, tranquille et aisé, où logeaient messire et dame Bench. Pour finir, Crys mit son cheval à l'écurie et héla un chariot fermé pour faire les quelques rues qui restaient.

—C'est préférable, Elspyth. Au cas où leur maison serait surveillée...

—Pourquoi le serait-elle? demanda-t-elle en se laissant tomber sur le banc.

—Je ne sais pas, répondit-il après avoir donné ses instructions au cocher. Mais l'expérience passée nous a démontré que Celimus était bien trop rusé pour laisser l'un des derniers personnages relativement puissants de son royaume sans une forme ou une autre de surveillance.

Elspyth ne voulait plus parler; il lui fallait lutter pied à pied pour ne pas sombrer. La douleur avait franchi un nouveau palier. Elle sentait la chaleur irradier dans toute son épaule et le sang battait furieusement à ses tempes.

—Infection, murmura Crys après qu'elle lui eut expliqué. Il faut voir un médecin. Les Bench nous en feront mander un.

—Espérons qu'ils soient chez eux.

Fort heureusement, la demeure des Bench était entourée d'une immense haie de troènes, si bien que le cocher put les laisser dans l'allée devant la maison sans qu'ils soient visibles depuis la rue – non pas, d'ailleurs, qu'il ait à soupçonner quoi que ce soit dans le comportement du couple qu'il transportait. Crys lui laissa néanmoins un ample pourboire. À tout hasard, cela pourrait acheter son silence pour un temps. Ensuite, il porta littéralement Elspyth jusqu'à la porte, prestement ouverte par un serviteur au visage austère.

—Messire et dame Bench sont-ils chez eux? demanda Crys.

— Cela dépend, messire, répondit l'homme en détaillant des pieds à la tête ces arrivants d'allure miteuse. Qui les demande ?

— Si messire Bench est ici, veuillez le prévenir que... (Crys marqua une hésitation. Qui pouvait savoir si l'homme était fiable ? Mieux valait être prudent.) Dites-lui qu'il a la visite d'un vieil ami de Brightstone.

Crys se souvenait que la famille Bench avait une propriété au bord de la mer, au nord-ouest. Il se rappelait également du surnom que son père donnait à son vieil ami – Butin. Apparemment, il n'y avait rien au monde qu'Eryd Bench ne puisse s'approprier si l'envie lui en venait.

— Il me faudrait un nom, messire, dit le serviteur.

Avec ses yeux mi-clos et son petit sourire figé, il avait des manières pleines de condescendance parfaitement irritantes.

Crys inspira profondément.

— Dites-lui Butin. Et maintenant, activez un peu. Cette femme a besoin d'un médecin.

Elspyth se sentait comme un poids mort dans ses bras. Toujours consciente cependant, elle lui fit un sourire courageux tandis que le serviteur disparaissait à l'intérieur de la maison.

— Butin ? dit-elle.

— Ça va marcher, je vous le garantis. Espérons seulement qu'il soit là.

Pendant une minute, ils demeurèrent dans un silence étrange, puis il y eut soudain un grand bruit. Une femme bien en chair et fardée jaillit par une porte à double battant, suivie de près par un homme haut de taille et aux cheveux argentés, Eryd Bench à n'en pas douter.

— Par la miséricorde de Shar, s'exclama l'arrivante. Cette femme est-elle malade ?

— C'est le cas, ma dame. Il lui faut des soins urgents.

Avant même que Crys ait fini de parler, elle se tourna vers le serviteur.

— Arnyld, que faites-vous encore ici ? Allez chercher de l'aide. Envoyez quelqu'un chez le médecin Dredge, immédiatement ! Qu'il vienne sans tarder. (Elle se tourna vers Crys.) Posez-la là mon garçon, dit-elle en désignant un banc.

— Je saigne, dame Bench, dit Elspyth. Je ne voudrais pas...

— Chut, mon enfant, l'admonesta Helyn. Faites ce qu'on vous dit.

Crys obéit. Il salua ensuite de la tête et, profitant qu'il n'y avait aucun serviteur en vue, se tourna vers Eryd Bench. Il tomba nez à nez avec un visage sévère.

— Je me demande bien qui a l'audace de forcer ma porte en utilisant le surnom que me donnait ce vieux Jeryb, dit messire Bench de sa voix mélodieuse. Présentez-vous pour de bon ou j'appelle un légionnaire.

— Messire et dame Bench, je vous présente toutes mes excuses d'arriver de cette manière, mais les circonstances l'exigent. Je suis Crys Donal, duc de Felrawthy.

Pétrifiées, les deux personnes face à lui étaient manifestement trop en état de choc pour répondre. Elles donnaient l'impression d'avoir été frappées par la foudre. Dame Bench s'accrocha à son mari, qui l'aida à s'asseoir sur le banc, à côté d'Elspyth. Crys sentit la culpabilité monter en lui. En voyant leurs visages devenus pâles, au moins était-il rassuré de savoir que le médecin arrivait.

Chapitre 27

Filou gémissait faiblement, sa grosse tête posée sur ses pattes et son grand corps serré contre le garçon endormi dont la respiration paraissait dangereusement faible. Quelque chose était en train d'arriver à Fynch, mais le chien ne parvenait même plus à l'atteindre. Tout ce qu'il pouvait faire, c'était le veiller, attendre et prier le roi dragon que l'heure de Fynch ne soit pas déjà arrivée.

Fynch rêvait, mais cela ne ressemblait à aucun rêve qu'il ait déjà fait. Il avait la sensation de voler. Il sentait le vent passer à travers ses cheveux et siffler à ses oreilles. Peut-être rêvait-il qu'il était un oiseau ? Mais la vue autour de lui avait l'air d'être bien réelle, tout comme le vent sur son visage et la voix qui se mit à parler.

—*Nous ne sommes plus très loin maintenant.*

C'était le roi dragon. Assis sur son dos, Fynch ressentait chacun des battements d'ailes surpuissants qui portaient l'immense créature dans les airs.

—*Mon roi*, émit Fynch d'une voix où transparaissait sans fard ni honte la crainte respectueuse qu'il éprouvait. *Où allons-nous ?*

—*Dans un lieu secret, mon fils. Un endroit sûr où tu seras libéré de ta douleur et où personne ne pourra nous entendre.*

—*Suis-je vraiment avec vous ?*

— *Ton corps est avec Filou, Fynch. Ton esprit est ici.*

— *Comment suis-je capable de faire cela ?*

— *C'est ma façon de te rendre hommage.*

—*Me rendre hommage ?*

—*Nous te demandons tellement.*

— *Quoi que vous me demandiez, je vous le donne volontiers.*

—*Mon courageux garçon. Tu en es plus que digne.*

—*De quoi ?*

—*D'être roi, Fynch.*

Le garçon ne comprenait pas.

— *Ça va venir*, dit gentiment le roi dans sa tête.

— *Quoi ?*

— *La compréhension. C'est pour ça que je t'ai amené ici.*

En franchissant les grandes portes de la forteresse, Wyl sentit le désespoir s'abattre sur lui. Immédiatement, Cailech fut entouré d'une foule d'admirateurs saluant le retour de leur roi – et jetant des coups d'œil à la dérobée sur la beauté blonde et évanescente qu'il avait laissée sur son cheval. Myrt se porta à la hauteur d'Ylena pour l'aider à mettre pied à terre.

— Puis-je vous conduire à vos appartements, ma dame ? demanda-t-il en lui offrant sa main pour descendre de cheval. Le roi souhaite que vous soupiez avec lui plus tard.

Wyl fit un effort prodigieux pour dissimuler la gêne que lui procurait le contact de sa paume et ce qu'il pensait de l'invitation. Cela lui rappela le repas qu'il avait dû endurer avec Celimus lorsqu'il était dans le corps de Leyen.

— Merci, euh... ?

— Myrt, dit Aremys qui venait d'arriver et faisait les présentations. C'est un ami, Ylena. Vous pouvez lui faire confiance.

Wyl salua Myrt d'un signe de tête, auquel le guerrier répondit par un de ses rares sourires. Aremys avait déjà expliqué que Myrt était au courant de ses doutes concernant le sort de Lothryn, mais il ne pouvait décemment pas lui exposer toute la vérité au sujet d'Ylena. Le mieux était donc de maintenir des relations polies mais distantes avec la sœur de Wyl.

— Je vous verrai plus tard, peut-être, dit Aremys à Wyl, avant de se tourner vers Myrt. On se retrouve aux écuries ?

Le guerrier hocha la tête.

— Venez, ma dame, dit-il.

Et Wyl n'eut d'autre choix que de se laisser mener plus profondément encore au cœur de la forteresse du roi des Montagnes.

Ils avaient atterri, mais Fynch restait pelotonné sur le dos immense du roi dragon. Les teintes chaudes et foncées de la créature paraissaient pulser, devenant tour à tour douces ou brillantes et donnant vie à ses écailles. Pour la première fois depuis qu'il avait quitté les Terres sauvages, Fynch se sentait bien, au chaud et en sécurité. Pourtant, il savait qu'il n'était pas vraiment là. Il était là-bas sur une crête glacée, tout près de la forteresse du roi des Montagnes, et il se mourait avec Filou couché contre lui.

Il se contorsionna pour se mettre sur le dos, fou du bonheur que lui procurait son lien avec le roi dragon. La bête demeurait silencieuse pendant que son invité s'acclimatait au panorama somptueux en dessous. Ils étaient au sommet de la plus haute des montagnes des Razors, mais pas au nord-ouest là où dormait le corps de Fynch.

— *Nous sommes dans les Terres sauvages, n'est-ce pas ?*

— *Oui, Fynch.*

Le garçon soupira.

— Si je devais mourir maintenant, au milieu de tant de beauté, alors je mourrais heureux.

Le roi ne répondit rien.

— Je suis en train de mourir, n'est-ce pas ?

Cette fois-ci, la créature répondit.

— Tu as repoussé tes limites trop loin. La magie à laquelle tu as fait appel est si puissante qu'elle t'empoisonne.

— *Elysius a bien réussi à vivre avec*, dit Fynch.

— C'est vrai, mon fils. Mais Elysius n'a jamais usé de la magie du Thicket. Et puis, pendant des années, il n'a pas utilisé sa magie. Il s'est préservé en ne l'utilisant qu'avec prudence et parcimonie.

— Je suis désolé de m'être montré si imprudent.

Le roi dragon tordit son long cou sinueux pour approcher son énorme tête. Un œil monstrueusement grand, et qui paraissait tout savoir, vint contempler la petite silhouette posée sur son dos.

— Tu n'as pas besoin de t'excuser auprès de moi, révéré Fynch.

Ses mots pleins de solennité l'émurent au plus profond de lui-même ; des larmes se mirent à couler le long de ses joues.

— Je n'ai pas peur de donner ma vie... j'espère que vous le savez. Mais j'ai tellement peur de ne pas réussir que je suis impatient de trouver Rashlyn.

Le roi dragon émit un petit grognement d'approbation.

— Je sais, mon garçon. Tu réussiras.

— Mais je ne suis pas sûr de pouvoir récupérer à temps. Je pourrais perdre ma vie là où Filou et moi sommes endormis.

— *C'est pour ça que je t'ai amené ici, Fynch*, dit la formidable créature, d'une voix si grave que ses vibrations traversaient tout son corps – et si douce en même temps. *Je vais reconstituer tes forces. Seulement, comme toujours avec la magie, il y a un prix à payer.*

— *Je le paierai*, dit bravement Fynch. *Je veux seulement retrouver mes forces pour faire ce que vous m'avez demandé.*

— J'accepte ton sacrifice et en retour je vais te donner une explication. J'ai vu en toi, Fynch, quelque chose que tu es en droit de savoir.

— Je l'ai senti aussi, dit-il. J'ai senti que vous reconnaissiez une part de moi-même que je connais à peine.

— Tu ne devines pas ?

Fynch examina la question du roi dragon et ferma les yeux. Oui, il pourrait deviner, mais il préférait aussi prendre son temps pour être sûr que c'était bien quelque chose qu'il voulait savoir. Fynch supposa que le prix pour recouvrer temporairement la santé était la mort. Cette pensée ne l'effrayait pas et ne le dissuadait en rien. Il avait déjà accepté, et si l'échéance arrivait plus tôt que prévu, tant pis. La vie ne pourrait jamais plus être la même de toute façon. Il prit sa décision.

— Ça a quelque chose à voir avec ma mère.

— Continue.

Fynch sentit un courant d'air franchir le rideau des ailes protectrices de la créature et passer sur ses joues. Les larmes coulaient toujours, mais il les ignora. Il ne pleurait pas parce qu'il était triste ou qu'il avait peur, il sanglotait parce qu'il vivait l'instant le plus émouvant de sa vie. Le roi dragon était sur le point de confirmer un fait fondamentalement constitutif de ce qu'il était. Le garçon comprit qu'il s'agissait d'une connaissance qu'il avait toujours eue enfouie en lui, mais qu'il n'avait jamais laissé affleurer pour ne pas être tenté d'en apprendre plus. C'était un secret, mais même sans aucun indice il avait senti sa présence. C'était quelque chose de bien plus dévastateur que la magie qu'il avait récemment appris posséder – ou que celle qui lui avait été transmise. Ce secret avait d'immenses implications. S'il était révélé, la marche d'un royaume pourrait s'en trouver affectée. Jusqu'à ce jour, jamais personne n'en avait rien su.

—*Je suppose que je ne suis pas le fils de mon père.*

Une vibration parcourut le corps du dragon.

— *Tu dis vrai, mon garçon. Alors, qui est ton père ?*

Fynch ne voulait pas dire le nom. Il ne savait pas pourquoi il était si sûr de connaître la vérité. Tout ce qu'il savait, c'est qu'au moment où le roi dragon l'avait vue, lui-même l'avait entraperçue. Le roi des créatures avait été surpris, mais pour une raison étrange, Fynch ne l'avait pas été. En fait, la révélation lui avait donné force et confiance. C'était l'une des raisons pour lesquelles il pouvait contempler sa mort sans rien regretter, si ce n'est de perdre Wyl et ses frères et sœurs.

Fynch promena une nouvelle fois son regard sur la majesté des Razors, avec leurs vallées cachées qui lentement émergeaient de la neige avec l'arrivée du printemps.

—*Je ne savais pas que le dégel allait si haut.*

—*Nous sommes dans les Terres sauvages, Fynch. Tout est possible.*

Fynch hocha la tête. Le roi dragon lui avait laissé tout le temps voulu pour peser le pour et le contre ; maintenant, sa décision était prise.

—*Ma mère n'avait pas toute sa raison. À chaque nouvelle lune, une sorte de folie s'emparait d'elle, du moins c'est ce qu'on me disait. Lorsque j'ai été assez grand pour comprendre, j'ai vu que sa folie prenait la forme de la débauche.*

Il s'interrompit, paraissant hésiter.

— *Continue, Fynch.*

—*Elle tentait les hommes. Elle ne pouvait pas s'en empêcher.*

—*Et ?*

—*J'ai été conçu au cours d'une de ces folies.*

— *C'est exact. Qui est ton père, Fynch ?*

—*Mon père est...* (Il n'osait pas prononcer le nom, mais il savait qu'il le devait.) *Mon père est Magnus, roi de Morgravia.*

—*Exactement. Tu fais partie de la lignée du trône du dragon. Tu fais partie de moi.*

—*Magnus savait-il qui j'étais lorsque nous parlions à Stoneheart ?*

—Il se sentait très proche de toi, Fynch, comme toi de lui. Mais il n'a jamais su que tu étais chair de sa chair.

À l'instant où l'immense créature disait ces derniers mots, Fynch ressentit un courant de chaleur et d'amour s'infiltrer en lui. Il ne savait pas si c'était d'apprendre qui était son vrai père ou si cela venait du dragon lui-même, mais il était certain maintenant qu'un lien nouveau et intense le reliait à lui. Quelle qu'en soit la raison, Fynch connaissait un nouveau sentiment de puissance d'être ainsi associé à deux rois.

Chapitre 28

Calée au fond d'un fauteuil, Elspyth était bien décidée à ne pas perdre une miette de la conversation avec messire et dame Bench. Le médecin d'Helyn, qui était passé, avait indiqué que ses blessures étaient parfaitement suturées. Seule celle à l'épaule avait subi une infection, heureusement prise à temps. Il allait faire porter une décoction spéciale qui en viendrait à bout en quelques jours. Par ailleurs, le repos et le calme étaient absolument nécessaires pour la guérison. Helyn n'avait pas hésité un instant à dire qu'Elspyth resterait chez eux jusqu'à être complètement rétablie.

— Je ne peux pas m'imposer chez vous aussi longtemps, avait dit Elspyth.

— Mon enfant, vous n'irez nulle part tant que la fièvre ne sera pas tombée et que l'infection n'aura pas disparu. C'est un ordre, avait répondu Helyn.

La jeune femme avait bien compris que toute discussion était vouée à l'échec avec une femme de cette trempe.

Ils étaient donc confortablement installés dans un salon richement meublé, aux murs recouverts de draperies et de portraits de famille. Crys et Elspyth avaient fait le récit de la pire partie de leurs aventures. Un petit poêle de porcelaine installé dans un angle diffusait une douce chaleur. Du point de vue d'Elspyth, ce modèle ressemblait à ceux qu'utilisait le peuple des Montagnes. Elle en fit la réflexion.

— Il se trouve en effet qu'il vient de Grenadyne, répondit Eryd. Mais je m'étonne qu'une jeune femme – morgraviane de surcroît – en ait vu un dans le royaume des Razors et soit encore en vie pour en parler.

Elspyth rougit.

— C'est une longue histoire, messire. Après celle que nous venons de vous conter, je doute que vous en vouliez une autre aussi dramatique, dit-elle en espérant bien détourner la conversation.

— En effet, répondit-il en la fixant d'un air grave, sans insister pour l'instant. (Ils étaient encore sous le choc du massacre de la famille Donal.)

Crys, reprit-il à l'intention du jeune duc, je suis désolé de revenir sur le sujet, mais êtes-vous bien certain que la couronne est impliquée dans le crime de Tenterdyn ?

Crys confirma d'un hochement de tête.

— En mourant dans mes bras, ma mère ne demandait qu'une seule chose, la vengeance. Ses yeux disaient encore toute l'horreur dont elle avait été témoin. Mon père et mes frères ont été exécutés et leurs corps brûlés. Le massacre de Rittylworth est aussi l'œuvre de Celimus. Ylena Thirsk l'a confirmé et Elspyth elle-même est arrivée sur place peu après le départ des pillards. C'est elle qui a pris le message de frère Jakub pour mon père.

Helyn tendit un verre de vin à Crys.

— Pas d'alcool pour vous, je le crains, dit-elle à Elspyth. Excusez-moi, poursuivez, reprit-elle avec un petit sourire au jeune duc.

Crys espérait que le breuvage ferait disparaître le tremblement dans sa voix.

— Comme je vous l'ai dit, nous nous sommes rendus à la cour de la reine Valentyna, qui nous a accordé sa protection sans condition. Je n'avais pas envisagé qu'il me faille rechercher Elspyth, sans quoi je serais arrivé ici bien plus tôt.

— Que pouvons-nous faire ? demanda messire Bench. Je me sens tellement impuissant.

— Wy... (Crys s'interrompit juste à temps.) Ylena m'a suggéré de venir à Pearlis pour tenter de fomenter quelques troubles.

— Ylena Thirsk a vraiment fait ça ? Au fait, où est-elle maintenant ? demanda messire Bench. À dire vrai, je pensais qu'elle avait dû rentrer en Argorn après la mort de Wyl. Maintenant que je sais que son mari a été assassiné, je crois qu'elle avait d'autant plus de raisons de fuir Stoneheart.

— En fait, Ylena a été jetée au fond d'un cachot. C'est un mercenaire du nom de Romen Koreldy qui l'a délivrée. (Crys exposa brièvement comment Koreldy s'inscrivait dans cette histoire, arrangeant quelque peu la vérité en disant qu'il avait promis à Wyl, à l'instant de sa mort, de retrouver sa sœur.) Ensuite, après s'être échappée de Rittylworth, Ylena s'est réfugiée à Felrawthy. Elle transportait une preuve du meurtre de mon frère avec elle et c'est pour ça que Celimus a envoyé son assassin à ses trousses. Bien sûr, Leyen n'a jamais...

Il s'interrompit brutalement ; ses deux hôtes paraissaient alarmés.

— Quelque chose ne va pas ? demanda-t-il.

— Leyen ? répéta dame Bench, un air d'immense stupéfaction sur le visage. C'est bien le nom que vous avez dit ?

Crys hocha la tête, tout en sollicitant l'avis d'Elspyth d'un coup d'œil. Plus ils avançaient et plus leur histoire convergeait vers Wyl Thirsk. Comment allaient-ils pouvoir maintenir le secret ?

— Pouvez-vous la décrire ?

Mentir n'aurait servi à rien, d'autant plus que Crys ne se sentait pas de tromper de si aimables personnes que les Bench, dont les liens avec sa famille remontaient loin dans le temps. Il fit une description aussi fidèle que possible de la femme assassin.

— C'est elle ! s'exclama Helyn, plongée en pleine confusion. Je connais cette femme. Par Shar, elle est venue chez nous, ici même. Je l'ai protégée de Celimus dès l'instant où je l'ai rencontrée. Car le roi m'a posé des questions sur elle. Il m'a dit qu'elle était un messager, un intermédiaire entre lui et la reine Valentyna ! ajouta-t-elle, au bord de l'exaspération.

— Cette femme serait un assassin, dites-vous ? demanda Eryd d'un air grave, en jetant un coup d'œil à sa femme pour qu'elle se calme.

— Eh bien..., hésita Crys.

Il avait commis une erreur. Il aurait dû parler d'Aremys Farrow, mais comment pouvait-il savoir que les Bench connaissaient Faryl, ou Leyen – ou du diable comment elle s'appelait !

— Allez, jeune homme, dites-nous un peu, insista Eryd.

Duc ou pas duc, Crys n'était toujours qu'un blanc-bec aux yeux de messire Bench. Même après des jours à y penser, Eryd ne parvenait toujours pas à admettre la mort de Jeryb Donal. Plus solide qu'un roc, son vieil ami était taillé pour les enterrer tous. Au-delà des sentiments d'amitié, Eryd Bench déplorait que Morgravia ait perdu son dernier grand stratège. Celimus allait payer pour cette disparition.

Crys tourna un regard suppliant vers Elspyth. Elle savait qu'il brûlait de dire la vérité. Pourtant, il devait tenir la promesse faite à Wyl. Où qu'il se tourne, Crys était cerné par les obligations du devoir, envers ses parents, envers le royaume, envers les Bench qu'il estimait, envers une amie. Une fois déjà, Elspyth avait manqué à la parole donnée à Wyl. Même si les conséquences en avaient été terribles, il demeurait plus facile pour elle de dire ce qu'elle savait. Crys, lui, ne pouvait pas trahir le serment qu'il avait fait.

— Messire Bench, dame Bench, dit Eslpyth, attirant sur elle l'attention de leurs hôtes. (Ils pressentaient qu'une chose essentielle allait leur être révélée.) Je vais vous raconter une histoire que vous refuserez certainement de croire. Pour tout dire, elle vous semblera incroyable. Mais ce que je vais vous dire est la vérité, telle que je l'ai vue de mes yeux.

— Et j'en ai été témoin moi aussi, dit Crys, à la fois terrorisé et finalement soulagé qu'Elspyth ait pris une décision à sa place.

Il détestait l'idée de trahir Wyl, mais il ne voulait à aucun prix mentir à messire Eryd Bench. Le vieil homme lui rappelait tellement son propre père. Et puis, en vérité, ils avaient besoin d'alliés. Il fallait que quelqu'un les aide à porter le fardeau que représentait le destin de Wyl. À Tenterdyn, maintenir le secret sur le terrible Dernier Souffle s'était imposé comme une évidence. Aujourd'hui, l'heure était venue de mettre un personnage puissant dans la confidence. De nouveaux soutiens devaient être ralliés à la cause de Wyl. Toutes ces pensées s'agitaient dans l'esprit de Crys Donal, un peu comme si le jeune duc voulait trouver des justifications à ce qu'Elspyth et lui-même s'apprêtaient à faire.

Le regard d'Eryd allait de l'un à l'autre.

— Tout cela a l'air bien terrible, dit-il.

Il pensait avoir entendu le pire, mais des informations plus horribles paraissaient sur le point de lui être révélées.

— Pourquoi ai-je l'impression de ne pas souhaiter entendre ce que vous vous apprêtez à nous dire ? dit Helyn Bench, se surprenant à penser qu'elle pourrait résister à une histoire bien tentante.

— Vous pourriez effectivement regretter d'être mis dans le secret, messire et dame Bench. Mais une fois que nous aurons parlé, vous devrez promettre de nous aider.

— Oh, Shar, s'exclama Helyn, qui regrettait maintenant de ne pas avoir accompagné sa fille Georgyana pour faire les échoppes. Tout cela a l'air tellement sinistre. De quoi s'agit-il ?

— C'est l'histoire de Wyl Thirsk. Je vais vous raconter tout ce que je sais, même s'il ne me pardonnera jamais d'avoir parlé.

Et Elspyth entama son récit.

Pendant qu'à Pearlis Elspyth racontait la vérité sur la mort de Wyl Thirsk à un couple éberlué, Wyl, dans les Razors, expliquait aux femmes affectées au service d'Ylena qu'il préférait ne porter aucune des deux robes qu'elles lui avaient apportées.

Cailech lui avait donné des appartements comportant plusieurs pièces. Une fois encore, Wyl fut frappé de la créativité et du sens artistique du peuple des Montagnes. Une frise représentant une vigne chargée de fruits courait autour du plafond de chaque salle. Les murs blanchis à la chaux étaient ornés de petits paysages des Razors peints sur du bois. Un épais tapis et une courtepointe aux couleurs vives ajoutaient leur note brillante à la lumière du jour entrant à flots par les grandes fenêtres, que Cailech avait fait percer sur tout le pourtour de sa forteresse. Le roi des Montagnes appréciait de voir depuis l'intérieur les panoramas qu'il aimait tant.

Lors de son dernier passage ici, en tant que Romen Koreldy, c'était l'hiver et des braseros dispensaient leur chaleur dans les pièces. Seuls les interminables couloirs et les grands espaces creusés dans la roche pour relier les salles entre elles n'étaient pas chauffés. *Il y régnait d'ailleurs un froid glacial*, se souvint Wyl. Aujourd'hui, le printemps pointait le bout de son nez et les hardis Montagnards ne se chauffaient plus.

Le corps d'Ylena tremblait de froid tandis que Wyl s'efforçait, toujours poliment, de refuser les tenues qu'on lui proposait.

— Merci, mais je ne préfère pas, dit-il.

— Ces deux robes sont faites en poil de chèvre angora, ma dame, insista l'une des femmes, d'un ton signifiant que c'était aussi précieux que de l'or.

Wyl n'avait aucune envie d'entendre plus d'explications, mais il eut la courtoisie de palper les étoffes avec un sourire.

— Elles sont magnifiques, dit-il.

— Je vous en supplie, ma dame. Nous aurons des ennuis si vous ne portez pas l'une d'elles ce soir.

— Certainement pas.

Les femmes hochèrent la tête.

— Notre roi nous a demandé également de vous coiffer. Il a fait venir des larmes du dégel depuis la vallée.

Wyl suivit le regard des femmes, pour découvrir un bouquet de petites fleurs blanches dans un vase. Cailech en avait promis un à Ylena. Wyl se sentit plus prisonnier que jamais. Sa situation lui donnait une horrible impression d'inéluctabilité. *Si seulement je pouvais voir Aremys*, songea-t-il. Peut-être devrait-il simplement se mettre à courir en espérant que quelqu'un l'abatte. Avec un peu de chance, il pourrait redevenir un homme. Mais que se passerait-il si une flèche ou une arme de jet le touchait ? Il risquait de mourir pour de bon. Et plus personne ne pourrait venger Ylena, ni tous ceux qu'il aimait et qui avaient été assassinés.

Valentyna. Son cœur se serra à l'évocation de la gêne et du dégoût qu'elle avait exprimés lors de leur dernière rencontre. Si seulement il redevenait un homme, alors il pourrait parvenir jusqu'à elle... ne serait-ce que pour s'excuser au nom d'Ylena.

Les femmes l'observaient dans le silence devenu pesant.

Pour toi, Valentyna. Pour que je puisse te revoir. D'un signe de tête, il donna son accord aux servantes.

— Laquelle m'irait le mieux selon vous ?

Le visage des deux femmes s'illumina. L'une d'elles toucha les cheveux d'Ylena.

— Vous êtes si jolie que vous mettriez les deux en valeur. (Elle prit ensuite la main d'Ylena.) Nous avons tellement attendu que notre roi se choisisse une femme, poursuivit-elle timidement.

Malgré l'horreur de sa situation, Wyl se sentait ému.

— Cela ne vous fait rien que je sois de Morgravia ?

Les deux femmes haussèrent les épaules.

— La seule chose qui compte, c'est que vous ayez pris son cœur. Vous serez sa reine... notre reine. Nous nous en réjouissons. Et puis, on dit que nos royaumes ont signé un traité. Tout cela rend votre mariage avec le roi d'autant plus exceptionnel. Comment pourrions-nous ne pas accepter la femme qu'aime notre roi ?

— La femme qu'il aime ? répéta Wyl, stupéfait. Il ne me connaît même pas.

— Le roi sait juger le caractère, affirma l'une d'elles avec entêtement. Il vous a choisie et nous n'y trouvons rien à redire. En vérité, aucune femme n'aurait pu convenir dans notre royaume. Peu importe l'élue de son cœur, cela aurait créé des jalousies entre les familles. Vous, vous n'êtes liée à aucune tribu. De ce fait, il n'offense personne et il resserre les liens entre nos royaumes.

— Il vous a dit qu'il voulait m'épouser ? demanda Wyl, de plus en plus alarmé.

Elles hochèrent la tête.

— Oh, oui, répondit l'autre femme. La nouvelle se propage comme un incendie dans toute la forteresse.

— A-t-il dit quand ?

Wyl retint sa respiration.

Elles sentirent la tension en lui et marquèrent une hésitation.

— Le jour après demain, ma dame, dit la plus vieille. On est en train de tisser une robe de laine blanche, la plus rare et la plus belle. Des animaux sont abattus pour les réjouissances et les gens se pressent aux alentours pour vous apercevoir.

Elles virent la promise du roi horrifiée plaquer ses mains sur son visage. Son air désespéré les effraya.

— Il sera doux avec vous, ma dame, dit la plus vieille, s'imaginant que la jeune beauté s'inquiétait de sa nuit de noces.

— Arrêtez, s'il vous plaît ! s'exclama Wyl, bien décidé à trouver un moyen de fuir ou de se faire tuer.

Soudain, la mise en garde d'Elysius lui revint en mémoire. Voilà pourquoi ni Celimus ni Cailech n'avaient tué Ylena. Il ne pouvait pas de lui-même décider de sa mort. À l'évidence, le Dernier Souffle avait résisté à son appel. Ou alors, il l'avait protégé des conséquences de son geste. Pour autant, un acte aléatoire demeurait toujours possible, comme l'avait expliqué Fynch. C'était ça dont il avait besoin maintenant pour être sauvé. Quoi qu'il advienne, il fallait qu'Ylena meure dans les heures à venir.

— Tu en es sûr ? demanda Myrt dans un murmure.

Aremys hocha la tête, en s'efforçant de prendre un air aussi nonchalant que possible, tandis qu'il soulevait le loquet de la porte du box de Galapek. Il fit un effort sur lui-même pour ne pas regarder par-dessus son épaule, ce qui aurait immédiatement paru suspect.

— Où est Maegryn ?

— Il est toujours à rôder dans les parages. Tu ferais mieux d'avoir une histoire toute prête au cas où il nous tombe dessus.

— Tu devrais peut-être attendre à l'extérieur, dit Aremys. Je n'ai pas envie que tu aies des ennuis avec Cailech. Lorsque nous aurons commencé, nous ne pourrons plus faire demi-tour.

Myrt secoua négativement la tête.

— Il faut que je voie le cheval et ses réactions de mes propres yeux.

Le pli ferme de sa bouche indiqua à Aremys que la conversation était close. Sur un petit hochement de tête, il s'avança dans l'obscurité. Il lui fallut quelques instants pour que ses yeux s'adaptent à la faible lumière filtrant entre les planches disjointes. Un ébrouement lui indiqua que Galapek était quelque part dans l'ombre sur sa droite. Il se mit à lui parler doucement, en un flot ininterrompu de mots apaisants.

Myrt referma la porte et demeura silencieusement en retrait. Il se rendit compte qu'il retenait sa respiration, effrayé à l'idée que son ami soit effectivement piégé à l'intérieur du corps de cette bête magnifique. Il vit Aremys tendre une main vers la tête majestueuse du cheval. À l'instant où l'homme et l'animal furent en contact, il se sentit soulevé par une vague d'émotion. Se pouvait-il que ce soit réellement Lothryn ?

— Lothryn, murmura Aremys, si tu es bien là, donne-nous un signe. Myrt est avec moi. (D'un signe de tête, il invita le guerrier à s'avancer.) Dis quelque chose, murmura-t-il.

Myrt fit un pas vers eux en s'éclaircissant la voix.

— Si c'est toi, mon ami, prouve-le.

— Je sens la magie qui s'agite dans tout son corps, dit Aremys. Il lutte contre elle, ce qui explique que son corps tremble ainsi. (Il se tourna de nouveau vers le cheval.) Allez Lothryn, fais-le pour Elspyth. Elle est vivante. Elle va venir ici pour toi. Et Wyl est ici également, ajouta-t-il dans l'espoir que cet argument produise quelque chose.

Soudain, le cheval se cabra en hennissant violemment. Aremys s'effondra au sol, la tête subitement vrillée par la douleur lorsqu'une voix pleine de souffrance éclata dans son esprit.

— *Libérez-moi !*

— C'est lui ! murmura Myrt en tentant de calmer l'animal qui ruait comme un diable contre les murs. Vite ! Il pourrait te blesser.

— Il ne me fera pas de mal, répondit le mercenaire, furieux contre lui-même de sa chute.

Sa tête palpitait furieusement, mais il éprouvait une intense satisfaction, au moins aussi grande que sa crainte devant cette magie écœurante.

— C'est lui, Myrt. Il m'a parlé. Il veut qu'on le libère.

Le guerrier leva un regard plein d'angoisse sur le mercenaire.

— Que fait-on ?

Aremys fronça les sourcils, en proie à un sentiment de frustration et d'impuissance.

— On ne peut pas le relâcher comme ça. Il faut d'abord réfléchir – à Gueryn notamment.

— Excuse-moi si le sort du soldat morgravian ne m'empêche pas de dormir, dit Myrt. Lothryn est tout ce qui importe pour moi.

— D'accord. Maintenant, écoute...

Il n'alla pas plus loin. Un rayon de lumière les fit se retourner d'un bloc vers la porte, par laquelle Maegryn venait d'entrer.

— Myrt ? Qu'est-ce que tu fais là ? Et c'est le mercenaire de Grenadyne qui est avec toi, non ? dit le maître d'écurie.

Myrt n'était pas aussi expert qu'Aremys dans l'art du mensonge. Son hésitation et le regard coupable lancé à son complice le trahirent.

— Je... c'est-à-dire que...

— Nous sommes rentrés aujourd'hui, poursuivit Aremys à la place de son ami. Je me suis dit que nous pourrions aller faire un tour.

Maegryn les considérait d'un air railleur.

—Après avoir chevauché pendant des jours ?

—C'est vrai, admit Aremys avec un pauvre sourire, tout en se bottant les fesses mentalement. Il s'est passé bien des choses ces derniers jours, Maegryn. J'avais envie d'être aussi seul que je suis autorisé à l'être. Et je me suis dit que la selle de Galapek était l'endroit rêvé pour ça.

—Tu n'avais quand même pas l'intention de sortir le cheval de Cailech sans sa permission ou la mienne ?

—Non, bien sûr, répondit Myrt qui s'était ressaisi. On est simplement venus voir le cheval en passant. Aremys est fou de cette bête... Il lui a amené une pomme rouge, parce que Galapek déteste les vertes.

Le maître d'écurie n'entendait pas s'en laisser conter aussi facilement.

—J'ai entendu Galapek s'exciter. Que s'est-il passé ?

Les deux hommes haussèrent les épaules à l'unisson. Aremys comprit que cette simple coïncidence les rendait plus suspects que toutes leurs réponses bafouillées et attitudes empruntées. Au cours d'une précédente discussion, le maître d'écurie lui avait déjà fait comprendre qu'il n'avait aucune envie de livrer des informations sur le cheval du roi. Or, à l'attitude qu'il avait maintenant, Maegryn nourrissait de toute évidence les plus grandes suspicions au sujet de leurs intentions.

—Où vas-tu ? demanda Aremys à Maegryn qui venait de faire volte-face sans un mot.

Il connaissait parfaitement la réponse à cette question, mais il avait absolument besoin de gagner du temps.

—Voir le roi... s'il veut bien me recevoir. Désolé, mais j'ai mes ordres.

—Des ordres de qui ? demanda Myrt, dont les pensées étaient en phase avec celles d'Aremys.

Ils étaient sérieusement dans les ennuis et il leur fallait prendre le temps de réfléchir à ce qu'ils allaient faire.

—Rashlyn.

—Et depuis quand acceptes-tu ses ordres ? cracha Myrt.

—Depuis que Le Gant a disparu, répondit le maître d'écurie. Il a dit que tous ceux surpris à tourner autour du cheval du roi subiraient le même sort.

Aremys sentit un frisson lui parcourir l'échine.

—Comment ça « le même sort » ?

Maegryn haussa les épaules, sans même relever que le mercenaire de Grenadyne n'était pas censé connaître l'existence du prisonnier morgravian.

—D'après le *barshi*, Le Gant a eu ce qu'il méritait.

—Ce qu'il méritait ! répéta Myrt. Je croyais que seul le roi décidait du sort de nos prisonniers.

—Écoute, Myrt, commença Maegryn, dont la colère commençait à déborder. Je déteste Rashlyn et tu devrais le savoir mieux que quiconque. Mais je ne me mêle pas des affaires du roi et ça aussi tu devrais le savoir. Lothryn – qu'Haldor le reçoive – a appris ce qu'il en coûtait de se mettre en travers de la route de Cailech. Eh bien moi, je n'ai aucune envie d'être livré à Rashlyn pour avoir provoqué la colère de Cailech. Je ne peux rien pour toi.

— C'est ça qui s'est passé ? demanda Aremys. Rashlyn a pris Le Gant ?

Maegryn se mit à fixer le sol.

— Je ne sais pas ce qui s'est passé. Mais je suppose effectivement que Rashlyn l'a tiré de son cachot.

— Où va-t-on, Maegryn, lorsqu'on finit par avoir peur de parler ? demanda Myrt.

Ce n'était pas une accusation mais juste le triste constat de ce qui était en train de leur arriver.

— Lothryn s'est dressé contre le roi et il a payé pour ça ! cria Maegryn. Moi, je n'ai pas son courage.

— C'est vrai. Et d'après toi, où se trouve Lothryn maintenant ? dit Myrt en s'avançant vers le maître d'écurie.

— Doucement, Myrt, murmura Aremys.

Ses années d'expérience lui avaient appris à reconnaître la colère enragée chez un homme.

— Je... Je ne sais pas. Mort, je suppose, répondit Maegryn en reculant. Ne me menace pas, Myrt.

— Et tu penses qu'il a eu une mort honorable ?

Maegryn hocha doucement la tête. Il ne voyait pas exactement où les menait cette conversation.

— Il n'est pas mort. Il est vivant ! explosa Myrt, tout proche du visage de Maegryn. Rashlyn nous l'a dit, d'ailleurs. Il m'a fallu du temps pour comprendre.

Le visage du maître d'écurie était décomposé.

— Vivant ? Où ?

— Ici, Maegryn. Juste sous ton nez, répondit Myrt, avec dans la voix un ton cruel qu'Aremys n'avait jamais entendu chez lui.

Myrt était trop bouleversé. Cela devenait dangereux.

Sourcils froncés, Maegryn recula encore vers la porte.

— Qu'est-ce que tu racontes ?

— Je parle de magie, Maegryn. Je parle de Rashlyn et des atrocités qu'il commet.

— Je ne comprends pas, marmonna Maegryn, en passant nerveusement sa langue sur ses lèvres craquelées.

Il paraissait profondément effrayé maintenant, comme s'il avait senti lui aussi à quel point la situation avait tourné au vinaigre.

— Tu as raison d'être mort de peur, poursuivit Myrt. C'est toi qui t'occupes de Lothryn !

Les yeux de Maegryn étaient devenus ronds comme des billes. Il puisa au fond de lui-même le courage de répondre aux inepties du guerrier.

— Tu parles par énigmes, Myrt, dit-il, avant de se tourner vers le mercenaire. Qu'est-ce qu'il raconte, Aremys ?

Précisément, Aremys n'était pas certain de vouloir l'expliquer. Dire tout ce qu'ils savaient à Maegryn – un loyal guerrier de Cailech, mais sans les sentiments de Myrt pour Lothryn – lui paraissait lourd de danger.

— Maegryn…, commença-t-il en cherchant comment il allait bien pouvoir décrire un phénomène aussi terrifiant tout en désamorçant une situation explosive. Ça va sans doute être difficile à croire, mais…

— Galapek est Lothryn, imbécile ! l'interrompit Myrt. (En fureur, le guerrier continuait d'avancer sur le maître d'écurie tassé contre la porte.) Avec la permission du roi, Rashlyn a utilisé son ignoble magie noire pour transformer Lothryn en cheval. C'est pour ça qu'on ne sait pas d'où vient cet animal, et pour ça également que Cailech surveille qui le monte et qui s'y intéresse de trop près. Enfin, c'est pour ça qu'on t'a fait jurer le secret. Tu as toujours su qu'il y avait quelque chose d'étrange autour de ce cheval, n'est-ce pas ! Admets-le, par Haldor !

— Lothryn ? répéta Maegryn en secouant la tête de droite à gauche.

Il regarda en direction de l'immense cheval et vit la colère dans les yeux de l'animal. Son visage fou d'angoisse revint vers Myrt.

— Non, dit-il, en continuant d'agiter la tête, comme pour refuser la réalité.

— Tu sais que c'est la vérité, Maegryn. Toi-même, tu as des doutes depuis le début, et cela depuis l'instant où Cailech a dit qu'il allait briser la volonté du cheval et obtenir sa loyauté par la confiance. De quoi crois-tu donc qu'il s'agissait, hein ? Attention, je ne te jette pas la pierre. Moi non plus, je n'ai rien vu. Sans Aremys, nous n'aurions rien découvert. Le roi humiliait Loth, détruisait son ami le plus proche, le plus fidèle, et pour finir, il en a fait son cheval. Une bête obligée de le porter sans pouvoir parler, réduite en esclavage et contrainte de lui rendre hommage. Une fin honorable était trop douce pour notre meilleur guerrier, Maegryn. Le roi voulait le faire payer. Il voulait se venger et l'humilier pour sa trahison.

Maegryn se rebiffa. En fait, il luttait contre la vérité dont il voyait la lumineuse évidence sans parvenir à l'accepter.

— Lothryn a choisi la femme de Morgravia plutôt que son roi et son peuple ! cria-t-il, désespérant de faire comprendre à Myrt que lui-même n'accepterait jamais quelque chose de si abject.

— Et il méritait donc de devenir un cheval ? explosa Myrt. Et le pire, c'est qu'il vit toujours, Maegryn. Il sait. Il comprend qu'il est prisonnier de ce corps. Et il souffre.

Le maître d'écurie agita de nouveau la tête. Il souffrait lui aussi de toute évidence.

— Non, ce n'est pas vrai. Peux-tu prouver ce que tu dis ? demanda-t-il en regardant alternativement chacun des hommes. Allez, montrez-moi que c'est Lothryn. Comment le savez-vous ?

Ce fut Aremys qui répondit, mais d'une voix si profondément résignée que Myrt sut qu'il venait de manquer l'occasion de convaincre Maegryn.

— Je sens la présence de la magie noire.

— Alors c'est tout, mercenaire ? Tu n'as que ta parole à offrir ? Parce que tu as le don, peut-être ? (Il se tourna vers Myrt, Montagnard comme lui.) As-tu perdu la tête, Myrt ? Tu préfères croire cet étranger plutôt que ton roi ?

— C'est la vérité, Maegryn.

Le maître d'écurie émit un rire rauque et sans joie. Peu à peu, il reprenait la maîtrise de lui-même.

— La vérité ? ricana-t-il. Qui dit ça ? Un prisonnier ? Car c'est ce qu'il est, et rien d'autre. Farrow, je n'ai rien contre toi, mais n'espère pas que je te croie plutôt que mon roi.

Aremys ne répondit rien. Qu'aurait-il pu dire ?

Maegryn enfonça le clou.

— En fait, tu n'as rien de concret, Myrt. Tu crois ce que te dit le mercenaire et c'est tout. As-tu entendu Lothryn parler ? Est-ce que le cheval a communiqué avec toi ?

Myrt secoua négativement la tête, fulminant de colère.

— Il ne parle qu'à Aremys.

— À Aremys ! répéta Maegryn de plus en plus méprisant. Aucune preuve, alors ? Cet homme te raconte une histoire et toi tu crois que Lothryn a été changé en cheval. Est-ce que tu ne trouves pas ça ridicule ?

Myrt hocha la tête.

— Oui, ça semble ridicule au premier abord. Mais si tu rattaches Rashlyn à tout ça, c'est très différent. Le *barshi* est maléfique et tu le sais. Son influence sur le roi est pour le moins étonnante, pour ne pas dire plus. Lothryn le sentait, et il m'en a parlé plusieurs fois. Je ne crois pas que Cailech ait donné l'ordre de faire ça à Lothryn. Rashlyn a tout fait. Je crois que le *barshi* est capable de faire agir notre roi contre sa propre volonté. Et Lothryn le croyait aussi.

— Tu veux dire que Rashlyn utiliserait la magie contre le roi ? demanda Maegryn, stupéfait.

— Oui. C'est ce que je crois maintenant. Je pense qu'il peut convaincre Cailech d'accepter des choses avec lesquelles il ne serait normalement pas d'accord.

Le maître d'écurie leva ses deux mains en un geste de mise en garde.

— Ça suffit, Myrt. Je ne veux plus rien entendre. Tes paroles sont ni plus ni moins qu'une trahison, et mon devoir est de la dénoncer. Je suis désolé, Myrt.

Le maître d'écurie venait d'ouvrir la porte lorsqu'il sentit que l'air ne parvenait plus à ses poumons ; deux grandes mains venaient de se refermer sur sa gorge. Il suffoquait. Sa main relâcha l'anneau d'acier de la porte. La peur s'insinua dans toutes les fibres de son corps tandis que son sang s'affolait dans ses veines de plus en plus rétrécies. Assourdi, comme venant de très loin, il entendit la voix du mercenaire de Grenadyne qui ordonnait à Myrt d'arrêter. Il parvint à trouver la force nécessaire pour se retourner. Les yeux lui sortaient littéralement de la tête, mais il reconnut néanmoins les traits de Myrt, déformés par la rage. L'énergie lui manquait cependant pour desserrer l'étau autour de son cou. Il ne pouvait même pas supplier.

— Moi aussi, je suis désolé.

Ce furent les derniers mots qu'il entendit. Myrt accentua sa pression et lui brisa le cou. Maegryn s'effondra dans les bras de l'étrangleur. Mort.

Aremys était sous le choc. Tout s'était passé si vite. Mais il s'en voulait aussi terriblement de n'avoir pas su empêcher ce qui venait de se passer. *Ce qui est fait est fait*, songea-t-il. Plutôt que de faire des reproches à son ami, il lui proposa son aide.

— Où peut-on le cacher ? demanda-t-il, très prosaïquement.

Myrt demeurait totalement stupéfait. Toute sa rage s'était envolée à l'instant où ses doigts achevaient de tuer Maegryn. Il ne répondit pas, mais s'accroupit à côté du corps.

— Secoue-toi, Myrt. C'est fini, tu ne peux pas le ramener. Il faut le faire disparaître.

— Je suis mort. Tuer un Montagnard est le pire crime qu'un autre Montagnard puisse commettre.

— De toute façon, nous sommes probablement morts tous les deux. Les événements vont se précipiter, Myrt. Il se passe beaucoup de choses ici dont tu ignores tout.

— Comme quoi ? demanda le grand guerrier avec un air renfrogné.

— Crois-moi, ni toi ni moi n'avons envie de nous en mêler, répondit prudemment Aremys, en regrettant d'avoir tant parlé. Viens plutôt m'aider. Il faut le dissimuler pour gagner quelques heures.

— Pour quoi faire ? demanda Myrt, totalement envahi par le désespoir.

— Tout va s'effondrer, mon ami. Le roi va épouser une femme qui ne veut pas de lui et qu'il ne connaît pas du tout, expliqua-t-il en haussant un sourcil. Des choses étranges vont se produire, tu peux me croire. Le temps joue contre nous. Je sais que tu ne le veux pas, mais il faut que tu choisisses entre Lothryn et ton roi. Et il faut que tu choisisses maintenant ! C'est exactement ce que je voulais éviter. C'est pour ça que je t'ai demandé de rester en dehors de tout ça.

Myrt hocha la tête d'un air affligé.

— J'ai déjà fait mon choix, mercenaire. J'ai choisi Lothryn.

Aremys poursuivit, d'un ton devenu plus accommodant.

— Très bien. Nous savons désormais que nous sommes en présence de notre ami. Il faut trouver un moyen de le libérer.

— Comment faire ? demanda Myrt, qui reprenait du poil de la bête.

— En le tuant si besoin est, répondit gravement Aremys. Il faut en apprendre plus auprès de Rashlyn.

— Il est sous la protection de Cailech.

— Pas pendant que le roi n'a qu'Ylena Thirsk en tête. Nous devons nous emparer de Rashlyn immédiatement… Peut-être nous conduira-t-il à Gueryn.

— Je t'ai déjà dit que je n'en avais rien à faire de lui.

— Oui, mais moi je m'en soucie. Et Ylena Thirsk également, lorsqu'elle apprendra que son tuteur est prisonnier ici même.

Les yeux de Myrt s'arrondirent.

— Son tuteur ? Est-ce que le roi en est informé ?

Aremys secoua la tête.

— Je ne crois pas, mais je vais l'en avertir. Je vais demander une audience à Cailech. Pendant ce temps-là, trouve le *barshi* et empêche-le à tout prix d'approcher du roi.

— Et Galapek ?

— Il va devoir patienter encore un peu, répondit Aremys d'une voix douce, en se tournant pour contempler l'étalon dans l'ombre. Myrt, maintenant que tu as fait ce choix… tu comprends qu'il va te falloir quitter les Razors.

— Fuir, tu veux dire ?

Aremys confirma d'un hochement de tête.

— Je ne te laisserai pas tomber.

Le guerrier des Montagnes poussa un soupir.

— C'est exactement ce que Lothryn a dû ressentir lorsqu'il a aidé les Morgravians à s'enfuir. Maudit s'il le faisait et maudit s'il ne le faisait pas. Quel que soit mon choix, je trahis ceux que j'aime. Je suis désolé, Aremys. Je ne peux pas promettre de partir.

Mieux vaut ne pas insister, songea Aremys. Les décisions se feraient d'elles-mêmes en fonction des circonstances.

— Allez, il faut cacher ce corps maintenant.

— Et je sais où, dit Myrt.

Chapitre 29

Dame Helyn Bench suppliait son mari de reconsidérer sa décision. *Comme la roue tourne*, songeait-elle, en se souvenant que peu de temps auparavant, c'était lui qui était venu dans son boudoir pour l'exhorter à faire preuve de bon sens au sujet de Leyen.

De mauvaise grâce, elle tenait la veste de l'homme qu'elle aimait tandis qu'il enfilait les manches.

—J'aimerais que tu n'y ailles pas, implora-t-elle encore.

Il pivota sur lui-même entre ses bras et l'enlaça.

—Ma décision est prise, ma chère. Je n'aime pas trop ces histoires de cape et d'épée et je pense qu'il faut exprimer nos doléances avec tact.

—Eryd, dit-elle, d'une voix où se mêlaient la peur et l'exaspération, comment faire preuve de tact quand il s'agit d'accuser quelqu'un d'être un meurtrier?

—En effet, reconnut-il, avant de montrer une écharpe de soie posée sur une chaise. Pourrais-tu m'aider à la mettre, s'il te plaît?

Drapée dans sa dignité, elle alla chercher le foulard.

—Et pas n'importe qui, poursuivit-elle. Le roi lui-même!

—Helyn, je ne suis pas un idiot. Peut-être l'avais-tu remarqué au cours de toutes ces années?

—Mais amener des témoins ne suffira pas à l'arrêter! cria-t-elle. Il vous fera tous tuer!

—Ne sois pas ridicule, ma chère épouse. Nous tuer, messire Hartley et moi? Il lui faudrait aussi tuer messires Jownes et Peaforth, car ils seront avec nous. Et qui lui resterait-il ensuite pour administrer et cajoler cette ville? Non, il a besoin de nous.

—Alors n'y va pas. Ne fais pas ça.

—Je saurais s'il ment rien qu'à voir sa réaction.

—Eryd! dit-elle, sur le point de se mettre à crier tant l'exaspérait la manière de fermer les yeux qu'avait son mari. Crois-tu vraiment que les Donal ne sont pas morts? Découpés en morceaux, violés et brûlés? Ou que le massacre de Rittylworth n'a pas vraiment eu lieu et que les moines sont vivants et en bonne santé ?

— Non, Helyn, répondit-elle, d'un ton qui la glaça.

Elle aurait aimé qu'il ne se montre pas sarcastique. Elle savait qu'il était profondément en colère maintenant – elle avait franchi la ligne. C'était la première fois en douze ans, très exactement depuis le jour où elle avait donné son avis sur une affaire alors qu'elle aurait mieux fait de garder ses conseils pour elle. L'affaire avait capoté et Eryd le lui avait reproché. Bien sûr, il avait raison et ses mots étaient mal choisis, mais du diable si elle se souvenait ce qu'elle avait bien pu dire ce jour-là. Sa voix basse et profonde la ramena à la réalité du moment : sa dernière boulette en date.

— Ne parle pas ainsi des morts, je te prie. Je suis tristement au fait de la mort de mes amis, la famille Donal, ainsi que des innocents de Rittylworth.

— Eryd, je suis désolée, je...

Il lui coupa la parole, trop énervé pour écouter quoi que ce soit.

— Suffit ! Les trois derniers seigneurs les plus puissants de Morgravia ne peuvent pas disparaître ! Et maintenant, assez de jérémiades. Noue-moi cette écharpe ou je vais être en retard.

— Qu'as-tu dit aux autres ? demanda-t-elle, comprenant qu'il n'y avait plus rien qu'elle puisse faire pour empêcher son mari d'aller se jeter dans la gueule du dragon.

— Tout ce que nous savons.

— Pas ce qui concerne Wyl Thirsk tout de même ?

— Non. Je garde cette révélation pour moi, jusqu'à ce que je puisse assister au phénomène de mes yeux.

— Crois-tu ce que nous ont raconté nos hôtes ?

Lentement, comme à regret, il hocha la tête pour confirmer.

— Comment ne pas les croire ? Leur histoire est si étonnante et mystérieuse et personne ne pourrait inventer une chose pareille. Le fils de Jeryb Donal ne nous mentirait pas, Helyn. On peut lire sur son visage que ce... Dernier Souffle, comme ils l'ont appelé, le terrifie et le fascine à la fois. Nous avons connu cet enfant lorsqu'il n'était qu'un bébé. Je suis sûr qu'il est devenu un homme aussi ouvert qu'il est possible. Non, ils n'ont pas menti, j'en suis sûr. Pourtant, je ne parviens pas à l'accepter totalement.

— Accepter l'idée que Wyl Thirsk est devenu sa sœur, tu veux dire ?

— Qu'il a été l'assassin Koreldy, puis cette Leyen avec qui tu t'es si bien entendue, puis qu'il est devenu sa sœur pour finir.

— Pourtant, tout cela est logique, n'est-ce pas, mon amour ? dit-elle. Si Wyl n'était pas en personne ce Koreldy, est-ce qu'un mercenaire de Grenadyne aurait pris la peine d'aller tirer la sœur de son ennemi d'un cachot du château de son bienfaiteur ? (Eryd hocha la tête.) Tout cela pour aller la mettre en lieu sûr avant de se mettre en quête de la veuve Ilyk pour en apprendre un peu plus sur lui-même ?

— C'est donc ainsi que s'appelait cette voyante ?

— Oui. J'avoue l'avoir consultée plusieurs fois.

— Mais tu sais bien que tout ça n'est que du vent, Helyn, non? grommela Eryd.

— C'est ce que je croyais... jusqu'à aujourd'hui, répondit-elle, avant d'enchaîner bien vite. Ensuite, ce mercenaire de Grenadyne est capturé et emmené dans les Razors, mais au lieu de négocier sa libération – comme il aurait sans doute pu le faire avec le roi des Montagnes – il prend tous les risques pour sauver Gueryn Le Gant et Elspyth. À qui est-ce que ça ressemble : à un mercenaire endurci ou à Wyl Thirsk prisonnier du corps d'un autre?

— Je suis d'accord, Helyn. Ce n'est pas à ce propos que j'ai besoin d'être convaincu. J'ai juste...

— Et pourquoi se rend-il ensuite en Briavel pour offrir sa protection à la reine Valentyna? Bien sûr, il avait déjà sauvé sa vie une première fois au cours d'une tentative d'assassinat et s'était battu pour défendre son père, en perdant sa vie au passage. Mais c'est là qu'intervient le roi Celimus et tout part de travers. Wyl se fait tuer par Leyen, la femme assassin précisément envoyée par le roi...

— Ils l'appellent Faryl également.

— Peu importe son nom. Cette fille – que j'appréciais beaucoup, mais je me rends compte maintenant que c'est Wyl en elle qui me plaisait – n'était pas du tout familiarisée avec le monde des femmes.

— Comment ça?

— Eh bien, aux bains par exemple. Souviens-toi, je t'en avais parlé.

— Oui, sans doute.

— Tu ne m'écoutais pas, comme d'habitude, observa-t-elle. Elle hésitait tellement à entrer dans le pavillon des bains. C'est là que nous nous sommes rencontrées. Elle était terriblement gênée à l'idée de montrer son corps, alors qu'aucune femme n'hésite à se déshabiller en public avec un corps pareil, tu peux me croire. Elle ne connaissait rien non plus aux feuilles de savon et puis, lorsque j'ai parlé de la razzia sur Rittylworth, son comportement a changé du tout au tout. C'était parce que Leyen était Wyl, et que Wyl s'inquiétait pour sa sœur.

Eryd hocha la tête.

— Je comprends, Helyn. Je veux bien y croire, mais je ne crois que ce que mes yeux voient, pas ce qu'on me raconte.

— Je sais. Mais comme tu dis, tout cela est trop effrayant pour n'être pas vrai. En tout cas, moi je suis convaincue.

— De quoi, mère? demanda une voix espiègle.

C'était Georgyana, la fille des Bench.

— Tu nous écoutais? demanda son père, soudain alarmé que sa jeune fille fantasque ait pu en entendre plus qu'il n'était souhaitable.

— Non, mais de toute façon, je ne vous le dirais pas si j'avais entendu quoi que ce soit, répondit-elle en lui faisant une grimace, accompagnée d'une petite pression complice sur sa main.

Le père et la fille s'adoraient, c'était évident. Parfois, Helyn se demandait comment ils trouvaient une petite place pour elle dans leur vie.

—As-tu fait la connaissance de nos invités, ma chérie? demanda sa mère.

—Non, répondit Georgyana en faisant voler ses longues boucles blondes à droite et à gauche.

—Nous avons des visiteurs en bas, expliqua son père. Mais je suppose que tu es entrée par-derrière comme une servante.

—J'ai faim, répondit sa fille avec une petite moue. Je voulais voir ce qui se préparait.

—Allez, viens que je te présente, dit Helyn, heureuse de l'animation créée par sa fille.

—Y suis-je obligée?

—Tu vas voir, ils vont te plaire, l'assura sa mère.

—Qui est-ce?

—Le duc de Felrawthy et une jolie jeune fille qui s'appelle Elspyth et qui vient du nord.

—Oh, encore un vieux barbon comme papa? répliqua Georgyana avec un clin d'œil pour Eryd.

—Pas du tout, ma chérie, répondit Helyn. Crys Donal est un bel homme, sans doute parmi les plus beaux de Morgravia, et très bientôt le meilleur parti du royaume. Enfin dès que la nouvelle de son nouveau statut se sera répandue.

—Ooh! Mais qu'est-ce qu'on attend, mère? s'exclama sa fille. Allez père, filez! Et ramenez-moi quelque chose de petit et brillant.

Eryd roula des yeux d'un air excédé.

—Je vais à une audience avec le roi, Georgyana.

—Très bien, alors volez quelque chose pour moi au palais, ricana-t-elle en sortant de la pièce.

Helyn chercha le regard de son mari.

—Mon amour, je t'en prie…

—Ne le dis pas, l'avertit-il gentiment. Tu sais que je le ferai.

Elle se retira sans rien dire, tremblant à l'idée de s'effondrer en pleurs.

Filou était stupéfié par la récupération de Fynch. Sa surprise fit venir un sourire sur les lèvres du garçon.

—Je me sens vraiment bien, dit-il en s'étirant. J'ai même faim.

—*Pas de migraine?*

—Rien du tout… pour l'instant.

—*Comment est-ce possible?*

Fynch devait la vérité à Filou.

—Le roi est venu.

—*Le roi dragon? Encore! Il est venu ici?*

Le garçon hocha la tête.

— Mais pas de la manière que tu crois. Il m'a visité dans mes rêves. J'ai volé avec lui, Filou. Il m'a emmené jusqu'aux Terres sauvages.

— *Et tu étais là tout ce temps*, dit Filou d'une voix placide. *J'ai toutefois remarqué que ton sommeil était agité. Je craignais que ce ne soit la douleur... la mort.*

Une nouvelle fois, le garçon sourit, gentiment et sans la plus petite marque de suffisance. Pourtant, il y avait quelque chose de nouveau dans ce sourire – une connaissance, peut-être.

— Je ne voudrais pas paraître indiscret, Fynch, mais tu as l'air miraculeusement en forme.

— C'est le cas, répondit Fynch en riant. (Il se mit debout.) Et je n'ai plus besoin de sharvan non plus. Il m'a guéri.

— *Le roi a fait ça ?*

— Oui. Il a dit qu'il voulait restaurer mes forces pour que je puisse remplir ma mission.

Soudain, le chien détourna la tête, incapable de regarder plus longtemps le garçon. Il comprenait ce qui allait se passer.

— *Mais chaque chose a son prix, n'est-ce pas ?* demanda-t-il avec de la tristesse dans la voix.

— Ne t'arrête pas à ça, répondit Fynch d'une voix douce. Je suis en paix, mon ami. Le roi a partagé quelque chose avec moi, et ce quelque chose m'a rendu heureux. Plus heureux que je ne l'ai jamais été auparavant.

— *Il s'agit d'un secret ?*

Fynch hocha la tête.

— *Je comprends, Fynch. Je suis content que tu te sentes si bien. Je détestais te voir souffrir.*

— Je sais. Tu es le meilleur ami que je puisse souhaiter, dit-il en jetant ses petits bras autour du cou de l'animal. Et maintenant, poursuivit-il gaiement, il faut que je mange quelque chose. Ensuite, nous partirons. Je suis fort maintenant, Filou, et paré pour affronter notre ennemi.

Le chien ne dit rien. La première fois que ses yeux s'étaient posés sur le minuscule garçon de commodités, à Stoneheart, Filou n'avait pas prévu que leur amitié mettrait son cœur et son âme à si rude épreuve. Le Thicket lui avait confié une tâche, mais jamais il n'avait pensé qu'il pourrait finir par être irrité de porter ce fardeau.

Ce fut comme si Fynch pouvait lire ses pensées.

— Si nous ne le détruisons pas, Filou, il détruira le monde que nous aimons, ainsi que le Thicket. Les créatures magiques mourront et le roi dragon lui-même sera en danger. Nous n'avons pas le choix.

Filou ne répondit pas, mais Fynch sentit que le chien avait été galvanisé. Il sut qu'il avait dit les bons mots au bon moment pour rappeler à son ami l'importance de leur rôle dans l'existence.

— *Mange*, dit finalement Filou. *Nous avons un voyage à finir.*

Le duc de Felrawthy s'entendit à merveille avec Georgyana Bench, qui déployait sans retenue tout son arsenal de coquetteries. Dès l'instant où il prit sa main dans la sienne, et où la jeune femme lui fit son impeccable révérence, Elspyth comprit que Crys ne la regarderait sans doute plus jamais avec son petit air triste et pensif.

Elle fut surprise de découvrir combien cela la peinait. Elle mit ça sur le compte d'un sentiment de possession pour celui qui lui avait sauvé la vie, mais au fond d'elle-même, elle savait que cela avait tout à voir avec sa soif d'amour. Elle ne voulait pas Crys Donal – elle en était sûre et certaine puisqu'elle en aimait un autre et un seul –, mais elle aurait menti en prétendant ne pas apprécier les attentions du duc.

Son embarras fut à son comble lorsque dame Bench s'immisça dans ses pensées secrètes.

— Excusez ma fille, ma chère. Je suppose que le duc et vous êtes... eh bien... attachés l'un à l'autre.

Elspyth rougit et sourit d'une manière étrange.

— Pas du tout, dame Bench.

— Oh, appelez-moi Helyn, l'interrompit-elle en lui prenant le bras pendant qu'elles s'asseyaient, à l'écart de Crys et de Georgyana lancés dans une grande conversation.

— Merci, Helyn, répondit Elspyth. Crys et moi sommes juste d'excellents amis. Je pense que les épreuves et la peur subies ensemble rapprochent les gens. Nous avons beaucoup partagé, à commencer par l'annonce de la mort de toute sa famille. Mais notre relation demeure exclusivement platonique.

— Vous avez été très forte quand il avait besoin de vous, Elspyth. Ne sous-estimez pas ce que peuvent être ses sentiments.

La jeune femme sourit une nouvelle fois, mais avec un peu de tristesse.

— En fait, il s'en est ouvert sans fard, expliqua Elspyth. Mais j'en aime un autre, Helyn. D'ailleurs, je repartirai bientôt pour le retrouver. Je me réjouis que Crys et Georgyana s'entendent si bien. Il a besoin de retrouver des raisons de sourire, ainsi qu'une femme qui l'apprécie.

Les sourcils de dame Bench se haussèrent sur son front.

— Je sais que je ne devrais pas me laisser aller à spéculer ainsi, mais c'est vrai qu'ils formeraient un couple magnifique. Et Eryd serait ravi d'unir notre famille à celle des Donal.

— Où est messire Bench ? demanda Elspyth, sourcils froncés, désireuse avant tout de ne plus parler des liens entre Crys et Georgyana.

Helyn Bench redevint sérieuse, détournant son regard de sa fille en train de rire pour le plonger dans les yeux d'Elspyth.

— Il est parti voir le roi.

— Quoi ? s'exclama Elspyth en se redressant.

— Attendez, la calma dame Bench. Écoutez d'abord.

— Dame Bench, il a promis le secret au sujet de Wyl Thirsk !

— Et ce secret sera gardé, ma chère. Ne vous inquiétez pas, nous ne sommes pas sur le point de répandre dans cette ville la nouvelle que la magie existe. (Elle secoua la tête comme pour en chasser une pensée désagréable.) Comme vous le savez, ça ne fait que dix ans à peine qu'on ne brûle plus les sorcières ici.

— Alors qu'est donc parti dire messire Bench à Celimus ?

Le visage d'Helyn s'assombrit.

— À sa manière merveilleusement policée, je crois que son intention est de mettre le roi en face de la vérité concernant la famille Donal et Rittylworth.

Elle leva une main pour couper court à la réplique d'Elspyth, mais nota la peur inscrite sur le visage de la jeune femme. Celle-ci faisait très précisément écho à sa propre angoisse qu'elle espérait néanmoins dissimuler assez bien.

Elspyth jeta un coup d'œil en direction de Crys, à l'évidence sous le charme de la jolie jeune fille qui lui parlait avec tant d'animation. Elle se tourna de nouveau vers Helyn.

— Je crois que son initiative est imprudente.

Ces mots précautionneusement choisis firent passer un frisson dans le dos de dame Bench. Ils exprimaient très exactement ses craintes que Celimus ne laisse pas repartir Eryd Bench vivant. Elle se mit à sangloter, incapable de dissimuler plus longtemps ses craintes.

— Oh non, Helyn, ne pleurez pas. Ne peut-on pas le rattraper ?

La vieille femme secoua la tête.

— De toute façon, il est intransigeant. Il ne m'a pas écoutée lorsque je l'ai supplié de ne pas le faire.

— Qu'espère-t-il donc au juste ?

— Il croit aux valeurs de la monarchie, Elspyth. Il veut à toute force que notre roi agisse comme doit le faire le représentant de la couronne de Morgravia, avec sagesse et compassion, en tenant dûment compte des avis et conseils des nobles.

— Eryd a entendu notre histoire et il croit toujours pouvoir changer ce roi cruel en souverain attentif? demanda-t-elle, choquée.

— Il croit fermement que nous devons suivre les règles du royaume – parler avant d'agir, ne pas porter d'accusation sans avoir recueilli toutes les informations. Il n'a pas l'intention de gonfler son plumage, Elspyth. Eryd sera prudent.

— Écoutez-moi, dit Elspyth en détachant chaque syllabe comme si elle parlait à une idiote.

Elle n'avait pas l'intention de donner pareille impression. En réalité, elle était pétrifiée de peur. Crys avait dû remarquer son attitude, puisqu'il s'était excusé auprès de Georgyana pour venir aux nouvelles.

— Helyn, Eryd court un grand danger. Sa vie est en péril, tout comme la vôtre et celle de votre fille. À la seconde où il abordera cette question avec le roi, il dira combien nous en savons long. Celimus le considérera immédiatement comme un danger… même à son corps défendant.

Helyn s'était remise à pleurer.

— C'était ce que je craignais.

— Elspyth ? dit Crys.

La jeune femme lui décrivit brièvement la situation. Crys pâlit.

— Il a tué mon père sur un simple soupçon, puis fait exécuter toute ma famille pour faire bonne mesure, dit Crys. Dame Helyn, vous m'excuserez de dire ça, mais c'est pratiquement son arrêt de mort que votre mari vient de signer. Il faut que nous partions tous. Immédiatement. Elspyth, faites ce que vous pouvez et je vais m'occuper du transport. Ne prenez que l'essentiel et des vêtements chauds. Nous partons pour le nord.

Helyn Bench tendit les bras en direction de sa fille. Elle paraissait dans un état second.

Pour sa part, Georgyana entreprit de protester.

— Mais c'est absurde. J'ai des engagements, moi, et…

— Silence, Georgyana. Et faites ce qu'on vous dit ! s'exclama Elspyth. Nous sommes en train d'essayer de sauver vos vies.

Elspyth paraissait être la seule femme à avoir encore les idées claires. Subitement, la douleur de ses blessures récentes n'avait plus aucune importance. La peur l'emportait. La peur de la mort et la nécessité de fuir.

Crys tenta une autre approche.

— Georgyana, dit-il, surpris de sentir à quel point son estomac se nouait lorsqu'elle le regardait avec ces grands yeux. Je ne pourrais plus vivre s'il vous arrivait quelque chose.

L'expression sur son visage la convainquit de les suivre sans faire plus d'histoires.

De toute évidence, elle avait vu quelque chose sur ce visage, quelque chose que Crys pensait bien avoir habilement dissimulé.

— Oh ? Vous ne pourriez plus vivre, messire Donal ? répondit-elle, avec un sourire qui disait tout.

Eryd Bench et son collègue étaient assis dans une petite antichambre au pied de la tour de guerre de Stoneheart. Il ne voyait pas pour quelle raison on les avait conduits là, mais le chancelier Jessom arriva pile à l'instant où il commençait à s'interroger sérieusement sur ce curieux lieu de réunion.

— Messire Bench, messire Hartley, quel plaisir de vous voir en cette belle soirée. Comment allez-vous ? (Les visiteurs produisirent l'intégralité des formules que l'on attendait d'eux et Jessom poursuivit.) Vous m'excuserez de vous avoir fait attendre. Comme vous pouvez le constater, le roi travaille dans sa salle de guerre ce soir. J'espère que cela ne vous ennuie pas de le voir ici ?

L'accueil chaleureux de Jessom rassura quelque peu Eryd.

— Pas du tout. Et je me réjouis qu'il nous reçoive si vite.

Il se tourna vers messire Hartley, qui se contenta de hocher la tête. Après qu'Eryd lui ait fait part de ses doutes quant à la véracité de la version officielle concernant les massacres de Felrawthy et de Rittylworth, messire Hartley avait proposé de l'accompagner en délégation.

Jessom sourit aimablement. Ce n'était pourtant pas dans ses habitudes de sourire ainsi, en particulier dans une aussi délicate situation. Deux nobles demandant une audience immédiate, dont messire Bench, voilà qui ne pouvait qu'être synonyme d'ennuis.

— Merci, messire Bench. Comme vous le savez, le roi vient tout juste de rentrer du nord. Je suis sûr qu'il se fera un plaisir de vous en dire plus lorsque vous le verrez.

— Je m'en félicite, Jessom, répondit Eryd. J'ai entendu dire qu'il était à Tenterdyn.

— C'est exact, répondit prudemment Jessom.

— D'après la rumeur, il y aurait eu là-bas une rencontre entre rois.

Le chancelier se risqua à un autre sourire.

— Il n'y a pas de fumée sans feu, messire Bench. Le mieux sera sans doute de vous renseigner auprès du roi. Je ne suis qu'un simple chancelier.

— C'est trop de modestie, Jessom, répondit Eryd d'une voix qu'il avait délibérément adoucie pour éviter tout risque de heurter son interlocuteur.

Jessom salua les deux nobles d'une petite courbette.

— Ça ne sera plus très long maintenant, messires.

Il revint quelques minutes plus tard.

— Messire Bench, le roi Celimus va vous recevoir. Seul.

Eryd se tourna d'un bloc vers messire Hartley, dont le regard paraissait s'être minéralisé.

— Allez-y, Eryd. Vous parlez en notre nom à tous, dit-il de manière sibylline.

— C'est pour le moins inattendu. Nous étions venus ensemble pour une audience auprès de Sa Majesté, tenta néanmoins Eryd.

Jessom haussa les épaules d'un air fataliste.

— Je suis désolé, messire Bench. Telle est la volonté du roi.

Eryd hocha la tête. Il était trop avancé pour faire machine arrière. En l'absence de tout témoin, il allait devoir se montrer particulièrement prudent avec son tortueux souverain.

— Vous m'attendez ? demanda-t-il à Hartley, qui confirma d'un signe de tête. Merci, chancelier, ajouta-t-il en invitant d'un geste Jessom à lui montrer le chemin.

Au moins, avec Hartley ici, il pouvait compter sur quelqu'un pour témoigner qu'il était venu voir le roi, même si le grand noble n'assistait pas à l'entretien.

Il suivit donc Jessom, empli d'une tension croissante à mesure que les mises en garde de sa femme lui revenaient en mémoire. Peut-être n'était-ce pas une si bonne idée après tout. Veuf et sans enfant depuis la mort de son unique fils quelques années auparavant, peut-être Hartley n'était-il pas le meilleur choix non plus.

C'était précisément ce que Celimus avait pensé en apprenant l'arrivée des deux nobles en audience.

— Séparez-les et descendez Hartley au cachot, avait-il ordonné.

— Majesté, avait répondu Jessom, ne pourrions-nous pas attendre et voir de quoi ils veulent s'entretenir avec vous ?

— Mais nous le savons, chancelier, avait répondu le roi en haussant la voix. Ils sont ici parce qu'ils ne croient pas que la noble famille de Felrawthy ait été victime d'une incursion de pillards venus des Razors. Ils ont entendu dire que j'avais rencontré le roi barbare, alors ils ont des doutes. Il n'est pas très difficile de suivre le cheminement de leurs pensées, Jessom.

— Effectivement, Majesté. Mais le cachot est peut-être un peu radical pour quelqu'un de l'importance de messire Hartley.

— La mort aussi est radicale, chancelier. Prenez garde que je ne vous demande de le tuer pour moi.

À ce stade, Jessom choisit de garder ses pensées pour lui-même. L'expérience lui avait prouvé que c'était la même sempiternelle discussion qui n'aboutissait jamais. Attendre du roi de Morgravia qu'il fasse preuve de mesure, de respect ou même de la plus élémentaire courtoisie était une perte d'énergie. Il incarnait le pouvoir à lui seul et il n'avait que faire des conseils. En fait, en étant un tant soit peu honnête avec lui-même, Jessom se devait d'admettre qu'il ne croyait plus depuis bien longtemps qu'un avenir prospère puisse survenir un jour sous le règne de Celimus. Son rêve d'être l'éminence grise faiseuse de grands rois s'était brisé sur l'écueil honteux de Rittylworth et réduit en miettes avec la calamité de Felrawthy. Il escomptait maintenant qu'il tombe en poussière, car il lui semblait peu probable que messire Eryd Bench survive à cette nuit. En tout cas, pas si le noble était venu remettre en question les actions et motivations du roi, quelle que puisse être l'élégance avec laquelle il formule ses accusations.

Le fragile traité avec Cailech ne tarderait pas à être rompu, de cela Jessom était convaincu et profondément attristé. Le roi Cailech avait fait preuve d'un immense courage et d'une profonde compréhension de la situation et des enjeux. En fait, Jessom éprouvait une certaine admiration pour Farrow qui avait réussi l'exploit d'organiser les pourparlers. Livrer Ylena Thirsk avait été un coup de maître dans des circonstances particulièrement difficiles, ce qui ne l'empêchait pas par ailleurs de garder la tête froide au plus fort de la tempête. Tous ces hommes auraient pu apporter énormément à Morgravia, mais Celimus détruisait systématiquement tout ce qui pouvait conduire à une sincère loyauté. Combien de temps encore la noblesse allait-elle supporter ses méthodes ? *Plus guère*, se dit Jessom. *Mais il est hors de question que je serve de bouc émissaire au roi.*

En vérité, la reine Valentyna était leur dernier espoir. En effet, ce mariage ouvrait bien des perspectives et pas uniquement pour détourner l'attention des horreurs qu'avait commises Celimus depuis son accession au trône. Valentyna apportait quelque chose de positif et d'élégant dans la vie des Morgravians.

Une reine éblouissante couronnée en grande pompe au cours d'une cérémonie somptueuse, voilà quelle était la clé d'un nouvel espoir. Sa beauté et son maintien – pour ne rien dire de sa puissance et de sa fortune personnelles – allaient apporter l'étincelle qui faisait tant défaut à Pearlis. Et puis, il y avait aussi la promesse d'héritiers à venir. Oui, Valentyna était la diversion parfaite pour faire oublier les meurtres et les destructions. Bien sûr, les blessures infligées ne seraient pas effacées, mais elles seraient mises de côté pendant un temps. Peut-être suffisamment longtemps pour qu'elles perdent de leur puissance néfaste et permettent à la seule présence féerique de Valentyna de produire son effet. Une fois gagné le cœur du peuple, plus personne – pas même les dignitaires de la noblesse – ne mettrait en péril l'équilibre entre les royaumes par des questions délicates. *Personne n'ira réveiller le chien qui dort, comme on dit*, songea Jessom, tout en menant messire Bench dans les escaliers de la tour. Il entendait le vieil homme haleter derrière lui.

Ses pensées se remirent à dériver vers Valentyna et il eut l'impression de voir la lumière douce et chaude du soleil percer à travers les nuages. Peut-être devrait-il songer à reconsidérer sa loyauté pour se rapprocher de la reine. Elle était intelligente et souhaitait sincèrement la paix et la prospérité pour son royaume. Elle était donc forcément ouverte aux conseils, et elle était suffisamment jeune encore pour être malléable. Oui, sans doute serait-il avisé de jouer la carte Valentyna. À défaut d'être un faiseur de roi, il pourrait contribuer à bâtir un empire.

Jessom parvint au cabinet du roi, le cœur bien plus léger que lorsqu'il avait entamé l'ascension. Il lança un coup d'œil derrière lui.

— Tout va bien, messire Bench ?

— Oui, siffla le noble d'une voix rauque. J'avais oublié que la tour était si haute.

— Elle est trompeuse, répondit Jessom, avant de frapper du doigt sur le panneau de la porte.

— Entrez ! dit le roi.

Jessom poussa le lourd battant de bois et annonça le visiteur.

— Eryd, dit Celimus assis au bureau, avec un sourire étincelant. J'imagine que vous connaissez bien cette pièce, n'est-ce pas ?

Le ton était si amical que messire Bench se détendit quelque peu.

— Oui, Majesté. Votre père a passé bien du temps ici à nous exposer ses stratégies.

Le sourire lumineux ne quittait pas le visage de Celimus. Soudain, Eryd y vit une note supplémentaire – c'était un sourire de prédateur. Pour la première fois, il venait de voir jusqu'au fond du cœur du jeune homme. Il avait toujours considéré Celimus comme un homme suprêmement intelligent et vif d'esprit, autant de qualités censées faire de lui un grand roi. Certes, il avait entendu quelques histoires un peu troublantes, à l'époque où Celimus était un vaurien déchaîné, mais il avait considéré que c'était quelque chose que faisaient immanquablement les jeunes oisifs de la haute société. En dépit des relations exécrables entre Magnus et son fils, il avait espéré, comme la plupart des nobles du royaume, que Celimus finirait par devenir un bon souverain, pour peu qu'il soit bien entouré. Pour tout dire, il se serait bien vu lui-même dans le rôle de soutien et conseiller avisé.

Cependant, bien des nobles murmuraient aujourd'hui que le roi n'en faisait qu'à sa tête, sans jamais écouter les conseils de quiconque. Il ne faisait même pas l'effort de montrer un tant soit peu de respect en tenant informée de ses plans la haute noblesse du royaume. Par exemple, le projet de guerre contre Briavel était comme tombé du ciel un beau jour. Tout était allé si vite que cette perspective guerrière avait même déclenché un autre conflit. En effet, de grands nobles, tels que messire Hartley, avaient froidement déclaré qu'il devenait trop dangereux de laisser le roi agir sans contrôle. Or, même tenus en privé, des propos si notoirement séditieux étaient pour le moins perturbants. L'agitation politique était la dernière chose dont le royaume avait besoin. Magnus avait légué à son fils une nation forte et puissante. Mais lui, bien sûr, avait été un chef aimé que son peuple avait suivi en confiance. Son fils en revanche n'avait su obtenir aucune loyauté, s'ingéniant à évincer systématiquement tous ceux qui auraient pu contribuer à susciter l'adhésion à son nom.

Parmi les grands de Morgravia, Eryd était, à l'évidence, le seul à disposer d'éléments établissant la traîtrise du roi à Felrawthy. Bon nombre soupçonnaient néanmoins que la couronne n'était pas tout à fait étrangère à ce qui s'était passé à Rittylworth. En même temps, l'annonce du mariage royal entre Morgravia et Briavel avait réalisé des miracles, faisant passer à la trappe toutes les questions gênantes et autres représailles potentielles. C'est là que la déclaration d'un risque de guerre contre le royaume auquel Celimus s'apprêtait à s'unir avait paru incompréhensible. Le peuple tout entier était plongé dans la confusion. D'avoir entendu le récit de Crys Donal, Eryd y voyait toutefois un peu plus clair maintenant. Celimus s'était lancé dans la plus dangereuse des parties, en faisant en sorte que sa main gauche ignore toujours ce que faisait sa main droite.

Pour autant, cette histoire de Wyl Thirsk était tout bonnement trop incroyable pour lui. C'était forcément un tour de passe-passe et rien d'autre. Cela dit, Crys Donal avait toujours été un jeune homme droit et honnête avec la tête sur les épaules, alors pourquoi donc aurait-il menti ? Eryd devait bien admettre que le récit qu'avait fait le jeune duc du transfert de l'âme de Wyl Thirsk dans un autre corps – celui de sa sœur, par Shar ! – avait des accents de troublante sincérité.

Malgré son allégeance à la couronne, messire Bench se devait d'admettre que sa première loyauté allait aux grandes familles du royaume, celles, précisément, qui avaient toujours œuvré pour maintenir son unité et sa puissance. Ces familles étaient les Thirsk, les Donal… et les Bench. Au nom de son amitié pour des hommes tels que Jeryb Donal et Fergys Thirsk, il ne pouvait pas ignorer ce que lui avait dit le jeune duc de Felrawthy – que le général Wyl Thirsk était toujours vivant et qu'il travaillait à faire tomber un roi en qui on ne pouvait avoir nulle confiance.

Eryd secoua la tête pour en chasser ces pensées.

— Vous vous sentez bien ? demanda Celimus, rappelant à son visiteur qu'il se tenait devant son souverain.

— Oui, Majesté, veuillez m'excuser. Je crains de n'avoir été troublé par quelque souvenir.

— C'est la nouvelle génération qui est à la tête du royaume maintenant, messire Bench, dit Celimus. (Sous l'apparente bienveillance de son ton transparaissaient quelques notes acides.) Je sais néanmoins que je peux compter sur votre loyauté.

Eryd toussa légèrement.

— Bien sûr, Majesté.

— C'est d'ailleurs pour ça, poursuivit Celimus, que je me réjouis de votre visite ce soir. Au fait, où se trouve votre aimable famille ?

Eryd jeta un coup d'œil au chancelier qui lui tendait un verre de vin, mais le visage de Jessom était aussi impassible que celui d'une statue. *Pour quelle raison me pose-t-il cette question ?*

— Euh… à la maison, Majesté. Pourquoi ?

Eryd trempa ses lèvres dans son verre, reconnaissant immédiatement les arômes de genièvre et de fruits rouges des millésimes du sud. En temps normal, il se serait délecté d'un tel nectar, mais la question faussement anodine du roi avait instantanément donné une certaine amertume au vin sur sa langue.

— Oh, sans raison particulière. Je me suis juste dit que je reverrais avec plaisir votre si jolie Georgyana. J'aurais été très heureux de vous avoir tous ici, répondit Celimus sur le ton de la conversation.

La réponse était venue, douce et soyeuse, mais lourde de sens à la fois. Derrière les mots sucrés, Eryd avait parfaitement perçu les implications. Soudain, il sentit sa bouche s'assécher et la petite boule de peur dans son ventre grossir démesurément. À moins qu'il se trompe, le roi venait de lui faire une menace habilement déguisée. Eryd prit nerveusement une nouvelle gorgée dans sa bouche, mais il fut absolument incapable de l'avaler. Il avait l'impression que sa gorge venait de se refermer.

Le chancelier Jessom resservit du vin dans son verre.

— Santé, fit Celimus en levant son propre verre.

Messire Bench n'y prêta guère attention. Ses pensées étaient tout entières tournées vers Helyn et Georgyana.

— Alors, dites-moi ce qui vous amène, reprit soudain Celimus pour entrer dans le vif du sujet.

Eryd sentait la tête lui tourner. Il se dit que ce devait être l'angoisse, mais il eut alors l'impression que la pièce était devenue une étuve alors même qu'aucun feu n'y brûlait. Il tira sur son col pour mieux respirer.

— Je voulais vous parler de Felrawthy, Majesté.

Il vit alors le roi jeter un coup d'œil entendu à Jessom, avec un petit sourire satisfait tout à fait déplaisant. Ainsi donc, le roi l'attendait. Il avait anticipé un tel entretien. Ils étaient perdus.

— Vraiment ? Mais que pourrais-je vous dire, messire Bench ?

Eryd se sentait de plus en plus mal. Sa vue se brouillait et ses pensées devenaient confuses. Il fit un effort pour rester concentré.

— Une rumeur m'est revenue, Majesté. Vous auriez signé un traité avec le roi des Montagnes.

Il avait la certitude d'être en train de bafouiller.

— C'est exact, Eryd, j'ai fait ça. Nous sommes maintenant en paix avec nos voisins. J'avais escompté en faire l'annonce à mon mariage, en guise de cerise sur le gâteau. (Celimus rit de sa propre plaisanterie.) Mais il semblerait que les grands seigneurs de ma noblesse soient bien informés.

Eryd passa une main tremblante sur son front.

— Excusez-moi, Majesté. Je ne me sens vraiment pas bien.

Il entendit le roi faire claquer sa langue comme pour admonester un enfant.

— Encore un peu de vin, peut-être ?

— Non. Non merci, répondit-il en tendant son verre à Jessom, debout à ses côtés, qui ne prit pas le verre. Je crois que je ferais mieux de m'en aller, Majesté. Nous pourrons poursuivre cette conversation lorsque j'irai mieux. Demain ?

— Asseyez-vous, Eryd. Et écoutez-moi, dit le roi d'un ton apparemment amical, mais qui avait tout d'un ordre.

Eryd s'exécuta. Ses oreilles bourdonnaient.

— Je pense que vous êtes venu ici ce soir pour obtenir quelques éclaircissements sur le massacre de Tenterdyn. C'est bien ça, non ?

Eryd hocha la tête. Il sentait son corps peu à peu lui échapper. Son mouvement était lent et maladroit, comme si un marionnettiste tirait des ficelles pour le faire bouger. Il entendait la voix du roi, mais elle lui parvenait comme du fond d'un puits.

— Bien. Et je suppose également que vous avez entendu dire que j'aurais ordonné la mise à mort de la famille Donal ? Si je ne me trompe pas, c'est Crys Donal lui-même qui vous a raconté ça ? poursuivit Celimus, d'une voix toujours douce et aimable.

Contre son gré, Eryd hocha de nouveau la tête. C'était comme s'il était obligé de donner au roi ce qu'il voulait.

Celimus sourit.

— Merci, Eryd, de votre honnêteté. Je crains de devoir confirmer que c'est bien moi qui en ai donné l'ordre, et que je regrette que mes hommes aient manqué l'héritier. C'est lui, je suppose, qui court Briavel pour semer le trouble et envoyer des messages pleins de traîtrise à des gens comme vous. (Eryd fronça les sourcils. Avait-il bien entendu ?) Tout cela n'a aucun sens, messire Bench, n'est-ce pas ? poursuivit aimablement le roi. Je suppose que vous vous demandez maintenant ce qu'il va advenir de messire Hartley, ou des êtres qui vous sont chers... votre femme et votre merveilleuse fille ? Je ne saurais vous en vouloir d'être un peu distrait, car en vérité vous avez raison de vous inquiéter pour votre famille, messire Bench.

Eryd tenta de se lever. Il crut même être parvenu à se mettre sur ses pieds, mais en réalité il n'avait fait que l'imaginer. Il était paralysé.

— Il faudra que vous m'excusiez, messire, poursuivit Celimus, d'un ton toujours nonchalant. J'ai pris la précaution d'empoisonner votre vin. Ça ne devrait plus tarder maintenant. Si je ne me trompe pas, Jessom, messire Bench devrait être en train de connaître un début de paralysie, non ?

Eryd ne pouvait plus tourner la tête. Il ne vit donc pas l'air de profond dégoût sur le visage du chancelier, tandis qu'il confirmait d'un hochement de tête. Dans le cas contraire, il aurait su que Jessom venait d'assassiner l'un des hommes les plus puissants du royaume, uniquement par crainte pour sa propre vie. En revanche, il entendit la voix de Jessom à l'instant où celui-ci retira le verre de sa main crispée.

— Je suis désolé, messire Bench, murmura le chancelier, avant de s'écarter.

Eryd Bench découvrit alors le sourire plein de haine du roi de Morgravia.

— Vous êtes en train de mourir, Eryd, au cas où vous ne l'auriez pas compris. Nous dirons que votre cœur a lâché. Je veillerai à ce que vous ayez des funérailles dignes de ce nom. Tous vos amis viendront se recueillir sur votre tombeau. En revanche, je ne peux pas promettre la même chose pour vos femmes, mais je vous promets qu'elles ne souffriront pas, qu'en dites-vous ? La jolie Georgyana, quel dommage quand même...

Eryd commença à grogner de manière inintelligible. C'étaient les seuls sons qu'il parvenait encore à émettre. Ses yeux ne voyaient plus rien, et, si ses oreilles entendaient encore, lui n'écoutait plus. Les mots cruels étaient insupportables. Il sentit sa cage thoracique se rétrécir. Son cœur paraissait sur le point d'exploser dans un espace si réduit. Il essaya de bouger, en vain.

Sa dernière pensée cohérente fut que le roi avait tort. Malgré l'intense satisfaction qu'il éprouvait, il ne savait pas que Crys Donal était revenu en Morgravia et qu'il était même à Pearlis en ce moment. Alors que sa respiration devenait de plus en plus difficile, il se prit à espérer que le jeune duc avait emmené sa femme et sa fille pour les mettre à l'abri. À coup sûr, il n'avait pas apprécié d'apprendre sa visite chez Celimus. *Je vous en prie, ne laissez pas Georgyana mourir*, supplia-t-il à l'instant où la paralysie achevait de le propulser dans la mort avec un ultime gargouillis. Il mourut les yeux grands ouverts. Un long filet de salive coulait sur sa veste noire préférée.

— Regardez s'il vit encore, ordonna Celimus.

Sans un mot, Jessom plaça un doigt sur le côté de son cou à la recherche d'un pouls, puis secoua négativement la tête.

— Mort.

— Parfait. Voilà une arme suprêmement efficace, Jessom. À l'occasion, je te demanderai de la réutiliser. Je suppose que tu n'as pas pris plaisir à ce spectacle. (Jessom ne répondit rien, mais le roi n'en avait cure.) Tu as envoyé les hommes ?

— Ils sont partis pour la demeure des Bench peu après l'arrivée des deux nobles, Majesté.

— Hartley en sait trop lui aussi.

Jessom savait qu'il épuiserait sa salive pour rien en essayant de convaincre le roi de ne plus commettre de meurtre ce soir.

— Je vais m'en occuper, Majesté.

— Veille à utiliser des hommes de confiance, chancelier. Je ne veux pas de langues trop déliées.

— Puis-je vous demander, Majesté, comment nous allons expliquer la disparition simultanée de messire Bench et de messire Hartley ? se risqua à demander Jessom.

— Mais c'est pour ça que je *te* paie, chancelier. Ne m'ennuie pas avec les détails. Laisse-moi maintenant.

Jessom fit demi-tour, et quelque chose en lui se retourna également.

Chapitre 30

Wyl pénétra dans l'immense salle où il avait déjà été conduit lorsqu'il était Romen Koreldy. Cette fois encore, ce fut le roi des Montagnes qui l'accueillit, en congédiant instantanément les deux guerriers avec lesquels il discutait.

— Ylena, dit-il en s'éloignant de sa démarche féline de l'immense fenêtre par laquelle il contemplait la vallée en contrebas. Vous êtes éblouissante.

Il lui embrassa la main et retourna près de la fenêtre en amenant la jeune femme avec lui.

Wyl ferma les yeux de dégoût, mais se laissa faire.

— Merci pour les robes.

— Je ne peux pas toujours vous laisser aller en homme, répondit Cailech, dont les yeux luisaient dans la lumière du crépuscule. Avez-vous faim ?

— Pas spécialement.

— Les Montagnards ont un appétit vorace, dit-il. Je crains que vous ne deviez faire semblant d'être affamée, par politesse. S'il le faut, vous repousserez discrètement la nourriture sur le bord, mais en faisant en sorte qu'on pense en cuisine que vous appréciez les efforts déployés pour vous ce soir.

Wyl hocha la tête.

— Bien sûr.

— Vos cheveux sont magnifiques. Et si doux, dit le roi en les caressant.

Wyl s'approcha de la fenêtre, pour échapper à la main de Cailech.

— Vous vivez dans un endroit magnifique, dit-il d'une voix calme, tandis que son esprit cherchait comment il allait pouvoir s'échapper.

Aucune idée ne lui était venue, hormis la mort. Mais c'était quelque chose que lui-même ne pouvait pas faire venir délibérément. Le Dernier Souffle était déjà suffisamment sinistre comme ça, il était inutile d'aller en plus hérisser sa magie. Il pensa à ceux qui lui restaient et qu'il aimait – Fynch, Elspyth, Gueryn peut-être, et bien sûr Valentyna. Il ne voulait à aucun prix mettre leur vie en danger, et tremblait de peur que le sort de Myrren s'en prenne à eux s'il venait à enfreindre les règles.

— Vous êtes ici chez vous, Ylena. J'espère que vous finirez par aimer ces montagnes autant que mon peuple les aime.

Cailech observa la jeune noble de Morgravia qui lui souriait tristement.

— Puis-je poser une question, Seigneur ?

— Bien sûr. Venez, asseyons-nous. Et permettez que je vous serve quelque chose.

S'asseoir est une bonne idée, songea Wyl. Il n'y avait aucun siège dans la pièce capable de les accueillir tous les deux.

— Merci, répondit Wyl en s'enfonçant plus avant dans la grande pièce, en direction de la cheminée.

— J'ai fait allumer un feu. Je me suis dit que vous seriez peut-être sensible au froid.

— Un petit peu, dit Wyl avec un petit frisson qui fit sourire Cailech.

Une fois assis, Wyl aborda le sujet qui lui brûlait les lèvres depuis que sa route avait de nouveau croisé celle du roi des Montagnes.

— Seigneur, j'ai appris que quelqu'un qui m'est très précieux avait été envoyé avec une patrouille dans les Razors il y a quelque temps déjà.

Cailech ne répondit rien, mais haussa un sourcil pour l'inviter à continuer. Il lui tendit un petit verre d'un vin couleur de miel qui avait l'air à la fois sirupeux et délicieux.

— C'est celui que je préfère, dit-il. J'espère qu'il vous plaira.

Wyl le remercia d'un signe de tête et but une gorgée. La mémoire de Romen en lui se souvenait de ce vin – de ses puissants arômes de fruits fondus en un moelleux incomparable – mais ce fut la bouche d'Ylena qui sourit de plaisir. La satisfaction visible sur le visage de Cailech allait s'épanouissant.

— C'est un Morgravian, poursuivit Wyl. Un homme assez âgé qui s'appelle Gueryn Le Gant.

Le visage de Cailech demeura impassible.

— J'ai entendu parler de lui.

— Est-il en vie, seigneur ?

— Je ne sais pas.

Le cœur de Wyl manqua un battement. Il lui fallait faire preuve de la plus extrême prudence – pas question de montrer qu'il était mieux informé qu'Ylena était censée l'être.

— Je vois. Mais vous l'aviez fait prisonnier ?

— C'est exact.

— Pourriez-vous découvrir s'il a survécu, seigneur Cailech ?

— Cela dépend.

— De quoi, seigneur ? demanda Wyl en faisant appel à toute la bonne éducation raffinée de sa sœur.

Un coup fut frappé à la porte et Cailech porta un doigt à ses lèvres.

— Entrez, cria-t-il.

Un serviteur se glissa dans la pièce.

— Excusez-moi, seigneur, mais le guerrier Borc demande que vous lui accordiez un instant. Il dit que c'est extrêmement important.

Borc! Wyl ne se souvenait que trop bien de ce nom. C'était celui de l'homme qui avait bien failli leur faire manquer leur évasion de la forteresse la fois précédente. Il aurait dû le tuer au lieu de respecter les souhaits de Lothryn.

Le roi montra son irritation d'être ainsi dérangé.

— Très bien, qu'il vienne, mais dis-lui qu'il a intérêt à avoir des nouvelles particulièrement importantes pour oser me déranger. (Le serviteur disparut.) Excusez-moi, Ylena, poursuivit-il, ce ne sera pas long.

Wyl hocha la tête, un sourire poli sur le visage de sa sœur.

Borc, nerveux, entra. Wyl se raidit en constatant qu'il claudiquait toujours. C'était un souvenir de l'épée de Romen maniée par lui-même.

— Mieux vaut pour toi que ça en vaille la peine, Borc, l'avertit Cailech. Je suis en galante compagnie.

Gêné, le jeune guerrier salua la jeune noble d'un signe de tête, avant de faire une profonde révérence à son roi.

— Excusez-moi, seigneur, mais j'apporte de graves nouvelles.

— Graves ? répéta le roi, refusant de prendre le jeune homme trop au sérieux. Alors dépêche-toi de les dire.

— Puis-je parler librement ? demanda-t-il en jetant un nouveau coup d'œil en direction de l'invitée du roi.

— Je te l'aurais dit dans le cas contraire, répondit Cailech d'un ton brusque.

— Oui, seigneur. (Borc exécuta une autre courbette.) Je... euh... je passais devant les écuries plus tôt dans la soirée, seigneur, et j'ai entendu un bruit terrible qui venait de l'intérieur. C'était votre étalon, seigneur.

— Je vois. Et où était Maegryn ? demanda Cailech.

— C'est la raison de ma venue, seigneur. Maegryn est mort.

Le roi marqua délibérément une pause afin de calmer les émotions qui l'assaillaient.

— Tué par le cheval ? supposa-t-il, en se demandant si Lothryn était capable ou pouvait avoir la volonté de faire une chose pareille.

— Non, seigneur. Tué par l'un des nôtres et le mercenaire de Grenadyne.

— Quoi ? rugit Cailech, sans plus se soucier de conserver le contrôle de lui-même.

Wyl se leva pour se mettre à l'écart. Des pensées tourbillonnaient dans son esprit. Qu'avait-il bien pu se passer entre Aremys et Galapek pour provoquer une chose pareille ?

— Farrow était là ? demanda le roi des Montagnes.

Borc hocha la tête.

— Ce n'est pas Farrow qui a fait ça, seigneur.

— Explique !

Le visage de Cailech s'était empourpré, son regard étréci. Il parvenait à grand-peine à contenir l'ouragan en lui. Wyl connaissait ce regard pour l'avoir déjà vu par les yeux de Romen. Tout lui hurlait de fuir au plus vite, mais comment s'échapper ? Dans le choc, ils l'avaient oublié. Ses yeux exploraient la salle en quête d'une issue. Mais il n'y avait aucune ouverture, pas d'autre sortie que la porte devant laquelle se tenait Borc. Ylena était piégée.

— C'était Myrt, seigneur.

Un silence de mort s'abattit sur la pièce. Même l'air paraissait avoir pris une consistance particulière en cet instant dramatique.

Lorsque Cailech parla, sa voix était tendue comme la corde d'un arc – à peine plus qu'un murmure rauque. Cette seconde trahison d'un guerrier qu'il estimait le dévastait.

— Tu en es sûr ?

Borc hocha la tête. Son regard passait nerveusement de Cailech à Ylena.

— J'étais en train de culbuter une fille, seigneur. Faites excuse, hein. Nous étions dans la paille au-dessus du box de votre étalon lorsque deux hommes sont entrés. J'ai immédiatement reconnu Myrt, et le mercenaire était facile à distinguer même dans la faible lumière.

— Continue, dit le roi, tout son corps bandé comme prêt à bondir.

Borc paraissait regretter l'initiative qu'il avait prise d'avertir son roi. *On fait moins son fier, hein, Borc ?* songea Wyl, momentanément heureux de voir la gêne sur le visage du guerrier, obligé de raconter à Cailech quelque chose qu'il ne voulait pas entendre, mais qu'il lui ordonnait de dire.

— Myrt et Farrow, ils...

Borc paraissait gêné au dernier degré.

— Quoi ? Qu'ont-ils fait ? insista le roi.

Borc prit une profonde inspiration.

— Ils ont parlé à Galapek, seigneur.

Wyl n'aurait pas cru possible que l'atmosphère de la pièce puisse se charger encore plus de vibrations inquiétantes, ou que le roi devienne encore plus crispé et figé à la fois. Il avait tort. Et c'était de très mauvais augure.

Borc tenta de meubler le silence.

— Le mercenaire a parlé au cheval comme s'il pouvait l'entendre, seigneur. Puis Myrt a fait de même ensuite. Ils... ça me fait bizarre de dire ça, seigneur, dit-il avec un regard suppliant.

— Dis-le !

— Ils ont appelé votre cheval « Lothryn ».

Cailech fit volte-face. Un son rauque, de colère et d'angoisse mêlées, s'échappa de sa gorge. D'un geste rageur, il envoya le pot de grès se fracasser sur le sol de granit. L'odeur entêtante du vin et du miel emplit la pièce.

— Qu'Haldor te maudisse ! Finis ton histoire, Borc ! cria le roi en se retournant vers son guerrier.

C'était la première fois que Wyl voyait Cailech perdre le contrôle de lui-même.

Borc déglutit avec peine.

— Le cheval s'est cabré lorsqu'ils l'ont appelé, seigneur. Puis il s'est mis à ruer contre les murs. Farrow a dit à Myrt que l'étalon voulait être libéré.

— Ils l'ont fait ? demanda Cailech.

Borc secoua négativement la tête.

— Maegryn est arrivé à ce moment-là. Il leur a demandé ce qu'ils faisaient autour du cheval. Au début, Myrt n'était pas sûr de lui, seigneur. C'est le mercenaire qui a parlé, en disant qu'il voulait aller faire un tour, ou une excuse de ce genre. Maegryn a alors dit qu'il allait les dénoncer parce que le *barshi* a ordonné, depuis la disparition du prisonnier morgravian, qu'on lui signale tous ceux qui s'intéressent de trop près à Galapek.

Wyl regardait ostensiblement le sol, mais il sentit le regard de Cailech passer sur lui à l'évocation de Gueryn. Il fit un effort pour donner l'impression qu'Ylena était gênée d'assister à cette explication, et surtout ne pas réagir en entendant parler du prisonnier.

Borc était lancé maintenant, débitant à toute vitesse sa sordide histoire.

— Maegryn a dit qu'il allait venir vous voir, seigneur, et c'est là que Myrt l'a saisi. Farrow lui a dit d'arrêter, mais Myrt était dans une rage folle. Il ne voulait rien entendre. Il a étranglé Maegryn, mais je ne suis pas resté pour voir ce qu'ils ont fait du corps, seigneur. J'ai sauté par la petite lucarne pour venir directement ici. Je crois que le mercenaire est lui aussi en chemin pour venir vous voir, conclut-il en regardant nerveusement derrière lui, comme si Aremys pouvait déjà se trouver là.

— Et Myrt ?

— Il est parti voir Rashlyn, seigneur. Farrow veut savoir ce qui est arrivé au prisonnier morgravian. Maegryn a dit qu'il pensait que le *barshi* l'avait emmené pour s'en servir.

Cailech se retourna une nouvelle fois, pour contempler au-dehors par la fenêtre, vibrant de colère. Il ne pouvait pas voir grand-chose, hormis les ombres des pics dans le lointain. L'obscurité de la nuit avait envahi le ciel.

— Borc.

— Seigneur ?

La voix de Cailech était aussi glacée que les sommets des Razors au plus fort de l'hiver.

— Rassemble les meilleurs guerriers. Préviens la garde que personne ne doit sortir, pas même les nôtres. Envoie des renforts à la herse, au cas où ils essaieraient de passer en force. Mets plusieurs gardes à chaque porte, y compris celles à l'intérieur de la ville. Ni Myrt ni Aremys ne doivent pouvoir circuler où que ce soit. Lâche les chiens. C'est compris ? (Borc hocha la tête.) Envoie-moi Rollo immédiatement avec un autre homme de son choix. Fais partir des coursiers pour le trouver, si besoin est. Raconte tout à Rollo, et ensuite trouvez Myrt. Pars maintenant et ne me déçois pas.

Borc salua et partit.

Lentement, le roi se retourna une nouvelle fois pour faire face à Ylena. Wyl se composa un visage impassible et prit l'initiative.

— Je suis désolée, seigneur, d'avoir été témoin de ce qui vient de se passer. Je suis sûre que c'était une affaire privée.

— Ce n'est pas votre faute, Ylena. J'aurais dû prendre plus de précautions.

— Cet homme parlait bien de Gueryn Le Gant, n'est-ce pas ?

Le roi hocha la tête. Ses yeux fixaient Ylena avec une telle intensité que Wyl se sentit hésiter un instant. Peut-être n'était-ce pas une bonne idée que d'interroger Cailech juste maintenant. Cependant, une meilleure occasion ne se présenterait sans doute jamais. Le temps jouait contre eux.

— Gueryn Le Gant est mon tuteur, expliqua-t-il. Lorsque notre mère est morte, Gueryn était tout ce que nous avions. Notre père était à Pearlis avec le roi. Lorsqu'on m'a envoyée à Stoneheart pour y être éduquée en tant que pupille de Magnus, Gueryn était avec moi également. Il fait partie de ma famille. Il est tout ce qui me reste.

Wyl avait mis un ton suppliant dans la voix douce de sa sœur.

La nouvelle prit Cailech par surprise, mais il n'eut pas le temps de répondre. Quelqu'un d'autre frappait à la porte. Une nouvelle fois, d'un geste de la main, il intima à Ylena de se taire. Tous deux savaient qui venait cette fois-ci. Le même serviteur apparut, avec un air encore plus navré sur le visage, mais Cailech ne parut même pas le remarquer.

— C'est Aremys Farrow ? demanda-t-il avant que l'homme ait pu dire quoi que ce soit.

— Oui, seigneur.

— Fais-le entrer.

Dès qu'Aremys parut sur le seuil, Wyl lui envoya un coup d'œil pour le mettre en garde.

— Seigneur, vous m'attendiez ? demanda Aremys en faisant de son mieux pour dissimuler sa surprise.

— Je me disais que tu ne tarderais pas à venir par ici, répondit Cailech d'un ton neutre, sans que son attitude trahisse quoi que ce soit de ses pensées.

Derrière lui, Wyl secouait la tête de droite à gauche à l'intention d'Aremys, s'efforçant par tous les moyens de l'avertir de ne rien dire qui puisse l'impliquer.

Aremys marqua une hésitation. Le sourire qu'il aurait normalement dû offrir à l'homme qu'il considérait maintenant comme un ami ne vint pas sur ses lèvres. Il comprenait que quelqu'un avait dû parler à Cailech. Pourquoi sinon Wyl tenterait-il ainsi de le prévenir ?

— Un verre de vin, Farrow ?

— Non, seigneur. Je ne suis venu que pour transmettre un message en passant. Excusez-moi de vous interrompre, mais j'ai pensé que c'était important.

—Apparemment, il y a un certain nombre de messages importants à porter ce soir, répondit Cailech.

Le sens de cette réponse sibylline n'échappa pas à Aremys.

—Je peux revenir plus tard, seigneur Cailech.

Il vit le soulagement passer sur le visage d'Ylena, puis subitement une terreur glacée lorsque Cailech jeta un coup d'œil vers elle. Le roi était rapide et bien trop intelligent pour être trompé.

—Non, je t'en prie. Joins-toi à nous, dit Cailech d'un ton affable. J'aimerais partager un verre de vin avec toi.

Wyl regarda le pichet fracassé sur le sol et les yeux d'Aremys suivirent son regard. Quelque chose de grave venait de se produire ici. Quelqu'un avait perdu son sang-froid ; sans cela, Cailech aurait appelé un serviteur pour nettoyer une simple maladresse.

—Vous vous sentez bien, Ylena ? demanda soudain Aremys, inquiet que Cailech ait pu faire du mal à Wyl.

—Très bien, merci, Aremys. J'étais sur le point de parler au roi de la reine Valentyna et de tout ce qu'elle m'a raconté des récits de Romen au sujet des Razors. (Aremys hocha la tête, les sourcils froncés. Wyl décida de tenter sa chance.) Vous savez bien, l'évasion de Romen avec l'aide de Lothryn et son inquiétude ensuite concernant le sort du brave guerrier qui avait trahi son roi.

Wyl avait d'excellents réflexes, mais le corps d'Ylena ne bougeait pas assez vite. Il vit le mouvement subit du roi, mais ne put éviter l'énorme gifle. Encore un coup donné par un autre roi, mais pour un résultat identique. Le corps frêle d'Ylena traversa la pièce. Elle s'entailla la jambe sur une petite table, s'effondra sur une chaise avant de tomber sur le sol. Wyl resta allongé sans bouger, évaluant les dégâts. À en juger par la douleur, l'épaule de sa sœur s'était démise dans la chute.

Wyl entendit Cailech déclamer sa rancœur au-dessus de lui :

—Me crois-tu stupide à ce point, Ylena ?

Wyl n'avait plus le choix – il lança un avertissement à son ami.

—Il sait pour Maegryn.

Ce fut tout ce qu'il parvint à dire. Une poigne de fer l'avait relevé et envoyer dans l'autre sens à travers la pièce. Son œil capta le visage enragé de Cailech, tandis que son oreille s'emplissait d'un rugissement de colère. Le corps d'Ylena émit un craquement bizarre contre la pierre de la cheminée. Cette fois-ci, quelque chose avait cédé. Sa jambe était salement touchée ; l'os saillait sur l'avant du tibia. Une violente douleur envahit tout son corps. Wyl poussa un hurlement, en partie de désespoir et en partie pour détourner l'attention de Cailech. Il était trop tard cependant. Des Montagnards avaient fait irruption dans la pièce. Parmi eux, il y avait un visage qu'Aremys connaissait bien.

—Attrape-le, Rollo ! ordonna le roi en pointant un doigt sur Aremys, qui hésitait entre deux attitudes – se précipiter sur Ylena ou fuir par la porte.

Pour l'une comme pour l'autre, sa décision tarda trop. Ylena ferma les yeux de désespoir. Il força le corps cassé et en sang de sa sœur à s'asseoir et éleva une prière pour que Cailech ne lui fasse pas plus de mal. Il pouvait supporter la douleur physique, mais le traitement infligé à sa sœur, à Tenterdyn, puis une nouvelle fois ici, était plus qu'il n'en pouvait endurer émotionnellement. Il voulut crier qu'elle avait déjà suffisamment souffert, mais cela ne signifierait rien pour personne, hormis pour l'autre prisonnier dans la pièce, qui ruait des quatre fers pour échapper à l'emprise des guerriers.

— Calme-toi, Farrow ! ordonna Cailech. Tu ne peux plus t'échapper.

Aremys obéit.

— Qu'est-ce que ça veut dire, seigneur Cailech ? Je pensais que j'étais un homme libre.

— Tu l'étais, répondit Cailech en marchant sur sa nouvelle victime – Ylena déjà oubliée. Jusqu'à ce que Borc me rapporte une étrange nouvelle ce soir.

Aremys avait l'air perdu.

— Quelle nouvelle, seigneur ?

— Espèce de serpent ! cracha Cailech. Est-ce que j'ai l'air si facile à duper, Farrow ? Oui, peut-être bien, répondit-il à sa propre question avec comme une lassitude dans la voix. Je te faisais confiance. Je pensais que tu étais avec nous, poursuivit-il en souriant tristement.

— Seigneur Cailech…, commença Aremys.

— Non, mercenaire ! l'avertit le roi. Ne commence pas à me débiter tes mensonges. Rollo, est-ce que tout est en place ?

Le guerrier hocha la tête.

— Borc et d'autres s'en occupent, seigneur.

— Et Myrt ?

Rollo eut l'air mal à l'aise en entendant le nom du guerrier qu'ils traquaient.

— On le suit jusqu'aux quartiers du *barshi*, comme vous l'avez ordonné.

En entendant le nom de Myrt, Aremys baissa la tête et tout son corps s'amollit sous la poigne des hommes qui le tenaient. Autant dire qu'ils étaient morts. Il regarda en direction de Wyl à l'autre bout de la pièce, tout aussi impuissant que lui-même. Quelque chose se brisa en lui.

Au fil des dernières heures écoulées, Rashlyn avait éprouvé une inexplicable sensation de fatalité. Les Pierres, qu'il avait interrogées pour lui-même, ne cessaient de lui annoncer la venue d'un dragon. Cela n'avait aucun sens. Les dragons étaient des créatures mythiques, comme les lions ailés, les licornes et d'autres bêtes étranges qu'on adorait depuis la nuit des temps, et encore aujourd'hui en Morgravia. Jamais les Pierres ne lui donnaient pareille image auparavant et elles insistaient, encore et toujours. Sachant qu'il avait rarement tiré les Pierres pour lui-même au cours de sa vie, et que leurs prédictions s'étaient toujours révélées précises et fiables, il était pour le moins désarçonné.

Depuis des heures, il réfléchissait à cette curiosité, s'efforçant de deviner ce qu'elle pouvait signifier pour Cailech, et plus encore pour lui-même. Une lumière lui apparaissait depuis peu, lui semblait-il. Peut-être cette vision signifiait-elle un changement de souverain en Morgravia ? Il venait de lui apparaître que le roi de Morgravia était assis sur le trône du dragon, que l'emblème royal et la créature mythique de la couronne de Morgravia étaient encore le dragon. L'arrivée d'un dragon révélée par les Pierres signifiait-elle un nouveau roi pour le trône du sud ?

Pour autant, cela n'avait guère de sens. Le roi était jeune, viril et apparemment en excellente santé, selon Cailech, avec qui le *barshi* s'était brièvement entretenu à son retour. Ils avaient échangé quelques mots, avec la promesse de se revoir plus tard cette nuit-là. Il l'attendait maintenant, pressé de partager avec lui l'étrange message des Pierres.

Peut-être disaient-elles que le mariage de Celimus avec Valentyna allait changer la couronne d'une manière ou d'une autre, en mettant une nouvelle reine sur le trône. À la nuance près qu'elles ne parlaient que du dragon et d'un nouvel arrivant. Valentyna n'était en rien liée au trône du dragon et, à sa connaissance, Briavel n'était pas attachée aux créatures mythiques comme Morgravia.

Non, pensa-t-il en fourrageant dans sa barbe broussailleuse, *cela est spécifiquement lié au roi dragon.* Et la même réponse revenait : le changement. Avant que Cailech parte pour Morgravia, les Pierres avaient déjà parlé de changement, et Rashlyn avait pensé qu'elles faisaient référence à quelque chose de sinistre. Or, selon toutes les apparences, Cailech venait de faire un retour triomphal, non seulement avec une nouvelle trêve et un accord de paix avec le royaume voisin, mais aussi avec une nouvelle femme. Rashlyn hocha la tête pour lui-même, félicitant les Pierres pour leur exactitude. Il y avait effectivement eu du changement pour le roi des Razors. Tout avait changé pour le mieux.

Pourtant, cette fois… la vision était vraiment sombre, menaçante. Les Pierres annonçaient la venue du dragon, mais il avait fait cette invocation uniquement pour lui-même, pas pour Cailech. La prédiction était pour lui, donc le dragon venait pour lui. *Est-ce vraiment ça ?*

Plongé dans ses pensées, il bondit sur ses pieds, instantanément en alerte, à l'instant même où la porte de sa chambre s'ouvrit à la volée pour laisser apparaître le corps immense et massif de Myrt.

— Bonsoir, *barshi*, dit Myrt.

Les mots étaient polis, mais le ton et l'expression du colosse les contredisaient.

— Que fais-tu ici ? bégaya le petit homme en invoquant à toute vitesse un sort de protection.

— Je suis venu pour connaître la vérité sur Lothryn. Ou plutôt, Galapek ?

La folie du *barshi* était sa meilleure protection, meilleure encore que n'importe quel sort. La démence qui le tenait dans ses griffes prit le dessus à cet instant et il n'eut plus peur de rien. Pour autant, il était suffisamment intrigué par la découverte du guerrier pour retenir la magie qu'il tenait prête.

— Que sais-tu ? demanda-t-il d'une petite voix méprisante.

— Où est le prisonnier morgravian ? répondit Myrt.

Le *barshi* lâcha un ricanement dément.

— Je vais me faire un plaisir de te le montrer, dit-il en pointant un doigt sur un gros chien gris assis dans un coin, enchaîné et tout tremblant.

Myrt était stupéfait. Il ne savait pas s'il devait prendre le sorcier dérangé au sérieux, mais quelque chose en même temps lui disait qu'il contemplait la vérité.

— Gueryn ? dit-il à l'intention du chien.

L'animal se mit à gémir. Il souffrait de toute évidence, mais il se mit à gratter le sol en tirant sur sa chaîne.

— Tu aimes mon travail, Myrt ? C'est tellement mieux réussi qu'avec Lothryn – que je crains bien d'avoir tué lors de l'opération. Comme tu peux le voir, Le Gant vit toujours à l'intérieur de la bête. Il est parfaitement conscient de sa nouvelle condition.

— Espèce de...

Myrt ne put aller plus loin. Une douleur effroyable explosa dans sa tête ; son nez et ses oreilles se mirent à saigner.

— Tais-toi ! hurla le *barshi*. Ou je ne te laisse même pas choisir l'animal dans lequel je te transforme, pauvre idiot. (Myrt marmottait des mots incohérents.) Je suppose que ça fait mal, hein ? poursuivit Rashlyn. Alors écoute-moi attentivement, messire le géant. Je vais tout doucement relâcher la douleur et tu vas gentiment me dire qui d'autre encore connaît mes secrets.

Myrt secoua vigoureusement la tête, inondant de sang le *barshi*, qui ne parut même pas le remarquer. Rashlyn haussa encore la douleur. Les yeux de Myrt saillirent hors de leurs orbites tandis qu'une nouvelle vague le terrassait. Ses bras se raidirent pour se lever bizarrement devant lui, son torse se mit à trembler et sa respiration n'était plus qu'une suite de grognements erratiques.

— Fais ce que je te dis, Myrt, l'avertit Rashlyn. (Ses doigts se déplacèrent légèrement et le guerrier fut poussé et maintenu contre le mur.) C'est mieux ? demanda-t-il en relâchant son sort.

Même après que son corps eut été libéré de sa terrible agonie, Myrt n'avait aucune envie de coopérer.

— Qui d'autre sait ? demanda Rashlyn en avançant sur le guerrier.

— Juste moi et le roi, je suppose, bredouilla Myrt.

La douleur avait eu beau disparaître, il ne parvenait toujours pas à respirer normalement.

— Oui, bien sûr, le roi sait. C'était son idée de punir Lothryn de cette manière, tu sais. Je trouve ça superbement subtil. Et Galapek est si magnifique...

Subitement, Rashlyn s'interrompit et redressa la tête comme s'il venait d'entendre quelque chose. Il se retourna lentement. La peur s'insinuait dans chaque fibre de son corps.

— Qu'est-ce qu'il y a ? demanda Myrt.

— Chut ! siffla Rashlyn, en pivotant en tous sens sur lui-même comme s'il avait été en train de saisir l'origine d'un bruit diffus. Il vient, murmura-t-il.

Relié au *barshi* par la magie du sorcier dément, Myrt percevait lui aussi l'approche de quelque chose. Il était sidéré de l'immensité du pouvoir qu'il décelait.

— Qu'est-ce que c'est ?

— Le dragon, murmura Rashlyn en relâchant son emprise magique sur Myrt à l'instant où sa propre peur prenait le meilleur sur lui.

Myrt s'effondra au sol. Ses genoux heurtèrent durement la pierre et il poussa un cri. Il était déjà oublié. Le *barshi* tournait en rond dans sa chambre, en proie à une indicible terreur. Myrt profita de la confusion de Rashlyn pour se traîner sur le sol jusqu'au chien qui, museau dressé, désignait une clé sur la table. Myrt hocha la tête, saisit la clé et libéra la chaîne. Il aboya une fois et se dressa sur ses pattes flageolantes.

Le sang coulait sans discontinuer de son nez – Myrt venait tout juste de s'en apercevoir. Il tenta de l'essuyer, mais l'hémorragie ne se calmait pas. Il se disait qu'il ferait mieux d'ignorer la faiblesse que la magie du *barshi* avait répandue en lui, pour s'en aller d'ici, en rampant au besoin, lorsqu'une silhouette massive vint s'encadrer dans l'ouverture de la porte.

— Hé, Borc, dit-il d'une voix emplie de mépris.

Il n'aimait pas le jeune homme, lui reprochant le sort de Lothryn, capturé et torturé.

Le guerrier porta son regard sur Rashlyn qui paraissait en transe, marmonnant des choses pour lui-même.

— Qu'as-tu fait ? demanda-t-il à Myrt.

— Rien. Il est parti dans son monde, il déblatère au sujet de l'arrivée d'un dragon. Et toi, qu'est-ce que tu fais là ?

— Pourquoi es-tu sur le sol… en train de saigner ? poursuivit Borc en colère, ignorant la question qui lui était adressée.

— La dernière fois que j'ai vérifié, commença Myrt en luttant pour repousser la faiblesse, il m'a bien semblé que j'étais ton supérieur, Borc. Faut-il que je te rappelle comment on s'adresse à un supérieur ?

— Et moi, la dernière fois que j'ai vérifié, Myrt, ricana Borc, tu étais en train d'assassiner quelqu'un.

— Ah, répondit Myrt en dissimulant le choc qu'il venait d'éprouver.

Il n'allait pas donner à ce morveux la satisfaction, qu'il espérait certainement, de voir le plus grand guerrier des Razors se traîner à ses pieds.

— Je l'ai dit au roi, ajouta triomphalement Borc.

— Oui, je suis bien sûr que tu l'as fait, espèce de lèche-cul !

La réponse de Borc fut coupée par l'arrivée d'un petit garçon qui apparut au milieu de la pièce comme s'il venait de passer à travers les moellons de granit des murs de la haute tour. La lumière éclatante qui le nimbait éblouit momentanément les trois hommes avant de se dissiper. Il regarda autour de lui et Myrt put constater qu'il n'était pas victime d'une vision. Le garçon était un être de chair et de sang, tout petit et tout maigre, mais terriblement réel.

La sauvagerie de Rashlyn s'intensifiait.

— Qui es-tu ? cria-t-il.

— Je suis celui qui va te détruire, Rashlyn, répondit le garçon.

Tout se passa alors si vite que Myrt vit à peine les événements se dérouler. Rashlyn sauta par une fenêtre ouverte. De cette hauteur, la chute ne pouvait qu'être mortelle, mais Myrt aperçut le *barshi* en train de planer dans les airs, puis disparaître hors de sa vue.

Le petit garçon sourit avant de se dissoudre dans le mur par lequel il était arrivé. Borc le vit également, la bouche grande ouverte, totalement incrédule. C'est sa lenteur à se remettre du choc qui permit au chien gris de lui sauter dessus pour le faire tomber.

Myrt vit avec horreur le chien, les pattes toujours tremblantes, mordre Borc à la gorge. Myrt attrapa son poignard et Borc en fit autant. Le jeune homme était fort ; malgré la peur, il parvint à plonger sa lame à plusieurs reprises dans le flanc de l'animal. Pour autant, le chien refusait de lâcher prise. Ses crocs étaient plantés dans la gorge de Borc et il découvrait la folie du sang qui saisit les hommes et les bêtes lorsqu'ils se battent pour leur vie ou pour défendre ceux qu'ils aiment.

Myrt se remit péniblement debout. Les effets de la magie le faisaient toujours souffrir. Il faillit tomber sur Borc et le chien qui grondait furieusement, son énorme mâchoire fermée sur le cou de l'homme. Au prix d'un ultime effort, Borc parvint à faire sauter un œil du chien puis à plonger sa lame dans son poitrail. Le chien cria, puis roula sur le côté, mais Myrt n'était pas disposé à laisser la proie de Gueryn s'en tirer. Il allait donner la mort au nom du chien qui venait de lui sauver la vie. Il plongea son propre poignard dans la gorge lacérée de Borc, tranchant nette l'artère qu'il visait. Le jeune homme contempla avec consternation le jet de sang qui giclait, puis porta ses mains à son cou, dans une tentative inutile pour retenir le précieux liquide. Il parvint même à se mettre à genoux avant qu'Haldor vienne le prendre. Borc du peuple des Montagnes s'écroula lourdement sur le corps recroquevillé du chien, mort.

Chapitre 31

Monté sur la jument alezane d'Eryd Bench, Crys Donal franchit la porte de Pearlis, saluant les gardes de faction d'un signe de tête.

— Que Shar vous guide, crièrent-ils au cavalier solitaire, qui répondit d'un geste de la main, sans un mot.

Peu après un des attelages fermés de couleur noire qui transportaient les voyageurs dans les rues de Pearlis franchit à son tour les limites de la ville.

— Une grande course, Gordy ? demanda l'un des gardes au cocher qu'il connaissait, et qui plusieurs fois par jour faisait la navette entre la ville et les environs.

L'homme haussa les épaules et les sentinelles aperçurent deux femmes à l'intérieur – dame Bench et sa fille.

— Bonsoir, dame Bench, dit l'un des hommes, avec toute la courtoisie voulue.

Helyn Bench leur répondit d'un sourire. Jamais ils ne sauraient le courage qu'il lui avait fallu pour ce simple geste. La jeune femme quant à elle ne les regarda même pas.

— Allons-y, cocher, dit dame Bench.

Un bon quart d'heure s'écoula encore avant qu'une petite silhouette enveloppée dans un grand manteau bleu franchisse la porte en menant un cheval par la bride. Les hommes sifflèrent pour marquer leur admiration. L'obscurité n'était pas encore tombée, si bien qu'ils aperçurent son minois avenant, aux traits pâles et tirés. Heureusement pour Elspyth, ils ne virent pas la large tache de sang à l'épaule, ni l'effort immense qu'il lui fallut pour monter en selle et éperonner sa monture afin qu'elle l'emporte loin des griffes de Celimus. Elle se força à sourire.

— À bientôt, messires soldats, dit-elle comme si elle partait pour une petite promenade alentour.

Puis elle s'éloigna sur la piste. Elle savait qu'il lui fallait franchir deux grandes courbes avant de disparaître entièrement de la vue des sentinelles.

Elle eut l'impression que ce bout de route lui prenait un temps interminable. Elle se demandait si, dans son dos, les gardes n'étaient pas en train de se gratter la tête, à se demander pour quelle raison elle faisait aller sa monture à un rythme aussi lent.

Finalement, elle aperçut Crys Donal, qui se précipita vers elle. Elle voulait de toutes ses forces paraître maîtresse d'elle-même, ne pas montrer l'étendue de sa faiblesse, mais Elspyth tomba littéralement de cheval en se penchant vers lui. Comme il était déjà arrivé auparavant, les bras puissants du duc de Felrawthy l'enveloppèrent. Crys la déposa sur un matelas d'herbe tendre. À moins de se mentir à elle-même, elle se devait de reconnaître le plaisir qu'elle éprouvait à être ainsi enlacée par lui, même s'il n'y avait aujourd'hui plus aucune espièglerie dans les yeux de Crys.

—Elspyth, dit Georgyana, je suis désolée que vous ayez dû faire ça, mais…

—Chut, répondit-elle. C'était la seule solution. Cela aurait été trop suspect que vous quittiez la ville seule, juste après le passage de l'attelage de votre mère.

—Il ne reste plus qu'à espérer que les gardes ne fassent pas le lien entre nous tous. Heureusement, Elspyth et moi sommes étrangers à la ville. Ils devraient facilement nous oublier, exposa Crys d'un ton rassurant.

Elspyth remarqua son regard soudain songeur lorsque ses yeux se posaient sur les boucles blondes de l'héritière des Bench. Elle ressentit un petit coup au cœur, puis se rappela que Crys ne lui appartenait pas et qu'elle avait si souvent repoussé ses avances charmantes et pleines d'humour. Elle avait résisté au nom de ses sentiments pour… *un homme mort peut-être*, songea-t-elle tristement.

Crys jeta un coup d'œil en direction de dame Bench. Assise sur une borne, elle fixait un point dans le vide droit devant elle, de toute évidence plongée dans ses souvenirs avec son cher Eryd. Il s'approcha et enveloppa ses épaules d'un bras protecteur. C'était une amie de sa mère, plus ou moins du même âge d'ailleurs. Il s'efforça d'imaginer ce qu'Aleda avait pu ressentir en voyant mourir Jeryb Donal. Crys avait la certitude qu'Eryd Bench était mort à cette heure, et il savait que l'effet serait tout aussi dévastateur pour dame Bench, même si elle n'avait pas assisté à son meurtre.

—Je suis désolé, Helyn, dit-il d'une voix douce.

—Êtes-vous sûr que ce soit inutile, Crys ? Je veux dire…

Il interrompit ses paroles pleines de larmes, trop dures à écouter une nouvelle fois.

—Nous ne pouvons pas exposer Georgyana, dame Bench. Il faut la mettre en sécurité avant toute chose. Je vous promets de retourner à Pearlis, mais avant cela je tiens à ce que vous soyez mises à l'abri en lieu sûr. (Il la serra de nouveau dans ses bras, certain qu'elle était tentée de faire partir Georgyana avec lui pour risquer sa chance à Pearlis.) Je vous en prie, dame Bench, Celimus n'a montré aucune pitié pour mes parents ou mes frères. Le plus jeune n'avait même pas l'âge de votre fille. Il ne verra aucune objection à vous tuer, vous, messire Bench, Georgyana et tous ceux qui semblent vouloir se mettre en travers de son chemin.

— De son chemin vers quoi ?

— Vers les chimères qu'il a en tête, et Shar seul les connaît, répondit Crys d'une voix toujours calme, sans relâcher son étreinte. Il est fou, dame Bench. Il rêve d'un empire. Son mariage n'est qu'une mascarade. D'une manière ou d'une autre, il détruira Valentyna et Briavel. Il essaie uniquement de rendre les choses plus respectables en procédant diplomatiquement. Écoutez-moi, poursuivit-il en prenant la liberté de tourner son visage vers le sien, s'il était prêt à assassiner mon père, le plus loyal des Morgravians, alors il ne montrera pas la plus petite considération pour la vie de ses meilleurs conseillers. Je vous supplie de me croire.

— Vous pensez donc qu'Eryd est déjà mort à l'heure qu'il est ? demanda-t-elle d'une voix blanche.

Il était inutile de biaiser après les avoir fait fuir pour protéger leur vie.

— Oui, je le crois.

Elle ne s'effondra pas en sanglots comme il s'y était attendu, elle ne versa pas même une larme. Au lieu de cela, elle répéta les mots mêmes que sa mère lui avait dits.

— Vengez-le, dit-elle. Pour l'amour de nous tous.

— Celimus a bien des morts sur la conscience, ma dame. J'entends bien lui faire payer chacune d'elles.

Submergée par l'émotion, elle serra son bras, incapable d'ajouter quoi que ce soit.

— Venez, nous chevaucherons à deux sur chaque monture, reprit-il. Elspyth ne sera pas en mesure d'aller bien loin. Nous nous séparerons dès que j'aurai l'assurance d'avoir trouvé un refuge sûr.

Aidée par Georgyana, la respiration un peu sifflante, Elspyth s'approcha. Crys lui prit la main.

— Vous vous sentez assez forte pour continuer encore ?

— Oui, allons-y, dit-elle, goûtant le plaisir déloyal que lui procurait son contact devant Georgyana.

— Dame Bench et vous monterez ensemble, Elspyth. Georgyana peut venir en selle avec moi, dit Crys, brisant là toutes ses illusions.

Oui, sans aucun doute, il s'était entiché de la jeune noble. Après tout, c'était logique qu'il trouve quelqu'un de son monde. *Ils formeront le plus beau des couples*, songea Elspyth, subitement renfrognée. Elle se convainquit que son humeur acide était à mettre sur le compte de sa blessure.

— Où va-t-on ? demanda Georgyana, qui n'avait rien remarqué des émotions de la jolie jeune femme à côté d'elle.

— Ils s'attendront sûrement à ce que nous mettions cap au nord, répondit Crys. Nous avons tous des attaches là-bas.

— Donc nous irons au sud, acheva Georgyana pour lui.

Il lui sourit avec douceur.

— Oui, ma dame. Au sud, en Argorn.

Jessom fixait la flamme irrégulière de la chandelle grésillante. Sa lueur captivait son attention au cœur de cette pièce plongée dans le noir. Ses pensées distraites musardaient avec indolence. Un léger parfum flottait dans l'air. C'était la feuille de savon qu'il avait utilisée pour se laver les mains après avoir touché le corps d'Eryd Bench. C'était la deuxième fois qu'il tuait lui-même, mais la liste des morts qu'il avait ordonnées était bien plus longue. Pourtant, c'était la première fois qu'il éprouvait les sentiments qui l'agitaient à cet instant. La mort de messire Bench avait été aussi désagréable qu'inutile. Désagréable parce que Jessom avait été contraint d'administrer le poison lui-même et contre sa volonté, et inutile car elle ne servirait qu'à créer un nouveau secret honteux qu'il allait devoir s'ingénier à cacher.

Tout en contemplant les feux du couchant, il joignit l'extrémité de ses doigts tout propres. Pour Celimus, un nouveau cadavre – quelle que soit l'importance du mort au sein du royaume – n'avait pas plus d'importance que la disparition d'un chat aux cuisines. *Il tue quand l'idée lui passe par la tête*, songea Jessom avec amertume. Il aurait pourtant été si simple de manipuler Bench et Hartley, en les envoyant en mission par exemple. En tout cas, ces rouages essentiels à la bonne marche du royaume auraient pu – et dû – rester vivants.

— Shar sait à quel point Morgravia devient fragile, murmura-t-il.

Si messire Bench était venu en personne poser des questions au roi, cela signifiait que le bout du chemin n'était plus très loin désormais. En effet, jamais Eryd Bench n'aurait envisagé d'exposer ses soupçons sans y avoir mûrement réfléchi. Si le plus loyal des grands nobles doutait, alors que devaient penser tous les autres ?

— L'instabilité dans le royaume est la prochaine étape, conclut Jessom à voix haute.

Qu'un homme tel que Crys Donal – aujourd'hui duc de Felrawthy – se mette à parler et l'émotion serait suffisante pour que l'instabilité devienne révolte. Jessom n'était pas naïf au point de croire que la légion ne ferait pas ce que lui dictait sa conscience – en l'occurrence appuyer Crys Donal de tout son poids, après ce qui était arrivé dans le nord. La légion avait subi un certain nombre d'avanies ces derniers temps, suffisamment en tout cas pour que ses hommes se retournent le cas échéant contre un roi qu'ils haïssaient.

Jessom les passa en revue dans son esprit. Il y avait Alyd Donal, Wyl Thirsk, Ylena Thirsk, la quasi-totalité de la famille Donal, la communauté de Rittylworth. Même la mort du roi Valor commençait à paraître suspecte, notamment du fait que Wyl Thirsk était en mission pour le roi à Werryl lorsqu'il avait perdu la vie aux côtés du souverain de Briavel. Jessom avait entendu qu'on murmurait sur ces deux morts, loin d'être aussi franches qu'on voulait bien le dire. Et puis, il y avait eu Jorn également, un jeune garçon apprécié dans Stoneheart et dont la torture avait profondément choqué. *Pour quel résultat?* Quant à la légion, elle ne s'était toujours pas remise des hommes exécutés pour l'exemple, tout ça au nom des taxes détournées. Un trop grand nombre d'entre eux avaient été empalés et abandonnés à une agonie inhumaine. Celimus était trop cruel, trop prompt à appliquer des sanctions disproportionnées, sans songer aux conséquences. Sans même parler des mercenaires tués pour rien. Bien rares étaient ceux qui s'en souciaient, mais Jessom n'appréciait pas les massacres inutiles. Toutes ces morts pratiquement auraient pu être évitées – ils étaient du côté de la couronne après tout.

De rage et de dépit, il frappa la table du plat de la main. Et voilà maintenant que messire Bench était mort et que messire Hartley se morfondait au fond d'un cachot. Jessom venait enfin de se rebeller contre Celimus en refusant de commettre un meurtre gratuit. Il allait trouver un moyen d'épargner la vie de Hartley.

Le chancelier alluma une nouvelle chandelle, avant de moucher l'autre. Il sentit à peine la petite brûlure au bout de ses doigts, perdu qu'il était dans ses réflexions au sujet de son avenir. Il examinait les options qui s'offraient à lui, bien maigres et toutes difficiles à avaler. Il pouvait demeurer aux côtés de Celimus en s'accrochant à l'idée que le roi de Morgravia était trop puissant pour être menacé. Il pouvait aussi prendre l'initiative de soulever la légion en disant la vérité aux officiers. Mais ensuite? L'armée pouvait effectivement destituer Celimus, mais sans héritier direct, cela signifiait qu'un lointain parent de Parrgamyn pouvait fort bien revendiquer le trône. Son expérience auprès des ressortissants de Parrgamyn lui disait que ce serait une bien mauvaise idée. Bien sûr, il pouvait aussi appeler à la mise en place d'une nouvelle dynastie, avec quelqu'un de la trempe du nouveau duc de Felrawthy par exemple. Mais tout faiseur de roi qu'il était, Jessom n'était pas assuré de parvenir à imposer quelque chose d'aussi radical. Il pouvait aussi partir. Disparaître cette nuit même et commencer une nouvelle vie ailleurs. Mais où? Et si d'aventure Celimus parvenait à s'en sortir, il le ferait traquer sans pitié. Le chancelier frissonnait rien qu'à l'idée de ce que Celimus lui ferait subir le jour où il l'attraperait. Car même si cela devait lui prendre des années, le roi n'aurait de cesse qu'il ne l'ait coincé.

Tout cela ne lui laissait qu'une dernière solution. Plus il y réfléchissait, et plus il se disait que c'était non seulement la meilleure échappatoire pour lui-même, mais aussi l'idée la plus inspirée qu'il ait jamais eue. Si son plan fonctionnait, jamais plus il n'aurait à s'inquiéter. S'il échouait, sa mort serait horrible. Il fallait qu'il prenne d'infinies précautions.

Il allait lui falloir l'aide d'un spécialiste pour confectionner une capsule étanche et sûre de jus de « bouton de mort », une plante si rare que presque personne n'en avait jamais entendu parler. Jessom, lui, la connaissait, et il n'entendait pas courir le moindre risque avec Celimus. S'il se faisait prendre lors de son ultime initiative désespérée, alors il n'hésiterait pas à mordre la capsule, provoquant une mort foudroyante dont personne ne devinerait la cause. Ensuite, son corps serait figé dans la raideur que le poison de la plante induisait. Il sourit pour lui-même.

— Non pas que j'aie l'intention d'utiliser la capsule, murmura-t-il.

Wyl observait Aremys à travers la vision brouillée d'Ylena. Il avait dû s'évanouir quelques instants. Couché sur le côté, il devait donner l'impression d'être mort. Apparemment, l'envie de se battre avait déserté le mercenaire de Grenadyne. Cailech allait et venait devant lui en pointant un index vengeur sur sa poitrine sans cesser de l'agonir de mots durs et sarcastiques. Les deux hommes encadrant Aremys en paraissaient gênés pour lui. Wyl lutta contre la douleur comme Gueryn le lui avait appris, avant de redresser le petit corps frêle d'Ylena contre l'âtre. Personne n'avait remarqué son mouvement ; l'attention générale était tout entière concentrée sur Cailech.

Malgré son épaule en miettes, sa jambe brisée et quelques autres menues fractures, il fallait à tout prix qu'il parvienne à bouger. *Combattre !* N'était-ce d'ailleurs pas le mot d'ordre de la légion ? Wyl rassembla ses esprits et puisa au plus profond de lui-même, de sa sœur et de tous ceux qui l'avaient précédée pour trouver la force de ramper vers Aremys.

— Alors tu ne nies pas la mort de Maegryn ? demandait Cailech au mercenaire, d'une voix glacée indiquant qu'il avait parfaitement repris le contrôle.

— Non, seigneur. C'était une erreur.

— Une erreur !

Les yeux d'Aremys cillèrent. Il n'y avait aucune échappatoire, aucune explication logique à l'assassinat du maître d'écurie, hormis la plus stricte vérité. Maintenant, plus rien n'avait d'importance à ses yeux – son amitié pour Cailech, le traité de paix avec Morgravia, ou même le peuple des Montagnes. En vérité, les seules choses qui comptaient pour lui, c'étaient l'homme piégé dans le corps brisé d'Ylena, tassé là-bas dans un coin, l'homme devenu fou d'angoisse et de douleur d'avoir été transformé en cheval, et son désir brûlant de tuer le roi Celimus.

Tout le reste n'était que du vent, même sa propre vie puisqu'il n'avait pas jugé bon de la mettre dans cette liste. Il jeta un coup d'œil en direction d'Ylena et vit qu'elle avait bougé. Elle vivait donc encore. Bravement, Wyl se traînait vers lui dans un corps brisé. Que pouvaient-ils espérer face à deux solides guerriers et un roi enragé qui tirait son arme ?

— Tu as perdu ta langue, Farrow ? Voilà qui va peut-être t'aider à la retrouver, dit Cailech en passant sa lame sur la joue du mercenaire.

Aremys vit les gouttes rouges éclabousser le visage de Rollo. Le guerrier ferma un instant les yeux, mais ne dit rien. Pour sa part, Aremys ne broncha pas. Peut-être le mouvement avait-il été trop rapide ? Aremys ne sut jamais d'où lui vint l'idée, mais elle lui plut.

— Haldor merci, dit-il, ta lame est parfaite, Cailech, je n'ai rien senti.

Le regard du roi s'étrécit. Des sillons de sang traversaient le visage de l'homme qu'il avait considéré comme son ami, l'homme avec lequel il avait espéré qu'il pourrait combler le vide laissé par la disparition de Lothryn. Or, cet homme contemplait sa propre mort *à cause* de Lothryn.

— Pourquoi, Aremys ? Pourquoi ? Je t'aurais tout donné, dit Cailech, avec une pointe de tristesse dans la voix.

— Parce que tu n'es qu'une marionnette, répondit Aremys, plein de défi à mesure que sa mort paraissait de plus en plus inéluctable.

Il vit une veine qui battait à la tempe de Cailech.

— Explique-toi, Farrow.

Aremys haussa les épaules, montrant l'étendue de sa tranquille assurance. Depuis que sa peur s'en était allée, un sentiment étrange l'habitait. Il avait l'impression d'être maître de sa destinée. C'était exactement ce que Wyl avait dû ressentir à Tenterdyn lorsqu'il faisait tout pour que Celimus tue Ylena – *sauf que Wyl ne s'attendait pas à mourir pour de bon*, songea-t-il.

Un sourire lugubre passa sur son visage ensanglanté.

— Réponds ! rugit le roi en brandissant sa lame.

— Je n'ai pas peur de mourir, Cailech. Me menacer ne t'aidera pas à découvrir ce que tu veux savoir. Mais je vais te le dire quand même. Tu es une marionnette entre les mains de Rashlyn. Demande à tes hommes. Demande à Rollo ici présent ce qu'il pense de ton *barshi* dément et de la manière dont il te contrôle. Demande à ce pauvre Myrt, qui serait prêt à ramper sur les plus hauts glaciers pour toi, mais qui te hait maintenant pour ce que tu as fait sur une lubie de ton sorcier. Si seulement tu avais pris la peine de demander son avis à Maegryn, il t'aurait dit la même chose. Tu es sous l'emprise d'un sorcier fou qui use de sa magie sur toi. Tout roi que tu es, c'est lui qui prend les décisions à ta place.

Aremys perçut immédiatement le changement d'atmosphère dans la pièce, tandis que la prise des gardes sur ses bras se relâchait. Le visage de Cailech passa par toute une série d'expressions, de l'incrédulité à la rage.

— Tu mens !

— Non, Cailech. Regarde tes hommes. Demande-leur. Tu as transformé Lothryn en animal. Galapek est une abomination, ton abomination ! Mais ce n'était pas ton idée, n'est-ce pas ? C'était celle de Rashlyn. Et voilà maintenant que le prisonnier morgravian a disparu. Où est Gueryn Le Gant, Cailech ? Transformé lui aussi en une autre abomination, voilà où il est. Est-ce que ton peuple peut avoir confiance en toi avec toute cette sorcellerie au-dessus de vos têtes ?

Rollo prit la parole, rompant le charme.

— Seigneur, est-ce vrai ? Avez-vous utilisé la magie contre Lothryn ?

L'hésitation de Cailech eut un effet dramatique.

— Et maintenant, il va faire tuer Myrt, Rollo, parce que lui aussi connaît la vérité, dit Aremys.

Rollo relâcha le bras d'Aremys et son second l'imita.

—Je ne peux pas laisser faire ça, seigneur, dit-il en secouant la tête, les yeux emplis d'une immense incrédulité. Je déteste le *barshi*, mais j'aimais Lothryn comme un frère, et Myrt est notre chef, même si vous êtes notre roi. Et vous tueriez les deux hommes en qui j'ai le plus confiance au monde? Rashlyn est un être diabolique, seigneur.

Les yeux de Cailech s'assombrirent dans son visage devenu de pierre. Il était le seul à avoir une arme dans la pièce.

—Tu me défies, Rollo?

Le guerrier recula.

—Je ne connais pas la vérité, seigneur. Si Myrt a tué Maegryn, je veux l'entendre de sa bouche nous dire pourquoi. Je veux avoir sa version des faits, et pas uniquement celle de Borc qui vendrait sa grand-mère pour se faire bien voir.

—Je t'ordonne d'emmener cet homme au cachot, dit Cailech en détachant chaque mot, sur un ton d'une intensité glaçante, comme s'il voulait contraindre son guerrier à obéir.

Rollo secoua négativement la tête, tout aussi lentement, parvenant à peine à croire qu'il défiait son souverain.

—Pas avant que vous fassiez venir Rashlyn ici... et Myrt.

Sous l'effet de la tension, l'air était devenu parfaitement immobile dans la pièce. Cailech fixa son regard sur Rollo, puis sur Aremys. Son silence était éloquent. Il évaluait les chances qu'il avait de s'en sortir dans cette inextricable situation. Pour finir, il hocha la tête d'un air las.

—C'est bon, fais-les venir ici. Tous les deux.

La capitulation du roi des Montagnes emplit le guerrier de soulagement. Intérieurement, il tremblait encore de s'être mis en travers du chemin de Cailech. Sans perdre une seconde, il ordonna d'un geste à son second de le suivre, puis salua Aremys d'un signe de tête. Le mercenaire de Grenadyne aurait voulu remercier Rollo pour sa bravoure, mais tout cela était vain désormais. D'un coup d'œil au fond des yeux du roi des Razors, Aremys venait de voir qu'il ne survivrait pas plus de quelques instants au départ des deux guerriers.

Aremys aurait pu se défendre, expliquer et modifier, qui sait, le cours des choses, mais il venait de voir quelque chose du coin de l'œil. C'était un facteur que tout le monde avait oublié, et qui pouvait tout changer. Aremys éleva une courte prière à Shar, puis une autre à Haldor pour faire bonne mesure, à charge pour les dieux de choisir celui qui y répondrait.

Une fois les deux Montagnards sortis de la pièce, Cailech se tourna vers Aremys.

—Je sais que tu n'as pas l'intention de me laisser vivre suffisamment longtemps ne serait-ce que pour revoir Myrt, dit Aremys, de façon à gagner du temps.

—Quel instinct, Farrow. Je suis content que nous nous comprenions si bien. Tu m'as trahi.

— Lothryn est devenu un cheval. Qu'est-ce que tu as prévu pour moi ?

— Je n'ai rien qui me vienne à l'esprit, gronda Cailech en s'approchant.

— Il faut sans doute que ton marionnettiste arrive pour choisir à ta place ? Pour qu'il jette ses petits sorts et te fasse danser exactement comme il l'entend, c'est ça, hein ?

Cailech secoua la tête avec un air de suprême dégoût sur le visage, mais Aremys voyait bien qu'il serrait les dents à les briser. Soudain, son plan fut réduit à néant. Les yeux de Cailech se posèrent tranquillement sur la silhouette d'Ylena Thirsk, qui venait de ramper en silence à travers toute la pièce, laissant une immense traînée rouge dans son sillage.

— Ah, Ylena. Tu arrives juste à temps pour voir mourir ton ange gardien. Je pense qu'Aremys comptait sur toi pour détourner mon attention. Cela dit, sans arme, je me demande bien ce qu'il comptait faire ? Peut-être me mordre jusqu'à ce que mort s'ensuive. (Il rit.) Viens, ma chère, laisse-moi t'aider, dit-il en se baissant pour la soulever en un geste presque tendre.

Aremys sentit son ventre se tordre. Tout était fini. Il avait effectivement compté sur Wyl pour créer une diversion. À eux deux, ils auraient sûrement pu désarmer Cailech et l'obliger à se tenir tranquille jusqu'au retour des Montagnards. C'était une idée stupide, mais qu'attendre d'autre de personnes sans espoir dans une situation désespérée ?

— Et voilà, dit Cailech en asseyant une Ylena grimaçant de douleur sur une chaise, juste devant Aremys. Maintenant, tu es sûre de ne rien louper. (Il leva la jupe d'Ylena pour regarder sa jambe.) Oh, c'est vilain, dit-il avec un petit bruit de la langue. Ça doit vraiment faire mal. Ton courage m'impressionne toujours autant, Ylena. (Il braqua un regard plein de sauvagerie sur Aremys.) Alors, mon ami, comment veux-tu ça ? À la gorge ? Au ventre ? Au cœur ? demanda-t-il d'un ton plein de fiel et d'ironie.

— Qu'Haldor te fasse pourrir sur pied, Cailech ! s'écria Aremys, ravagé par son impuissance. (Il se tourna vers Ylena.) Je suis désolé. Tout est de ma faute.

— Non, répondit Wyl. N'oublie pas qui je suis. Utilise-moi !

Cailech eut un sourire.

— Quel bel ensemble vous formez. Qu'est-ce qu'il y a entre vous ? Je pourrais presque être jaloux. On dirait que vous êtes esclaves l'un de l'autre. Ça n'a rien de lubrique pourtant, je l'aurais senti. C'est plus que ça encore…

Aremys n'avait aucune envie d'en entendre plus.

— Allez, Cailech. Finis-en. Et ensuite, surveille tes arrières. Jamais Celimus ne te laissera vivre, pas plus que l'héritier que tu as fait à la femme de Lothryn. (Aremys lança les dés une dernière fois. Peut-être y avait-il encore une chance.) J'ai déjà tout raconté à Celimus au sujet d'Aydrech. Juste une précaution au cas où tu aurais cessé de me faire confiance. Il va venir vous chercher tous les deux. Ton fils n'atteindra jamais sa première année.

En réponse à l'horrible menace, le cri que poussa Cailech était empli d'une humeur vénéneuse qu'Aremys n'avait connue que sur le champ de bataille. C'était au-delà de la colère ou de la peur. C'était un état dans lequel un homme ne ressent plus rien d'autre qu'une incoercible envie de tuer. Bien des guerriers parlaient de cet instant où seul le sang – le sang de l'ennemi – peut apaiser leur rage.

Aremys vit la lame s'élever en même temps que montait un cri de désespoir dans la gorge du roi. Il saisit sa chance – le cœur déchiré de ce qu'il allait faire. Tout était dans les mains des dieux désormais.

Ce n'est pas un dieu qui vint à son secours ce jour-là, mais un homme meurtri, prisonnier du corps d'une femme. Avec une précision extrême, Aremys saisit le petit corps frêle et ensanglanté d'Ylena pour le brandir devant lui, à l'endroit même où la lame devait se ficher.

Terrible et surpuissant, le coup coupa littéralement Ylena en deux, tranchant les chairs, les tendons, les cartilages et les os, pour finir juste entre ses deux seins.

Ses jolis yeux emplis de tristesse rencontrèrent ceux d'Aremys à l'instant même où la mort la cueillit. Son regard était triomphant.

Cailech poussa un grognement, une sonorité grave et gutturale, emplie de rage. Plié en deux, son corps était agité de tremblements. Les deux mains plaquées sur sa tête, il la secouait en tous sens comme pour refuser la réalité de ce qui se passait. Soudain, le roi des Montagnes se redressa violemment, poings serrés, avec sur le visage un tel masque de douleur qu'Aremys ne put s'empêcher de reculer. Cailech laissa échapper un ultime grondement de désespoir, tituba vers l'avant, avant de se redresser ; ses yeux fixaient le sang sur sa main et sur l'arme qui avait porté le coup mortel. Le roi prit une profonde inspiration et leva les yeux pour croiser ceux de Farrow.

Aremys, qui était au supplice d'avoir imposé cette douleur à son ami, remarqua les deux teintes différentes qui composaient un regard si étrange. Le mercenaire ne savait pas s'il devait pleurer de soulagement ou pleurer sur le corps d'Ylena. Il posa une main sur le bras puissant et aux muscles noueux du roi Cailech.

—Bienvenue, Wyl.

Wyl Thirsk, désormais Cailech roi des Razors, fit jouer ses larges épaules et soupira.

—Allons chercher nos amis, gronda-t-il de la belle voix profonde de Cailech.

Chapitre 32

Assis en tailleur, Fynch observait celui qui avait apporté tant de haine et de destruction dans le monde. L'homme qui devait mourir maintenant.

Rashlyn ne savait pas que le garçon le voyait, mais il sentait sa présence formidable ici même au cœur des Razors. Il avait l'air si petit et fragile. Alors comment un enfant tel que lui pouvait posséder une telle magie ?

Rashlyn avait fui sans réfléchir, mais mener le garçon dans le petit bois derrière la forteresse lui apparaissait maintenant comme une folie. Peut-être le garçon allait-il mourir de froid, pourquoi pas après tout ? Il invoqua un sort pour se réchauffer et réfléchir à ce qu'il allait faire.

La violence était totalement étrangère à la nature de Fynch, mais qu'il le veuille ou non, il était chargé de détruire. Le sang de la lignée du dragon coulait dans ses veines et le roi dragon lui-même lui avait confié cette mission. Il n'allait pas se dérober. Peut-être mourrait-il lui aussi, mais il n'allait pas renoncer.

Filou était assis non loin, silencieux, empli de crainte et totalement impuissant. Son rôle dans cette aventure était terminé. Il avait mené Fynch à Rashlyn, et observer était tout ce qu'il pouvait faire désormais.

Le chien avait l'impression que le *barshi* avait disparu, mais Fynch demeurait assis à attendre.

— *Comment te sens-tu ?*

Filou ne parvenait pas à se débarrasser de son inquiétude pour la santé du garçon.

— Suffisamment bien pour accomplir mon devoir.

— *Ta tête te fait-elle toujours souffrir ?*

— Oui. Et avant que tu me poses la question, je n'ai plus de sharvan.

— *Où est-il ?*

— Il pense s'être caché. Il est effrayé et en pleine confusion, mais nous serons bientôt face à face.

— *As-tu peur ?*

—Non.

—*Moi, j'ai peur.*

—Il ne faut pas. Nous accomplissons ce qui doit être fait.

—*Qui es-tu, Fynch ? Je t'en prie, dis-moi avant que…*

Filou marqua une hésitation.

—Avant que je meure ? (Filou ne répondit rien et Fynch n'insista pas.) Je suis le fils du roi Magnus, le demi-frère de Celimus. Je suis du sang du dragon.

—*C'est cela que le roi avait vu en toi ?*

Filou hocha la tête.

—*Que peut-il se passer ?*

—Rien en particulier, répondit Fynch en secouant doucement la tête. Personne ne sait. Ma mère le savait, mais elle est morte aujourd'hui. Le roi dragon le sait, et puis toi et moi le savons. Magnus le savait peut-être, mais il est au tombeau.

—*Ne devrais-tu pas le dire à quelqu'un ?*

Fynch sourit en haussant les épaules.

—Mieux vaut que cela reste entre nous. Aujourd'hui, je sais qui je suis et d'où je viens. Ça me suffit. Je ne fais qu'un avec le roi dragon. C'est pour ça qu'il m'a emmené pendant que je dormais. Il voulait que je sache la vérité avant d'affronter Rashlyn. Il m'a temporairement rendu mes forces pour que je puisse livrer un combat de roi.

—*Où est le barshi ?*

—Là-bas, répondit Fynch en désignant le petit bois. Il imagine qu'il est dissimulé.

—*Invisible ?*

—Apparemment. Mais je le vois.

—*Que comptes-tu faire, Fynch ?*

—Rien.

—*Comment ça ? Tu ne vas pas te battre ?*

—Il faut qu'il m'attaque.

—*Mais tu répondras à ce moment-là ?*

—Attends, tu verras. Sois courageux, Filou. Tu me l'as dit bien souvent.

—*Je ne veux pas te voir mourir.*

—Chut, le voilà.

Lorsque Jos se présenta dans l'antichambre de la salle de réception du roi Cailech, il fut accueilli par le regard chargé de mépris du serviteur de faction. Les gardes étaient à leur poste comme à l'ordinaire.

—Tiens, on envoie des demeurés au roi maintenant ?

—Tais-toi ! gronda Jos en toisant l'homme de toute sa hauteur, heureux de constater qu'il avait parfaitement prononcé sa réponse. Fais ce que tu as à faire et ne t'occupe pas de moi.

L'homme ricana, mais se tourna néanmoins pour frapper à la porte. Curieusement, ce fut le roi en personne qui ouvrit, au grand trouble du serviteur. Il n'était pas accoutumé à parler directement à son souverain.

— Euh… Seigneur, il y a là un messager pour vous.

Par-dessus la tête du serviteur, Wyl vit le colosse qui se tenait derrière lui. Il ne trouva aucune information sur lui dans les souvenirs de Cailech.

— Qui es-tu ?

— Jos, seigneur. C'est Rollo qui m'envoie.

Cailech se tourna vers l'intérieur de la pièce, dit quelques mots à la hâte, puis hocha la tête.

— Entre.

Jos obéit. À l'intérieur de la pièce, le mercenaire de Grenadyne était en train d'essuyer le sang sur son visage à l'aide d'un linge humide. Une femme était allongée au sol, le visage recouvert du manteau du roi, morte de toute évidence.

Le roi braqua sur lui un visage de marbre.

— Je crois que tu connais Aremys, dit-il. (Jos hocha la tête. Il ne parvenait pas à détourner les yeux du corps inerte sur les dalles.) C'est Ylena Thirsk. Finalement, je crois qu'elle n'aurait pas fait une bonne épouse, expliqua Cailech.

— Qu'avais-tu à nous dire ? demanda Aremys.

Son visage était débarbouillé, mais un peu de sang s'écoulait encore de la blessure sur sa joue.

Confus, le guerrier se tourna vers son roi pour le saluer d'une courte révérence.

— Excusez-moi, seigneur, dit-il en retrouvant le sens des convenances et le souvenir du message qu'on lui avait demandé de transmettre.

» Rollo m'a chargé de vous prévenir qu'on a retrouvé Myrt. Il est sérieusement blessé et Borc est mort. Rashlyn, lui, est introuvable.

Wyl poussa un soupir.

— Où est Myrt ?

— Dans la tour du *barshi*.

— Très bien. Jos, j'apprécierais que tu te charges personnellement de faire envelopper le corps d'Ylena Thirsk dans un linceul et de le préparer pour un long voyage à cheval. Je vais la ramener sur sa terre, en Morgravia. N'utilise que des personnes de confiance, des personnes qui sachent tenir leur langue, tu comprends ?

— Bien sûr, seigneur.

— Parfait. Ensuite, tu prépareras des chevaux pour Farrow et moi.

Les yeux de Jos luisaient de plaisir. On faisait rarement appel à lui pour des tâches autres que lever et charrier des charges autour de la forteresse.

— Certainement, seigneur.

— Jos, après mon départ, Myrt prendra le commandement, avec Rollo en second. Toi, je te nomme adjoint de Rollo.

Le grand lascar regarda en direction d'Aremys, incapable de contenir le sourire de satisfaction qui illuminait son visage ingrat. Sa bouche en était terriblement déformée – raison pour laquelle il souriait si peu –, mais cela n'avait plus aucune importance désormais.

— Merci, seigneur, dit-il à plusieurs reprises en saluant encore. Poursuivez ce que vous avez à faire, je vais m'occuper de tout ici, ajouta-t-il en espérant que le roi comprendrait ce qu'il voulait dire.

Ce fut le cas.

— Tu es un bon garçon, dit Cailech.

Aremys et le roi partirent sur-le-champ, non sans avoir ordonné que l'accès à la salle de réception du roi soit limité aux seules personnes choisies par Jos. Le guerrier eut un petit sourire de guingois, ce qui n'échappa pas au serviteur un peu lent à saluer son souverain.

— Comment te sens-tu ? demanda Aremys tandis qu'ils marchaient à grandes enjambées dans les couloirs. Si ma question n'est pas trop idiote.

— Un peu faible encore, mais je commence à m'habituer à cette sensation d'entrer dans un nouveau corps. En tout cas, je suis soulagé d'être redevenu un homme.

— Et un roi qui plus est. (Aremys vit un sourire hésitant fleurir sur les lèvres de Cailech.) Cela te va bien.

Wyl ne tirait aucune fierté d'avoir détruit une nouvelle vie.

— Je ne pensais pas faire ce grand saut.

— Moi non plus. Lorsque je t'ai entendu crier, j'ai cru que tu avais pris appui sur ta jambe blessée.

Wyl ne put s'empêcher de rire. Aremys savait toujours à quel moment placer l'une de ses blagues.

— Cailech a lutté. Je n'étais pas sûr d'avoir le dessus.

— À l'intérieur de lui, c'est ça ?

Wyl hocha la tête.

— Il avait une telle colère. Je ne sais pas ce qu'il a vu – moi sans doute, le vrai Wyl Thirsk, mais peut-être également un reflet de Romen Koreldy. En tout cas, moi je l'ai vu. Les fois précédentes, tous les autres ont capitulé tant ils étaient choqués. Lui, il s'est battu avec sauvagerie, s'accrochant de toutes ses forces à la vie. Le Dernier Souffle a juste été le plus fort.

— Quel dommage qu'il ait dû mourir. Cailech était un homme admirable à bien des égards. Le plus souvent, c'était un excellent roi.

— Sans Rashlyn, il aurait été le plus grand souverain de son temps, admit Wyl.

— Nous avons un autre roi dont il faut s'occuper, dit Aremys.

— Pauvre Ylena. J'aurais tellement voulu pouvoir préserver son corps.

— Tu l'as rendue fière, Wyl. N'y pense plus. Elle est en paix maintenant, et nous avons un combat à mener. Je suppose que nous nous rendons à Pearlis ?

Wyl secoua la tête fière et altière de Cailech.

— Non, Werryl. Il faut absolument que je voie Valentyna avant qu'elle parte pour Stoneheart et retrouve Celimus.

— Tu ne peux plus empêcher ce mariage, dit Aremys, tout en sachant qu'il ne faisait que gaspiller sa salive.

— Je sais. Je veux seulement la voir. Est-ce que tu sais où l'on va maintenant ?

— Oui. On monte ces escaliers, on traverse une cour et ensuite vers la tour qui est là-bas. Mais qu'est-ce qui te fait penser que la reine de Briavel accueillera favorablement une visite du roi des Razors ?

— Bonne question. Je trouverai bien quelque chose. Au fait, Filou est dans les parages. Je l'ai aperçu avant que nous arrivions à la forteresse.

— Est-ce que ça signifie que le garçon est là lui aussi ? (Avant que Wyl puisse répondre, Aremys marmonna un conseil dans sa barbe.) N'oublie pas de saluer ton peuple, roi Cailech, glissa-t-il en faisant un signe de tête à l'intention d'un groupe de Montagnards.

Wyl accueillit leurs marques de déférence avec la majesté appropriée. L'essence de Cailech en lui guidait ses gestes et les expressions sur son visage.

— Oui, il est probable que Fynch soit ici, répondit-il. Mais du diable si je comprends ce qu'il est venu faire dans les Razors.

Après d'autres rencontres avec des Montagnards, d'autres échanges polis, ils tombèrent sur Firl, le garçon à qui Aremys avait concédé une victoire à l'épée lors de son arrivée dans les Razors.

— Seigneur Cailech. Farrow, dit-il, impressionné, en saluant du buste.

Wyl hocha la tête.

— Comment va-t-il ?

— Je ne sais pas, seigneur. Nous n'avons pas trouvé Rashlyn pour le soigner.

— Un autre guérisseur a été appelé ? demanda Aremys.

— Oui. Il vient d'arriver.

Wyl lança le grand corps puissant de Cailech à l'assaut des escaliers. Aremys était juste derrière lui. Les hommes de Rollo gardaient la porte, mais ils s'écartèrent instantanément en apercevant leur souverain. Wyl entra dans la chambre. Il s'était attendu au pire, mais il eut la surprise de découvrir Myrt assis.

Ce fut Aremys qui parla le premier.

— J'espère que tu ne nous as pas fait gravir ces saletés d'escaliers en courant pour rien, Myrt.

Sa remarque suffit à faire tomber la tension dans la pièce. Rollo et Myrt sourirent, tandis que le visage de Cailech prenait cette expression mi-amusée, mi-pensive si caractéristique du roi des Montagnes. Wyl comprit qu'il lui fallait encore regagner la confiance de Rollo en clarifiant la nature de ses rapports avec le *barshi*.

— Il faut qu'on parle, dit-il en s'adressant directement à Rollo.

Le guerrier leva les mains.

— Le fait que Farrow soit encore en vie dit tout, seigneur. Pardonnez mon insubordination de tout à l'heure.

— C'est déjà oublié, mais nous reparlerons de tes inquiétudes, répondit Wyl.

Il s'avança vers Myrt et aperçut le chien sur le sol, à côté du cadavre de Borc. L'animal ne respirait plus. Son corps était constellé de blessures. Wyl sentit une vague de nausée le submerger. Ce n'était pas la vue du sang, mais la sensation d'une ombre magique maléfique sur le chien.

— Vous vous sentez bien, seigneur ? demanda Aremys, en remarquant le brusque changement chez Cailech.

— Est-ce le chien de Rashlyn ? demanda Wyl, en luttant de toutes ses forces pour ne pas vomir.

Aremys avait déjà fait comprendre à Myrt que le roi était de leur côté, qu'il pouvait lui faire confiance. Myrt ne comprenait pas ce qui pouvait bien avoir changé, mais il avait foi dans l'avis du mercenaire et il voulait plus que tout pouvoir se fier à son souverain. Il jeta un coup d'œil à Aremys et fit un signe de tête à Rollo. Le guerrier alla fermer la porte.

— Mieux vaut garder ça entre nous, seigneur.

Wyl fronça les sourcils.

— Parle, dit-il en s'éloignant de l'animal pour s'approcher de la fenêtre ouverte par laquelle entrait de l'air frais.

— D'après le *barshi*, le chien serait...

Myrt marqua une nouvelle hésitation, l'air plus qu'embarrassé, jetant des coups d'œil à Aremys. Le mercenaire venait seulement de percevoir la présence de la magie flottant dans la pièce. Inutile de toucher le chien pour être sûr, car la certitude était en lui. L'exhalaison maléfique n'était pas aussi puissante qu'avec Galapek, mais elle était tout aussi prégnante. Il se sentit désespéré pour Wyl à l'idée de la nouvelle qui n'allait pas manquer d'arriver.

Wyl suivit le regard de Myrt et perçut l'étrange sensation qui régnait.

— Dis-le, Myrt.

— Oui, seigneur. Eh bien... Rashlyn a dit que ce chien était le prisonnier morgravian. Il s'est vanté de l'avoir transformé à l'aide de sa magie.

Le visage du roi était soudain devenu un véritable masque d'effroi.

— Il a fait quoi ?

Aremys se précipita à ses côtés.

— Attention, Wyl. Ressaisis-toi, murmura-t-il. Tu veux dire qu'il a fait comme avec Lothryn ? poursuivit le mercenaire à haute voix, tout en connaissant d'avance la réponse à sa question.

Myrt hocha la tête, les yeux emplis de crainte.

Aremys décida qu'il était temps de redonner un peu de confiance et d'assurance aux hommes autour de Cailech. Si seulement ils savaient qui était le marionnettiste du roi maintenant.

— Nous pouvons parler librement, dit-il aux guerriers des Montagnes.

Le roi a accepté l'idée qu'il était parfois sous l'influence de Rashlyn et contraint par la magie d'accepter des choses auxquelles il n'aurait jamais donné son accord normalement. Nous en avons conclu que l'enchantement n'opère que lorsque le *barshi* est dans le voisinage du roi. Sinon, le seigneur Cailech ne serait jamais libéré de son emprise comme il l'est maintenant. Dès que nous mettrons la main dessus, il fera exécuter le sorcier. (Aremys se tourna résolument vers Rollo.)

» C'est à cause de la magie maléfique que notre roi a accepté que Lothryn soit... changé, expliqua-t-il en choisissant soigneusement ses mots. Ce n'était pas son idée. Jamais il n'aurait accepté une chose si horrible, si contraire à notre loi de la mort honorable pour les nôtres.

Wyl parla à son tour. Il était comme en transe, totalement stupéfait par ce qu'il venait d'apprendre au sujet de Gueryn.

— Je ne me laisserai jamais plus envoûter de cette manière. Je suis libéré du sortilège maintenant. Est-ce que vous me croyez, mes guerriers ?

Quelque chose dans le timbre de sa voix, sa férocité et la dureté minérale de son regard vert s'associèrent pour produire l'effet voulu. Myrt et Rollo hochèrent la tête comme un seul homme.

— Je retrouverai Rashlyn et je le tuerai, ajouta-t-il.

Et les hommes surent qu'il tiendrait sa parole. Cailech s'accroupit à côté du chien pour le caresser doucement, repoussant fermement la répulsion que lui inspirait la magie.

— Gueryn respire toujours, murmura le roi.

— Il m'a sauvé la vie, seigneur. Borc m'aurait tué sans le courage de cet animal.

Wyl se retint *in extremis* de dire tout ce qu'il aurait voulu sur la bravoure de Gueryn, luttant de toute son âme contre les larmes qui lui venaient. Il prit un instant pour se ressaisir.

— Je livrerai personnellement Rashlyn au dieu qui voudra bien l'accepter, déclara-t-il enfin.

— Ce ne sera pas la peine, dit Myrt. Vous n'avez pas entendu la fin de mon histoire.

Et il décrivit l'irruption d'un petit garçon mystérieusement apparu dans la pièce comme s'il avait traversé les murs de la tour, tout nimbé de lumière et affirmant qu'il était celui qui allait détruire le sorcier.

Wyl ferma les yeux de Cailech. Il parvenait à peine à croire ce qu'il entendait.

— Il s'appelle Fynch, dit-il dans le lourd silence qui s'était abattu après le récit de Myrt. Et je le connais.

Personne n'osa poser de questions. *C'est une chance*, songea Aremys, car il n'imaginait pas ce que Wyl aurait pu expliquer. Cailech avait l'air d'être en pleine confusion. Pour Wyl, les chocs ne cessaient de se succéder – sa sœur, Gueryn, puis Fynch maintenant... sans parler d'une autre mort, d'un autre corps à investir, d'une autre personne dont il fallait tout découvrir.

— Tu as récupéré maintenant ? demanda Aremys en s'adressant à Myrt, de façon à détourner l'attention pour donner à Wyl le temps de se remettre de ses pensées et ses émotions.

— Rashlyn a utilisé sa maudite magie sur moi pour m'affaiblir, mais les effets commencent à s'estomper. Je suis prêt à suivre vos ordres, seigneur.

— Parfait ! grogna Wyl. Car Rollo et toi allez prendre le commandement de la forteresse.

— Où partez-vous, seigneur ?

— En Briavel. (La surprise se lisait sur le visage des deux guerriers, mais le ton de Cailech était suffisamment ferme pour leur faire comprendre qu'il ne serait pas sage de discuter.) Fais venir un soigneur d'animaux, ordonna Wyl.

Rollo hocha la tête et ouvrit la porte.

— Allez chercher Obien, vite ! dit-il aux gardes.

— Il faut sauver la vie de Gueryn à tout prix, murmura Wyl. (Rollo et Myrt échangèrent de nouveau un coup d'œil.) Où sont Rashlyn et Fynch maintenant ? poursuivit-il.

— Seigneur, comme je vous l'ai dit, l'un d'eux est parti en flottant dans les airs tandis que l'autre a traversé les murs, répondit Myrt en secouant la tête. J'ai toujours l'impression d'avoir eu des visions.

— Non, répondit le roi d'une voix glacée. Tu as vu deux sorciers se jeter le gant pour un combat dans lequel nous ne sommes rien.

Wyl comprenait maintenant de quoi il s'agissait. Il sentait que tout était lié au sentiment de fatalité qu'il avait éprouvé pour Fynch lorsqu'il avait quitté les Terres sauvages. Tout en arpentant la pièce de long en large en attendant le guérisseur d'animaux, il recollait peu à peu tous les morceaux entre eux. Elysius lui avait dit qu'ils ne se reverraient plus. *Le sorcier est donc mort*, conclut Wyl. Il se souvint de l'étrange sensation de perte qu'il avait ressentie lors de son arrivée en Briavel, après avoir été projeté là par le Thicket. Il avait mis ça sur le compte de l'inquiétude d'avoir quitté Fynch, de ses craintes pour Ylena et de l'expérience sidérante de parcourir des centaines de lieues à travers le pays en un instant. Or, il était plus que certain que le Dernier Souffle avait créé un lien entre Elysius et lui – si bien que Wyl avait ressenti la mort de l'étrange petit homme. *Mais tu n'es pas mort sans avoir entraîné Fynch dans ta toile de désespoir, hein ?* songea-t-il avec une bouffée de haine pour Elysius.

Il s'adressa de nouveau à ses hommes, d'une voix vibrante de colère pour tout ce qu'endurait Fynch et tout ce qu'avait subi Gueryn.

— Ce qui s'est passé ce soir doit rester entre nous – plus un jeune guerrier du nom de Jos que je t'affecte comme adjoint, Rollo. En mon absence, Myrt prend les décisions pour le peuple des Montagnes. C'est compris ? (Les guerriers échangèrent des regards inquiets.) C'est clair ? hurla-t-il.

— Oui, seigneur, répondirent-ils à l'unisson.

Aucun d'eux n'osa dire que rien n'était clair au sujet de ce qui venait de se passer. Ni l'étrange comportement de leur roi, ni la vision incroyable d'un enfant apparaissant à travers les murs ou celle de Rashlyn sautant par une fenêtre pour flotter dans les airs, ni les histoires d'hommes transformés en animaux. Ni, enfin, les raisons pour lesquelles Myrt, qui ne voulait pas de ce rôle, écopait de la charge de diriger le royaume des Razors.

— Et pour Lothryn, seigneur ? demanda Myrt.

— Je vais trouver Rashlyn. Et avant de mourir, il rendra à Lothryn et Gueryn Le Gant leur forme humaine.

Personne n'osa demander ce qui se passerait si la magie ne pouvait pas être inversée.

— Aremys, dit Wyl.

— Seigneur ?

— Reste auprès du chien, veux-tu. S'il meurt…, commença Wyl sans pouvoir terminer sa phrase. Prends soin de lui. Je vous verrai tous aux écuries dans une heure.

Fynch salua d'une courbette, à l'immense surprise de Filou.

— Rashlyn, dit le garçon. J'ai été envoyé.

Le *barshi* venait d'apparaître, comme surgi du néant. Il avait l'air aux abois.

— Par qui ?

— Tu ne devines pas ? demanda Fynch, en faisant écho à ce que lui avait dit un roi, un dragon, pas si longtemps auparavant.

— Elysius ? murmura Rashlyn empli d'étonnement.

Fynch hocha la tête.

— Pourquoi ne vient-il pas m'affronter lui-même ? demanda le *barshi*.

Il paraissait un peu dérangé. Douce et parfaitement contrôlée par instants, sa voix montait subitement dans les aigus et se chargeait de colère à d'autres moments.

— Parce qu'il est mort, répondit Fynch.

— Alors je ne te crains pas, ricana Rashlyn.

— Tu devrais, dit Fynch, pas le moins du monde perturbé par les railleries du dément. Elysius n'était pas le seul à souhaiter ta destruction.

Rashlyn se dressa avec arrogance.

— J'en connais des dizaines parmi les Montagnards qui m'ouvriraient la gorge avec joie s'il n'y avait pas le roi. J'ai sa protection.

— Plus maintenant, je le crains.

Cette remarque retint l'attention du *barshi*.

— Que veux-tu dire ?

— Cailech est mort.

Rashlyn demeura silencieux en s'efforçant de digérer la nouvelle terrifiante pour lui.

— Je ne te crois pas. Tu n'es qu'un enfant.

— Tu devrais me croire. Mon âge n'a aucune importance. Tu n'as plus aucune protection désormais. Cailech ne te sauvera plus. En fait, je crois que le roi des Montagnes est en train de te chercher en ce moment même, pour te punir de l'abomination que tu as fait subir à deux hommes.

Rashlyn commença à hurler, avant de s'interrompre brutalement.

— Tu viens de dire que Cailech était mort. Comment un mort pourrait-il me chercher ?

Fynch se contenta de sourire.

— Pourquoi es-tu ici ? grinça le *barshi*. Si Cailech est mort, alors je suis perdu.

— Ce n'est pas assez. Nous voulons te détruire.

— Nous ?

Fynch hocha la tête.

— Le roi dragon.

Le sorcier fixa intensément le garçon possédé, sidéré des énigmes qu'il donnait en guise de réponses. Entre ses yeux mi-clos, il l'étudiait. Finalement, il posa la question qui lui brûlait les lèvres.

— Qui est le roi dragon ?

— C'est le roi des créatures.

— Et toi, qui es-tu ?

— Je suis le roi dragon, répondit Fynch en ouvrant un pont avec le Thicket.

Wyl courait de toute la puissance de ses jambes longues, nerveuses et musclées, couvrant la distance avec une immense facilité. Avant de quitter la tour, il avait pris une profonde inspiration et posé sa main une dernière fois sur le chien qui respirait à peine. Ses yeux étaient vitreux et du sang s'écoulait de ses narines. Par sa bouche entrouverte, sa langue pendait jusqu'au sol. Wyl murmura à Gueryn de tenir bon, et fut sur le point de se mettre à pleurer. Le chien ne réagit pas et Wyl s'éloigna, sans un même un dernier mot, de crainte sinon que sa voix ne se brise.

— Laisse-le vivre, supplia-t-il sans cesser de courir.

Il sentait un appel venant du petit bois, une puissante vibration magique qui lui disait de venir. C'était le Thicket. Il reconnaissait sa trace. Le Thicket et quelque chose d'autre. Quelque chose de brillant, de puissant et de bon, superposé à une horreur, dont il devinait qu'elle ne pouvait être que Rashlyn.

Il jaillit dans la clairière en tirant son épée et pila sur place en apercevant Fynch debout au milieu des arbres, nimbé par un halo de lumière dorée. Filou, qui se tenait à côté, bondit vers le nouvel arrivant, culbutant pratiquement le roi des Razors.

— Bonjour, Wyl, dit Fynch sans détourner son regard de Rashlyn.

— Fynch, répondit Wyl, de plus en plus saisi par l'aura de puissance et de bravoure qu'il sentait pulser autour de l'ancien petit garçon de commodités de Stoneheart.

— Roi Cailech, je…, commença Rashlyn.

Puis ses yeux allèrent ensuite nerveusement du roi au garçon – et du garçon au roi.

—Je ne suis pas Cailech, lui répondit la voix qu'il connaissait si bien. (Le roi braqua sur lui un regard implacable.) Je suis Wyl Thirsk.

Rashlyn émit un grognement.

—Le général ? Ce n'est pas possible. Je… je le saurais.

—Tes yeux te trompent, Rashlyn, répliqua Wyl. Tu ne m'as pas reconnu lorsque je suis venu ici sous les traits de Romen Koreldy. La magie de ton frère m'a donné ce pouvoir de tromper les autres. Astucieux, hein ?

—Non ! Je n'y crois pas, dit le sorcier en secouant la tête pour nier ce qu'il savait pourtant être la réalité.

C'était Cailech qu'il avait devant lui, mais un Cailech qui n'agissait pas comme Cailech. Pire, Rashlyn percevait la magie qui émanait de son ancien protecteur.

—Tu sais que je dis vrai, martela Wyl.

—Dis-moi comment, supplia le *barshi*. Il faut que je comprenne.

—Pas tant que tu n'auras pas levé ton sort sur Gueryn Le Gant, ordonna Wyl.

La bouche du sorcier devint un mince sourire cruel sous sa barbe broussailleuse.

—Je ne peux pas. C'est irréversible.

Wyl dut lutter contre lui-même pour ne pas se précipiter sur Raslyn et lui passer son épée à travers le corps.

—Ne fais pas ça, l'avertit Fynch, devinant ses pensées. C'est exactement ce qu'il veut.

—Et Lothryn ? demanda Wyl, connaissant d'avance la réponse.

—Le problème est encore pire. Au moins, avec ton ami Le Gant, je savais ce que je faisais. Je ne l'ai pas trop abîmé. Mais Lothryn… Ça a été horrible, même pour moi. Il ne pouvait pas survivre de toute façon. Tu perds ton temps. L'immonde barbare est mort.

Cette fois-ci, la colère de Cailech prit le dessus. C'est elle qui lui fit brandir l'épée et se ruer sur le *barshi*. Sans pouvoir s'en empêcher, Wyl rejoignit Cailech dans sa joie sauvage d'aller fendre le sorcier de la tête jusqu'aux pieds.

—Non ! cria Fynch.

Wyl sentit que le corps de Cailech était propulsé dans les airs. Il avait l'impression d'avoir heurté un mur de pierre.

—N'essaie pas de le tuer. C'est moi qui dois le faire, ordonna le garçon, d'un ton qui imposait le respect.

Rashlyn ricana.

—Et maintenant, même les tiens sont contre toi, Thirsk. Peut-être devrais-je te tuer ?

—Tu ne peux pas. Ma protection repoussera tout ce que tu pourras tenter contre lui.

Rashlyn ne le crut pas. Il déplaça ses mains dans l'air et une immense boule de feu jaillit en direction du corps de Cailech suspendu dans les airs. Wyl retint sa respiration. Même s'il avait pu bouger, il n'aurait rien pu faire pour l'éviter, mais la sphère incandescente rebondit sur quelque chose que Wyl ne pouvait pas voir. Elle s'écrasa sur le sol et mourut en chuintant dans une flaque de neige oubliée par le dégel.

— Wyl, je veux que tu partes maintenant, dit Fynch.

— Je ne peux pas te laisser.

— Tu l'as déjà fait auparavant et tu vas le refaire. Nos chemins se sont séparés.

— Est-ce que je te reverrai ?

— Je ne pense pas.

— Fynch…

— Non, s'il te plaît. Il n'y a plus rien à dire, si ce n'est que je t'ai aimé comme un frère. Va maintenant et fais ce que tu as à faire.

— J'ai besoin de Filou.

— Je sais. Il part avec toi.

— *Je ne te quitte pas, Fynch*, gronda la grosse voix du chien dans la tête du garçon.

— Il le faut. C'est la seule solution pour sauver Wyl. Tu es son guide désormais.

— *Je ne comprends pas.*

— Tu comprendras. Pars, maintenant.

— *Fynch…*

— Filou, pars !

— Rashlyn s'enfuit, s'écria Wyl.

— Il ne peut pas m'échapper.

— Pourquoi faut-il que ce soit toi qui fasses ça ? demanda Wyl d'une voix suppliante.

— Parce que personne d'autre ne peut le faire.

— Laisse-moi descendre alors, dit Wyl d'un ton fatigué. (Le corps de Cailech fut doucement déposé sur le sol encore gelé par endroits.) Et pour Gueryn et Lothryn ?

— Je ne sais pas, répondit Fynch, pleinement conscient de briser le cœur de Wyl. Je dois m'occuper de Rashlyn maintenant.

— *Et mourir*, hurla Filou dans l'esprit de Fynch.

— Qu'il en soit ainsi.

— Est-ce que vous communiquez, Filou et toi ? demanda Wyl, qui avait noté les étranges silences, ainsi que les expressions sur le visage du garçon.

— Oui, depuis qu'Elysius m'a transmis sa magie.

— Je m'en doutais, dit Wyl, empli d'un inconsolable chagrin.

— Wyl, Valentyna doit épouser Celimus dans les jours qui viennent. Tu ne peux pas lui épargner ça, tu le sais, n'est-ce pas ? (Wyl hocha la tête.) Mais je sais que tu souhaites la voir pour lui dire quelque chose.

— C'est exact.

— Alors raconte-lui tout. Il ne doit y avoir aucun secret entre vous. Elle doit comprendre qui tu es vraiment.

— C'est impossible !

L'expression sur le visage de Cailech exprimait l'effroi et la consternation.

— Il le faut. Fais-moi confiance, l'exhorta Fynch. En retour, elle te donnera sa confiance.

Wyl ne savait que répondre à la demande du garçon. Jamais Fynch ne s'était trompé auparavant.

— Et maintenant, va. Il est temps que j'aille affronter le *barshi*.

— Qui es-tu, Fynch ? demanda Wyl, timidement.

Un sourire béat illumina le visage de Fynch. Une lumière dorée semblait irradier de ses cheveux blonds, soulignant la fragilité de sa petite silhouette.

— Je suis le roi dragon, Wyl, répondit-il avant de disparaître.

Filou bascula son énorme tête en arrière pour pousser un hurlement à glacer les sangs. Le pépiement des oiseaux revenus nicher dans les arbres des Razors se tut.

C'était le signe avant-coureur de la mort. Wyl sut qu'il ne reverrait jamais plus le petit garçon si vaillant. Au fond de lui, il sentit une partie de son cœur se briser. Ni les larmes ni le temps ne parviendraient jamais à guérir cette blessure.

Chapitre 33

Obin avait jeté un coup d'œil au chien gris et secoué négativement la tête. Aremys accusa le coup, triste pour Wyl. Encore une mort qu'il n'avait pas su empêcher. Connaissant son ami, il était sûr qu'il se reprocherait aussi cette fin tragique. Un homme et tant de chagrins. Myrren et son père auraient beaucoup à répondre devant Shar. Aremys remercia Obin, puis enveloppa le corps du chien dans un drap trouvé parmi les affaires de Rashlyn. Il le prit ensuite dans ses bras.

— Je t'emmène à Lothryn, murmura-t-il au chien qui ne respirait plus qu'à petites saccades désespérément faibles.

Le chien gémit mais n'ouvrit pas les yeux.

En arrivant aux écuries, titubant sous le poids mort de l'énorme chien, il entendit Galapek gémir. Le cheval savait. Lothryn savait. Un autre homme avait été brisé par l'odieuse magie de Rashlyn.

Aremys posa Gueryn sur un tas de paille fraîche et alluma une lampe. Ensuite, il expliqua au cheval qui était le chien qu'il venait d'emmener. Il avait totalement perdu conscience de l'étrangeté de sa conversation avec un cheval. Galapek se cabra, en colère. Aremys tenta de le calmer par des caresses et des mots doux. À l'instant où sa main toucha l'étalon, il sentit l'effort colossal et douloureux que Lothryn faisait pour communiquer avec lui. Le cheval le suppliait de le libérer. Aremys se sentait déchiré. Que devait-il faire ? Il entendit un bruit de pas et le nouveau roi des Razors entra dans le box. Immédiatement, il dut s'appuyer contre le mur.

— Lutte ! dit Aremys en comprenant que Wyl était submergé par les effluves maléfiques de la magie de Rashlyn. Tu t'y habitueras comme moi je l'ai fait.

Wyl perdit la bataille, titubant jusque dans un coin pour y vomir.

— Par Shar ! grogna-t-il. Mais que leur a-t-il fait ?

Galapek hennit de nouveau. Wyl sentit son cœur et son âme sur le point de se briser. Il prit sur lui pour faire face, s'essuyant la bouche d'un revers de manche de la chemise de Cailech. Ses yeux se posèrent sur le corps de Gueryn sur la paille.

— Est-ce qu'Obin a pu faire quelque chose ?

Aremys fit non de la tête. Cela ne servait à rien de mentir.

Wyl se laissa de nouveau aller contre le mur, les yeux clos. Un grognement s'échappa de sa gorge. Il exprimait un tel désarroi qu'Aremys dut détourner la tête. *Combien d'épreuves Wyl pourra-t-il encore supporter avant d'abandonner la lutte ? Ou plus vraisemblablement de supprimer sa vie...*, se demanda-t-il.

Un énorme chien noir entra dans le box, arrachant Aremys à ses sombres pensées.

— Par Shar ! s'exclama-t-il.

Il n'avait jamais vu de spécimen aussi gros.

— C'est Filou, dit Wyl d'une voix morne.

— Ah, la célèbre bête, répondit Aremys. Est-ce que je peux ? demanda-t-il en tendant une main pour caresser le chien.

— C'est lui qui décide, dit Wyl, d'une voix où perçait une petite pointe d'humour.

Finalement, peut-être Wyl parviendrait-il à surmonter cette épreuve.

— Salut Filou, dit le mercenaire en se risquant à poser une main sur la tête gigantesque.

Filou grogna de plaisir lorsque Aremys lui gratta le dessus du crâne entre les oreilles.

— Bienvenue parmi les élus, dit Wyl en remontant des ténèbres dans lesquelles il errait l'instant précédent. Filou est très difficile dans le choix de ses amis.

Filou poussa un jappement sourd et suspicieux, puis s'approcha du cheval. Galapek ne s'effraya pas. Filou renifla la créature et gémit doucement. Il savait. Ensuite, il s'approcha de l'autre chien. Cette fois, il grogna doucement et entreprit de lécher les blessures de la bête agonisante.

— Parle à Lothryn, suggéra Aremys, soucieux de détourner le regard de Wyl de la scène trop douloureuse à regarder. Respire par la bouche, c'est plus facile.

— C'est comme ça que Fynch faisait pour surmonter la première difficulté de la fonction de garçon de commodités, dit Wyl en se souvenant de ce temps où il menait la vie simple d'un légionnaire.

— Où est Fynch ? demanda Aremys.

La coque fragile que Wyl avait érigée autour de ses émotions se lézardait.

— Parti vers sa mort, pour combattre Rashlyn.

Aremys aurait voulu pouvoir s'arracher la langue.

— Je ne comprends pas.

— C'est inutile. Personne ne peut comprendre, à part Filou peut-être. Ce n'est pas notre combat.

Le colosse de Grenadyne ne savait absolument pas quoi dire. Il abandonna le sujet, qui n'était qu'un coup de poignard supplémentaire dans le cœur de Wyl.

—Viens. Lothryn peut nous parler.

Wyl s'approcha du cheval.

—Il est magnifique malgré l'insupportable magie.

—C'est tellement vrai. Touche-le.

Wyl s'exécuta et ses yeux s'agrandirent de surprise. Il repoussa la nausée que faisait naître la magie, puis vint poser son front contre le museau de celui qui l'avait sauvé, de son ami.

—Lothryn, murmura-t-il dans un sanglot. C'est moi, Wyl.

Le superbe étalon frotta ses naseaux contre lui, comme pour le remercier. Aremys sentit ses yeux lui piquer. C'était un instant si émouvant. Pourtant, au fond de son cœur, il savait que des épreuves bien pires encore attendaient Wyl et ceux qui l'aidaient.

— *Wyl*, murmura faiblement le cheval dans son esprit. *Je savais que tu viendrais. Mais je ne pensais pas que tu ressemblerais à ça.*

—Je suis désolé, j'ai pris sa vie.

—*Ne le sois pas. Il l'a vécue pleinement. Il a payé le prix de ses décisions.*

—Nous trouverons un moyen pour te rendre forme humaine.

—*Libère-moi, je t'en supplie. Attache le chien sur mon dos et laisse-nous partir.*

—Aremys, appela Wyl, estomaqué. Touche-le. Écoute ce qu'il demande.

Le mercenaire posa une main sur Galapek et s'immisça dans la conversation.

—*Il faut que je préserve mes forces,* dit Lothryn, *le peu qui me reste. Je vous en supplie, mettez Gueryn sur mon dos et laissez-nous partir.*

—Pourquoi ? demanda Wyl d'un ton suppliant.

—*En vérité, je ne sais pas. Ça paraît la bonne chose à faire. Ne nous laissez pas comme ça ici.*

—Sais-tu comment redevenir humain ? demanda Aremys, le cœur soudain empli d'espoir.

—*Non, mais quelque chose me pousse à fuir d'ici.*

Wyl fronça les sourcils.

—Mais pourquoi emmener Gueryn ?

— *Tu veux qu'il meure ici... dans une écurie ?*

Ces mots durs arrachèrent une grimace à Aremys.

—Où iras-tu alors ?

—*Je ne sais pas. Mettez-le sur moi. Vous allez partir, alors laissez-nous faire de même.*

—Nous risquons de te perdre à jamais, supplia Wyl.

— *Vous nous avez déjà perdus. Laissez-moi essayer. Laissez-moi aller voir qui ou ce qui m'appelle.*

Wyl hocha la tête, résigné à perdre encore et toujours tous ceux qu'il aimait.

— Faisons-le, dit-il à Aremys.

Ils tressèrent une corde en déchirant le drap dans lequel Aremys avait transporté le corps, et dénichèrent un sac dans lequel mettre le chien gris. Filou avait fini de s'occuper de son congénère agonisant.

— C'est étonnant qu'il fasse ça, intervint Wyl en pensant à autre chose.

— Une tentative instinctive pour soigner ses blessures, peut-être, répondit Aremys.

— Ou encore une manière pour Filou de montrer son chagrin.

— Il pourra respirer à travers le sac, dit Aremys.

— Il ne respirera plus très longtemps, répliqua Wyl en caressant le museau du chien.

— Allez Wyl. Sois fort. Comme Fynch.

Les paroles du mercenaire tirèrent Wyl de sa torpeur morbide.

— Oui, tu as raison. Fynch livre un combat perdu d'avance. Je dois au moins essayer de me battre moi aussi.

Ils glissèrent le corps du chien blessé dans le sac, puis l'attachèrent à la ventrière de la selle sur le dos de Galapek.

Wyl caressa de nouveau le museau majestueux du cheval. Aremys savait ce qu'il devait lui en coûter.

— Qu'Haldor te protège, Lothryn, dit Wyl.

— *Que Shar t'accompagne, Wyl. Nous nous reverrons.*

— Elspyth me tuera si nous ne nous revoyons pas, rétorqua-t-il en faisant un effort pour alléger cet instant.

Lothryn ne répondit pas, attendant simplement que Wyl fasse ses adieux à Gueryn.

Wyl prit le museau du chien entre ses grandes mains et y déposa un baiser, en espérant que les sentiments d'honneur et de fraternité qu'il y avait mis parviennent jusqu'au brave qui se mourait à l'intérieur de ce corps.

— Ensemble, murmura-t-il au chien.

Le cheval sortit par les grandes portes qu'Aremys avait ouvertes.

Galapek ne se retourna pas et ne hennit pas non plus en guise d'adieu. Il partit au petit trot dans le noir de la nuit.

Rashlyn sentit une force impérieuse qui l'obligeait à revenir à la clairière, alors même que chacune des fibres de son corps lui hurlait de fuir. La curiosité le tenait serré entre ses griffes. Maintenant qu'il savait que le garçon, Fynch, s'appelait lui-même le roi des créatures, il voulait savoir ce que cela voulait dire.

— Viens, Rashlyn, dit une voix.

Le *barshi* fut saisi car il ne voyait personne alentour. Puis la silhouette de Fynch chatoya devant lui.

— L'heure est venue.

— L'heure est venue pour quoi ? hurla le sorcier à l'enfant.
— Pour mourir, répondit Fynch.

Une nouvelle gravité transparaissait dans sa voix. Lui aussi avait abandonné tous ceux qu'il aimait derrière lui, en coupant délibérément les ponts avec Wyl et Filou. Il ne pouvait pas accomplir sa mission, ni non plus s'offrir en sacrifice, s'ils demeuraient à côté.

Sacrifice – il comprenait maintenant. Il lui avait fallu un certain temps pour découvrir la signification de ce mot, ainsi que la manière dont il s'appliquait au combat contre Rashlyn. Le sacrifice était plus que la mort. Le sacrifice était une offrande. Fynch sourit, heureux que son esprit ordonné et méthodique soit parvenu à en percer le sens. Il pouvait le mettre de côté, maintenant. Il n'avait plus besoin de jouer avec sa complexité pour pénétrer son mystère.

Révéré Fynch. Sacrifice.

La première vague arriva. Rashlyn venait de lancer sur lui une avalanche de coups magiques, en hurlant sa folie et sa rage.

Alentour, les créatures des montagnes s'étaient regroupées, totalement subjuguées. Depuis des heures, elles sentaient qu'un événement capital était sur le point de se produire, sans en cerner précisément les contours. Maintenant, elles savaient. Zerkons, ours des neiges, rennes, lièvres s'étaient rassemblés, et même les oiseaux qui avaient colporté partout la nouvelle depuis le crépuscule, proies et prédateurs côte à côte, oubliant leur peur et leur faim, pour regarder un homme sauvage se battre contre une créature qu'ils n'avaient jamais vue encore. Ils n'en connaissaient que ce qu'en disaient les histoires venues de la nuit des temps. Un dragon.

Rollo, Myrt et Byl virent Cailech jeter un coup d'œil au paquet de mousseline ficelé sur le dos d'un cheval. Derrière l'expression figée de leur roi, ils ne pouvaient deviner la tempête d'émotions qui soufflait dans son cœur. Wyl fit un effort de volonté terrible pour ne pas regarder une dernière fois le corps d'Ylena. Tout était fini. Elle avait donné sa vie, avec bravoure, comme tous les Thirsk avant elle.

Un chien gigantesque se tenait aux côtés du cheval du roi. Il expliqua sa présence aux Montagnards.

— Il s'appelle Filou et il va nous aider dans la tâche que nous devons mener. Il est l'une des raisons pour lesquelles Rashlyn n'a plus prise sur moi.

— Où est Rashlyn, seigneur? demanda Myrt, qui paraissait avoir totalement récupéré de l'attaque magique du *barshi*.

— Il est mort, répondit Wyl, en espérant qu'il disait vrai.

— Et Lothryn, seigneur ? ajouta Rollo.

Ils méritaient de connaître la vérité.

— Je l'ai relâché. Aremys a pu lui parler et Lothryn a dit qu'il voulait partir.

Rollo sursauta. Toutes ces histoires avec la magie étaient déjà suffisamment perturbantes, mais voilà que leur souverain annonçait que le mercenaire pouvait communiquer avec les animaux créés par une magie maléfique. C'en était trop.

—Quoi? Comment?

—Myrt connaît la réponse à ces questions, répondit Wyl, qui ne se sentait pas d'humeur à poursuivre cette conversation. Il vous expliquera. Et maintenant, nous partons en Briavel.

—Puis-je demander pourquoi, seigneur? intervint Myrt.

Son ton était hésitant, mais son attitude ferme et déterminée.

—Pour conclure un nouveau traité de paix, cette fois avec une reine qui a besoin du soutien du peuple des Montagnes.

—Contre la couronne de Morgravia? demanda Myrt, qui avait rapidement saisi l'intention du roi.

Ce fut Aremys qui répondit.

—Celimus ne tiendra pas sa promesse faite au royaume des Razors. Notre unique espoir de paix est de nous entendre avec Briavel.

—Seigneur, insista Rollo, elle va se marier avec Celimus. Son allégeance ira à Morgravia.

—Pas nécessairement, répondit le roi, d'un ton fait pour décourager toute discussion. J'ai besoin que vous me fassiez confiance. Jusqu'à ce jour, je n'ai jamais fourvoyé mon peuple. Je ne commencerai pas aujourd'hui.

—Ne pourrait-on pas venir avec vous, seigneur? demanda Myrt, qui préférait de loin chevaucher vers le danger au côté de son roi plutôt que d'assumer la charge du royaume.

—Non. J'ai besoin de toi ici, Myrt. Rollo et toi serez à même de maintenir le calme. Et si le cheval revient, il aura besoin d'amis, et surtout d'alliés qui connaissent la vérité.

Il n'en dit pas plus. Cela ne servait à rien de leur donner l'espoir que leur Lothryn puisse redevenir ce qu'il était avant.

Myrt posa néanmoins la question.

—Le sortilège peut-il être inversé?

—Je l'espère du fond du cœur. D'après Aremys, c'est pour ça que Lothryn a demandé à être libéré.

—Où est-il parti?

—Nous ne savons pas, répondit Aremys. Mais il a emporté le chien gris avec lui. Il faut espérer qu'il en sait plus que nous, maintenant que Rashlyn est mort.

Myrt hocha la tête à contrecœur. À ses côtés, Rollo était maussade et lugubre.

—Qu'Haldor vous garde, seigneur.

Cailech répondit d'un signe de tête, appréciant à sa juste valeur la peine sincère du guerrier et sa volonté de protéger son souverain.

—C'est mieux comme ça, Myrt. Nous pourrons nous glisser en Briavel bien plus facilement que ne le ferait une horde de Montagnards déferlant sur Werryl.

— Vous nous tiendrez informés selon la méthode habituelle, dit Myrt en désignant du menton une boîte attachée sur le côté du cheval portant le corps d'Ylena.

Wyl fronça les sourcils. Il lui fallut un moment pour trouver l'explication dans les souvenirs rémanents de Cailech.

— J'espère que ces pigeons ont les ailes solides, dit-il.

— Ce sont nos meilleurs, répondit Myrt. Les meilleurs oiseaux de Rollo, ajouta-t-il avec un sourire à son compagnon.

— Parfait. Gardez confiance. Veillez sur Aydrech. S'il se passe quoi que ce soit, si Celimus tente une incursion, le garçon doit être protégé à tout prix.

Le guerrier hocha la tête.

— Je m'occuperai de lui personnellement.

— C'est bien, dit Wyl, avant d'ajouter ses ultimes recommandations. Renforcez les patrouilles. Je ne sais vraiment pas si Celimus ne va pas risquer quelque chose.

— Peu probable avec le mariage qui arrive, releva Aremys d'un ton sec.

— Peu importe, répondit Wyl. La sécurité de mon fils est la première priorité.

Il se pencha sur sa selle pour taper dans la main de chaque homme en guise d'adieu, sachant pertinemment qu'aucun de ces Montagnards loyaux ne reverrait jamais le roi Cailech.

Le cheval arriva au bord du bois. Lothryn sentait une force qui l'attirait vers les arbres. En pénétrant sous le couvert, il perçut la magie qui pulsait d'un endroit au cœur de la forêt. Il constata également qu'il ne s'était plus senti si fort, autant lui-même, depuis le moment où il avait été transformé. Jusque-là, son essence dans le corps du cheval n'avait été qu'une petite flamme vacillante. Elle brûlait maintenant haute et claire. La douleur demeurait sa compagne de chaque instant, mais il avait l'impression qu'elle s'était atténuée quelque peu. Bien sûr, tout cela pouvait n'être qu'une illusion de son imagination stimulée par l'arrivée inattendue de Wyl devenu Cailech.

Par ailleurs, un sentiment d'apaisement lui venait de la présence du chien avec lui. Son cœur battait toujours, très faiblement, et un lien s'était créé entre eux. *Accroche-toi, Gueryn!* dit-il, sans savoir si l'homme prisonnier dans ce corps animal pouvait l'entendre ou ne serait-ce que percevoir quelque chose de si subtil que les pensées d'un autre.

Poussé par un instinct mystérieux, Lothryn s'enfonçait toujours plus profondément au milieu des arbres. Pour finir, il parvint à l'orée d'une clairière et s'arrêta, confondu par une incroyable vision. Au milieu de la trouée se tenait un dragon colossal revêtu d'écailles de lumière. Au bout de son long cou serpentin, son énorme tête était renversée en arrière. Il n'y avait pas un bruit. Dans un silence absolu, la bête irréelle encaissait un feu nourri de salves d'une magie atroce, qui ressemblaient à des langues épaisses et brunâtres imperméables à toute lumière. Le visage déformé en un masque hideux, Rashlyn déchargeait sur lui toute sa puissance maléfique.

Lothryn fut saisi de l'envie de se ruer pour écraser le *barshi* de toute la force du corps de Galapek, mais quelque chose le retint. Si la haine, la folie et le désespoir pouvaient être réunis dans un même corps, alors le sorcier qui tentait d'abattre la sublime créature ailée était celui-là. Tandis que le *barshi* marmonnait des mots incompréhensibles, le dragon donnait l'impression d'être une montagne en train de s'abattre. Tout épuisé qu'il était, Rashlyn était debout, avec semble-t-il la parfaite maîtrise du drame en train de se nouer.

En regardant alentour, Lothryn vit que des dizaines d'autres créatures étaient là, frileusement rassemblées au pied des arbres et même disséminées çà et là sur les collines avoisinantes. Il y avait aussi des zerkons. Il se cabra de frayeur, avant de constater qu'ils étaient totalement absorbés, fascinés comme lui par le combat.

Un dragon! Qui aurait pu croire qu'ils existaient vraiment? Lothryn avait toujours pensé que seuls les mythes leur donnaient vie.

— *Bats-toi!* supplia Lothryn.

— *Il ne le fera pas*, répondit une voix qui le fit sursauter.

Il tourna la tête et vit, sur une branche basse, un oiseau qui déployait ses ailes.

— *Qui es-tu?* demanda le cheval.

— *Je suis le faucon.*

— *Et qui est-il, lui?* poursuivit Lothryn, en dissimulant la surprise qu'il éprouvait à communiquer ainsi avec un oiseau.

— *C'est le roi. Notre roi à tous. Il se sacrifie pour nous sauver. Autrefois, c'était Fynch.*

— *Je croyais que Fynch n'était qu'un enfant?*

— *Il est bien plus que ça.*

— *Mais je ne vois qu'un dragon*, insista Lothryn. *Il n'y a pas de petit garçon ici.*

— *C'est toujours un enfant, mais le dragon est le reflet de ce qu'il est vraiment.*

Les explications du faucon n'éclairaient guère Lothryn. Il reporta son attention sur le dragon qui vacillait légèrement.

— *Pourquoi n'utilise-t-il pas ses pouvoirs? Il n'aurait aucun mal à vaincre un homme.*

— *Bien sûr, il pourrait triompher du sorcier sans la moindre difficulté, mais il refuse de tuer. C'est l'enfant dans le dragon qui le veut ainsi. Je crois qu'il a fait un pacte avec lui-même. Je l'ai senti la première fois que je lui ai parlé. Il n'y a aucune violence en Fynch. Il a accepté de détruire Rashlyn, mais à sa manière.*

Lothryn sentit une bouffée de chagrin monter en lui pour le courageux petit garçon, un autre ami de Wyl transformé par la magie.

— *Comment peut-il battre le barshi?*

La peine de l'oiseau s'insinua dans son esprit comme une rafale de vent aigre.

—*En absorbant tout ce qui est Rashlyn. Il va accepter la tempête magique, brûler la douleur, dévorer le mal. Sa lumière diminue déjà. Au début du combat, le roi des créatures était incandescent comme une flamme d'or. Vois comment les maléfices l'ont terni.*

—*Mais alors, il va mourir*, répondit Lothryn, pétrifié.

—*Je le crains*, dit l'oiseau, avec une note d'amertume dans la voix. *Mais pas avant que Rashlyn se soit entièrement consumé avec ses pouvoirs.*

Les deux créatures tombèrent dans un mutisme taciturne et se tinrent silencieuses, au milieu de toutes les bêtes des montagnes, rassemblées pour rendre hommage à leur roi.

Chapitre 34

Wyl et Aremys quittèrent la forteresse au cœur de la nuit. Filou trottinait à leurs côtés. Le mercenaire de Grenadyne exprima ses inquiétudes au roi qui chevauchait à côté de lui, un air sinistre plaqué sur le visage.

— On ne peut pas voyager de nuit dans les Razors, Wyl. Tu sais à quel point les chemins sont traîtres par ici.

— Oui, je le sais. Nous n'irons pas loin, marmonna Wyl en tout et pour tout, sans répondre vraiment à la question.

— Si tu tiens tant à te lancer dans cette folle cavalcade vers Briavel, pourquoi ne pas partir au point du jour ? On aurait tôt fait de rattraper le peu de temps qu'on va gagner maintenant.

— Je suis désolé de ne pas t'avoir fourni d'explication, dit Wyl en se tournant pour faire face au visage inquiet de son ami. Ce départ à cheval ne sert qu'à donner le change.

— Comment ça ?

— J'ai un autre moyen de transport, bien plus rapide, mais terriblement déplaisant.

— Le fait de devenir roi ne te serait pas un peu monté à la tête ? plaisanta Aremys.

Les discussions de la nuit avaient épuisé ses réserves émotionnelles. Il était fatigué, amer d'avoir perdu Cailech, furieux de n'avoir rien pu faire pour Lothryn et Gueryn, triste pour Wyl et dégoûté au-delà de tout de la magie. Il avait dû murmurer sa dernière pensée à voix haute, car Wyl lui répondit.

— Tu vas devoir encore supporter un tout petit peu de magie aujourd'hui. C'est toi qui m'en as donné l'idée.

— Moi ! Mais de quoi parles-tu ?

— Je parle du Thicket, Aremys. Nous allons utiliser le Thicket pour voyager.

Cette annonce éveilla l'attention du colosse. Il avait l'impression d'avoir reçu un coup au creux de l'estomac. Pendant quelques instants, il fut incapable de parler.

— Comment ? dit-il finalement.

— Filou. C'est pour ça que j'ai insisté pour qu'il vienne avec nous.

— Il n'en a d'ailleurs pas l'air très heureux.

— Il ne l'est pas, crois-moi. Je ne l'ai jamais vu si distant.

— C'est parce qu'il a dû abandonner Fynch, je présume ?

— Exactement. Tous deux sont inextricablement liés l'un à l'autre.

— Mais tu ne m'avais pas dit que c'était ton chien ?

Wyl soupira.

— C'est compliqué, répondit-il avec un sourire triste. Filou nous aime tous et il nous a tous protégés. Maintenant, il doit supporter l'idée que nous mourrons tous – et moi plusieurs fois.

Aremys ne voulait plus parler de mort.

— Comment ce chien peut-il nous aider ?

— Il appartient au Thicket. Il nous relie à lui.

— Et ? demanda Aremys, toujours déconcerté.

— Souviens-toi comment tu es passé en un instant des abords de Timpkenny aux Razors...

Aremys fronça les sourcils, puis tout devint clair dans son esprit.

— Oh non, tu plaisantes j'espère ?

Il vit les yeux de Cailech, qui avaient retrouvé leur couleur verte, briller à la lueur de la torche qu'ils portaient.

— Pas cette fois, mon ami.

Aremys se mit à bégayer, les mots se bousculant dans sa bouche pour sortir.

— Mais comment vas-tu l'invoquer ? Comment vas-tu le contrôler ?

Wyl haussa les épaules et une ombre de sourire passa fugacement sur ses lèvres.

— Nous devons faire confiance au Thicket.

— Cet endroit ne m'aime pas, Wyl. Rappelle-toi, il m'a rejeté. Pourquoi ne me ferait-il pas du mal encore une fois ?

— Il ne le fera pas.

— Tu as l'air bien sûr de toi, clama Aremys, mal à l'aise à la perspective du voyage proposé par Wyl.

Le mercenaire de Grenadyne n'avait aucune confiance dans le Thicket.

— Je le suis. Le Thicket ne fera de mal à aucun de nous, d'abord parce que nous sommes avec Filou et ensuite parce que nous sommes liés à Fynch. Le garçon représente tout pour le Thicket.

— Et comment savoir qu'il est capable de faire ça ?

— Il m'a envoyé en Briavel en quelques secondes, répondit Wyl.

Aremys resta bouche bée.

— J'ignorais ça.

— Il y a tant de choses que tu ignores, dit Wyl, avec une pointe de regret dans la voix. Par exemple, le fait que Fynch va mourir cette nuit en faisant ce qu'il a toujours fait depuis que je le connais.

— C'est-à-dire ?

— Se sacrifier. Agir par amour et loyauté. Il a toujours fait passer les autres avant lui-même. Mais tu ignores aussi que Valentyna va épouser Celimus, quoi qu'il arrive.

Cette fois-ci, Aremys était vraiment désarçonné.

— Mais je pensais qu'on allait en Briavel pour empêcher ça.

— Je ne peux pas lire l'avenir, dit Wyl en haussant les épaules de Cailech. Elysius m'a juste dit qu'elle *épousera* le roi de Morgravia.

— Pourquoi aller là-bas alors ?

— Parce que Fynch m'a expliqué que le Dernier Souffle est soumis aux règles de l'aléatoire.

Aremys posa un regard moqueur sur le roi des Montagnes. Ils progressaient lentement, saluant régulièrement les sentinelles et les éclaireurs installés sur les crêtes, visibles uniquement grâce à leurs feux de camp. Une flamme allumée au sommet de la forteresse les avertissait du passage de leur roi, si bien que Wyl et Aremys n'avaient pas à craindre d'être attaqués ou arrêtés.

— Je n'y comprends rien, Wyl.

— Je ne comprends pas vraiment moi-même, reconnut Wyl. Fynch pense que ce que nous faisons de manière aléatoire peut avoir une incidence sur l'action du Dernier Souffle.

— Alors tu vas essayer de faire quelque chose pour empêcher que Valentyna n'épouse Celimus, c'est ça ?

— En vérité, je ne vois pas trop comment je pourrais obtenir ce résultat. Je vais là-bas pour la voir une dernière fois avant de mourir encore.

Aremys retint son cheval et Wyl l'imita, parfaitement conscient que sa dernière déclaration ne pouvait tout bonnement pas être ignorée.

— Pourquoi ? demanda son ami. Reste Cailech. Tu peux réaliser de grandes choses. Retournons à la forteresse. Tu dis toi-même que tu ne peux pas empêcher ce mariage. Des amis fidèles nous attendent là-haut, et un peuple loyal. Tu es roi et tu peux vivre. Décide de toi-même d'interrompre le sortilège !

— Une seule chose peut l'arrêter, Aremys, répondit Wyl, d'une voix pleine de dégoût et de lassitude.

— Et quelle est-elle ? demanda Aremys, certain que Wyl en savait plus long qu'il ne le disait.

Wyl redressa la tête de Cailech pour regarder son ami directement dans les yeux.

— Que je devienne le souverain de Morgravia.

— Celimus ? s'exclama le mercenaire, choqué.

Wyl confirma d'un hochement de tête. Il était sérieux comme la mort et Aremys était complètement retourné.

— Alors c'est donc de ça qu'il s'agit ? Le sort du Dernier Souffle lancé par Myrren n'a qu'un seul objectif : que tu deviennes lui ?

Un rictus barrait le visage de Cailech.

—Tout est une histoire de vengeance. Myrren a souffert à cause de Celimus, alors et elle et son père ont ourdi un stratagème pour qu'il souffre à son tour.

—Mais pourquoi t'impliquer là-dedans ? Tu n'avais rien fait d'autre que lui offrir ta pitié ?

—Je ne suis rien d'autre qu'un instrument dans ce jeu complexe, expliqua Wyl d'une voix tranquille. Elle m'a utilisé pour se venger des tortures qu'on lui a infligées et que Celimus a tant appréciées.

Wyl voyait sur le visage de son ami à quel point il était horrifié. Il se souvenait du désespoir que lui-même avait éprouvé en découvrant la vérité au sujet de Dernier Souffle. Aremys éprouvait maintenant le même sentiment d'angoisse. *Les choses sont peut-être même pires pour lui*, songea Wyl, pour qui voir les autres souffrir avait toujours été plus difficile que de souffrir lui-même.

—Wyl, reprit Aremys en se ressaisissant. C'est vrai, c'est encore pire que tout ce que j'avais imaginé, mais essaie d'y penser sous un angle plus positif, tu seras roi de Morgravia et ta reine sera Valentyna. Est-ce que cette perspective ne peut pas adoucir toutes les épreuves qu'il te faut surmonter ? Tu ne peux pas faire revenir tous ceux que tu as perdus, mais tu peux faire en sorte que leur sacrifice n'ait pas été vain en rendant son lustre au royaume de Morgravia, en gouvernant en grand monarque, et en fondant une nouvelle dynastie avec Valentyna. Imagine un peu, ce royaume gouverné par toi et non pas par Celimus. Une seule mort, c'est tout ce qu'il te faut encore pour y parvenir.

Une nouvelle note était apparue dans la voix d'Aremys, au fur et à mesure, comme s'il avait soudain le sentiment que tout pouvait être arrangé.

Wyl contempla un instant ses nouvelles mains, puissantes, larges et aux longs doigts effilés. Il avait déjà songé si souvent à un dénouement aussi heureux que celui qu'Aremys décrivait. Seulement, chaque fois qu'il avait tenté de se convaincre que ce terrible épisode de sa vie pourrait connaître une issue favorable, il s'était heurté à un obstacle insurmontable, qui avait pour nom Celimus.

—Aremys, dit-il dans l'air vif de la nuit, je ne veux pas devenir lui.

Le mercenaire n'avait pas considéré les choses sous cet angle.

—Tu n'as pas le choix apparemment.

—Je ne pourrai pas vivre en étant Celimus, martela lentement Wyl, d'un ton de défi. Je préférerais encore mourir.

—Mais tu aurais tout...

—Je n'aurais rien d'autre que la haine et le désespoir, coupa Wyl. Tu ne comprends pas, mais chaque fois que je deviens quelqu'un d'autre, un peu de cette personne reste en moi. J'ai leurs souvenirs et leurs rêves dans ma tête. Je prends leurs manières et leurs attitudes. C'est une malédiction, Aremys. Je ne pourrai pas vivre en étant la personne que je hais le plus au monde. Et qui, de surcroît, hait les Thirsk depuis toujours.

— Mais que vas-tu faire alors ? Mourir encore ? demanda Aremys, devenu sarcastique dans l'espoir de secouer son ami.

Wyl ne répondit rien, se contentant de fixer les mains de Cailech.

Aremys secoua lentement la tête, totalement incrédule.

— Ne me dis pas que tu as l'intention de mourir lorsque tu seras devenu lui ?

Une nouvelle vague de crainte passait sur le mercenaire. Dès lors qu'il serait Celimus, Wyl n'aurait plus la protection du sort de Myrren. Il serait aussi vulnérable que n'importe qui.

Wyl parla finalement, d'un ton empreint de gravité.

— Lorsque cela arrivera – et cela arrivera puisque ma destinée est de devenir souverain de Morgravia –, tu mettras un terme définitif à mon existence.

Les mots de Wyl secouèrent Aremys au plus profond de lui-même.

— Jamais de la vie ! cria-t-il. Jamais je ne ferai une chose pareille.

— Oh si, tu le feras ! Tu le feras parce que je te le demanderai. Je serai le roi de Morgravia, n'oublie pas, et je te l'ordonnerai.

— Sinon quoi ? Tu me tueras ? hurla Aremys.

Wyl l'ignora purement et simplement pour poursuivre.

— Il faudra tout mettre en scène comme s'il s'agissait d'un accident. Il n'est pas nécessaire que ce soit ta main qui me tue, si cela te gêne tant que ça. On peut agir par l'intermédiaire d'autres personnes. Mais en tout cas, tu m'aideras à concrétiser ma mort. Une flèche dans le cœur, simple et rapide. Je préférerais que ce soit toi, Aremys. Je sais que tu vises juste. C'est une question d'amitié, d'amour et de loyauté.

— Non, Wyl. Et Valentyna dans tout ça ?

— Je ne peux pas imaginer ce qui se passera après ma mort. Je n'ai pas prise là-dessus. En tout cas, Valentyna sera dégagée de son obligation d'être mariée à Celimus, libre de retourner en Briavel pour y démarrer une nouvelle vie.

— Mais ce Celimus-là, ce sera toi.

— Valentyna ne le saura pas. Elle me regardera avec dégoût. Elle détestera que je la touche et dira mon nom comme s'il s'agissait d'une abomination. Non, Aremys, expliqua tristement Wyl, je préfère mille fois être mort pour de bon. Elysius m'a dit que je ne pouvais pas obliger les autres à me tuer, mais lorsque le plan d'Elysius et de Myrren sera accompli, lorsque je serai Celimus, j'espère qu'alors le sort ne pourra plus m'atteindre et nuire à ceux que j'aime.

Aremys secoua la tête. Tout cela était infiniment trop douloureux. Ils avaient tant lutté, surmonté tant d'épreuves, et tout ça pour quoi ? Uniquement pour que Wyl meure au bout du compte, définitivement.

— Ne prends pas cette décision, dit-il d'une voix suppliante. Fynch t'a parlé du caractère aléatoire des événements, attendons de voir ce qui se produit.

Wyl se souvint alors que Fynch lui avait recommandé de dire la vérité à Valentyna. Or, jamais le garçon ne l'avait fourvoyé. Les conseils de Fynch avaient toujours été fiables. Lorsqu'il verrait Valentyna, il déciderait alors s'il convenait ou non de lui dire la vérité. En toute honnêteté, il devait bien s'avouer qu'il se sentait incapable de vivre dans le corps de Celimus. Même si elle s'accommodait de vivre tous les jours à ses côtés – un improbable exploit sachant que c'était l'homme qui avait commandé la mort de son père, de Romen et de tant d'autres –, lui ne parviendrait jamais à s'y faire.

— D'accord, dit-il. Nous n'en reparlerons que lorsque je serai devenu Celimus. À ce moment-là, je t'accorderai une nuit de délai, que je passerai avec Valentyna, puis le lendemain je te demanderai de prendre ma vie. Ça marche comme ça ?

Aremys était coincé. Il ne voyait pas comment sortir de cet impossible marchandage.

— Ça marche, répondit-il, profondément mécontent.

— Parfait, dit Wyl, heureux soudain d'avoir enfin exposé à quelqu'un cette décision qu'il ruminait depuis si longtemps.

L'heure était maintenant venue de solliciter l'aide du Thicket.

— Nous allons nous arrêter là, reprit Wyl en désignant un affleurement rocheux bien dégagé.

— Sais-tu au juste ce que tu fais ? demanda Aremys en dirigeant son cheval vers les rochers.

— Pas vraiment, mais le voyage durerait trop longtemps par la voie normale. Je n'ai pas d'autre possibilité que d'essayer.

Aremys poussa un soupir sonore.

— Comment fait-on ? On lâche les chevaux ou on reste dessus ?

Wyl rassembla ses esprits.

— Filou, dit-il, pourrais-tu s'il te plaît prévenir le Thicket. J'aurais besoin qu'il m'envoie à Werryl, de la même manière qu'il m'y a déjà transporté.

Le chien n'était pas en mesure d'expliquer à son ami qu'il ne jouissait plus du même contact qu'auparavant avec le Thicket.

Une seule solution lui restait : contacter Fynch… s'il était toujours en vie. Il grogna à l'intention du roi, certain que Wyl comprendrait.

Ensuite, Filou laissa son esprit s'emplir de l'image de Fynch avant de l'invoquer de toutes ses forces, le suppliant d'être encore en vie et de lui répondre. Non pas parce qu'il avait besoin de lui, mais parce qu'il voulait entendre encore une fois sa petite voix.

— *Filou ?* demanda une voix qui s'apparentait bien plus à un grondement sourd.

— *Tu es toujours en vie, Fynch ?* répondit le chien, d'une voix qu'il s'efforça de maintenir étale malgré la frayeur que lui avait causée la douleur perçue dans la voix de son ami.

— *Wyl va bien ?*

— *Oui.*

Le chien n'était pas du genre à perdre son temps en conversations anodines. Fynch luttait pour sa vie.

—*Nous avons besoin du Thicket pour voyager rapidement en Briavel. Je suis désolé de…*

—*Attends.* (Il y eut un instant de silence, puis la voix de Fynch revint, plus abîmée et pleine de douleur.) *J'ai ouvert un pont. Utilisez-le, mais faites vite. Je ne vais pas pouvoir le maintenir bien longtemps.*

—*Fynch, que se passe-t-il?*

—*Vite, Filou, s'il te plaît.*

Filou ferma les yeux, en proie au chagrin. Il avait l'impression que Fynch était tout près de la mort maintenant. Il se lia au Thicket, désolé de puiser ainsi dans les réserves faiblissantes du garçon. Quelque chose lui échappait néanmoins. Le pouvoir de Fynch était gigantesque. Il aurait dû vaincre Rashlyn facilement.

Ce fut Rasmus qui répondit à la question muette du chien.

—*Fynch suit son destin, Filou. Tu dois faire ce qu'il a ordonné. Le Thicket accepte sa demande.*

—*Il y a des chevaux également*, précisa le chien, en dissimulant son inquiétude croissante pour le garçon.

La chouette émit dans son esprit un petit bruit exprimant le dégoût.

—*Wyl Thirsk ne fait jamais rien pour simplifier les choses*, dit l'oiseau avec humeur. *Il va falloir faire attention à l'arrivée. Dis aux hommes de rester sur leurs chevaux. Ça ne nous fera que trois passages à contrôler.*

—*Deux seulement. Moi, j'ai l'intention de rejoindre Fynch.*

—*Non. Il t'a ordonné de partir et tu dois faire ce qu'il t'a dit. Et maintenant, préparez-vous.*

Filou referma son esprit avec irritation. Il n'était pas accoutumé à ressentir ce genre d'émotion, mais il faut dire aussi qu'il n'avait jamais aimé auparavant. Il se sentait une immense loyauté envers Wyl et aurait donné sa vie pour lui s'il l'avait demandé. Mais avec Fynch, tout était plus profond. C'était un sentiment d'amour véritable, auquel il lui était bien difficile de tourner le dos.

—*Merci, Fynch*, dit-il, empli de chagrin.

Il entendit à peine la réponse, mais la ressentit.

—*Je t'aime, Filou. Adieu.*

Si les chiens étaient capables de pleurer, Filou aurait versé des larmes à l'instant où il sentit le contact se rompre, comme un véritable déchirement. Filou gémit doucement, puis se tourna vers Wyl pour pousser un grognement rauque.

—Tu le comprends? demanda Aremys en agitant la tête.

Wyl opina du chef.

—En quelque sorte. Je le connais depuis suffisamment longtemps pour saisir le sens de ces mimiques et aboiements.

—Et là, que dit-il?

— D'attendre. (Wyl se pencha vers le chien.) Je sais que tu es triste mon Filou, mais j'ai besoin que tu viennes avec nous.

La remarque de Wyl tomba à point nommé, en permettant au chien de se rendre compte, à son grand désarroi, qu'il ne serait pas d'une grande utilité pour Fynch en cet instant. En revanche, Wyl avait besoin de lui en Briavel. Il irait donc.

Les deux hommes mettaient pied à terre. Filou aboya.

Aremys fronça les sourcils.

— Quoi encore ?

— Je suppose qu'il veut qu'on reste en selle, répondit Wyl. C'est ça, Filou ?

Le chien émit son grognement coutumier et Wyl hocha la tête à l'intention d'Aremys.

— Oui. On emmène les chevaux.

— Il va falloir donner quelques explications à l'autre bout, dit Aremys comme l'air autour d'eux semblait gagner en densité.

— C'est parti. Ce n'est pas agréable, je te préviens.

— Je crois que je me souviens.

Aremys n'eut pas le temps d'en dire plus. Une pression énorme écrasa son corps et tout devint noir.

La lumière aveuglante qui au début sourdait du corps du dragon s'était peu à peu atténuée jusqu'à n'être plus qu'un doux chatoiement, puis une teinte bronze un peu terne. Les ailes de la bête pendaient mollement de chaque côté et chacune de ses respirations demandait un effort immense. Pour autant, il était toujours debout, absorbant sans faillir la magie maléfique qui s'abattait sur son corps.

— Meurs, bête maudite ! criait le *barshi*, profondément étonné que la créature ne réplique pas. Tu es venu pour me détruire et tu ne peux même pas te protéger contre ma magie.

Il lança un puissant sort, véritable concentré de mal et, pour la première fois, l'immense dragon vacilla. Sa tête bascula sur le côté.

— *Fynch !* cria Lothryn.

— *Il ne t'entend pas*, dit le faucon. *De toute façon, il ne t'écouterait pas. Il est mourant. Il veut mourir… il le doit, je crois.*

— *Nous devons faire quelque chose*, répondit Lothryn.

Un peu émerveillé, il s'étonnait de se sentir bien plus fort. Sa propre lumière – s'il pouvait appeler ainsi son énergie vitale – brillait d'une flamme rénovée.

— *C'est ce que nous faisons. Nous sommes les témoins de son sacrifice.*

— *Nous le laissons mourir ? Nous pourrions tous nous précipiter sur Rashlyn et le détruire. Il ne peut sûrement pas nous tuer tous en même temps.*

Le faucon émit un petit bruit méprisant.

— *Il est déjà détruit.*

— Comment ça ?

— Chaque sort, chaque attaque qu'il lance affaiblissent un peu plus le sorcier. Lui ne le sait pas, mais nous, nous le voyons. Sa magie est sale et immonde, pareille à de la boue. Elle n'a rien de lumineux et de doré comme celle du roi dragon. Rashlyn s'est montré imprudent. Il a presque tout épuisé.

— Et ?

— Fynch va absorber toute la magie noire du sorcier jusqu'à le vider complètement. Qu'il ne reste plus rien. En faisant cela, il se sacrifie.

Un grognement immense s'éleva de la forêt et des contreforts montagneux alentour à l'instant où le dragon bascula lourdement sur le côté. La lueur dorée n'était plus guère qu'un petit bouquet de couleurs autour de lui.

Rashlyn riait comme un dément.

— C'est toi qui meurs, pauvre imbécile. C'est moi le plus fort. Tu croyais pouvoir me battre ? C'est moi le roi des créatures, pas toi ! Je vais toutes les dominer maintenant. Je peux les transformer et les plier à ma volonté. (Il agita un poing décharné en direction des animaux qui l'observaient.) Vous serez mes sujets soumis et je serai votre roi. Regardez le dragon, voyez comme il se meurt. Je l'ai vaincu. Je vais m'emparer de son pouvoir et l'utiliser à ma guise.

C'était vrai. Le roi des créatures avait roulé sur le côté et sa respiration était si faible maintenant que sa mort ne pouvait qu'être imminente.

Si Lothryn n'avait pas été tout à la fois ému et hypnotisé par le courage de l'enfant, il aurait fermé les yeux de Galapek pour ne pas voir l'agonie de la bête. Mais c'était au-dessus de ses forces. Au lieu de cela, il se concentra entièrement sur Rashlyn auquel il était inextricablement associé par la magie démoniaque. Le sorcier était en train d'invoquer jusqu'à la plus petite parcelle de puissance qu'il détenait en lui. Curieusement, Lothryn se sentait plus maître de lui qu'il ne l'avait jamais été. Il était totalement redevenu lui-même à l'intérieur du cheval, et non plus une âme en peine misérablement accrochée à la vie. La douleur avait diminué et son corps n'était plus agité de tremblements permanents. L'enchantement faiblissait à mesure que Rashlyn accumulait l'intégralité de son pouvoir pour frapper la créature à terre.

— Finis-en ! murmura le roi.

Tous les animaux réunis l'entendirent, de même que Rashlyn qui partit dans un hurlement de joie hystérique.

Le *barshi* lança un cri venu du fond des âges humains avant de lâcher jusqu'à sa dernière étincelle magique. Tous les animaux venus assister au combat homérique virent Fynch, le roi des créatures, se relever sur ses énormes pattes griffues et faire face dans une ultime démonstration de force et de volonté. Lui aussi émit un cri – un rugissement de mort que chaque animal ressentit jusqu'au fond de lui – avant de s'offrir à la vague nauséabonde qui déferlait vers lui. Seulement, après l'avoir absorbée, il ne s'arrêta pas. Il continua d'absorber tout ce qui venait du *barshi*. Le sourire de triomphe se mua en grimace d'étonnement. Il ne lançait plus sa magie en direction de sa victime.

Son adversaire le dépouillait de son pouvoir. Un immense arc d'horreurs insoutenables se forma entre eux, tandis que Rashlyn se vidait de sa substance comme une outre percée.

—Je te prends tout, Rashlyn.

Ce furent les derniers mots du dragon. Dans un silence à couper au couteau, Lothryn et le faucon virent Fynch aspirer en lui jusqu'à l'essence même du *barshi*, puis la consumer en un bûcher de hautes flammes dorées. La lumière vibrante recouvrit le dragon, puis mourut.

Le roi des créatures s'effondra lentement sur le sol, pour se consumer à son tour. Son corps se contracta. Sa stature colossale se réduisit jusqu'à n'être plus qu'un petit corps fragile. Le fier dragon qui avait lutté pendant des heures n'était plus. Seul demeurait le minuscule Fynch, recroquevillé sur la mousse de la forêt.

Les créatures poussèrent un long cri sourd, comme un murmure vibrant, puis convergèrent toutes ensemble, hormis les zerkons, vers l'enfant qui paraissait dormir. Une par une, elles reniflèrent son corps, gémissant doucement pour exprimer leur gratitude du sacrifice consenti pour les épargner et sauver leur monde.

En Briavel, Filou bascula la tête en arrière pour hurler à la mort en un long cri qui glaça l'âme de tous ceux qui l'entendirent. Il recommença encore et encore. Wyl comprit qu'il pleurait son ami, le petit garçon Fynch.

De douleur et de chagrin, Wyl laissa sa tête tomber sur sa poitrine.

—Fynch est mort, dit-il.

Aremys ne tenta même pas d'offrir des mots de réconfort. Il n'y avait rien qui puisse être dit.

Un homme titubait entre les arbres, le corps brûlé et tout racorni, les cheveux carbonisés. Sa barbe n'était plus qu'une masse noircie, son visage un masque hideux auquel s'accrochaient des moignons de chair calcinée. Ravagés par le feu, ses yeux ne voyaient plus. Bras tendus devant lui, il errait en aveugle dans le bois, marmonnant des mots inintelligibles. Il n'était plus que l'ombre lointaine de celui qu'il avait été. Il poussa un cri d'agonie, que les pics des montagnes lui renvoyèrent en un écho morne et sans vie.

—Oui, tu peux crier, immonde salaud, dit une voix.

Lothryn regarda tout autour, se demandant quel animal avait bien pu parler. Mais ce n'était pas un animal. À côté de l'étalon se tenait un homme, grand et élégant, avec des traits d'argent dans les cheveux et la barbe taillée court.

—Qui parle ? glapit Rashlyn en se retournant vers la voix.

—C'est Gueryn Le Gant.

—Le chien ? murmura le *barshi*, décomposé.

—L'homme, répondit Gueryn, sur un ton qui avait tout d'une menace. Tu n'as plus aucune magie, Rashlyn. Tu ne peux plus me retenir et j'ai été libéré. (Il se tourna vers Lothryn, soudain empli de tristesse et de compassion.)

Je vois que sa magie n'a pas été utilisée de manière aussi raffinée sur toi, mon ami. Tu demeures piégé dans ce corps.

Après avoir éprouvé une joie incomparable de voir Gueryn libéré, Lothryn ressentit une désillusion d'une amertume infinie, en constatant que lui était toujours Galapek. Il tourna sa grande tête majestueuse vers l'homme avec lequel il ne pouvait désormais plus communiquer par la pensée.

Gueryn porta un doigt à ses lèvres pour calmer Lothryn.

— Nous trouverons quelque chose, murmura-t-il au cheval, sachant que l'homme à l'intérieur l'entendait.

— Comment cela a-t-il pu arriver ? hurla Rashlyn, d'une voix stridente qui tremblait. Tu étais poignardé à mort.

— L'autre chien, Filou, m'a soigné. Il a léché chacune de mes blessures pour les guérir avec sa propre magie. Il savait que je reprendrais forme humaine à l'instant où tu perdrais tes pouvoirs.

— Perdre mes pouvoirs ? s'étonna le *barshi*, comme s'il n'avait pas encore remarqué le moindre changement en lui.

Gueryn s'avança sur celui qui avait été un sorcier terrible et fou. Ses narines percevaient l'odeur de la chair calcinée. Il prit grand plaisir à voir des blessures qui en temps normal lui auraient retourné le cœur.

— Essaie d'utiliser ta magie pour voir, railla Gueryn.

Rashlyn hurla de désespoir. Il venait de prendre la mesure de son immense défaite.

Gueryn eut un rire sans joie.

— Fynch n'avait peut-être pas le désir de tuer, Rashlyn, poursuivit Gueryn, mais moi je l'ai.

Il s'approcha tout près de l'homme qui avançait hagard, les mains tendues devant lui, perdu dans ses ténèbres. Mais il s'interrompit, levant la tête vers le ciel. Une bien meilleure idée lui était venue. La plupart des animaux étaient repartis depuis la mort de leur roi, mais certaines créatures étaient encore là, les plus étranges et les plus inquiétantes. D'ailleurs, en silence, elles progressaient vers le centre de la clairière où ne restaient plus que trois êtres vivants. Gueryn vit que leur attention était tout entière concentrée sur Rashlyn, et non pas sur lui ni sur Galapek.

— J'ai une meilleure idée, dit Gueryn avec une pointe de joie mauvaise dans la voix. Une idée tout à fait adaptée.

Rashlyn se tourna vers lui et se mit à sangloter.

— Quoi ?

— Tu sais à quoi ressemblent les zerkons ?

Le *barshi* tomba à genoux pour le supplier. Gueryn ricana, stupéfait du toupet du sorcier.

— Tu vas rencontrer ton dieu, Rashlyn, et j'espère qu'il te fera brûler dans un feu éternel.

Gueryn se pencha sur l'enfant, sans prendre la peine de vérifier s'il respirait, ou même si son cœur battait. Il souleva le petit corps de terre pour le prendre dans ses bras. La tête du garçon roula sur le côté contre la poitrine du soldat. Gueryn appela Galapek et se hissa en selle. Fynch ne pesait rien. Il pria l'étalon de les emmener loin d'ici.

Le corps massif et puissant du cheval les emporta rapidement, tandis que deux zerkons gigantesques fondaient sur un homme hurlant et aveugle, qui ne comprit que trop bien que la mort venait enfin d'arriver. Une seule créature demeura pour assister à la fin tragique et sanglante du *barshi* – un faucon perché sur la branche d'un grand arbre.

Chapitre 35

Aremys avait le sentiment qu'ils avaient commis une énorme erreur en allant à Werryl. D'après ce que Wyl lui avait dit, il était clair que Filou aurait préféré être dans les Razors. Le bon sens de Wyl devait lui clamer de fuir à toutes jambes loin de Briavel. Et pourtant, c'est bel et bien là qu'ils étaient, abasourdis et le souffle encore court de leur voyage par la voie magique, et sur le point d'entamer un périple semé d'embûches jusqu'à la reine Valentyna. Ensuite, il leur resterait à lui présenter le roi Cailech, l'ennemi juré des royaumes du sud et le tout nouveau complice des traîtrises et turpitudes du souverain de Morgravia.

— D'après toi, la reine se mettra-t-elle à hurler comme une possédée ou saura-t-elle se maîtriser pour offrir le thé au roi des Montagnes ? demanda Aremys d'un ton sarcastique. À condition, bien sûr, qu'on survive à la volée de flèches qui nous attend.

— Nous allons envoyer Filou, répondit Wyl en passant une main dans les longs cheveux blonds de Cailech pour les coiffer en arrière. Comment tu me trouves ?

Aremys eut un petit ricanement dur.

— Tu ressembles à ce salopard de roi des Razors.

— En fait, répondit Wyl d'un ton calme, je voulais savoir si j'étais présentable.

Aremys secoua la tête.

— Quelle importance ? Allons-y, Wyl, et finissons-en.

— Fais-moi confiance, mon ami, elle va nous recevoir.

— Pour mieux nous tuer, grogna le mercenaire.

— Pas en voyant Filou avec nous. Elle lui fait bien plus confiance qu'à moi.

— De quel « moi » parles-tu, Wyl ? demanda Aremys avec colère.

— Romen, précisa Wyl. Mais tu peux rester ici si tu veux, ajouta-t-il, lassé de l'amertume de son ami, même s'il la comprenait.

— Non, c'est toujours un plaisir de te voir mourir, répliqua Aremys, regrettant instantanément ses paroles blessantes. (Les yeux de Cailech s'étaient assombris sous le coup d'un chagrin qu'il ne parvenait pas à dissimuler.) Excuse-moi, Wyl, grogna-t-il. Je ne voulais pas dire ça.

— Je le sais, répondit son ami d'une voix douce. Je veux juste la revoir une dernière fois, Aremys, avant de devenir Celimus et d'être obligé de la regarder par ses yeux emplis de cruauté.

— Comment est-ce que cela va se passer ? Tu crois que la reine te livrera à lui… encore une fois ?

— Probablement, répondit Wyl avec fatalisme. Allez viens. J'espère qu'elle n'est pas déjà partie pour Pearlis.

Valentyna partageait un souper tardif avec Liryk. Elle n'avait pas le cœur à la conversation en cette dernière soirée avant son départ pour le royaume de Morgravia. Elle avait pourtant fait des efforts – de cela, le commandant était bien persuadé –, mais ses yeux s'étaient embués insensiblement. Maintenant, elle était emmurée en elle-même, sans doute à imaginer lugubrement sa vie aux côtés de Celimus.

Liryk aurait voulu pouvoir lui épargner ce chagrin, mais il songeait au roi Valor en se disant à quel point son père serait fier de sa fille unique et du présent somptueux qu'elle allait offrir à Briavel – la paix.

Il l'observait tandis qu'elle repoussait les aliments sur le bord de son assiette. Elle n'avait pas porté un seul morceau à sa bouche. Le tintement des couverts contre la porcelaine était l'unique bruit dans le silence de la pièce. Elle sentit son regard sur elle et leva son magnifique visage.

— Excusez-moi, commandant Liryk.

— Il n'y a rien à excuser, Majesté.

Valentyna eut un petit sourire empreint de lassitude.

— Mes pensées sont ailleurs ce soir – une prérogative de future mariée, je suppose.

Elle tenta d'appuyer son sourire, sans y parvenir. Au lieu de cela, des larmes commencèrent à couler sur ses joues. Liryk tenta de la réconforter en lui exposant ses propres pensées sur la grandeur de son geste, et la paix qu'elle allait offrir à son peuple.

— Merci, c'est très réconfortant. J'y songerai en prononçant mes vœux solennels.

— Vous espérez toujours que quelque chose vienne vous sauver de ce mariage, se hasarda-t-il à dire.

Elle haussa les épaules.

— Rien ne peut m'en sauver, Liryk.

Tous deux tressaillirent en entendant un coup frappé à la porte.

— Permettez, Majesté, dit Liryk en se levant pour aller s'enquérir.

À son retour, ses lèvres étaient serrées et ses sourcils froncés.

— Quelque chose d'important ? demanda-t-elle, en supposant qu'il s'agissait d'un message pour lui. Ne vous inquiétez pas, vous n'êtes pas tenu d'apprécier mes brillantes reparties, ce soir. (Liryk tenait son regard fixé sur elle, se désolant d'avoir quelque chose à lui communiquer, regrettant de ne pas pouvoir partir immédiatement pour Pearlis.) Qu'est-ce qu'il y a ? Non, pas une mauvaise nouvelle encore… à moins… (elle eut un petit ricanement)… que vous n'ayez à m'annoncer que Celimus est mort dans un accident.

Se ressaisissant immédiatement, elle s'excusa de son écart d'un coup d'œil contrit.

— C'est bien plus intrigant, Majesté. Le chien Filou est sur le pont.

Elle se leva d'un bond.

— Filou est revenu ! Est-ce que Fynch est avec lui ?

— Non, Majesté.

L'hésitation dans le ton du vieux soldat retint son attention.

— Mais il n'est pas seul, c'est ça ?

— Deux hommes sont avec lui. L'un d'eux est Aremys Farrow.

La bouche de Valentyna s'ouvrit toute grande.

— L'homme dont Ylena Thirsk et le duc de Felrawthy nous ont parlé ? Celui qui a organisé le traité de paix avec le roi des Montagnes ?

Liryk confirma d'un hochement de tête.

— Et qui encore ? demanda Valentyna, avant de froncer les sourcils devant le silence obstiné de Liryk. Parlez, commandant. Cette attente est insupportable.

Liryk essuya la transpiration qui était venue emperler son front depuis que le garde lui avait délivré son message, les yeux ronds comme des billes.

— Le roi Cailech des Razors, Majesté.

Le silence qui accueillit ses paroles était aussi lourd que la crainte dans son cœur. La reine porta une main à sa gorge, mais elle parvint à ne rien montrer d'autre que le choc qu'avait causé en elle cette révélation. Elle se ressaisit quelque peu, puis marcha vers la grande porte-fenêtre. Elle l'ouvrit et sortit sur la terrasse.

Il la rejoignit. En contrebas sur le fameux pont de Werryl, ils aperçurent trois silhouettes cernées d'hommes en armes. L'une d'elles lui était familière. Comme averti par un sens mystérieux, le chien leva sa grosse tête noire vers elle pour la fixer de ses grands yeux. Liryk trouva la coïncidence bien inquiétante, mais Valentyna la vécut tout à fait différemment. Malgré la distance, elle sentit le regard de Filou pénétrer au plus profond de son cœur. Elle dut faire un effort pour ne pas plaquer ses mains sur son sein, où une vieille blessure à peine refermée ne demandait qu'à refaire surface pour la tourmenter et l'effrayer.

— Il me l'a ramené, murmura-t-elle pour elle-même, à l'instant où s'imposait à elle une pensée plus folle encore que celles des fous envoyés sous bonne garde sur l'île de Maguria.

— Je vous demande pardon, Majesté ? dit Lyrik.

Valentyna ferma les yeux un instant, puis répondit d'une voix calme :

— Faites-les monter dans mon cabinet de travail.

— Majesté, je ne…

— Immédiatement, Liryk, s'il vous plaît. Allez les chercher et retirez-leur leurs armes. Et vous voudrez bien les faire accompagner d'un détachement armé.

— Bien, Majesté.

Elle se retira de la terrasse. Derrière elle, Liryk jeta un dernier coup d'œil à l'étrange trio.

— Shar, que lui avez-vous envoyé cette fois-ci pour troubler sa paix ? murmura-t-il.

Valentyna se passa le visage à l'eau froide et pris plusieurs inspirations longues et profondes en s'essuyant le visage. Elle gémit. Que lui arrivait-il ? D'où lui venait cette idée folle qui tournait dans sa tête ?

Elle passa en revue toutes les questions qui la mettaient sur des charbons ardents. Comment Filou pouvait-il connaître le roi des Montagnes ? Pourquoi l'amenait-il ici ? Comment pouvaient-ils être venus de si loin sans avoir rencontré une seule patrouille de la garde de Briavel ? C'était impossible. *À moins qu'ils se soient matérialisés en sortant du néant*, songea-t-elle, sarcastique. Deux cavaliers et un chien énorme ne pouvaient pas passer inaperçus.

Immanquablement, le retour de Filou fit remonter en elle le souvenir de Fynch et de leur dernière conversation, lorsqu'il lui avait dit que l'homme qu'elle aimait n'était pas nécessairement au tombeau dans la crypte de son palais. « Si je vous disais qu'il ne s'agit que d'un corps mort et non pas de Romen Koreldy, que diriez-vous ? » avait-il demandé. Elle lui avait répondu qu'il était bien cruel de dire une pareille chose. Pourtant, le petit garçon, son cher Fynch, avait bien essayé de lui faire comprendre quelque chose à quoi elle ne pouvait pas croire, mais qu'elle ressentait maintenant profondément au fond de son cœur. « Même si c'est bien le corps de Romen étendu là devant nous, je ne crois pas que l'homme que vous connaissiez... l'homme que vous aimiez, Majesté... soit mort. »

En regardant le trio sur le pont de Werryl, c'était exactement l'impression qu'elle avait eue, alors même qu'aucun des deux hommes ne ressemblait un tant soit peu à Romen. Mais si Fynch disait vrai, et si Romen n'était pas mort, comment expliquer une telle folie ?

— Comment, au nom de Shar... à moins que...

Elle hésitait à prononcer le mot qui lui brûlait les lèvres. La magie.

— Magie, dit-elle à voix haute, en se remémorant l'avertissement d'Elspyth expliquant qu'il fallait rester ouverte à toutes les formes de compréhension.

Elle avait parlé de réincarnation et affirmé que son amour pouvait revenir sous les traits de quelqu'un d'autre. Elspyth avait voulu lui communiquer un message. Elle l'avait senti à l'urgence dans sa voix, dans sa volonté désespérée de suggérer quelque chose sans le dire effectivement. Elspyth avait dit que l'amour pouvait venir sous la forme d'une femme – et Valentyna avait ri. Pourtant, Ylena Thirsk avait essayé de lui montrer son amour. Valentyna l'avait rejetée, dégoûtée et troublée qu'une femme lui fasse une telle avance.

Mais ce n'était pas une femme ordinaire, n'est-ce pas? songea-t-elle en lançant sa serviette par terre pour observer son visage dans le miroir. *Sois honnête avec toi-même, il y avait du trouble et de l'attirance en cet instant. Tu ne pourrais l'expliquer si on te le demandait, mais si ta vie en dépendait, tu murmurerais peut-être qu'Ylena s'est comportée avec toi comme un homme le ferait... comme un certain homme l'aurait fait.*

Des larmes qu'elle ne parvenait plus à contenir roulèrent le long de ses joues. Pour la première fois, elle venait d'accepter la vérité du fond de ses pensées. Ylena Thirsk marchait et parlait comme une femme, mais agissait comme un homme. Comme Koreldy, par Shar! D'ailleurs, elle avait la même manière de réfléchir en faisant les cent pas et en se touchant l'oreille.

Dis-le! s'ordonna-t-elle.

—Comme Romen, murmura-t-elle au miroir. Elle m'a embrassée comme Romen.

Mais ce n'était pas tout. Fynch avait lié Romen à Wyl Thirsk. Bien des jours auparavant, le garçon lui avait dit qu'il pensait que Romen incarnait le général Wyl Thirsk, l'émissaire aux cheveux flamboyants, timide et courageux, qui lui avait sauvé la vie et avait sacrifié la sienne en tentant de protéger son père. Son père et Wyl étaient morts, mais Romen avait survécu. Koreldy était un mercenaire à la solde du roi Celimus qui avait ordonné ce massacre. Alors pourquoi Romen s'était-il ensuite mis en quête d'Ylena qui n'était rien pour lui? Les pensées s'entrechoquaient dans sa tête, qu'elle sentait sur le point d'exploser.

Un petit coup discret fut frappé à la porte. Elle lança un ultime coup d'œil dans le miroir. Elle avait un air échevelé et aussi peu sûr d'elle-même qu'on peut l'être, mais elle n'avait pas le temps de songer à ces détails alors qu'elle était sur le point d'affronter la plus terrifiante des pensées, une chimère qui menaçait à tout instant de la submerger.

Fynch lui avait dit que Filou n'obéissait qu'à ceux que Wyl Thirsk aimait. Or, Wyl n'avait que faire de Romen Koreldy ou du roi Cailech, ou même d'Aremys Farrow. Et pourtant, le chien avait amené ces trois hommes jusqu'à elle. Pourquoi? Pourquoi s'ils n'étaient pas reliés d'une manière ou d'une autre à Wyl?

Valentyna fit un immense effort sur elle-même et répondit.

—Entrez.

Malgré tout ça, son cœur n'était pas encore prêt. Le commandant Liryk entra dans la pièce, suivi de deux hommes grands et forts, qui dominaient le vieux soldat de leur taille. Filou se faufila entre leurs jambes pour venir la saluer.

À l'instant où elle aperçut le roi Cailech, les larmes montèrent à ses yeux. Inexplicablement, elle avait la certitude absolue d'être une nouvelle fois en présence de Romen Koreldy. Elle fit comme si ses sanglots étaient pour le chien. Penchée sur lui, elle lui tapota la tête, avant de l'enserrer dans ses bras.

—Merci, murmura-t-elle à son oreille sans savoir exactement pourquoi.

Le bruit des armes de ses gardes à la porte lui rappela qui elle était et où elle se trouvait. Valentyna se redressa, sans se préoccuper de ses joues encore humides. Elle porta son regard dans les yeux noirs et chaleureux d'Aremys, puis dans ceux d'un vert de glacier du roi des Montagnes, où brûlait cependant une flamme intense tandis qu'il la fixait.

—Messires, excusez-moi. Comme vous le voyez, je suis émue de retrouver mon ami Filou, dit-elle, surprise d'entendre sa voix si ferme.

—Majesté, répondit le roi Cailech avec une profonde révérence. C'est nous qui nous excusons de venir vous déranger si tard.

Valentyna sentit un frisson parcourir tout son corps en entendant sa voix si mélodieuse et si chaude. Son timbre avait la profondeur à laquelle elle s'était attendue, mais avec une note d'humour et encore autre chose... *De l'affection*, songea-t-elle, fantasque.

Elle le salua à son tour, avec toutes les marques de respect dues à un roi.

—Je ne sais comment il conviendrait que nous vous accueillions, seigneur Cailech. Tout cela est tellement inattendu, comme vous pouvez l'imaginer.

Elle vit ses yeux verts pétiller de malice en réponse à son euphémisme.

—Vous devez être Aremys Farrow, poursuivit-elle en se tournant vers le colosse qui se tenait, l'air emprunté, aux côtés du roi. (Elle fit un pas en avant et lui tendit la main.) Dame Ylena Thirsk et le duc de Felrawthy m'ont parlé de vous.

Aremys prit sa main pour y déposer un baiser.

—Majesté, dit-il, résistant à l'envie qu'il avait d'ajouter des dizaines d'autres choses.

—Venez, je vous en prie, dit-elle. Avez-vous faim ? (Les deux hommes secouèrent négativement la tête.) Un verre alors ? Du meilleur vin de mon père. J'ai hâte de vous entendre me raconter comment deux hommes des Razors – dont le roi lui-même – ont pu couvrir des centaines de lieues sur mon territoire sans qu'une seule sentinelle les aperçoive.

—Effectivement, murmura Farrow.

—Valentyna.

La manière qu'il avait de prononcer son nom fit bondir son cœur dans sa poitrine.

—Oui, Cailech ? répondit-elle.

Ils échangèrent un sourire complice d'avoir aussi naturellement et spontanément renoncé au protocole.

—Pourrions-nous parler en tant que souverains... en privé ?

Elle vit l'étrange coup d'œil d'Aremys Farrow à l'intention de son souverain. C'était à croire que leur amitié allait au-delà des liens habituels entre un garde du corps et celui qu'il protège.

—Bien sûr, répondit-elle en regardant en direction de Liryk, stupéfait par la demande de Cailech.

— Majesté, commença-t-il, bien décidé à ne pas la laisser seule avec cet homme.

Valentyna leva une main pour couper court aux récriminations de son commandant, sachant pertinemment ce qu'il trouvait à y redire, mais pas du tout intimidée à l'idée de se retrouver seule avec leur ennemi supposé.

— Pouvons-nous vous faire confiance, seigneur Cailech ? demanda-t-elle.

— Bien plus qu'à votre futur mari, reine Valentyna, répondit-il.

La reine de Briavel vit son commandant fermer les yeux de désespoir et d'exaspération.

Aremys fulminait en suivant le commandant Liryk. S'il avait eu un poignard à portée de main, il l'aurait volontiers plongé dans le cœur de Cailech, sous l'empire de la rage et la frustration. Pour autant, il ne parvenait pas vraiment à en vouloir à son ami. Depuis qu'un roi plein de traîtrise l'avait envoyé en mission vers la mort, Wyl n'avait rien connu d'autre que la violence, le désespoir et le chagrin. Hormis pendant les jours qu'il avait passés en Briavel, en tant que Romen, à courtiser une reine.

— Et voilà qu'il recommence, songea-t-il, sans même se rendre compte qu'il venait de parler à haute voix.

— Je vous demande pardon ? dit Liryk, qui avait l'air d'être autant en colère que lui.

— Désolé, commandant. Le voyage a été long, répondit le mercenaire.

La fureur parut grandir encore dans les yeux du soldat.

— Justement, j'aimerais vous entretenir de cette question, messire Farrow.

Aremys soupira. Il n'avait aucune envie d'en parler, ni la moindre idée de l'excuse qu'il allait bien pouvoir invoquer pour justifier leur arrivée si soudaine et mystérieuse.

— Si vous permettez, il faudrait d'abord que je soulage mes intestins, dit-il, sachant pertinemment qu'une telle remarque suffisait à décourager les plus insistants. En outre, je suis affamé et je n'aurais rien contre un bain et un peu de repos. Ensuite, je me ferai un plaisir de répondre à vos questions. C'est promis. Mais n'oubliez pas une chose, je ne suis que le garde personnel du roi. Un simple soldat si vous préférez. J'aimerais autant que vous gardiez votre colère pour lui.

Sur ces mots, Aremys Farrow emboîta le pas d'un commandant Liryk tétanisé par la rebuffade qu'il venait d'essuyer. Aremys espérait de tout son cœur que Wyl avait un plan pour les tirer de ce mauvais pas.

C'est une Valentyna inhabituellement intimidée et rougissante qui invita le roi des Montagnes à venir installer sa puissante musculature dans les sofas confortables de son cabinet de travail. La pièce avait naguère été celle de son père, mais elle était à l'évidence devenue la sienne. Wyl releva les quelques touches toutes personnelles qu'elle y avait apportées : un tableau représentant des chevaux sortant des écuries, des vases de fleurs disposés çà et là et le parfum reconnaissable entre tous de la lavande.

— Avez-vous froid, seigneur ? demanda-t-elle.

Il eut un petit sourire affecté et elle se sentit pâlir.

— Ah oui, bien sûr, où avais-je la tête ? J'ai entendu dire que les Montagnards ne ressentaient pas le froid.

Il secoua doucement la tête.

— Non, ce n'est rien. Asseyons-nous près du feu.

Elle lui sourit.

— Je crois que je déteste le froid, dit-elle. Mais il s'en ira bientôt. Chaque journée est plus chaude que la veille.

— C'est que l'été approche à grands pas, dit-il.

Elle saisit parfaitement le sens de tout ce qu'il n'avait pas ajouté.

— C'est pour cela que vous êtes ici ?

— Oui. C'est une pièce bien agréable que celle-ci.

— Merci. Est-ce que Farrow est votre ami ?

Cette question inattendue lui tira un sourire.

— Il se trouve que oui.

— C'est ce qui explique sa colère d'être ainsi laissé à l'écart ?

Wyl hocha la tête.

— Certainement, même s'il n'est pas pour autant fondé qu'il se comporte ainsi.

— Si fait, seigneur. J'ai entendu dire que vous ne traitiez pas tous vos amis aussi aimablement, dit-elle en lui tendant un verre de vin.

— Je ne vois pas de quoi vous voulez parler, répondit-il avec un air de confusion feinte, refusant de mordre à l'appât.

— Je faisais référence à Lothryn, votre second, votre plus cher ami. L'homme que vous avez assassiné.

— Il n'est pas mort, répondit Wyl tout simplement, heureux de son petit persiflage, tout en se demandant ce qu'il était venu faire ici.

Par Shar, comment pouvait-il lui expliquer tout ça ? Que pouvait-il bien lui dire – à part qu'il l'adorait – pour la convaincre de l'écouter, plutôt que de faire partir sur l'heure un messager pour Morgravia.

— Pas mort ? bredouilla-t-elle. Mais Elspyth m'a dit…

— Elspyth se trompe, Majesté. J'ai laissé Lothryn en vie dans les Razors.

Valentyna savait que Cailech détestait Elspyth et qu'il la tuerait sans hésiter si l'occasion lui en était donnée. Chacune des fibres de son corps lui hurlait que cet homme était un imposteur, de la même manière qu'Ylena Thirsk lui avait donné l'impression d'habiter le corps de quelqu'un d'autre. Elle décida de le pousser dans ses retranchements.

— Il se peut qu'Elspyth ne vive pas assez longtemps pour apprendre cette bonne nouvelle, seigneur.

— Quoi ? s'exclama Cailech en renversant du vin sur sa main.

Tout dans son attitude indiquait qu'il craignait pour la vie de quelqu'un qu'il aimait.

Intriguée par sa réaction, Valentyna poursuivit l'expérience.

— La dernière fois quc j'ai eu de ses nouvelles, elle était à l'article de la mort et en route pour Pearlis – du moins, c'est ce que Liryk m'a dit.

Pendant un instant, le visage du roi des Razors devint exsangue.

— Que lui est-il arrivé ?

— Que vous importe ? Pour vous, elle n'est sûrement rien d'autre qu'une traînée de Morgravia.

Elle le vit hésiter. La teinte de ses yeux avait foncé tandis qu'il rassemblait ses esprits.

— Cela m'importe, répondit-il simplement. Est-elle en vie ?

— Oui, répondit-elle, mais c'est tout ce que je sais.

Wyl reposa son verre et, machinalement, commença à tirer sur le lobe de son oreille tout en réfléchissant. Il ne vit pas l'expression d'effroi incrédule que prit le visage de la reine. *Selon toute vraisemblance, Crys Donal devait être avec Elspyth*, se dit-il. Il posa la question et Valentyna confirma d'un hochement de tête. Il ne pouvait pas deviner qu'elle n'osait même plus parler, de peur que sa voix la trahisse. Ses yeux étaient fixés sur son oreille et l'étrange manie qu'elle n'avait vue que chez quatre personnes au monde, Wyl Thirsk en premier.

— Valentyna…, commença Cailech.

Mais la reine ne l'écoutait plus. L'étrange petit jeu auquel ils jouaient avait cessé de l'intéresser. Elle bondit soudain sur ses pieds.

— Comment se fait-il que Filou soit assis à côté de vous ? Il appartient à Wyl Thirsk et ne montre de l'affection qu'à ceux que Wyl apprécie. Pourquoi alors a-t-il accepté de vous suivre ?

Wyl ne supportait plus la tension entre eux. Il but son vin et se leva à son tour, les yeux au fond de ceux de la femme qu'il aimait. Il la dominait d'une tête. Il se tenait tout prêt d'elle. *Elle ne recule pas*, songea-t-il, impressionné. N'importe quelle autre femme aurait hurlé à la garde. Le défi qu'il voyait dans les yeux de Valentyna ne faisait qu'accroître son désir pour elle. Il prit sa main et l'attira contre lui. Cette fois, c'est en homme qu'il allait l'embrasser et au diable les conséquences.

Valentyna ne chercha pas à le repousser. Même si elle l'avait voulu, elle ne pensait pas qu'elle aurait été capable de lui résister. Avec étonnement, elle constata que peu lui importait que ce soit Wyl Thirsk, Romen Koreldy ou même Ylena Thirsk qui l'embrasse. Cailech, roi des Montagnes, dégageait un charisme sauvage et envoûtant qui formait comme un halo autour de lui. Si son cœur s'était accéléré pour Romen, alors il battait la chamade pour Cailech. Et si son corps s'était langui d'être caressé par Romen, elle ne désirait plus rien d'autre en cet instant que de s'allonger sur le sol devant l'âtre pour que Cailech la prenne comme le barbare qu'il était censé être. L'ardeur qu'elle avait éprouvée pour Romen n'était rien en comparaison du désir charnel qu'elle ressentait pour cet homme magnifique et doré devant elle, ses grandes mains posées sur ses épaules, leurs visages à un souffle de distance. Un brasier incandescent brûlait entre eux.

Wyl trouva le courage de se lancer. Il embrassa Valentyna et fut instantanément emporté dans le tourbillon vibrant des désirs qu'il contenait depuis si longtemps.

Les bûches étaient entièrement consumées dans l'âtre. Il ne restait plus que des braises encore rouges sous la cendre. Leurs corps nus étaient emmêlés. Valentyna avait l'impression qu'ils ne formaient qu'un. Elle ne voyait pas où commençaient ses membres fins et graciles à elle et où finissaient ses membres musclés à lui. Nichée au creux de ses bras, elle caressait ses longs cheveux blonds. C'était un lieu qu'elle ne voulait plus jamais quitter. Il la regardait d'une manière qui faisait exulter son cœur.

— J'aurais peut-être dû demander avant ? dit-il.

Elle rit à gorge déployée, emportée par une joie exubérante et insouciante qu'elle pensait ne plus jamais pouvoir éprouver.

— Surtout que c'était ma première fois, dit-elle avec une grimace.

— Je me tuerai si je t'ai fait mal, dit-il.

— Ce n'est pas le genre de commentaire que j'aurais attendu de la bouche d'un roi barbare.

— Nous ne sommes pas des barbares, dit-il en écartant une main.

Une expression d'angoisse passa sur ses traits.

— Oh, Cailech, ce n'est pas ce que je voulais dire. C'était une plaisanterie, rien d'autre. C'est juste que…

— Que quoi ? demanda-t-il d'une voix douce, en reposant sa main au creux de ses reins, juste à la naissance des fesses.

Elle sentit la manifestation du désir qui revenait en lui et sourit pour elle-même de constater le pouvoir que les femmes exercent sur les hommes. Même un roi tout-puissant pouvait être réduit en état de faiblesse. Pas d'arme, pas de menace, pas de sang, juste un corps de femme suffisait à dompter un roi ennemi. Celimus aurait dû venir la voir avant d'aller palabrer dans le nord. Valentyna et toutes les femmes, ses sœurs, auraient pu régler la question en un instant. *Mais cet homme n'est pas mon ennemi*, songea-t-elle, enchantée de se rappeler qu'elle venait de lui donner sa virginité. Voilà un cadeau que Celimus n'aurait pas.

— C'est juste que j'ai l'impression de te connaître, dit-elle, en osant revenir vers les folles pensées qu'elle avait eues plus tôt.

— C'est le cas, répondit-il d'un ton doux en l'observant attentivement.

Elle s'assit, exposant ses seins hauts et ronds et irrésistiblement lourds. Wyl voulut se pincer pour se convaincre qu'il ne rêvait pas, qu'il était bien là avec elle et qu'elle ne lui rendait pas poliment ses marques d'affection, mais qu'au contraire elle les appelait de ses vœux et les appréciait. Il s'assit à son tour et tendit les mains pour la saisir, mais elle les prit pour les poser sur ses genoux.

— Cela fait deux heures à peine que nous nous sommes rencontrés, Cailech, dont une bonne moitié passée à faire l'amour. Aucun préambule, aucun mot doux, aucune attention romantique. C'est absolument impossible que j'agisse comme ça. Impossible ! Or, j'ai ressenti un désir brûlant pour toi dès l'instant où je t'ai vu. Avant même, puisque je t'ai observé de ma fenêtre pendant que tu étais sur le pont de Werryl entouré de mes soldats. Et déjà, mon cœur battait pour toi.

— Valentyna, je…

— Non, attends. Laisse-moi finir. (Elle sourit, subitement embarrassée, et se couvrit de la robe qu'il avait déboutonnée et qu'il lui avait ôtée pas si longtemps auparavant.) De nombreuses voix peuplent mon esprit. Pour commencer, il y a un petit garçon qui s'appelle Fynch et que j'adore. (À l'évocation de ce nom, un voile passa fugacement sur le visage de Cailech, mais elle l'ignora, bien décidée à dire ce qui la titillait depuis si longtemps.) Un jour, il m'a dit quelque chose de très profond, mais que j'ai négligé en me disant que c'était une lubie d'enfant. Aujourd'hui, je crois que j'avais tort. Ensuite, Elspyth m'a incité à ouvrir mon cœur à quelqu'un d'autre après que j'ai été trahie par l'homme que j'aimais, Romen Koreldy. Il a manqué à sa parole, mais je n'ai jamais cessé de l'aimer.

Wyl tenta une nouvelle fois de parler et une nouvelle fois, elle le fit taire, en posant une main sur ses lèvres. Les larmes étaient montées à ses yeux d'avoir évoqué Romen, son amour défunt.

— Une jeune femme noble nommée Ylena Thirsk est venue m'offrir son aide, avant de se livrer à Celimus pour que la légion se retire de la frontière. Tu étais à Felrawthy, Cailech, tu aurais pu la rencontrer. Je ne l'ai jamais sacrifiée en l'envoyant moi-même à Celimus. C'est d'elle qu'est venue cette idée d'aller dans l'antre du dragon.

Il hocha la tête et elle vit qu'il était ému.

— Où est-elle maintenant ? demanda-t-elle, effrayée en fait d'entendre la vérité.

— Elle est morte, Valentyna. Elle a fait preuve d'un courage digne de son nom. Les Thirsk ont toujours été fidèles à Morgravia et pourtant, elle et Wyl t'ont fait allégeance. Ils t'aimaient tous deux à leur manière.

Elle se mit à sangloter.

— Qui l'a tuée ?

— C'est moi, murmura-t-il.

Elle le dévisagea sans comprendre.

— Toi ?

Il hocha la tête avec tant de tristesse qu'elle ne put faire autrement que le croire.

— C'était un accident. Je l'ai tirée des griffes de Celimus, qui voulait lui infliger une mort horrible que je ne décrirai pas pour ne pas souiller tes oreilles. Sache seulement que c'était bien conforme à ses manières cruelles et humiliantes. Aremys et moi l'avons emportée de Felrawthy dans les Razors.

— Que s'est-il passé ?

— Elle a fait quelque chose de très courageux… Je préférerais ne pas en dire plus. Cela m'est trop pénible d'y penser.

Valentyna perçut le tremblement dans sa voix. Romen lui avait décrit Cailech comme un homme qui n'avait rien de si tendre. Dans un coin de son esprit, elle nota ce fait comme une nouvelle preuve indiquant qu'elle avait affaire à un imposteur. Pour l'heure, tout concourrait à faire pencher la balance en faveur de cette interprétation ; l'homme qu'elle voyait n'avait rien du souverain arrogant du peuple des Montagnes. Bien sûr, la description qu'elle en avait n'était qu'un propos rapporté. Il fallait qu'elle trouve la vérité par elle-même.

— Je pleure Ylena. Elle était mon amie.

Cette fois-ci, ce fut au tour de Wyl de tenter sa chance.

— Elle m'a dit que vous vous étiez quittées en mauvais termes.

Valentyna dégagea ses cheveux bruns qui lui tombaient dans le visage.

— Nous nous sommes quittées amies, mais il s'est passé quelque chose entre nous… Ylena a voulu faire l'amour avec moi, balbutia-t-elle, se surprenant elle-même par sa franchise.

Cailech baissa les yeux sur leurs doigts enlacés.

— Oui, elle m'a parlé de cette erreur. Elle aurait voulu pouvoir l'effacer.

— Et moi, je regrette d'avoir réagi comme je l'ai fait. Mais revenons au sujet de Filou, Cailech, comment se fait-il qu'il te montre la même affection qu'à Wyl Thirsk, à Fynch, à Ylena et à Romen ?

Je pourrais tout lui dire, songea-t-il avec frénésie, *et voir ensuite ce qu'il adviendra.* Mais il pouvait aussi continuer son mensonge et ne pas perturber sa vie avec des histoires de magie. Un plan prenait forme dans son esprit. Maintenant qu'il l'avait si totalement possédée, il savait qu'il ne pourrait jamais plus la laisser partir, qu'il ne pourrait jamais la laisser à Celimus. Le plus logique serait de faire venir les guerriers des Montagnes en Briavel et de se risquer à affronter la légion. Si Crys Donal avait suivi ses recommandations, il devait être en train de semer le doute au sein de l'institution militaire de Morgravia. Ensuite, avec l'appui de certains nobles, tels que les Bench par exemple, cette action pourrait porter ses fruits et priver Celimus d'une bonne part de ses légionnaires.

Il prit une décision.

— Valentyna, j'ai un plan pour t'éviter d'avoir à épouser Celimus. Il comporte du danger et nul doute que des hommes de Briavel y perdront la vie, mais je crois que c'est la voie de l'honneur pour ton royaume. Tu sais que Celimus a assassiné d'innombrables personnes, dont notamment ton père, dit-il, en détestant les larmes que ses paroles faisaient venir dans ses yeux. Alors, peut-être est-ce également la voie que tu préfères emprunter. Jusqu'à présent, je n'ai pas été en mesure de t'aider. Je pensais que tu étais aussi prisonnière que je le suis.

Elle fronça les sourcils.

— Je ne comprends pas. En quoi es-tu prisonnier ?

L'heure était venue. Ce n'était pas ce qu'il avait eu l'intention de faire initialement à leur départ des Razors, mais il n'avait pas imaginé alors se retrouver avec Valentyna nue entre ses bras, en train de lui parler de l'amour qu'il éprouvait pour elle depuis si longtemps. Faire l'amour avec elle avait tout changé. Il déglutit avec difficulté, en se demandant comment elle allait réagir.

— J'ai quelque chose à te dire, déclara-t-il.

— Je sens la peur dans ta voix, répondit-elle. Pourquoi ce que tu vas me dire t'effraie-t-il ?

— Parce que ça suppose une honnêteté dont je n'ai pas encore su fait preuve avec toi. J'ai toujours eu peur que cela t'écarte de moi.

Elle secoua la tête.

— Mais tu ne m'avais jamais rencontrée auparavant, dit-elle en sentant se dresser le fin duvet sur ses bras et sa nuque.

Le moment qu'elle avait tant attendu allait arriver. Il allait enfin lui donner la réponse.

— Je t'ai déjà rencontrée, Valentyna. C'est dans cette pièce même que je t'ai vue pour la première fois et que je suis immédiatement tombé amoureux de toi. Ton père était là et nous avons dîné ensemble. Tu t'es moquée de moi parce que tu me trouvais trop petit pour un émissaire du roi de Morgravia.

Si le temps pouvait s'arrêter, si le cœur pouvait s'arrêter de battre, si le souffle pouvait se suspendre et que l'on puisse continuer à vivre, alors c'était très exactement l'expérience que Valentyna était en train de connaître. Elle ne disait rien, les yeux rivés à ceux de Cailech.

— Je t'ai rencontrée à nouveau par la suite, mon amour. (Cailech fouilla dans ses vêtements épars pour en sortir un fin mouchoir de batiste.) Tu m'as donné ça.

Valentyna pleurait maintenant, et de longs sanglots remontaient du plus profond de son cœur. Elle secouait la tête pour nier ce qu'il lui disait. Tout ce qu'elle avait brûlé d'entendre lui paraissait maintenant trop effrayant à concevoir.

— Je l'ai donné à Romen Koreldy, dit-elle d'une voix suppliante, en serrant la main de Cailech si fort que ses phalanges en étaient blanches. C'était un noble de Grenadyne. Un mercenaire.

— C'était moi. J'étais lui, murmura doucement Wyl, tandis que les larmes piquaient ses propres yeux. C'est moi que tu as aimé, Valentyna. Le vrai Romen était mort, tu ne l'as jamais connu. Je suis Wyl Thirsk et j'étais prisonnier dans le corps de Romen.

Les mots lui manquaient. C'était comme si elle entendait parler une langue qu'elle ne comprenait pas. Il poursuivit, enfonçant le clou de la douleur dans son cœur.

— Je suis revenu dans ta vie en tant qu'Ylena Thirsk, ma propre sœur. Elle a courageusement tenté de s'opposer à l'assassin de Romen.

— Hildyth, la putain, murmura Valentyna.

— Son vrai nom était Faryl. C'était un assassin envoyé par Celimus pour tuer Romen. Elle a réussi sa mission, si ce n'est que c'était moi dans le corps de Romen et le sortilège magique du Dernier Souffle m'a forcé à prendre sa vie, tandis qu'elle est morte à ma place.

Il attira Valentyna contre lui et, à sa grande surprise, elle se laissa faire. Il reprit son récit, bien décidé à aller jusqu'au bout.

— Ylena avait entendu parler de Faryl. Elle a saisi sa chance à Tenterdyn, alors que je tentais de les rattraper, Elspyth et elle. D'un coup heureux, elle m'a tué une nouvelle fois, m'obligeant cette fois à prendre la vie de ma propre sœur.

Valentyna émit un sanglot.

— Il fallait alors que je te voie, que j'essaie de t'aider, poursuivit Wyl. Je suis revenu à Werryl et j'ai fait des efforts immenses pour ne pas me ridiculiser. Malgré tout, j'y suis parvenu. Je t'aime depuis cette toute première nuit où j'étais Wyl, Valentyna. Et je suis désolé de t'avoir humiliée et mise mal à l'aise vis-à-vis d'Ylena.

Valentyna prit le mouchoir pour sécher ses larmes. Elle s'exhorta à se ressaisir. Son père aurait honte de la voir si défaite. Pourtant, il était peu probable qu'il ait jamais été confronté à quelque chose d'aussi effrayant dans toute son existence. Elle renifla et tenta de sourire, sans succès. Elle sécha les larmes qui coulaient sur le visage de Wyl.

— Je pense que je le savais. Ta sœur était masculine à bien des égards et elle avait des gestes que j'avais déjà vus chez Romen. Mais je ne parvenais pas à accepter quelque chose de si incroyable. Et donc, poursuivit-elle pour achever le récit de Wyl, Ylena a perdu son combat pour devenir le roi Cailech. C'est bien ça, Wyl ?

L'entendre prononcer son vrai nom était plus qu'il n'avait jamais rêvé. Il l'embrassa et caressa ses cheveux.

— C'est exactement ça, dit-il. Je suis Wyl… Et je regrette tellement de t'avoir menti. J'essayais seulement de te protéger.

— De moi-même, dit-elle durement, parce que je n'acceptais pas l'existence de la magie.

Elle repensait à toutes les fois où Fynch s'était efforcé de la convaincre.

— Ne t'en veux pas, l'implora Wyl. Je ne l'aurais pas cru moi non plus si la chose ne m'était pas arrivée. Je suis maudit par le sortilège de la sorcière Myrren – son don que je n'ai jamais demandé.

— Mais tu vois, Wyl, d'autres te croient. Je suppose qu'Aremys sait ? (Il confirma d'un hochement de tête.) Il y a des gens pour te faire confiance. Je me déteste de ne pas t'avoir cru.

— Tu ne savais pas, dit-il, au désespoir de l'attrister encore plus.

— J'ai vu les indices. Tout était là. Filou a fait tout ce qu'il pouvait, hormis peut-être me parler, s'écria-t-elle. Tout ça signifie que Romen n'était pas réel.

Une nouvelle fois, elle balançait entre l'acceptation et le déni.

— Oh non, Valentyna, non ! Ne pleure pas. Romen était bien réel. Autant que je le suis ici maintenant. J'étais Romen et il était moi. C'est moi, Wyl, qui t'aime, et qui ai dit tout ce que t'a dit Romen.

— Toi ? dit la reine, abasourdie. Wyl Thirsk. Wyl, le petit rouquin.

— Exactement, murmura-t-il, déchiré de la sentir s'éloigner de lui. Ça a toujours été moi. Je t'ai retenue pour que tu ne te donnes pas à Romen ce soir-là. J'avais organisé la fête. Je t'ai donné un masque représentant une tête de colombe et je t'ai dit que je t'aimais. Je portais le masque noir et j'ai combattu Celimus. Sans toi, je l'aurais tué. Voir le reflet de ma trahison dans tes yeux m'a brisé le cœur.

Elle releva les yeux sur lui. Elle voulait le croire, mais elle devait lutter pour accepter une histoire si renversante. Il comprenait.

— Il faut que tu saches une chose, Valentyna. Quoi qu'il advienne désormais, je t'ai aimée du plus profond de mon cœur. Je t'aime maintenant et je t'aimerai à jamais, qui que je sois. Tu ne pourras jamais rien faire pour changer mes sentiments. Jamais je ne donnerai mon cœur à une autre. Il est à toi. Je ne fais qu'un avec toi.

Valentyna poussa un soupir. Que pouvait-elle répondre à ça ?

Il vint à sa rescousse.

— Puis-je t'exposer mon plan ?

Elle hésita, puis parut se détendre.

— Je ne sais pas vraiment quoi répondre à tes mots si doux. Je... j'aimais Romen et je ne veux pas t'abandonner, qui que tu sois.

Wyl hocha la tête, effrayé, mais prêt à espérer qu'elle puisse l'aimer en retour. L'entendre dire qu'elle ne voulait pas l'abandonner avait élevé son âme loin dans le ciel.

— Wyl..., commença-t-elle, avant d'être interrompue par des coups frappés frénétiquement à la porte. (Son visage se figea en un masque de terreur.) Vite, il faut s'habiller !

Wyl fut dans ses vêtements en quelques instants. Il fut impressionné de la vitesse et la dextérité avec laquelle elle enfila sa robe, malgré les coups furieux qui allaient crescendo.

— Gagne du temps, souffla-t-il, tout en l'aidant à boutonner sa robe dans le dos.

Valentyna était sur le point d'inventer un prétexte lorsque la porte s'ouvrit à la volée. C'était Aremys. D'un coup d'œil, il saisit la scène et ses implications, et un air gêné apparut sur son visage. Toutefois, le sentiment de peur palpable qui avait fait irruption dans la pièce avec lui leur fit oublier leur embarras.

Valentyna s'approcha rapidement, priant Shar qu'aucun de ses gardes ne remarque sa mine échevelée ou sa robe encore à moitié défaite dans le dos.

— Ça va aller, merci, dit-elle en refermant la porte au nez des sentinelles.

— Qu'est-ce qu'il y a ? demanda Wyl en rejoignant Valentyna pour achever de boutonner son vêtement.

— Celimus, répondit Aremys, incapable de dissimuler la détresse dans sa voix.

— Quoi ? Ici ?

Valentyna se précipita à la fenêtre.

— J'en ai peur. Viens, Wyl, il faut partir !

— Vous l'avez appelé Wyl, dit Valentyna en se retournant.

Elle avait vu les cavaliers portant les couleurs de la légion. C'était donc vrai. Loin des bras de Wyl, leur moment d'intimité déjà envolé, la réalité revenait dans toute sa dureté, semblant soudain ridicule.

Aremys haussa les épaules, un peu gauche et penaud.

— Eh bien, Majesté, je suppose qu'il vous a dit la vérité. C'est bien le cas, Wyl ?

Wyl hocha la tête, tournant ensuite les yeux vers la reine, le cœur bien lourd. Tout était déjà fini… avant même qu'il ait eu le temps de mettre son plan en action.

— Wyl ! répéta Aremys. Nous devons partir, maintenant ! Désolé, Majesté.

Wyl ne bougea pas.

— Pars ! l'exhorta Valentyna, gagnée par l'angoisse contagieuse de Farrow. Je t'en supplie. La légion entre dans le château.

— Est-ce que Celimus est ici ?

— Je ne sais pas. Je n'ai pas…

Aremys les interrompit, la voix vibrante de colère.

— Il est là, en personne. Wyl, s'il te plaît. Partons.

Le roi Cailech prit le temps de remettre de l'ordre dans sa mise. Un sourire plein de calme apparut sur son visage tanné, si plein de la vigueur de la région qui l'avait vu naître.

— C'était écrit, Aremys, dit-il d'une voix empreinte de douceur et de tristesse. Voici l'heure de vérité du Dernier Souffle.

— Non ! cria le mercenaire en s'avançant vers son ami. On peut s'échapper. Si tu ne penses pas à toi, pense au moins à Valentyna. Songe aux conséquences pour elle de ta présence ici.

— De quoi parlez-vous ? demanda Valentyna. Qu'est-ce qui était écrit ?

Aremys saisit le coup d'œil sévère de Wyl et comprit que ce secret-là n'était pas destiné à être révélé. Il savait à quel moment suivre ses propres conseils.

Liryk leur épargna la suite de la discussion en déboulant dans la pièce, tout protocole oublié. Il fut sidéré de découvrir Aremys.

— Qui vous a laissé entrer, Farrow ?

— Mille excuses, commandant, j'ai menti à vos gardes.

— C'est absurde, Majesté. Je suis censé veiller sur votre sécurité et il semblerait que tout le monde puisse circuler à sa guise ici.

Wyl n'avait pas songé à la réaction que pourrait avoir Celimus en le découvrant ici. Aremys parlait d'or, il fallait qu'il parte, ne serait-ce que pour le bien de Valentyna. Que Celimus n'aille pas la suspecter de comploter avec l'ennemi dans le dos du roi de Morgravia.

Valentyna prit les choses en main, inquiète maintenant que le roi Celimus la surprenne en compagnie de Cailech.

— Liryk ?

Son ton ne souffrait plus aucune discussion.

Le commandant adopta un ton formel qui aurait fait la fierté de feu le chancelier Krell.

— Majesté, même si cela paraît pour le moins inattendu, j'étais venu vous avertir que le roi Celimus vient d'arriver dans le grand salon.

Valentyna prit une profonde inspiration.

— Merci. Le roi Cailech ne peut pas être vu ici. Et j'ai besoin de quelques instants pour… me rafraîchir.

Liryk était toujours décontenancé d'avoir trouvé Farrow dans la pièce avec eux. *Si j'avais su, cela aurait été mieux pour Valentyna qu'on pense qu'Aremys était resté avec nous tout le temps*, songea Wyl.

— Seigneur Cailech, dit Liryk, je vais vous organiser un trajet de repli et détourner l'attention des troupes de Morgravia, mais vous devez partir immédiatement. Vous avez conclu votre paix avec Celimus, alors laissez-nous faire la nôtre ! (La véhémence dans sa voix surprit tout le monde.) Majesté, regagnez vos appartements. Je vais avertir votre futur époux que vous n'êtes pas très loin, poursuivit-il en insistant à dessein sur le mot « époux ».

Il n'avait pas manqué de noter sa mise défaite et le rouge sur ses joues.

Liryk n'avait pas la moindre idée de ce qui s'était passé ici, mais ses yeux avaient vu le tapis froissé devant la cheminée et, derrière les fragrances de lavande, son nez avait perçu des effluves qu'il connaissait bien pour les avoir respirées dans des endroits tels que le Fruit défendu… Non, il ne voulait pas y songer. Encore une journée et la reine Valentyna serait en route pour Pearlis où elle allait épouser le roi Celimus et unir enfin leurs deux royaumes. C'était là tout ce à quoi il voulait penser et il ne laisserait rien ni personne se mettre en travers du chemin qu'il avait tracé.

Valentyna se sentait prise au piège. Elle hocha la tête à l'intention de Liryk.

— Merci commandant, dit-elle, avant de se tourner vers Wyl. Seigneur Cailech, cela a été un enchantement.

Elle lui tendit la main et le roi des Razors l'embrassa, bien trop longtemps et bien trop tendrement au goût de Liryk.

— Messires, suivez-moi, ordonna le commandant. Majesté, je vous attendrai dans le grand salon.

— Utilisez le passage secret, dit-elle.

Liryk hocha la tête. Le long regard lourd de sens qu'échangèrent sa souveraine et le roi des Montagnes ne lui échappa pas. Chacun des pas des deux visiteurs en direction de l'entrée du passage menant à l'extérieur du château lui apporta un immense soulagement.

Juste avant de s'engouffrer dans l'escalier dérobé, Cailech se retourna une dernière fois.

— Valentyna, n'oubliez pas tout ce que je vous ai dit. C'est la plus pure vérité.

L'instant suivant, il avait disparu, encore une fois sorti de sa vie. Valentyna restait seule face à Celimus et un mariage qu'elle ne désirait pas, tandis que son cœur se consumait d'amour pour Wyl Thirsk.

Chapitre 36

Aremys avait entraîné Wyl jusqu'à la porte, l'exhortant à mouvoir le corps massif et puissant de Cailech dans les boyaux souterrains du château. Le garde qui leur ouvrait la voie leur indiqua une petite porte rarement utilisée qui débouchait dans une petite cour, tout près de la chapelle.

Lorsque Aremys se maudit de n'avoir pas d'armes, Wyl se souvint que l'épée bleue de Koreldy était conservée dans une cache secrète de l'oratoire. Contre l'avis du garde, ils se ruèrent à l'intérieur, surprenant le père Paryn.

Une voix familière les accueillit.

— Aremys !

C'était le jeune Pil, le moine qui s'était échappé avec Ylena du monastère de Rittylworth dévoré par les flammes.

— Tu connais ces hommes, mon fils ? demanda le père Paryn au novice.

— Je connais Farrow. Nous nous sommes rencontrés à Felrawthy, mon père. Mais je ne connais pas son ami.

— Pil, s'exclama Aremys, avec du soulagement dans la voix. Voici…

Wyl n'allait pas le laisser parler.

— Je suis le seigneur Cailech, roi des Razors, dit-il en saluant du buste.

Le visage du père Paryn devint blanc comme un linge. Le jeune Pil se ressaisit plus vite et salua à son tour.

— Que faites-vous ici, seigneur ?

— Nous fuyons le roi Celimus, grogna Aremys, reprochant ses manières à Wyl d'un coup d'œil assassin.

— Le roi Celimus est ici ? s'étonna le père Paryn.

— Il semblerait, répondit Wyl d'un ton parfaitement calme. Il ne faut pas qu'on nous trouve – pour le bien de la reine, vous comprenez ?

À en juger par leur air décontenancé, ni l'un ni l'autre ne comprenait. Wyl poursuivit sans juger bon d'expliquer. En la circonstance, il était préférable qu'ils ne comprennent pas.

— Peu importe. Nous avons besoin de l'épée de Romen.

— Pas de combat dans la maison de Shar, roi ou pas roi, l'avertit le prêtre.

— Bien sûr, mon père. Nous prenons l'épée et nous partons. Je vous le promets, le sang ne sera pas versé ici.

Mais il était déjà trop tard. Des cris retentissaient à l'extérieur. Le garde qui les accompagnait haussa les épaules.

— Je suis désolé, seigneur, dit-il. Je vais devoir vous livrer. Le commandant Liryk m'a ordonné de ne pas mettre en péril la réputation de la reine.

— Je comprends, répondit Wyl avec un hochement de tête.

— Quoi ? rugit Aremys. Attendez !

— Calme-toi, Aremys, ordonna Wyl. (Subitement, tous écoutèrent sa voix pleine d'autorité. Cailech se tourna vers Pil et le père Paryn.) Cachez-le, dit-il en désignant le mercenaire, et aidez-le à fuir le château indemne. Je ne vous demande rien d'autre que lui remettre les armes de Koreldy. La reine Valentyna vous en saura gré, dit-il avec fermeté. C'est elle qui l'a ordonné.

C'était un mensonge, mais à ce stade il n'était plus à ça près.

Les deux religieux hochèrent la tête sans piper mot. Puis ils regardèrent le seigneur Cailech, roi des Razors, sortir au-devant des hommes de la légion et de la garde de Briavel.

— Vite ! dit Pil.

Aremys n'avait plus le choix. Il rentra la tête dans les épaules et suivit le novice.

Quelques minutes plus tard, il entendit les soldats faire irruption dans la chapelle, pour être vertement accueillis par le père Paryn qui ne tolérait pas qu'on porte des armes dans un lieu sacré. Ils tentèrent bien de s'expliquer, mais n'obtinrent rien d'autre que la promesse d'une damnation éternelle dans les flammes de Shar s'ils ne vidaient pas les lieux immédiatement.

— Soyez tous maudits pour m'avoir dérangé dans mes prières, cria encore le prêtre dans leur dos.

Pil laissa Aremys dans une petite salle derrière l'abside, tandis que lui-même allait aux nouvelles.

— Où ont-ils emmené le roi ? demanda Aremys au novice lorsqu'il revint.

Il se demandait déjà comment il allait le libérer des griffes d'une compagnie entière de légionnaires et de soldats de la garde de Briavel.

— J'ai cru comprendre qu'il était au corps de garde. Il y a des soldats partout. C'est vraiment le roi des Razors ?

Aremys hocha la tête avec un regard lourd de chagrin.

— Il était aussi Ylena Thirsk, Faryl de Coombe, Romen Koreldy…, ajouta-t-il.

Les yeux du garçon s'arrondirent comme des billes.

— Wyl Thirsk ! s'exclama-t-il à voix basse.

— Exactement. Et le roi le tient finalement dans ses griffes.

— Qu'allons-nous faire ? demanda Pil, terrifié.

Aremys se dit que tenter de sauver Wyl maintenant ne mènerait à rien. Il lui fallait du temps pour réfléchir, d'autant que Celimus ne pouvait rien entreprendre de trop risqué sur le territoire de Briavel, à quelques jours du mariage. Non, il garderait sûrement Cailech pour une exécution spectaculaire après la célébration du mariage.

— Tu vas rester ici et garder notre secret, répondit-il au novice. Moi, je vais prendre l'épée de Romen et rallier Pearlis.

— Je les ai entendus dire que c'est là-bas qu'ils vont l'emmener, à Stoneheart.

— Bon travail, Pil, dit Aremys, conscient que le compliment aiderait le jeune moine à surmonter ses peurs.

— Y a-t-il quelque chose que je puisse faire ?

— Fais-moi sortir discrètement et préviens la reine que j'ai pu m'échapper.

— Vous faut-il un cheval ?

Aremys secoua négativement la tête.

— C'est trop risqué et Celimus est trop malin. Non, je vais partir à pied et je trouverai quelque chose en cours de route.

— Il y a plein de nobles et de marchands qui partent pour Pearlis, messire Farrow, dit Pil avec excitation. L'un d'eux acceptera sûrement de vous emmener.

Le mercenaire tenta de sourire, mais n'y parvint pas.

— C'est ce que je vais faire alors.

La plupart des nobles qui faisaient le déplacement jusqu'à Pearlis pour le mariage royal avaient leur propre escorte, mais Aremys comptait offrir ses services à des représentants des couches moins prestigieuses de la société. En effet, un grand nombre de familles d'artisans et commerçants avaient décidé que l'occasion d'assister à la cérémonie et de découvrir la grande cité de Pearlis était tout bonnement irrésistible, et se préparaient donc à faire le voyage.

Après avoir tourné quelques heures dans la partie nord de Werryl en faisant profil bas, tout en observant soigneusement la procession des voyageurs, Aremys proposa son épée et sa présence dissuasive à trois couples qui de toute évidence allaient voyager ensemble. Il savait posséder une mine foncièrement honnête, ce qui était une véritable bénédiction pour ses activités les moins avouables. En l'occurrence, son air franc et ouvert lui valut les suffrages des trois femmes, d'autant qu'il décrivit le territoire de Morgravia comme un repaire de bandits de grands chemins qui n'attendaient que les riches marchands pour les détrousser.

Aremys se retrouva donc assis à côté de Mat, fournisseur de produits fins auprès de la noblesse de Werryl, qui conduisait l'attelage. Les autres voyageurs étaient tassés à l'intérieur du chariot, tandis que Bren couvrait les arrières, sur l'un des deux chevaux de rechange qu'ils emmenaient avec eux.

— Je n'ai jamais vu une épée luire d'un pareil bleu, dit Mat.

— Ah, répondit Aremys, d'un ton plus triste qu'il ne l'avait pensé. Elle appartenait à un ami qui me l'a offerte.

Mat émit un sifflement.

— Un sacré beau cadeau. Elle a dû lui coûter son pesant de piécettes. Mon frère est armurier, mais je ne l'ai jamais vu faire quelque chose comme ça.

— Je crois que c'est maître Wevyr qui l'a faite.

— À Orkyld, s'exclama Mat, époustouflé.

— C'était un bon ami, dit Aremys en hochant la tête.

— Je veux bien le croire, conclut Mat avec un petit sourire ironique.

Puis les deux hommes s'installèrent dans un silence confortable tandis que le chariot quittait la ville en direction de la grand-route menant vers Morgravia.

Aremys appréciait la tranquillité qui lui permettait de se livrer tout entier à ses pensés moroses, et de ressasser la capture de Wyl dans la panique qu'avait engendrée l'arrivée de Celimus. En vérité, tout provenait de sa panique à lui et à lui seul. Wyl n'avait pas même haussé un sourcil. Il se remémorait ses mots glaçants : « C'était écrit. Voici l'heure de vérité du Dernier Souffle. »

La voix de Mat le ramena au présent.

— Pardon ?

— Je disais que vous êtes bien silencieux. Est-ce que tout va bien ?

— Désolé. Lorsque je me concentre sur la route, j'oublie un peu le monde alentour.

— Il n'y a pas de bandits aussi près de Werryl, Farrow. Détendez-vous. Chantez avec nous.

Chanter, c'était bien la dernière chose qu'il avait envie de faire en songeant au sort que Celimus allait réserver au roi Cailech.

Chapitre 37

Valentyna descendit l'escalier menant au grand salon, avec la sensation irréelle d'être dédoublée. Il y avait la souveraine de Briavel, ravissante dans sa robe bleue, qui s'avançait tout sourire vers son futur époux qu'elle détestait. Et puis, il y avait Valentyna qui, en esprit, fuyait avec le roi Cailech et Aremys Farrow.

Elle n'avait pas encore totalement admis la réalité de la véritable identité du roi des Montagnes. Pour l'heure, elle ne cessait de repasser dans sa tête tous les instants partagés avec Wyl, d'abord lorsqu'il était lui-même, puis lorsqu'il était devenu Romen, et Ylena ensuite. Malgré son obstination à trouver ne serait-ce qu'une faille dans cette histoire, elle n'y parvenait pas. Bien trop d'éléments venaient corroborer sa véracité. Le Dernier Souffle existait bel et bien. Elle n'avait jamais eu l'occasion de faire réellement connaissance avec Wyl, mais le décompte des points communs entre Romen et Cailech était affolant. Et quand elle songeait à Ylena Thirsk sous cet angle, elle en restait abasourdie. Pourquoi n'avait-il jamais tenté de lui parler ?

Elle répondit à sa propre question. *Parce que je ne l'aurais pas cru.* Pas quand il était Romen, pas même après la rencontre miraculeuse avec le pinson qui avait annoncé l'arrivée d'Ylena. Elle avait cru que son chant n'était qu'une simple coïncidence et en aucun un acte magique. Or, elle voyait bien maintenant que la magie avait tout fait. Wyl n'avait même pas eu le temps de lui parler de Fynch, de lui dire où il était et comment il allait. Il n'avait pas pu non plus lui exposer son plan pour éviter son mariage avec Celimus. Que ne donnerait-elle pas pour l'entendre maintenant ! Elle avait imaginé mille et un scénarios, sans parvenir à trouver une solution. *Encore quelques pas*, se dit-elle en sortant de sa rêverie inquiète, *et Celimus m'embrassera les mains en me susurrant ses fadaises.* Et d'ailleurs, que venait-il faire ici ? Pour elle, il pouvait aussi bien faire demi-tour et rentrer chez lui. Il lui restait une pleine journée de liberté avant de partir pour Pearlis.

Elle inspira profondément et indiqua d'un signe de tête aux gardes d'ouvrir les portes pour qu'elle fasse son entrée. En esprit, elle avait déjà imaginé le roi Celimus l'accueillant d'une courbette élégante, avant de s'avancer vers elle de sa démarche majestueuse en lui offrant son impeccable sourire. Pour sa part, elle savait très exactement quelle expression elle allait lui jouer – un subtil compromis entre la surprise et le plaisir feint de le savoir en Briavel. En fait, elle n'eut pas à mimer la moindre surprise. À son entrée dans la pièce, la réalité lui fit l'effet d'une gifle magistrale au visage. Le roi de Morgravia contemplait avec un sourire plein de suffisance un Cailech éructant en train de se débattre.

—Valentyna, ma douce, dit Celimus avec force gestes démonstratifs, regardez ce que j'ai trouvé aux abords de votre château en train de fouiner comme un rat.

De saisissement, elle s'arrêta net et eut la sensation que son cœur lui aussi avait cessé ses mouvements. Cailech secoua la tête et elle comprit ce qu'il attendait d'elle. Son cœur se brisa. Encore ! Le cauchemar recommençait encore. Une nouvelle fois, il se sacrifiait pour la sauver.

Tout le monde attendait qu'elle parle.

—Je vous ai déjà dit, cria Wyl en repoussant les mains des gardes qui le tenaient, que je n'ai pas parlé à la reine.

Valentyna vit les fers à ses poignets et ses chevilles.

—Je t'ai entendu la première fois, Cailech, cracha Celimus, avant de se tourner vers sa promise. Ma douce, est-ce vrai ?

N'hésite pas, Valentyna. Confirme, supplia muettement Wyl.

Pour Briavel alors, songea-t-elle après avoir rapidement évalué le caractère désespéré de la situation. Elle prit son ton le plus royal pour le jeter au visage de Celimus.

—Bien sûr que c'est vrai, répondit-elle sèchement. Qui est cet homme ? ajouta-t-elle en désignant Wyl du doigt, avec au cœur l'espoir qu'Aremys se soit échappé. Et comment osez-vous, roi Celimus, détenir quelqu'un contre sa volonté à la cour de mon propre royaume ?

Sa réaction surprit Celimus. Il ne s'était pas attendu à sa colère, ayant déjà décidé qu'elle était aussi coupable que le peuple des Montagnes conspirant contre lui. Son premier instinct qui lui avait soufflé de ne pas faire confiance à Cailech ne l'avait donc pas trompé. C'était une erreur qu'il ne répéterait plus.

—Majesté, intervint Liryk, permettez-moi de faire emmener le prisonnier en lieu sûr. Ensuite, vous pourrez discuter...

—Oui ! Faites donc ça, commandant, dit Valentyna, afin de reprendre l'initiative en coupant tout ce qu'il aurait pu ajouter encore. C'est impardonnable, roi Celimus. Vous l'appelez « Cailech », mais je ne sais même pas qui c'est.

Celimus avait retrouvé une part de ses usages policés.

—Vraiment ? Alors permettez-moi de vous présenter ce traître de roi des Razors qui, il y a quelques jours à peine, a signé un traité de paix avec Morgravia, à Felrawthy.

Valentyna feignit d'être choquée, pour masquer le désespoir qu'elle ressentait à voir emmener l'homme qu'elle avait aimé à travers tant de vies.

Cailech tourna la tête pour crier par-dessus son épaule.

—Je suis heureux que vous ayez enfin fait ma connaissance, Majesté. (Ce « ma connaissance » revêtait un sens qu'elle seule pouvait comprendre.) Nous nous reverrons, ajouta Wyl.

Et ce message n'était destiné qu'à elle seule.

—Oh, mais j'y compte bien, dit Celimus. Je veillerai à ce que ma femme soit présente pour votre exécution.

Elle vit le sourire triste sur le visage de Cailech sans en comprendre la raison. Elle renvoya tout le monde et se tourna vers Celimus à la seconde même où les portes se refermèrent.

—Comment osez-vous ?

—Oh, Valentyna, je vous en prie, répondit-il d'un ton cajoleur. Je suis venu uniquement animé d'intentions romantiques. Mon chancelier m'a suggéré que ce serait fantastique pour nos deux peuples de nous voir ensemble sur le chemin. Son idée était que je vienne avec une escorte pour ce voyage, ô combien symbolique, de votre royaume vers le mien. Je sais que j'aurais dû vous prévenir, mais cela m'a paru être un plan si parfait que je n'ai pas pu attendre. Je suis venu ventre à terre pour vous cueillir avant que vous quittiez Werryl. J'ai amené un carrosse spécialement créé pour l'occasion par mes artisans, ma douce. Ils y ont travaillé pendant des mois. Nos deux blasons y sont représentés entremêlés et sachez que nos couleurs ne jurent pas. Le rouge, le vert et le violet s'harmonisent à merveille. On pourrait croire qu'elles étaient de toute éternité destinées à s'unir, conclut-il avec une note d'attendrissement dans la voix.

Valentyna était stupéfaite par son enthousiasme. Elle comprenait bien tout l'intérêt de cette initiative pour leurs deux peuples, mais elle détestait les surprises, aux pires moments qui soient, surtout quand elles venaient du roi de Morgravia qu'elle haïssait.

Elle s'était promis une journée, une dernière journée, pour faire le deuil de son statut. Puis une nuit pour se souvenir des caresses de Romen, de Cailech… de Wyl Thirsk. Et Celimus allait la priver de tout cela.

—Que comptez-vous faire avec ce Cailech ?

—Je ne sais pas encore. Nous le ramenons avec nous à Stoneheart.

—Vous n'escomptez pas le juger pour l'exécuter ? demanda-t-elle, avec un frisson d'horreur et de peur mêlées.

Il ne pouvait pas mourir encore. Elle ne voulait pas perdre Cailech comme elle avait perdu Romen.

—J'ai dit que je ne savais pas. Mais la mort me paraît la meilleure solution.

—Pourquoi devrait-il mourir ?

—Le simple fait que vous posiez cette question me stupéfie, Valentyna, répondit Celimus d'un ton calme et posé, mais avec un rictus plein de condescendance.

—Mais ne venez-vous pas de me dire avoir signé un traité de paix ?

Le tempérament irascible de Celimus commençait à prendre le dessus. Il avait déjà eu bien du mérite à parcourir tout ce chemin sans perdre patience.

— Un traité qu'il a rompu en mettant un pied en Briavel. Ce qui soit dit en passant constitue un mystère complet pour moi. Comment diable le roi des Razors peut-il infiltrer votre royaume et le traverser dans presque toute sa longueur sans être repéré ?

— C'est effectivement mystérieux, répliqua Valentyna. Et c'est précisément pour ça que je m'oppose à ce que vous preniez la moindre décision, Majesté. Il est mon prisonnier, sur mon territoire. C'est moi qui déciderai de son sort.

Une nouvelle note apparut dans la voix de Celimus, une tonalité qu'elle n'avait encore jamais entendue, mais qui lui paraissait parfaitement emblématique du souverain cruel de Morgravia. Toute trace de douceur et de suavité avait disparu.

— Je suis désolé, Valentyna, mais vous ne déciderez rien. J'ai déjà vu comment vous châtiez les traîtres : en les envoyant passer la nuit dans un bordel.

Il ne savait pas à quel point ses mots étaient comme du sel sur une blessure à vif.

— Partez, Celimus, ordonna-t-elle.

Elle n'osait pas en dire plus.

Il la crucifia d'un regard qu'elle lui rendit avec un air de défi. Pour finir, il hocha la tête.

— Fort bien. Nous partirons demain comme prévu. D'ici là, je vous recommande de faire disparaître ce mépris de votre visage. Je vous épouserai et je me réserverai le droit d'exécuter les ennemis pris sur mon territoire.

— Mon territoire, vous voulez dire ! vociféra-t-elle, tremblant que la rage et la haine qui la submergeaient la poussent à commettre quelque chose d'irréparable.

Il secoua la tête.

— Il m'appartient désormais. Il va falloir vous y habituer. Soit nous nous marions pour le plus grand bonheur de nos peuples, auquel cas je garantis la paix à nos royaumes. Soit j'emploie la manière forte et je vous promets alors de massacrer chaque homme, chaque femme et chaque enfant de Briavel.

Elle n'avait pas cru possible qu'il puisse encore la choquer. Pourtant, le venin qu'elle avait entendu dans sa voix lui avait dressé les cheveux sur sa tête. Personne encore n'avait osé lui parler sur ce ton. Était-ce une manière de s'adresser à une reine dans son propre palais ? Pourtant, elle se sentait totalement démunie face à lui. Il ne lui restait que les mots pour se battre. Elle les lui jeta à la figure.

— Tu n'es qu'un serpent, Celimus ! Wyl Thirsk avait raison.

— Wyl Thirsk est mort – qu'il pourrisse dans l'enfer de Shar – et tu le seras aussi bientôt, si tu ne mets pas un sourire sur ton visage, si tu ne viens pas à Pearlis sans faire d'histoire et si tu ne m'épouses pas comme prévu dans quelques jours.

— Je préférerais être morte.

— Si tel est ton choix, grogna-t-il d'un ton hargneux. Finie, la galanterie, Valentyna ! Tu es ma reine, mais certainement pas mon égale. Telle est ta nouvelle vie. La seule chose que tu puisses m'apporter, ce sont les fils que je désire. Mais si tu te refuses à moi, je viendrai prendre mon plaisir quand bon me semblera.

Morne et lugubre, Wyl était assis à l'intérieur du corps de garde. Liryk n'avait pas pu se résoudre à descendre le roi des Razors au cachot. De cette manière, il avait l'impression de lui offrir un hébergement rustique plutôt que de le garder prisonnier. Des légionnaires étaient postés partout dans la pièce. Un pour chaque soldat de Briavel.

— Est-ce qu'Aremys est parvenu à s'enfuir ? demanda-t-il à Liryk.

Le commandant hocha la tête.

— Vous n'auriez pas dû hésiter, seigneur.

— Je n'ai pas à fuir en courant.

— Mettez votre orgueil de côté. Tout cela est extrêmement dangereux pour notre reine.

— Elle s'en sort à merveille. Je ne lui causerai plus de problème. En tout cas, merci de garder notre secret.

Le vieux soldat soupira.

— Je ne suis pas sûr de bien comprendre ce qui vous a amené ici, ni le calme avec lequel vous acceptez le sort funeste que vous réserve Celimus.

— C'est ainsi que je dois me comporter, répondit Wyl, résigné et fataliste. C'est le Dernier Souffle qui joue sa partition.

— Le dernier souffle ?

— N'écoutez pas ce que je dis, répondit Wyl avec un sourire.

Liryk était tout à la fois intrigué et décontenancé par cet homme. Heureusement, Valentyna n'avait rien dit à Celimus, et le soulagement qu'il en éprouvait l'emportait largement sur sa curiosité.

— Comment le roi Celimus a-t-il pu savoir ? À peine arrivé, il a envoyé des hommes à votre recherche.

Wyl haussa les épaules.

— C'est à cause de mon cheval, expliqua-t-il, heureux de posséder les souvenirs de Cailech.

— Comment ça ?

Wyl ramena les cheveux de Cailech pour les nouer sur l'arrière de sa tête.

— J'ai offert un étalon blanc à Celimus lorsque nous nous sommes vus à Felrawthy. L'animal l'avait subjugué et j'ai insisté pour lui en faire présent. Or, j'avais le même à la forteresse, son frère jumeau, en tous points identiques.

Liryk comprit ce qui s'était passé.

— Et il a vu votre cheval.

— Il est probablement arrivé montant son frère. Comment pouvait-il le manquer ? Au fait, commandant Liryk, vous ne direz rien au sujet d'Aremys, n'est-ce pas ?

Le vieil homme secoua la tête.

— Non, seigneur. Je ne tiens pas à accabler davantage notre souveraine. Personne ne sera informé de la présence du mercenaire. Je réponds du silence des hommes de la garde de Briavel.

— Merci.

— Je vais veiller à votre confort, seigneur. Nous partons pour Pearlis demain à l'aube.

Wyl hocha la tête. Tout cela ne lui importait plus.

Valentyna fuit sa colère et Celimus en partant galoper sur la lande, refusant qu'il l'accompagne. Ce serait sa dernière promenade de femme libre sur ses terres de Briavel. La prochaine fois – *s'il y a une prochaine fois*, songea-t-elle en se remémorant les menaces de Celimus – elle serait mariée. Elle porterait le titre de reine de Briavel et de Morgravia, sans disposer du moindre pouvoir.

Elle jeta un coup d'œil en direction de l'étrange troupe de cavaliers qui l'escortait, composée de ses hommes à elle et de légionnaires. Celimus ne voulait courir aucun risque. Pourtant, où aurait-elle bien pu aller se cacher ? Et puis, quelle incongruité pour une souveraine que de fuir son propre royaume. Non, Valentyna était d'une autre trempe. Elle allait faire face à son destin et offrir à son peuple la paix qu'elle lui avait promise.

Le souvenir du contact de Cailech brûlait encore dans son âme et sur sa peau. Tout son corps avait réagi avec une incroyable ardeur. L'instant était passé comme un songe intense et frénétique, mais elle se souvenait de chaque seconde et pouvait les revivre en pensée en un ralenti délicieux. Le fait d'avoir perdu sa virginité était quelque chose dont elle ne parvenait pas à prendre pleinement la mesure. Tant d'événements étaient arrivés en si peu de temps. Jamais elle n'aurait pu prévoir que les choses se passeraient ainsi. Mais rien – absolument rien ! – ne lui donnait plus satisfaction que de savoir qu'elle avait donné son bien le plus précieux à l'homme qu'elle aimait, plutôt qu'à celui qui l'en aurait dépossédée par le mensonge, la violence et la trahison.

Cailech… *non, Wyl…* demeurait une telle énigme pour elle. Elle pouvait se dire qu'elle avait connu Romen, mais elle en savait si peu au fond sur lui, hormis qu'il l'avait aimée, qu'il aurait donné sa vie pour elle et qu'il était effectivement mort pour elle. *Pauvre Wyl*, se dit-elle en songeant qu'il lui avait fallu apprendre à vivre en femme, et par deux fois encore. Elle ne pouvait même pas imaginer comment il avait pu survivre au meurtre de sa sœur. Elle souhaitait tellement avoir l'occasion de le lui demander, de passer du temps avec lui.

Eh bien, il n'en tient qu'à moi, décida-t-elle en son for intérieur. Elle allait épouser Celimus et lui donner tout ce qu'il demanderait afin de préserver la vie du roi des Razors. Même si elle devait ne jamais le revoir, au moins serait-il encore en vie. Celimus n'exécuterait pas Cailech parce qu'elle le lui interdirait. Elle était partie du mauvais pied avec Celimus, elle s'en rendait compte maintenant. Elle n'avait cessé de le mettre en colère, de le coincer systématiquement par ses déclarations à l'emporte-pièce. Son père lui disait toujours qu'elle ferait bien d'apprendre à tourner sept fois sa langue dans sa bouche avant de parler.

« Un bon souverain est celui qui sait user de diplomatie, lui disait-il souvent. Celui qui sait choisir ses mots et prend toujours le temps de réfléchir avant de s'exprimer. »

Elle n'avait pas suivi ses conseils avec Celimus, mais il faut dire aussi que le temps de la réflexion lui avait été refusé. Elle avait été mise au pied du mur. Soit elle mentait pour sauver des vies, soit elle disait la vérité et provoquait un bain de sang.

Non, elle avait fait ce qui devait être fait. Son seul tort était de s'être ensuite disputée avec Celimus. De toute évidence, découvrir Cailech à Werryl avait été un choc pour lui. Comme un animal blessé, il avait chargé. *J'aurais dû sentir le danger*, se dit-elle avec amertume. Si elle voulait survivre à la cour de Celimus, elle allait devoir jouer avec plus de finesse qu'aujourd'hui. Elle devait flatter sa vanité, le faire se sentir tout-puissant, se rendre irrésistible. Valentyna ralentit la course de son cheval pour aller au pas. Elle n'était pas pressée de rentrer au château. Elle se souvint soudain à quel point elle s'était sentie puissante en découvrant le pouvoir qu'exerce une femme sur un homme. Malgré sa force, sa puissance et son statut, Cailech était finalement si vulnérable. *Ce n'est qu'un homme après tout*, songea-t-elle avec un sourire. Mené par le désir, il devenait malléable comme une pâte entre les mains d'une partenaire complaisante. Pourrait-elle parvenir au même résultat avec Celimus ?

Les conseils du chancelier Krell lui revinrent en mémoire. Si elle abordait ce mariage avec intelligence, disait-il, elle pourrait user de ses charmes féminins pour obtenir ce qu'elle voulait. En faisant abstraction de la révulsion que Celimus lui inspirait, et si elle parvenait à jouer les reines attentives et affectueuses, à impressionner favorablement le peuple et à lui complaire ainsi, elle pourrait remporter de petites victoires, importantes à ses yeux.

Wyl était sa première priorité. Elle comprenait parfaitement qu'elle ne parviendrait jamais à obtenir sa liberté. Celimus voudrait faire un exemple en le gardant prisonnier. Soit ! Mais par ses efforts, elle obtiendrait que son châtiment n'aille pas au-delà. Ils avaient déjà menti une première fois. Pourquoi Wyl ne parviendrait-il pas à inventer une bonne excuse justifiant sa présence en Briavel ? Il y avait forcément un prétexte crédible qu'ils pouvaient invoquer. Elle tenta d'imaginer quelque chose et une pensée lui vint. Pourquoi Cailech ne serait-il pas venu voir la reine de Briavel en secret pour proposer d'organiser une fête en l'honneur du roi de Morgravia, afin de célébrer la paix entre leurs trois royaumes ?

L'idée fit son chemin dans son esprit. Il faudrait qu'elle en parle à Wyl.

Chapitre 38

Leur voyage à travers Briavel et Morgravia se déroula sans le moindre incident. En d'autres circonstances, Valentyna aurait réellement goûté le bonheur d'être au contact des centaines de personnes massées le long des routes pour saluer l'immense caravane royale passant par les villes et villages. Les soldats de la garde de Briavel avaient revêtu leurs tenues de grand apparat vert et violet, tandis que les légionnaires arboraient leurs couleurs, le rouge et le noir. Dans leur sillage, s'étirait une interminable cohorte de nobles, de dignitaires, de serviteurs et d'intendants, sans oublier le chariot de dame Eltor – dans lequel était précieusement transportée la garde-robe de la reine – ni les cuisiniers, pâtissiers et boulangers, ainsi que toutes les personnes indispensables à des festivités nuptiales où l'on goûterait les spécialités de Morgravia et l'excellente cuisine de Briavel.

Au milieu de ce convoi haut en couleur, le roi et la reine chevauchaient en saluant gracieusement le bon peuple pour le remercier de ses vœux et de sa liesse.

— On a envie d'y croire, dit Valentyna avec un petit sourire timide en direction de Celimus.

Il ne tourna pas la tête, mais elle perçut le ton adouci dans sa voix. *Après tout, c'est peut-être difficile de se montrer immonde en permanence*, songea-t-elle.

— Pourquoi pas ? Le peuple vous aime. Et il m'aime parce que je vous épouse et que j'amène la paix dans toute la région.

— C'est une bonne chose, Celimus.

— Vous le pensez sincèrement ?

Elle attrapa un petit bouquet lancé par un garçon et lui envoya un baiser en retour. La foule rugit de contentement.

— Je regrette mon comportement d'hier… Et aussi celui que je vous ai montré pendant que vous me faisiez la cour.

Cette fois-ci, il se détourna des visages ébahis pour la regarder en face.

— Et ?

— J'aimerais que nous reprenions tout depuis le début. Ni l'un ni l'autre n'avons de parents pour guider nos choix. Nous n'avons aucune famille sur laquelle compter. (Elle soupira.) Nous sommes en train d'essayer de réaliser quelque chose d'extraordinaire – deux jeunes monarques fraîchement arrivés sur leur trône respectif qui tentent d'amener la paix et la prospérité. J'ai beaucoup réfléchi la nuit dernière, Celimus, et j'ai compris que ce que vous vous efforcez d'accomplir demeurera dans l'histoire comme un exploit exceptionnel.

À l'évidence, il avait du mal à croire ce qu'entendaient ses oreilles.

— Mais...

— Hier était un autre jour. Vous m'aviez effrayée et j'étais perturbée à l'idée que ce Cailech avait pu se glisser en Briavel sans que j'en sois avertie. Vous a-t-il donné une explication ?

— Non. Je me suis dit que je le découvrirai bientôt grâce au savoir-faire des bourreaux de Stoneheart, répondit-il avec malveillance.

Valentyna ne réagit pas. Comme tous les tyrans, Celimus cherchait systématiquement à faire mal. Il n'avait pas changé depuis l'époque où il avait brisé la poupée d'une petite princesse uniquement parce que la possibilité s'en offrait à lui. Oui, Celimus n'était au fond qu'un enfant colérique. Valentyna sema la première graine de son mensonge.

— Apparemment, Cailech aurait dit à Liryk qu'il voulait me rencontrer pour organiser des festivités en votre honneur.

Celimus ne s'était pas attendu à ça.

— En mon honneur ?

— Oui. Il voulait vous honorer comme le grand artisan de la paix dans la région, celui qui apporte la tranquillité et la prospérité à nos trois royaumes.

Elle retint sa respiration pendant le silence qui suivit, s'imposant malgré sa peur de saluer la foule en souriant.

— Voilà qui pourrait changer les choses, dit-il doucement.

Au lieu de rebondir sur ses paroles en trahissant son enthousiasme, Valentyna haussa les épaules.

— Enfin, c'est ce que j'ai cru comprendre. Peut-être en découvrirez-vous plus en temps voulu. Quoi qu'il en soit, après tout le mal que vous vous êtes donné pour établir la paix avec les Razors, ce serait dommage de perdre un allié.

— En effet, répondit-il sèchement.

Malgré son ton, l'idée que Cailech n'était pas venu en Briavel pour comploter venait d'être plantée. Restait maintenant à l'arroser subtilement au cours du voyage.

— Pour revenir à ce que je disais, Majesté, vous pouvez compter sur moi pour me montrer fidèle et obéissante. Faisons de ce mariage le succès que tout le monde attend.

Il eut un rire moqueur.

— Je sais que vous ne m'aimez pas, Valentyna.

— Tout comme vous ne m'aimez pas vous-même, contra-t-elle prudemment. Mais cela ne signifie pas pour autant que nous ne puissions former un couple royal exceptionnel. Respect, affection, coopération, voilà des qualités à l'épanouissement desquelles nous pouvons œuvrer.

— Certes. Mais quelque chose m'échappe.

— Qu'est-ce qui vous étonne, Majesté ?

— Ce changement subit. Un chat qui feule toutes griffes dehors et l'instant suivant un chaton qui ronronne.

— J'ai rêvé de mes parents la nuit dernière, Celimus. Ils sont venus me visiter, mentit-elle, en s'efforçant d'oublier ce qui avait vraiment peuplé ses songes, les bras de Cailech, son ardeur et sa tendresse à l'instant de la déflorer, ses baisers si doux et passionnés, ses mots d'amour – soudain, elle sentit qu'elle avait chaud là où il ne fallait pas.

— Oui ? dit Celimus.

— Et… ils m'ont dit que nous étions un couple formé par Shar pour le bien des royaumes. Ils m'ont dit que si nous nous laissions guider par les anges de Shar, alors notre mariage tiendrait et nous serions bons l'un envers l'autre. Ils m'ont dit aussi que nous aurons des fils – quatre solides garçons, dit-elle, la nausée au bord des lèvres de tant d'inventivité.

» Êtes-vous superstitieux, Celimus ?

— Pas vraiment, mentit-il. (Elle savait qu'il l'était.) Pourquoi ?

— Ce matin, une rose blanche était apparue sur le rosier planté par mon père à la mort de ma mère.

Celimus lui lança un regard un peu railleur, mais elle sentait bien qu'il était intrigué.

— Qu'est-ce que cela signifie ?

— Peut-être n'y a-t-il qu'en Briavel que cette croyance existe, toujours est-il qu'il se dit que si un rosier ne produit qu'un unique bouton blanc qui éclôt avant que d'autres apparaissent, alors tous les rêves dont on se souvient de la nuit d'avant deviennent réalité.

— Qu'ils soient bons ou mauvais ? demanda-t-il.

— Apparemment. En tout cas, nous y croyons tous. C'est pour ça que je suis allée voir ce matin. Mes rêves de la nuit étaient si intenses, si profonds. Je voyais nos fils comme si j'y étais, Celimus, quatre solides garçons bruns comme leur père.

Il sourit.

— C'est très intéressant, Valentyna. Je me réjouis que vous vous montriez soudain si positive.

— J'entends être une bonne épouse pour vous, Majesté. Je vous rendrai heureux et fier.

Celimus la regarda au fond des yeux sans y déceler la moindre ruse. Elle chevauchait sur un cheval noir, lui sur son étalon blanc. Il tendit la main pour prendre la sienne. La foule suspendit son souffle, avant de hurler sa joie dans un véritable délire lorsque le roi Celimus se pencha pour y poser ses lèvres.

Valentyna ne ressentit rien d'autre que de la répulsion. Rétrospectivement, elle se félicita d'avoir mis des gants pour chevaucher.

Le roi Cailech voyageait dans des conditions bien différentes, mais vers la même destination. Attaché, bâillonné, jeté au fond d'un chariot couvert, il n'était pas à la fête. Pas question de s'arrêter pour manger ou se reposer. L'attelage était changé à intervalles réguliers et son convoi avançait sans s'arrêter. Rien qu'à l'odeur, il devina qu'ils arrivaient à Pearlis. Il avait perdu la notion du temps, et même le fil de ses pensées. Son esprit était comme un écheveau de laine emmêlé. Il avait renoncé à tenter de séparer les fils les uns des autres et cessé de lutter pour concevoir un moyen de fuir.

Il imaginait la citadelle de Stoneheart dressée de toute sa hauteur devant eux, fière, sombre et méprisante. *Les fameuses gargouilles seront les premières à nous apercevoir*, songea-t-il, ce qui lui remit en mémoire une idée fantasque qui lui était venue le premier jour de son arrivée au palais morgravian. Il n'était qu'un garçon à l'époque. Gueryn chevauchait à ses côtés, ainsi que quelques suivants de son père pour étoffer un peu la suite du nouveau général de la légion de Morgravia. Comme il se sentait bien plus vieux aujourd'hui. Cette sensation ne venait pas seulement du corps dans lequel il se trouvait, ou de ceux qu'il avait connus, mais de son esprit aussi, alourdi par le désespoir et un sens aigu du deuil.

Ses premiers mois à Stoneheart avaient été un temps heureux, surtout après l'arrivée d'Alyd, même si l'éloignement de sa terre d'Argorn demeurait un véritable crève-cœur pour lui. Ce premier jour, alors qu'il n'avait que treize ans à peine, un âge où l'on rêve encore éveillé, Wyl avait levé les yeux vers cette impressionnante masse de pierre et aperçu les gargouilles. Trois pour être exact. Il leur avait donné des noms et s'était imaginé qu'elles étaient les sentinelles personnelles du roi, capables de repérer les amis ou ennemis arrivant, bien avant les patrouilles de la légion.

— Tu me vois, Bauz ? murmura-t-il au chef des gargouilles, celle avec un gros bec. C'est moi, Wyl Thirsk. Je reviens.

— Stoneheart en vue ! cria un soldat.

Wyl eut un sourire pour lui-même.

La mort était sur lui. Le Dernier Souffle atteignait son moment de vérité. Le sortilège de Myrren touchait à sa fin.

Il espérait qu'Aremys soit parvenu à gagner Pearlis, et qu'il tiendrait sa promesse solennelle de prendre la vie du roi Celimus à l'instant où le transfert s'opérerait. Il songea quelques instants à cette histoire de nature aléatoire dont Fynch lui avait parlé, et s'en trouva consolé. C'était elle qui lui avait offert Valentyna au coin du feu, pas si longtemps auparavant. Rien ne parviendrait à le priver de ces instants de pur bonheur, de cette ivresse incomparable où il avait perdu jusqu'au souvenir de ses pensées, de la passion intense qui avait définitivement scellé son amour pour elle.

Valentyna était à lui. Ils ne formaient plus qu'un, unis par l'amour et le désir. L'instant où ils avaient atteint le point culminant d'un plaisir indicible, complètement fondus l'un en l'autre, avait presque été comme une douleur merveilleuse. Cette douleur-là, il était prêt à la faire sienne encore et encore, mais s'il ne devait l'avoir connue qu'une unique fois, cela lui convenait tout aussi bien. Lui avait possédé Valentyna de la façon qu'aucun autre homme au monde ne connaîtrait jamais. Elle lui avait offert sa virginité avec amour, dans un élan de bonheur enthousiaste, et il l'avait cueillie avec un ravissement extasié et empreint de dévotion. Celimus épouserait peut-être Valentyna, mais la reine de Briavel appartenait au roi des Razors... à Wyl Thirsk.

Si la nature aléatoire décrite par Fynch ne devait se manifester qu'une seule fois, alors il n'échangerait ces instants avec Valentyna contre rien au monde, pas même sa vie. Désormais, il pouvait mourir en paix. Il était aimé, et aimé en tant que Wyl Thirsk. Valentyna avait prononcé son nom.

Des soldats soulevèrent les bâches du chariot, l'arrachant à ses réflexions. Il éleva une dernière pensée vers Filou, regrettant de n'avoir pas eu la possibilité de saluer son chien fidèle. Ensuite, il se laissa faire, comme des poignes solides le tiraient hors du chariot pour le conduire vers un lieu au plus profond des oubliettes de Stoneheart. Un lieu dont personne ou presque ne revenait.

Pour la première fois de sa vie, Filou n'avait ni mission à mener, ni magie pour le guider. Pour autant, il ressentait un appel, plus complexe que tout ce qu'il avait connu auparavant. C'était ce qu'on nomme le chagrin.

Il l'avait ressenti comme un pouvoir qui s'exerçait sur quelque chose d'intime et de personnel tout au fond de lui. La sensation lui était venue quelques heures auparavant, juste avant l'aube. Il s'était caché à l'intérieur de l'enceinte du château, suffisamment près pour observer le corps de garde. Il s'était assuré que le mercenaire de Grenadyne sorte sans encombre du palais. Il l'avait vu ensuite négocier son passage en Morgravia auprès de voyageurs de Briavel en route pour les festivités. Ensuite, il était revenu au château pour tenir compagnie à Valentyna pendant sa promenade à cheval. Elle s'était tellement absorbée dans ses pensées que le cheval avait divagué à son gré sans qu'elle s'en préoccupe. Pour finir, il aurait tout aussi bien pu se mettre à paître, elle n'aurait rien remarqué.

Il avait observé Celimus en train de rôder autour du corps de garde, ordonnant aux légionnaires de rester sur le qui-vive et de n'autoriser personne à voir le prisonnier sans son autorisation expresse, pas même la reine. Peu à peu, la nuit avait enveloppé le château. Le ballet des serviteurs allant et venant pour les préparatifs du départ n'avait pas cessé.

Filou s'était éloigné jusqu'au petit bois où Fynch et lui avaient passé tant de moments heureux. Il trouva l'endroit où ils avaient passé une nuit, là même où il avait accueilli la mort de Romen Koreldy par un hurlement à la face du ciel. Il se coucha sur le sol, la tête posée sur ses grosses pattes. Les heures s'égrenèrent lentement tandis qu'il pleurait la perte du garçon qu'il s'était mis à aimer, celui qui avait donné sa vie pour détruire l'ennemi de tout ce qui était bon et naturel dans le monde.

Filou leva la tête pour hurler. Le Ticket dut l'entendre, car il sentit le lien s'établir entre lui et sa magie.

— *Filou ?* dit une voix.

— *Rasmus*, grogna-t-il, la gorge toujours serrée par l'émotion.

— *Nous avons promis au révéré Fynch d'aider Wyl Thirsk*, dit l'oiseau.

Filou attendit la suite, la tête basse. Il ne voulait plus recevoir d'instructions.

— *Pars en Argorn*, dit finalement Rasmus. *Trouve le duc de Felrawthy et ramène-le à Pearlis pour qu'il retrouve Farrow.*

— *Et après ?*

— *Ils sauront quoi faire. Va maintenant. Le Thicket va t'envoyer.*

Filou rompit le contact, trop engourdi pour se soucier de ce qui pouvait bien arriver maintenant que Fynch n'était plus. Peu après, il s'élançait dans la nuit vers la région de Morgravia d'où Wyl était originaire.

Chapitre 39

Assis sur le sol glacé de sa cellule, la tête entre les genoux, Wyl était parfaitement immobile, plongé dans un silence absolu. Quelques instants plus tôt, il s'était abîmé dans la prière, suppliant Shar de veiller sur Valentyna et de la protéger, d'accorder la guérison à Elspyth, de permettre à Lothryn de redevenir humain, et de recevoir Ylena et Alyd, Fynch et Gueryn dans le repos de la vie éternelle. Comme la liste des âmes errantes s'allongeait vertigineusement, il s'était tu, submergé par le désespoir. Combien de vies avaient-elles été gâchées ou détruites par la faute de Celimus ? La résignation et un sentiment de profonde impuissance accablèrent Wyl encore plus. Du fond de son cachot, que pouvait-il faire à part attendre que le Dernier Souffle mette un terme à cette farce tragique, pour espérer ensuite que Aremys tienne sa promesse ?

Dans les tréfonds de son abattement, il souhaitait maintenant que les gardes viennent le chercher et que son trépas arrive enfin. Une étrange sensation de picotement parcourut son corps. Une petite lueur bleutée subitement matérialisée le força à relever la tête. Il reconnut ces signes devenus familiers – la magie du Thicket venait de le toucher.

— Fynch, murmura-t-il tandis que la vision du visage de son ami se formait au cœur du tourbillon de lumière chatoyante.

— *Bonjour, Wyl,* dit le garçon directement dans son esprit.

— Tu es vivant ?

— *Pas au sens où tu l'entends.*

— Alors tu es mort en combattant Rashlyn ?

— *Wyl,* l'interrompit le garçon d'une voix douce, *je n'ai pas beaucoup de temps.*

— Que dois-je faire ?

— *Avoir confiance.*

— Que vas-tu faire ?

— *Je vais bâtir le Pont des Âmes.*

Wyl se sentait apaisé. La visite de son ami, son apparition fantomatique et sa voix si ferme et si sûre l'avaient rasséréné et inspiré tout à la fois. Fynch lui avait recommandé d'avoir confiance, mais c'était là tout ce qu'il avait indiqué, hormis que le Pont des Âmes sauverait sa vie. Tout ce que Wyl avait à faire, c'était d'appeler le nom de Fynch. Pourtant, en vérité, il ne voyait absolument pas ce qui pourrait le tirer de son cachot ou lui épargner de devenir Celimus. Il avait accepté sa destinée. Wyl appréciait les efforts de Fynch pour l'apaiser, mais il ne pensait plus qu'à la mort maintenant. Sa mort définitive. Il ne reviendrait plus cette fois-ci, après l'ultime coup d'épée d'Aremys.

Wyl parcourut des yeux la cellule autour de lui, caressant de la main la pierre noire qui l'enfermait. Naguère, Stoneheart était son foyer, un lieu où il se sentait en sécurité, protégé par l'amour de Magnus et son titre de général. Le château était le terrain de jeux de deux garçons, un petit rouquin et un ange blond. Tous deux étaient morts aujourd'hui. Pourtant, les années passées ensemble avaient été peuplées de leurs rires. Il se souvint de la promesse qu'ils s'étaient faite au bord du lac de combattre toujours côte à côte. Jamais une telle occasion ne leur serait donnée. Stoneheart n'était plus un lieu amical et chaleureux aujourd'hui. Le château était le repaire de son ennemi. Bientôt, ses murs glacés allaient le voir mourir deux fois.

Il contemplait distraitement les murs à la lueur sourde d'un fanal extérieur tombant depuis une petite ouverture en hauteur. Son regard accrocha une inscription gravée dans l'une des pierres. *Venge-moi, Wyl.* Son cœur se serra. La boucle était bouclée. C'était sûrement l'œuvre de Myrren qui s'était morfondue dans cette cellule des années plus tôt. Son cri désespéré le toucha au plus profond.

Il haïssait Celimus pour toutes ces souffrances qu'il avait infligées. À cet instant, il entendit le claquement sec de talons sur les dalles. Une seule personne au monde marchait d'un pas si plein d'arrogance. Il se tourna vers le fond du cachot. Il ne voulait pas voir Celimus triomphant en train de railler son rival à terre.

Liryk lui avait fait passer un message de Valentyna indiquant qu'elle avait trouvé quelque chose pour expliquer la présence de Cailech en Briavel. Le vieux soldat avait observé Cailech qui s'était contenté de secouer négativement la tête sans rien dire. Il n'avait pas eu le cœur de faire état de l'attitude du roi des Montagnes à sa souveraine. Wyl n'avait aucune intention de présenter des excuses.

Bientôt, Wyl découvrit que c'était cette même question qui avait conduit Celimus à venir le voir si tard dans la nuit.

—Dis-moi, roi des Montagnes, y avait-il une bonne raison pour que tu viennes en Briavel sans y avoir été invité? demanda-t-il avec un petit rire méprisant, tout en ôtant d'un geste distrait un grain de poussière sur son manteau. Vois-tu, la reine semble croire que tu nourrissais l'intention louable d'unir tes efforts aux siens pour organiser des festivités en mon honneur. (Il secoua la tête avec un air de modestie exagérément feinte.) Comme c'est touchant.

— Je n'organiserai jamais rien pour toi, Celimus, à part tes funérailles, répliqua Wyl avec une joie maussade.

Le roi éclata de rire, visiblement aux anges. Il applaudit, ravi de la mine farouche que lui montrait Cailech. Il allait donc pouvoir le faire exécuter la conscience tranquille. Non pas d'ailleurs que sa conscience ait jamais troublé Celimus en quoi que ce soit.

— De toute évidence, tu as envie de mourir. Pourtant, on dirait bien que Valentyna te tendait une perche pour te sauver.

— Remercie-la de sa générosité, dit Wyl. J'attendrai pour te voir plonger dans les feux éternels de Shar. Nous réglerons nos comptes là-bas, Celimus... ou même avant, qui sait ?

Celimus lui lança un regard interrogateur, ne comprenant pas sa dernière remarque. Wyl n'en dit pas plus. Soucieux d'avoir le dernier mot, Celimus enchaîna en lui accordant son plus éclatant sourire.

— D'ici là, y a-t-il quelque chose que je puisse faire pour toi ?

— Oui. Fais-le toi-même.

— Pardon ?

— Tu m'as bien entendu. Tue-moi de ta propre main.

Celimus émit un bruit désapprobateur.

— Oh non, je pourrais te manquer et te blesser seulement. Ce serait horrible et sûrement très douloureux.

— Je veux bien courir le risque. Fais-moi sentir le goût de ta lame.

Celimus hocha la tête en souriant.

— Peut-être. Nous verrons de quelle humeur je serai demain. Dors bien, seigneur, ajouta-t-il, avant de s'en aller toujours ricanant.

Wyl se sentit encore plus vide qu'auparavant. Ce n'était pas la première fois, mais la troisième qu'il trahissait Valentyna, d'abord en tant que Romen, puis en tant qu'Ylena, et maintenant en tant que Cailech. Jamais elle ne pourrait lui pardonner. Il s'assit au plus profond de cette obscurité qui était l'exact reflet de ses pensées. Il entendait le bruit des rats courant autour de lui, puis des pas résonnèrent de nouveau. Décidément, c'était une nuit fort agitée.

Cette fois encore, les présentations étaient inutiles. Il connaissait son visiteur.

— Seigneur Cailech, je regrette de vous voir en ce lieu, dit le chancelier Jessom. Puis-je vous faire apporter quelque chose ?

— À part la clé, bien sûr ? murmura Wyl sans même se retourner pour le regarder.

Il ne lui offrirait que son dos à contempler.

— Une couverture, peut-être, seigneur ?

— Vous oubliez d'où je viens, chancelier. Nous ne sentons pas le froid dans les Razors.

— Une chandelle alors ? Permettez-moi au moins d'éclairer ce lieu sordide pour vous.

— Faites ce que bon vous semble. Peu m'importe.

— Je suis sincère, seigneur Cailech. Je regrette de vous voir prisonnier. Lorsque j'ai été informé qu'on vous avait mis ici, j'ai cru que le messager divaguait, ou qu'il était victime d'un sortilège lancé par une sorcière.

— Prenez garde. Parler de sorcière pourrait bien vous valoir de vous retrouver de ce côté-ci des barreaux.

Le chancelier s'éclaircit la voix. En toute équité – même si Wyl n'avait aucune envie de se montrer équitable –, il y avait bien comme de l'étonnement dans le ton de Jessom. Peut-être était-il sincèrement surpris et peiné de découvrir le nouvel hôte des cachots de Stoneheart.

Wyl entendit le frottement d'une coupelle de grès qu'une main glissait entre les barreaux. Une petite flamme apparut, repoussant les ténèbres vers les murs.

— Voilà, c'est mieux comme ça, dit Jessom.

— Qu'est-ce que ça signifie, chancelier ? Vous cherchez l'absolution ?

— Que voulez-vous dire ?

— Toutes ces morts, tout ce sang sur vos mains.

— Je ne comprends pas, seigneur.

— Ah bon ? Je parle la même langue que vous pourtant.

— Comment pourriez-vous savoir quoi que ce soit sur moi ? répondit Jessom. Nous ne sommes que des étrangers l'un pour l'autre.

Wyl s'exhorta à la plus grande prudence. Jessom disait vrai, et Cailech ne connaissait le chancelier que pour l'avoir aperçu à Tenterdyn. Cependant, il n'avait plus du tout envie de se montrer prudent. Il ne souhaitait qu'une chose, que Celimus le tue et que c'en soit fini avec le Dernier Souffle. Il ignora la question de Jessom, répondant par une interrogation.

— Où est votre roi ?

— Dans son lit, j'espère. Une grande journée l'attend demain.

— Alors le mariage va avoir lieu comme prévu ?

— Bien sûr, seigneur. Pourquoi en serait-il autrement ? Je crains bien que la ville ne sombre bientôt dans la liesse, les libations et l'ivresse. L'aube sera là dans une heure.

— Le peuple de Morgravia veut ce mariage autant que le peuple de Briavel, dit Wyl, autant pour lui-même que pour son interlocuteur.

— Bien sûr. C'est une union magnifique.

— Pas pour Valentyna, Jessom.

— Pourquoi dites-vous ça ?

— Parce qu'il va la détruire.

— Il la désire vraiment.

Ces mots firent flamber la colère en Wyl. Il se retourna pour faire face au chancelier.

— Il veut ce qu'elle lui apporte, Jessom. Il veut faire main basse sur le joyau de Briavel et piller ensuite ce que le royaume peut lui offrir. Il n'a rien à faire de Valentyna. Il veut son corps et les fils qu'elle peut lui donner, la paix et la prospérité qu'elle peut lui apporter. Le peuple adore Valentyna et grâce à elle, le peuple va aimer Celimus autant qu'il le hait aujourd'hui.

Jessom émit une petite toux dans sa main posée devant sa bouche.

— Vous paraissez bien connaître la situation des royaumes du sud, seigneur Cailech.

Wyl émit un grognement.

— C'est mon rôle de savoir tout ça. Écoutez-moi bien, Jessom, s'il la détruit – ce qu'il fera certainement –, le peuple se dressera contre lui. Je suppose qu'on murmure déjà des choses au sein de la légion. Que quelqu'un glisse les bons mots dans les bonnes oreilles et l'armée tout entière se tournera contre la couronne. Vous savez qu'elle est suffisamment puissante pour ça.

Wyl constata que le chancelier lui accordait toute son attention. Manifestement, il n'était pas venu pour le narguer. S'il parvenait à retourner ce personnage influent, alors peut-être pourrait-il aider Valentyna du fond de son tombeau. Fynch lui avait dit que Jessom était la clé, mais Wyl n'avait pas saisi le sens de l'allusion et le garçon n'en avait pas dit plus. Wyl ne pouvait pas imaginer la puissance qu'il avait fallu au garçon pour projeter son image jusqu'à Pearlis.

Jessom le tira de ses pensées.

— Le roi a mis des hommes à lui à la tête de la légion. Ils ne feront rien contre Celimus.

En toute honnêteté, le chancelier devait admettre que Celimus était en train de commettre son ultime félonie. Emprisonner et exécuter le roi des Razors avec qui il venait tout juste de conclure un traité de paix – à la grande satisfaction de son peuple –, représentait une véritable folie. La première tentative que Jessom avait menée pour le détourner de ses intentions s'était soldée par un échec. Une seconde approche pourrait bien être lourde de conséquences. Jessom savait que son souverain arrogant voyait l'élimination de Cailech comme le dernier acte dans sa marche triomphale vers le statut d'empereur. Jessom savait exactement comment cheminaient les pensées dans l'esprit tortueux du roi. Et il désapprouvait. Totalement. C'était une erreur.

— Lorsqu'un homme comme Eryd Bench sera informé de la vérité, sa voix suffira à retourner les légionnaires, affirma Wyl.

Jessom ne voyait pas comment Cailech pouvait être aussi bien informé, mais la question était sans importance désormais. Il fallait que cesse la spirale de mort et de destruction. Morgravia et Briavel avaient une chance historique de réaliser quelque chose d'incroyable. L'union et la paix étaient à portée de main. Jessom ne rêvait que d'une chose : être le puissant chancelier tirant en coulisse les ficelles de l'État devenu le plus riche des royaumes par la grâce de l'entente avec ses voisins. Or, Jessom doutait que Celimus puisse être le monarque capable de les conduire vers cet avenir radieux. Chaque fois qu'il prenait quelqu'un en grippe ou se sentait en quoi que ce soit menacé, il recourait au crime. Cette manière de faire était une impasse. À terme, ce souverain conduirait la région tout entière à sa perte et à la ruine.

— Messire Bench est mort, seigneur, je suis navré de vous l'apprendre.

À la grande surprise de Jessom, Cailech réagit comme s'il venait de prendre un coup à l'estomac. La tête basculée en arrière, les yeux fermés par la souffrance, il bondit sur les barreaux, les serrant si fort que ses articulations devinrent blanches.

— Mort ?

Jessom s'était prudemment reculé. Il imaginait très bien ces grandes mains se refermer sur sa gorge pour lui briser le cou comme un fétu. D'ailleurs qui pourrait lui en vouloir ? Cailech n'avait plus rien à perdre.

— J'en ai peur, seigneur Cailech, confirma le chancelier.

— Comment ? siffla Wyl entre ses dents.

— Comment voulez-vous que ce soit arrivé ? répondit Jessom, en révélant le fond de sa pensée bien plus qu'il ne l'avait escompté.

De toute façon, Cailech était un homme mort. *Alors qu'importe après tout ?* songea Jessom.

— Disons que notre roi a pris ombrage de quelques questions aimablement posées par Eryd Bench au sujet de certains événements dans le nord, expliqua le chancelier.

Wyl poussa un gémissement. Ses mains lâchèrent les barreaux et il s'effondra contre le mur derrière lui. Son corps puissant glissa lentement jusqu'au sol.

— Et ses femmes… dame Bench et Georgyana ?

— Comment pouvez-vous les connaître ?

— Comment vont-elles ? cria Wyl, sans plus se soucier de la confusion qu'il semait dans l'esprit de Jessom.

Sous l'influence du magnétisme de Cailech, le chancelier répondit sans chercher à biaiser.

— Elles se sont échappées. Un serviteur nous a dit que deux personnes étaient arrivées chez eux, un homme et une femme. La femme, brune, petite, assez jolie apparemment, était blessée. Selon toute vraisemblance, l'homme était Crys Donal de Felrawthy.

Jessom fut lui-même surpris d'en dire autant. Il y avait quelque chose d'impérieux et d'hypnotique chez le Montagnard qui l'obligeait à parler. Le roi des Razors, aujourd'hui, n'avait plus rien à voir avec l'homme arrogant et vif d'esprit qu'il avait rencontré dans le nord.

— Elspyth, murmura Wyl pour lui-même. Vous ne savez pas où ils sont allés ?

Jessom secoua négativement la tête.

— Puis-je vous demander en quoi cela vous intéresse, seigneur ?

— Non. Mais je vais quand même vous dire une chose, chancelier Jessom : vos jours en tant qu'éminence grise de la couronne sont comptés. Croyez-moi, votre roi vous fera mourir dans les jours qui viennent… peut-être même les heures. Vous pourrez vous estimer heureux si ma prédiction ne se réalise pas.

Wyl apprécia à sa juste valeur la mine soudain inquiète qui parut sur le visage anguleux et pâle du chancelier.

— Il a besoin de moi, dit Jessom.

— Certainement pas, chancelier. Je sens le dégoût que vous inspirent ses actes. Et si c'est le cas pour moi, lui l'a certainement perçu depuis longtemps.

Jessom comprit que les paroles de roi des Razors traduisaient la plus absolue vérité.

— Il ne sait pas que Hartley est toujours en vie, murmura Jessom pour lui-même, son esprit délié recherchant déjà quelles parades il pourrait utiliser.

— Messire Hartley ?

Le chancelier redressa la tête. À l'évidence, ses pensées étaient ailleurs.

— Oui, l'ami et confident d'Eryd Bench. Celimus m'a ordonné de le tuer, mais je l'ai laissé partir et il est actuellement dans un endroit sûr. Je pourrais faire appel à lui pour rallier les nobles et leur révéler la vérité sur notre roi.

— Pas avant que Celimus vous tue, répliqua Wyl, avec dans le ton toute la cruauté dont il était capable. Mais j'ai une idée, Jessom.

Est-ce que cela pouvait fonctionner ? Au moins, il allait essayer. Fynch avait vu juste, ils pouvaient utiliser le chancelier.

— Tout est perdu pour moi, Jessom... et pour vous aussi, je le crains, dit-il. À moins que...

L'expression mortifiée sur le visage du chancelier céda rapidement le pas à la colère. Il n'était pas effrayé pourtant. *Ce n'est pas la mort qu'il craint*, songea Wyl. Non, c'était de perdre le pouvoir, sa fortune et sa position.

— À moins que quoi, seigneur ? demanda Jessom.

Il avait recouvré tout son sang-froid. Sa curiosité était éveillée.

— À moins que vous ne mettiez vos connaissances et votre influence immenses au service de la reine Valentyna. Protégez-la, aidez-la, donnez-lui votre confiance. Quelqu'un s'occupera de Celimus, croyez-moi. Il ne fera pas de vieux os. Peut-être même ne verra-t-il pas la fin du printemps, ajouta-t-il d'un ton mystérieux. En revanche, la reine peut survivre à tout si on lui donne de quoi se défendre. Elle peut convaincre la légion et gagner les nobles à sa cause. Par son entremise, Morgravia peut demeurer en paix avec Briavel et conserver le bénéfice de l'accord avec les Razors.

— Si vous êtes exécuté, le peuple de Morgravia mènera la guerre contre les deux royaumes du sud.

Plus la peine de mettre des gants, songea Jessom. *Cailech sait que son sort est scellé.* En fait, les deux hommes venaient d'entamer une forme de négociation. Le chancelier n'était pas sûr d'en cerner exactement les contours. Il ne comprenait pas pourquoi Cailech se préoccupait de la paix dans la région ou du sort de Valentyna, mais il était avant tout pragmatique, et aussi rusé qu'intelligent. Il voyait clairement que Valentyna était la dernière chance du continent. Depuis quelque temps déjà, il avait la conviction que les trois royaumes conservaient une chance de s'en sortir pour peu que le problème Celimus puisse être réglé. Cailech avait raison : Valentyna incarnait l'avenir, surtout si elle tombait rapidement enceinte. Alors, seuls la reine et l'héritier importeraient – la véritable couronne des royaumes unifiés.

—Seigneur Cailech, vous exprimez si précisément mes pensées que c'en est inquiétant.

—Approchez-vous, Jessom. J'ai quelque chose à vous dire que personne d'autre ne doit entendre.

—Il n'est pas question que je sauve votre vie, seigneur Cailech, dit Jessom, préférant mettre les choses au clair au cas où le Montagnard aurait nourri quelque espoir.

—Je comprends, répondit Wyl en passant les longs doigts de Cailech à travers les barreaux.

Jessom eut un petit sourire. Il était curieux d'entendre ce que ce souverain emprisonné et condamné pouvait bien avoir à offrir. Le chancelier fit un pas en avant, mais en prenant la précaution de tirer sa lame, manière d'indiquer qu'il n'était pas si naïf. Il était disposé à serrer la main du roi ennemi, mais pas sans quelques précautions.

—C'est inutile, Jessom. Je n'ai d'autre intention que de confirmer notre accord.

Les mains des deux hommes se touchèrent et la poigne de Cailech se referma sur celle du chancelier. Le roi souriait, mais il y avait quelque chose d'inquiétant dans son expression de prédateur. Jessom regimba, voulut libérer sa main de celle de Cailech, mais il était déjà trop tard. Une lueur bleutée apparut entre eux, puis enveloppa leur poignée de main pour sceller ce qui devait l'être.

Chapitre 40

Maussade et triste, Valentyna se tenait immobile au milieu d'une vaste chambre de Stoneheart, le cœur aussi glacé que la pierre noire qui l'entourait. Pour l'habillage de la reine, dame Eltor s'était fait assister d'une seule aide uniquement, la plus ancienne et la plus dévouée. Sans les voir, Valentyna sentait les coups d'œil que les deux femmes s'échangeaient à la dérobée, alarmées par l'expression de plus en plus chagrine de la mariée.

—Je vous en prie, Majesté, dit encore une fois la couturière, n'allez pas chiffonner votre visage avec des larmes.

—J'ai déjà pleuré toutes celles de mon corps, répondit Valentyna.

—C'est le jour de votre mariage, Majesté. La plus belle journée qu'on puisse imaginer pour les peuples de Morgravia et de Briavel, se risqua à dire la seconde retoucheuse.

—Pas pour moi, en tout cas, dit Valentyna, sans se soucier du sourcil haussé de l'une et du coup d'œil navré de l'autre.

Les deux femmes avaient œuvré rapidement et avec dextérité. La robe était maintenant cousue sur Valentyna. Dame Eltor lui fit une remarque accompagnée d'un claquement de langue réprobateur.

—Vous avez perdu du poids, mon enfant. La robe vous allait à merveille la semaine dernière.

Valentyna se contenta de secouer la tête.

—Ça ira bien comme ça.

—Ce sera tout, Maud, merci, dit dame Eltor pour congédier son aide. Je ne vous rappelle pas que tout ce qui s'est dit ici doit demeurer secret.

Maud fit une révérence avant de se retirer prestement, avec rien de plus pressé, sans doute, que de colporter la nouvelle que la reine s'apprêtait à se rendre à l'autel aussi triste et pleine de chagrin que le jour des funérailles de son père.

—Valentyna, gronda la couturière. Cessez immédiatement !

—Je ne l'aime pas, répondit Valentyna en serrant les poings, les yeux fermés, luttant pour contenir ses émotions.

—Peu importe! répliqua dame Eltor, bien décidée à user d'autorité en guise d'ultime recours. Il va nous amener la paix. Je regrette que vous soyez la monnaie d'échange de ce marché, mais c'est trop tard maintenant.

La pique porta ses fruits.

—Oui, bien sûr. Vous avez raison. Pardonnez-moi.

La couturière aurait voulu pouvoir reprendre ses paroles brutales, mais l'attitude de Valentyna à l'égard de ce mariage n'était pas celle requise. Il n'y avait plus rien à faire, alors qu'elle se redresse, relève la tête et se comporte comme la souveraine qu'elle était.

—Haut les cœurs, Valentyna. Vous êtes le joyau de Briavel, et le plus beau joyau de la couronne de Morgravia désormais. Ne l'oubliez pas. Songez combien votre père serait fier de vous aujourd'hui.

—Oui, en épousant l'homme qui l'a assassiné, murmura Valentyna.

Dame Eltor eut un haut-le-corps de saisissement. Valentyna comprit que son attitude ne menait à rien. La vérité sur la mort du roi Valor ne changeait rien au fait qu'il était mort, ni à sa décision d'épouser Celimus. Elle détestait ses revirements incessants entre courage et faiblesse. Par moments, elle avait la certitude d'avoir la force de faire vivre ce mariage, de porter ses enfants et de faire de Briavel une nation sûre et prospère. L'instant suivant, elle sombrait dans l'affliction en se remémorant l'heure pleine de passion passée dans les bras du roi Cailech. Comment effacer ces souvenirs de sa mémoire? Comment pourrait-elle mentir à Celimus ce soir et éprouver autre chose que de la répulsion?

Parce que tu le dois, se dit-elle, d'une petite voix pressante. *Parce que l'avenir de Briavel en dépend.*

—Ça va aller, reprit-elle. J'ai juste les nerfs à vif. Lorsque nous partirons pour la cathédrale, ça ira mieux. Promis. Et maintenant, mettez-moi le voile.

Dame Eltor n'en croyait pas un mot, mais elle suivit les instructions de la reine à la lettre. Elle recouvrit la tête et le visage de la jeune femme du fin tissu arachnéen, le fit bouffer délicatement de quelques gestes précis, puis recula pour admirer son œuvre.

—Vous êtes magnifique, Majesté. Les Morgravians vont instantanément tomber amoureux de vous.

Valentyna parvint à faire un sourire à son amie de toujours.

—Je suis prête, dit-elle.

Celimus avait commandé un somptueux landau découvert d'un blanc immaculé pour mener sa promise jusqu'à la cathédrale. Sur les côtés, il arborait le nouveau symbole de l'union de Morgravia et de Briavel: les initiales entremêlées du roi et de la reine, peintes à leurs couleurs nationales respectives. Quatre chevaux blancs importés de Grenadyne tiraient l'attelage. Quatre soldats de la garde de Briavel, impeccablement sanglés dans leur tenue vert et violet, escortaient la reine. Fièrement campé dans son grand uniforme, le commandant Liryk attendait, comme toute la foule massée, d'apercevoir enfin la reine.

Comme si Shar lui-même l'avait ordonné, le soleil sortit de derrière un nuage pour inonder la grand-place d'une chaude lumière dorée. Les gens crièrent de joie lorsque, pile à cet instant, Valentyna parut en haut des marches du grand escalier de Stoneheart.

Les trompettes retentirent, couvrant le vacarme de la foule. Faute d'un représentant mâle de la famille, c'est à un commandant Liryk empesé et fort ému qu'échut l'honneur de gravir les marches pour aller chercher la mariée. Il fit une profonde révérence devant elle, imité par toute l'assistance présente.

Valentyna était elle aussi commotionnée. Une boule s'était formée dans sa gorge. Elle se souvenait de la liesse tumultueuse lors de son entrée dans la ville. Il leur avait fallu pas moins de deux heures, assourdissantes autant qu'étourdissantes, pour traverser Pearlis. Chacun semblait s'être muni de mouchoirs rouges, noirs, verts et violets pour les agiter frénétiquement. Elle avait eu l'impression de contempler une mer dans laquelle se seraient mariées toutes les teintes de leurs royaumes.

Elle fit une révérence gracieuse, longue et profonde, qui porta le degré de ravissement et de frénésie de la foule vers des sommets incroyables. Dissimulés derrière le voile, les yeux de Valentyna virent Liryk qui souriait.

— Vous êtes déjà leur reine, dit-il, à la fois subjugué et transporté.

Valentyna sentit qu'elle était sur le point de pleurer de nouveau.

— J'espère que mon père nous voit d'où il est, répondit-elle au prix d'un effort de volonté.

Il prit sa main et la serra doucement.

— Il partage notre joie à tous aux côtés de votre magnifique mère, et tous deux sont immensément fiers.

— Merci, Liryk, pour tout ce que vous avez fait pour moi. Je suis désolée des difficultés que je vous ai créées ces derniers temps.

— Majesté, répondit-il empli d'une ferveur pleine de déférence. Je suis votre serviteur.

Valentyna se sentit réconfortée par les sentiments de son commandant et la fierté que ses paroles revivifiaient en elle. Oui, elle allait réussir. Elle allait gagner leurs cœurs, devenir la reine de Morgravia et, d'une manière ou d'une autre, elle… elle allait trouver une place pour exister aux côtés de Celimus sans mettre en péril la paix entre leurs deux royaumes.

— Venez, Liryk. Conduisez-moi à mon mari.

Comme on venait de le tirer de son cachot pour le conduire dans une cour qu'il n'avait jamais vue auparavant, Wyl entendit les vivats de la foule. De toute évidence, le peuple de Morgravia exultait à la perspective d'avoir une nouvelle reine.

— La reine a quitté le palais ? demanda-t-il à l'un des officiers présents, un homme qu'il connaissait.

— Je crois, répondit l'homme, gêné de la tâche qu'il avait à accomplir.

Après tout, c'était un roi qu'il traitait en prisonnier. Et ne leur avait-on pas dit qu'un traité de paix avait été signé avec les Montagnards ?

— Et où m'emmenez-vous maintenant ?

L'homme hésita avant de répondre, vérifiant les fers posés au prisonnier.

— Nous avons l'ordre de vous amener ailleurs, seigneur Cailech.

— Ça ne répond pas à ma question, soldat, insista Wyl. J'ai demandé où ?

L'homme eut le mérite de regarder le roi des Razors directement dans les yeux pour lui donner sa réponse.

— À l'échafaud, seigneur.

— Je vois, répondit Wyl avec un soupir.

Celimus ne perdait pas un instant pour éliminer son rival du nord. Il se demanda si le cruel souverain allait forcer Valentyna à assister à sa mort. Cependant, malgré le désir qu'il avait que les choses en soient autrement, il savait au fond de son cœur que Celimus ne pourrait que se délecter de l'obliger à être là. Elle n'aurait pas le choix. Il appartenait aux membres de la famille royale d'être présents aux exécutions, qu'ils aient ou non le cran pour ça. Quelques jours plus tôt, le roi des Montagnes n'aurait sans doute rien signifié pour elle. Aujourd'hui, elle ne pouvait plus le voir mourir comme un étranger. La tête coupée par le bourreau et brandie bien haut aux yeux de tous serait celle de l'homme qu'elle aimait. Valentyna en serait flétrie jusqu'au fond de son âme. Penser au calvaire qu'elle endurait le mettait en rage. Il n'osait même pas imaginer sa réaction lorsqu'elle assisterait au transfert de son âme dans le corps de son assassin. Cela étant, il était inutile qu'il s'appesantisse sur la question puisqu'il n'avait aucune intention de demeurer cet homme-là. Peu importe que Wyl Thirsk soit devenu roi de Morgravia, il ne pouvait pas et ne voulait pas vivre en tant que roi Celimus.

Wyl entendit une nouvelle explosion de joie et se demanda à quoi pouvait bien ressembler la reine Valentyna en ce jour. Elle doit être sereine. Elle parvient à s'élever au-dessus de son chagrin et à se montrer digne de son royaume. Sa robe doit être simple et sans surcharges ni ornements, mais d'une élégance folle. Tout comme elle, en somme. Il imagina également qu'elle n'avait pas attaché ses cheveux noirs, puis sourit tristement en pensant que son voile devait être un écran bienvenu entre elle et la réalité de sa situation, une barrière pour la protéger de Celimus. Mais cela ne durerait pas. Une fois les vœux échangés, le roi exigerait un baiser pour sceller le pacte sacré passé devant Shar. Celimus relèverait alors le voile, la dépouillant de son ultime protection. Soudain, Valentyna se sentirait comme nue, mais elle aurait la force de sourire pour masquer son désespoir et, malgré sa tristesse, elle deviendrait la femme magnifique de Celimus.

Wyl ne put s'empêcher de songer à la manière dont il avait eu le coup de foudre pour Valentyna. Ce soir-là, vêtue en cavalière, couverte de poussière, les joues tachées et les cheveux qui lui tombaient dans le visage, elle sentait le cheval et l'écurie. Malgré tout cela, embrasser sa main avait été une joie incomparable et il s'était senti tout prêt à demander cette main pour lui, plutôt que de faire l'intermédiaire auprès de son père pour le compte d'un autre. Un sourire était apparu sur son visage, avec la splendeur d'un lever de soleil. Il s'était baigné dans sa chaleur et son cœur était immédiatement devenu sien.

Ce temps-là était enfui aujourd'hui. Le combat pour la sauver de Celimus était fini, et perdu. Par-dessus les hurlements de la foule, il entendit les cloches de la cathédrale sonner à toute volée, annonçant la cérémonie imminente. Très bientôt, elle serait la reine de Morgravia, épouse de son ennemi. Et lui-même aurait cessé de songer à tout ça.

Wyl se sentit mal. Il tituba légèrement et le soldat qui marchait à côté de lui tendit instinctivement un bras pour le soutenir.

— Je n'ai pas l'habitude de marcher avec des chaînes, expliqua Wyl.

L'homme hocha la tête. Manifestement, il ne se sentait pas à son aise.

Je vais donc passer d'un roi à un autre aujourd'hui, songea Wyl. Et c'était son plus grand chagrin dans cette triste vie. Il avait manqué à son père en ne vivant pas la grande tradition des Thirsk. Il n'avait pas combattu jusqu'à la mort sur le champ de bataille. Au lieu de ça, il allait mourir au milieu d'une bataille magique qu'il ne pouvait gagner. Il n'était rien d'autre qu'une marionnette, choisie pour ses liens avec Celimus.

— Attendez. (Wyl s'arrêta, frappé par une soudaine idée.) Le roi sera présent, je suppose ?

— Oui, seigneur.

Il ressentit un intense soulagement.

— Parfait. Je tiens à ce qu'il partage avec moi l'instant de ma mort, dit-il avec un sourire féroce, au plus grand étonnement des légionnaires alentour.

Wyl s'aperçut qu'on l'avait amené dans la petite cour rarement utilisée par laquelle il s'était échappé avec Ylena dans ce qui lui paraissait être une autre vie. Elle était faiblement gardée, mais il ne comptait aller nulle part de toute façon. L'heure était venue. Il voulait que le Dernier Souffle arrive à son terme avec lui. Soudain, il s'étonna que Celimus n'ait pas songé à montrer le roi des Montagnes au peuple de Pearlis en clamant partout sa trahison. Sans doute qu'une exécution publique juste après le premier mariage royal depuis des lustres était par trop vulgaire, même pour l'esprit malade de Celimus.

Aremys n'arriva que quelques heures avant le début de la procession nuptiale, épuisé et sale, mais satisfait d'avoir rallié Pearlis à temps. Les personnes qui avaient réussi à être aux avant-postes de la marée humaine trouvèrent assurément méprisable que cet homme bâti en hercule, et qui était parvenu bien après eux devant la cathédrale, utilise sa phénoménale puissance pour se frayer un chemin à travers la foule. Un homme se risqua à clamer sa désapprobation, mais Aremys vint poster devant lui sa masse comparable à celle d'un ours pour le regarder au fond des yeux, les sourcils froncés.

— La ferme ! gronda-t-il.

Et tous ceux qui l'entendirent à la ronde se le tinrent pour dit.

Valentyna retint son souffle en apercevant la célèbre cathédrale de Pearlis. Sa magnificence en imposait. Les cloches sonnaient et les hérauts sonnaient de leurs trompes pour annoncer son arrivée. Elle essaya d'imaginer ce que Celimus devait éprouver en l'attendant à l'intérieur de l'édifice. *De la satisfaction, bien sûr*, songea-t-elle. Il avait gagné. Il semblait à Valentyna que c'était toujours le cas.

Devant l'autel, au bout des travées où le silence s'était fait, Jessom avertit d'un signe de tête le roi Celimus de l'arrivée de la reine. Il se leva et échangea quelques mots avec l'homme, dont la silhouette et le profil rappelaient de plus en plus celui d'un vautour. Celimus avait entendu des voix murmurer que son chancelier avait tout l'air d'un charognard. En fait, c'était une excellente description. *Surtout aujourd'hui*, songea Celimus en se demandant quelles idées pouvaient bien occuper l'esprit aigu et tortueux de Jessom. Il ne lui faisait plus autant confiance qu'à une certaine époque. Il y avait de la défiance tapie derrière ce visage toujours impassible. Mais le roi n'était pas dupe : Jessom renierait son allégeance dans la seconde s'il avait le sentiment que le vent pouvait tourner. Or, Celimus avait précisément commencé à penser que son chancelier pouvait bien être en train de reconsidérer ses perspectives d'avenir.

La forte opposition de Jessom à sa dernière idée concernant l'exécution de Cailech avait apporté de l'eau au moulin de sa méfiance. À qui donc allait la loyauté de Jessom pour qu'il s'oppose si farouchement à l'exécution du roi des Montagnes ?

— Est-ce que tout est prêt ? murmura Celimus.

— Oui, Majesté. La reine arrive, confirma Jessom.

— Je ne te parle pas d'elle, imbécile.

Jessom hocha lentement la tête, à sa manière toute reptilienne.

— Comme vous l'avez ordonné, Majesté.

— Bien. Et maintenant, hors de ma vue. Tu m'empêches de voir ma dernière conquête. C'est un bon jour, Jessom. Un très bon jour. Je vais faire s'agenouiller deux monarques devant moi.

Il rit doucement, tout en tirant sur le devant de sa veste. Il savait qu'il était éblouissant dans une tenue rouge et noir, rehaussée d'or, et une cape de laine filée d'un noir absolu, festonnée du rouge éclatant de Morgravia. Il était impatient de ravir la virginité de Valentyna le soir même, ce qu'il n'escomptait pas faire dans la douceur d'ailleurs. Un mari doit en imposer à sa femme. Il allait la dompter par sa force et ses prouesses d'amant.

Aremys regardait le cœur bien lourd le commandant Liryk aidant la reine Valentyna à descendre du landau. Ses sentiments étaient mitigés à l'égard de Briavel, où on l'avait certes aidé à fuir, mais en collaborant à la capture du roi Cailech.

Le mercenaire de Grenadyne supposait que Wyl était déjà au frais dans les cachots de Stoneheart. Pendant son trajet de Werryl à Pearlis, son sens de la fatalité l'avait réconforté. Il acceptait les événements tels qu'ils se présentaient et ne s'inquiétait que des choses sur lesquelles il pouvait lui-même agir. Sa seule préoccupation avait été d'atteindre la capitale et de trouver une idée pour aider Wyl, plutôt que de ressasser ce qui s'était passé.

La promesse qu'il avait faite à Wyl était comme écrite en lettres de feu dans son esprit. Serait-il capable de la tenir ? Pourrait-il assassiner son meilleur ami sur cette terre ? Il avait été le témoin de ses étranges voyages dans trois corps différents et il en était venu à l'aimer de la même manière que Cailech lui avait décrit ses sentiments pour Lothryn – fraternité, amitié, loyauté. Aremys ressentait exactement les trois pour Wyl, ainsi qu'un chagrin intense pour ses souffrances. Pour autant, même par bonté, il n'était pas sûr de trouver le courage de tuer l'homme qu'il aimait comme un frère.

Aremys avait fait des efforts pour comprendre la profondeur de la détresse de Wyl et tout ce qui pourrait l'empêcher de vivre dans le corps de Celimus. Malgré cela, il ne saisissait pas ce qui pouvait le pousser à choisir la mort plutôt que la vie. Si seulement Wyl acceptait de voir les bons côtés de son existence en tant que roi de Morgravia, aux côtés de la femme qu'il aimait depuis si longtemps. Est-ce que ça ne valait pas la peine de vivre dans la peau de son ennemi ?

Pas pour Wyl apparemment, qui préférait demeurer fidèle à lui-même, et mourir.

Aremys s'arracha à ses sombres pensées pour contempler Valentyna qui approchait. Elle était encore plus magnifique qu'il l'avait imaginé, glissant aux côtés du commandant Liryk, souriant à la foule, fière et droite. À l'instant où elle arrivait à sa hauteur, et alors que la clameur autour de lui devenait assourdissante, il hurla son nom, sans penser vraiment que sa voix puisse porter jusqu'à elle. Étrangement, elle l'entendit, tournant la tête dans sa direction.

Elle tressaillit en l'apercevant. Sa bouche forma muettement son nom, Aremys. Il leva une main pour la saluer. Tous deux pensaient la même chose – *Wyl*. Lorsqu'elle se retourna pour lui lancer un coup d'œil à travers son voile, il hocha la tête pour l'encourager, comme s'il disait : « Soyez forte ! Vous pouvez le faire. »

L'instant d'après, elle était passée. Dans un tonnerre de cris, d'applaudissements et de sonneries de trompe, elle franchit la grande porte double de la cathédrale qui l'avala vers ses ténèbres intérieures et un avenir incertain.

Crys Donal avait vu la mariée lui aussi, sans parvenir toutefois à attirer son attention. Cela dit, elle aurait eu bien du mal à le reconnaître. Ses cheveux blonds étaient devenus brun foncé et il arborait barbe et moustache, brunes elles aussi. Ses vêtements élégants avaient disparu, remplacés par un uniforme de légionnaire. Il se fondait parfaitement dans la foule et s'y sentait relativement en sécurité dans la mesure où pas plus Celimus que son entourage ne connaissaient Crys Donal de vue.

Fort de sa taille et de son statut supposé de soldat, il se frayait un chemin dans la foule en direction de la cathédrale. En tant que légionnaire, il pouvait se permettre de franchir, au su et vu de tous, la ligne imaginaire séparant les spectateurs des acteurs des festivités. Un officier l'aperçut.

—Soldat, tu es de service ?

—Non, messire, répondit Crys. Je suis juste venu regarder.

—Eh bien, tu es de service maintenant. File à l'entrée de la cathédrale et aide à contenir la foule là-bas. Le roi et la reine n'arriveront pas à sortir leur attelage si on ne dégage pas suffisamment les abords.

—À vos ordres.

—C'est bien, le félicita l'officier avant de poursuivre son chemin.

Crys parvint à se frayer un chemin jusqu'à un autre attelage éblouissant spécialement réalisé pour l'événement. Noir et rouge, frappé des armes du roi, il montrait ses dragons d'or dans le soleil, ainsi que des bruants verts et violets dans la brise printanière.

D'autres soldats étaient déjà sur place, si bien que Crys se joignit à eux.

—Si tu me marches sur les pieds encore une fois, je t'arrache la barbe, garçon, dit un homme gigantesque.

—Bonjour Aremys, murmura Crys, obtenant en retour l'air ébahi qu'il avait escompté. C'est Crys, à moins que je ne doive dire « couteau de cuisine », je ne sais plus au juste.

Aremys sourit malgré son humeur noire.

—Qu'est-ce que vous racontez, Donal ? dit-il d'un ton tranquille. En tout cas, je suis content de vous voir.

Crys s'assura d'un coup d'œil à la ronde que personne ne s'intéressait à eux. En fait, non seulement personne ne pouvait les entendre, mais personne n'en avait rien à faire. L'humeur était à la fête et pleine d'entrain. Tout ce que la foule voulait, c'était voir la reine. Elle scandait son nom sans relâche.

—Le roi ne va pas beaucoup aimer ça, dit Aremys.

—Il faudra bien qu'il s'y fasse. C'est pour elle qu'ils sont venus par milliers.

—Crys, j'ai appris pour votre famille. Par Shar, je suis désolé. Je voudrais…

—Je sais, répondit Crys. Tout le monde voudrait.

Aremys hocha la tête.

—Où est Elspyth ? demanda-t-il pour changer de sujet, regrettant instantanément ses mots en voyant s'assombrir le visage du jeune duc.

—Venez avec moi, dit Crys. Ils en ont pour un moment et nous devons parler.

Il entraîna Aremys hors de la foule et à l'écart de la grande entrée de la cathédrale. Sur l'arrière, du bâtiment, ils trouvèrent un coin un peu plus tranquille. Crys lui narra leurs aventures par le menu, gardant toutefois le pire pour la fin.

— Une nouvelle infection s'est déclarée. Pendant un temps, elle semblait aller bien. Après le passage du médecin à Pearlis qui avait trouvé ses blessures en bonne voie de guérison, j'ai cru qu'elle allait récupérer, mais le voyage jusqu'en Argorn a été très dur pour elle. Lorsque nous sommes arrivés, la fièvre était revenue.

— Pourquoi l'avez-vous quittée ?

— Filou est arrivé – vous savez, cet étrange chien qui appartient à Wyl. (Aremys hocha la tête.) Il a surgi de nulle part pour faire son entrée dans le manoir de la maison d'Argorn.

— Et ?

— Simplement en le voyant, Elspyth a paru aller légèrement mieux. De toute évidence, elle a compris – mieux que moi – qu'il était venu nous chercher. Et ne me demandez pas comment il a pu savoir où nous étions.

— Je vous assure que vous ne voudriez pas le savoir, dit Aremys. C'est lié à la magie et au Dernier Souffle. (Il fit une grimace au sujet de l'état de santé d'Elspyth.) Est-elle bien soignée au moins ?

— Oui, je suppose. Bien sûr, elle a dû rester en Argorn. Pas question pour elle de voyager. Un autre médecin l'a vue, mais elle donne l'impression d'avoir renoncé. Comme si elle ne voulait plus lutter. Elle a vécu des moments si horribles. (Il haussa les épaules, l'air embarrassé.) J'ai l'impression qu'elle a accepté l'idée de sa mort.

— Alors, retournez là-bas. Faites en sorte qu'elle se batte !

Crys secoua la tête.

— Non, je ne lui fais pas du bien. C'est compliqué. Il y a deux autres femmes là-bas – dame Bench et sa fille, Georgyana. Sa fille est… jolie, et…

— Et quoi ? demanda Aremys.

— Par Shar, vous êtes parfois aussi épais que vous en avez l'air, Farrow. Je ne suis pas insensible à ses charmes, ni elle aux miens. Je pense que ça n'arrange pas les choses pour Eslpyth. Elle aime tellement Lothryn que ça doit la faire souffrir de nous voir tomber amoureux l'un de l'autre.

— Elle ne va se tuer quand même ? gronda le colosse de Grenadyne.

— Non, mais l'infection pourrait bien y parvenir. Surtout qu'elle ne mange pas, résiste aux remèdes, ne dort pas, et n'essaie même pas de dormir. Elle parle de partir pour aller chercher Lothryn, pleure des heures en disant qu'il souffre, dit qu'il a changé d'une manière ou d'une autre. (Crys passa une main dans ses cheveux noirs.) En tout cas, elle était consciente lorsque Filou est arrivé. Apparemment, elle était certaine qu'il voulait qu'on le suive. J'ai honte de l'avouer, mais nous avons dû l'attacher à son lit pour l'empêcher de venir avec nous.

— Elle n'aurait été d'aucune utilité ici, dit Aremys d'un ton grave.

— Je crains que personne ne puisse être d'une grande utilité ici. À mon départ, elle s'est mise à pleurer et m'a dit que nous ne nous reverrons jamais. Ça m'a sacrément perturbé, vous pouvez me croire.

— Vous êtes certain qu'elles sont en sécurité là-bas ?

— Personne n'est au courant. Et après avoir entendu notre récit, la maison d'Argorn tout entière a juré le silence. Mais de votre côté ? Que s'est-il passé depuis que nos routes se sont séparées ? Où est Wyl ? Et surtout, *qui* est Wyl ?

— Me croirez-vous si je vous dis qu'il est actuellement Cailech, roi des Razors ?

Cette fois-ci, ce fut au tour de Crys d'être ébahi et incrédule. Aremys lui raconta toutes leurs aventures.

— Il doit donc être ici en ce moment. C'est pour ça que Filou est venu nous chercher.

— Il est dans les cachots de Stoneheart. Mais je ne sais pas quel sort va lui être réservé.

Le duc de Felrawthy devint pâle comme la mort.

— Je crois que je sais, dit-il. Vite, il faut aller aux cachots. Mais avant ça, il faut vous trouver un uniforme de légionnaire.

Chapitre 41

Les jeunes mariés apparurent sur le plus vaste balcon terrasse de Stoneheart, connu sous l'appellation de « balcon des mariés », du fait que tant de souverains morgravians y étaient venus présenter leur nouvelle reine au peuple de Pearlis.

Le cœur de Valentyna battait à tout rompre, mais elle se sentait tout engourdie. Voilà, c'était fait. La cérémonie dans la cathédrale avait traîné en longueur, mais elle avait parlé d'une voix claire et ferme à l'instant de prononcer ses vœux. En disant les mots qui la liaient pour la vie à l'homme qu'elle haïssait le plus au monde, elle avait même trouvé la force de lui sourire.

Leur sortie de la cathédrale dans le soleil printanier avait provoqué des cris d'enthousiasme d'une intensité qu'elle n'aurait pas crue possible. Tandis que le couple royal se dirigeait vers le landau ouvert, dont Valentyna remarqua bien les couleurs dominantes, la foule l'inonda de pétales de roses spécialement cultivées sous serre. Leurs tons pastel se mêlaient subtilement au blanc des fleurs de printemps. Devant elle, quelqu'un lança un bouquet de lavande. C'était à la fois si inattendu et si cher à son cœur qu'elle avait cherché qui avait pu avoir cette si délicate attention. Le légionnaire lui avait souri et elle avait reconnu le duc de Felrawthy malgré son déguisement.

Ses lèvres esquissèrent un « merci ». Elle aurait voulu se baisser pour le ramasser, mais elle préféra ne pas attirer l'attention de Celimus. Il était bien trop avisé pour ne pas s'interroger sur l'origine d'une fleur aussi inhabituelle. Elle avait posé le pied dessus pour écraser les brins et libérer leur fragrance. Puis Celimus l'avait aidée à monter dans le landau.

Tout au long du chemin jusqu'au château, les vivats avaient été assourdissants. Valentyna avait cherché les visages de Crys et d'Aremys parmi la foule, mais elle n'avait vu ni l'un ni l'autre. Pendant qu'ils avançaient, elle avait pris le petit sac de velours beige qu'elle portait. Le moment lui paraissait bien choisi.

— Majesté, ceci est pour vous, avait-elle dit de son ton le plus suave, sachant qu'elle devait à tout prix préserver le lien fragile qui s'était noué entre eux.

En saisissant la délicieuse petite boîte laquée qu'elle lui tendait, il avait paru étonné. À la manière dont sa bouche s'était arrondie, elle avait su qu'il était fasciné par le cadeau qu'elle avait placé à l'intérieur.

— C'est une bague magnifique, Valentyna, avait-il murmuré avant de l'embrasser, faisant chavirer de bonheur la foule massée. Me la passeriez-vous au doigt ?

Elle s'était exécutée avec grâce.

— Je suis contente qu'elle vous plaise.

— Je ne la quitterai jamais, avait-il répondu. Moi aussi j'ai un cadeau pour vous. On est en train de le préparer en ce moment même.

— Ah ?

— Une surprise, avait-il encore précisé avant de détourner la tête pour saluer.

Et elle se trouvait maintenant sur le balcon des mariés en train de saluer la marée humaine rassemblée en contrebas sur la grand-place devant le palais.

— Ils sont si fiers de vous, Majesté, dit-elle en se penchant pour qu'il l'entende malgré le bruit.

Son obséquiosité lui était insupportable.

— Et ils vous adorent. Je savais que vous leur plairiez. Vous êtes parfaite pour moi, répondit-il.

Elle savait qu'il ne disait pas ça comme un compliment romantique. C'était à prendre littéralement. Valentyna rehaussait son image. C'est en cela qu'elle était parfaite.

Il n'y avait aucun espoir pour elle. Elle se vit condamnée à passer une existence entière d'adorable carpette, juste pour maintenir la paix. Jamais elle n'y parviendrait. Tout au long de leur voyage, le simple fait de maintenir le fragile équilibre instillé par ses mots prudemment choisis avait suffi à lui ronger l'âme. Elle le détestait. Mais dès le soir même, elle serait tenue de feindre la passion entre ses draps. Tout en contemplant l'immense foule de visages ravis, elle se dit qu'elle préférait mourir plutôt que de le laisser toucher son corps.

Apparemment, il pensait à la même chose au même moment, mais en termes différents.

— Ce soir, dit-il, lorsque nous en aurons fini avec toutes les formalités et que nous serons enfin au lit, je vous apprendrai quelque chose.

Valentyna fit de son mieux pour paraître séduite, ou seulement intéressée par ses paroles. Sans grand succès.

— C'est très intrigant, Majesté. Que voulez-vous dire ?

— J'ai l'intention de vous apprendre que je ne suis pas quelqu'un dont on se moque impunément.

Valentyna sentit son corps se glacer. Son intention était de lui faire mal.

— Je ne comprends pas, Majesté, dit-elle d'un ton qu'elle s'efforça de rendre léger.

— Je vous apprendrai de quelle manière le roi de Morgravia entend que se comporte sa reine.

— Vous ai-je déplu en quoi que ce soit au cours de la cérémonie ? demanda-t-elle.

Tous les autres sons environnants ne formaient plus qu'un bruit de fond tant elle était concentrée sur sa voix.

— Vous m'avez menti de manière éhontée et à un moment particulièrement poignant pour moi. J'en suis blessé.

Elle ne pouvait imaginer Celimus être blessé par quoi que ce soit dans ses émotions, surtout pas par des paroles.

— Il va falloir m'expliquer ça, Celimus, dit Valentyna d'un ton plus ferme, tandis que son esprit cherchait à déterminer de quel mensonge il pouvait bien s'agir.

— Cailech m'a lui-même démenti votre histoire la nuit dernière. Bien sûr, j'avais espéré qu'elle soit vraie, et que ce soit moi qui ai mal interprété sa présence à Werryl.

Quelque chose mourut en Valentyna. Elle eut l'impression que la petite flamme qui brûlait en elle – qui l'avait soutenue pendant l'épreuve du mariage – venait d'être soufflée. Son amour pour Wyl Thirsk et le secret qu'ils partageaient était cette petite flamme. Il venait de l'étouffer en refusant le cadeau de la vie qu'elle lui avait fait.

— Je..., commença-t-elle, incapable de poursuivre malgré ses efforts.

— Maintenant, reprit Celimus en saluant et en l'encourageant à l'imiter, je vous pardonne cet écart. Vous vous êtes comportée à la perfection depuis notre arrivée à Pearlis. Je ne pense pas que vous ayez invité Cailech à venir à Werryl, ni même que vous saviez qu'il était là ou que vous connaissiez son intention de déclencher la guerre en utilisant Briavel comme allié. Ce que je crois, c'est que vous avez menti pour éviter que le sang ne soit répandu. Vous espériez sauver la paix entre les trois royaumes. Et puis, votre cadeau m'enchante. Donc, je vous pardonne. Mais vous apprendrez une leçon essentielle cette nuit.

Valentyna tenta de dire quelque chose, mais il la fit taire en posant sa main honnie sur ses lèvres, avant d'y substituer bien vite sa propre bouche, à la plus grande joie de la foule et à son incommensurable dégoût.

— Chut, mon amour, accepte ta punition et estime-toi heureuse qu'elle ne soit pas plus dure. J'apprécie que tu sois vierge, mais je ne peux pas te promettre d'être aussi doux que je l'aurais été il y a quelques jours encore. Maintenant, salue ton peuple et permets-moi ensuite de t'offrir ce cadeau de noces que je t'ai promis.

— Je...

— Chut. Je t'attendrai pendant que tu te changes. Et je veux que tu portes du rouge – la couleur de Morgravia.

Aremys suivit Crys aveuglément jusqu'aux quartiers de la légion. Stoneheart était comme une petite ville à l'intérieur des fortifications – un dédale de ruelles et de passages, de couloirs et de cours. Lorsqu'ils parvinrent à destination, les bâtiments étaient quasiment déserts. Tous les hommes étaient mobilisés pour le mariage, ou en train de faire la fête. Crys se glissa chez le fourrier pour y récupérer le plus grand uniforme qu'il put trouver.

— Je ne sais pas si c'est la bonne taille, dit-il en rejoignant Aremys dans le petit local où il s'était caché, mais c'est un véritable uniforme de légionnaire. Ça devrait suffire pour tromper la garde et franchir les obstacles. De toute façon, tout le monde est tellement occupé que personne ne posera de questions en voyant les couleurs, le noir et le rouge. Et puis, il y a tout à parier que les gardes autour de Cailech ne sont pas des légionnaires, mais plutôt des mercenaires.

— J'espère que vous dites vrai, grommela Aremys. J'ai l'impression qu'il va nous falloir pénétrer dans les cachots, hein ? (Crys confirma d'un hochement de tête sinistre.) Vous ne croyez pas qu'ils seront sévèrement gardés, avec interdiction d'accès aux étrangers ?

— Nous ne sommes pas des étrangers. Nous sommes des gardes.

Aremys n'eut pas le cœur de discuter.

— Je vous suis, dit-il.

Aux cachots, Crys apprit que le prisonnier royal avait été emmené.

— On nous envoie en renfort, sur ordre du roi apparemment, dit Crys à l'officier de service, en s'efforçant de paraître aussi peu intéressé que possible. D'ailleurs, c'est qui ce prisonnier au juste ?

L'homme l'ignora purement et simplement.

— Qui t'envoie ?

Heureusement, Crys connaissait les officiers supérieurs et capitaines de la légion.

— Le capitaine Berryn.

C'était l'un des capitaines les plus redoutés. Crys était certain que ce nom produirait son petit effet.

Le ton changea immédiatement.

— D'accord. Combien êtes-vous ?

— Nous sommes deux, mais je ne sais pas combien d'autres ont été envoyés. On nous a dit de venir nous présenter à vous, mentit-il, en se sentant presque désolé pour le pauvre officier.

— Pourquoi ne nous envoient-ils jamais de messagers pour nous prévenir ? Ça ne marchait pas comme ça à l'époque où les Thirsk commandaient, tu peux me croire.

Crys haussa les épaules, signifiant qu'il était trop jeune pour avoir connu ce temps-là.

— Allez, va chercher l'autre et suivez-moi. Je vous emmène. Mais écoute-moi bien, ce n'est pas un spectacle de foire, d'accord ? Aujourd'hui, on exécute un roi, alors je veux un comportement impeccable. C'est clair ?

— À vos ordres ! répondit Crys en rectifiant sa position, heureux que son histoire ait fonctionné. J'appelle Farrow et on vous suit.

Crys et Aremys marchèrent en silence, à quelques pas en retrait de l'officier. L'homme était si préoccupé par ce qui les attendait qu'il ne leur prêta plus attention.

Ils arrivèrent dans la cour juste après le roi et la nouvelle reine de Morgravia qui, de toute façon, n'avaient d'yeux que pour le prisonnier.

— Couvrez-vous. Vous connaissez la règle, dit l'officier en leur tendant des cagoules noires tirées d'un petit sac qu'il transportait.

Il les laissa ensuite pour aller parler à un capitaine de l'autre côté de la cour.

Crys fournit des explications à Aremys en parlant à voix basse.

— C'est une vieille coutume qui date de l'époque des premières persécutions contre les sorcières et magiciens. On croyait alors que les sorciers ne pouvaient pas jeter un sort à une personne dont ils ne voyaient pas le visage. On a donc adopté l'usage de la cagoule pour prémunir ceux qui assistaient à une exécution. La tradition s'est perdue au fil des siècles, mais elle est demeurée en vigueur pour les soldats.

— Ça me va, dit Aremys. Au moins, on ne risquera pas d'être reconnus par le roi ou par Jessom.

Pour autant, il aurait bien aimé pouvoir prévenir Wyl de leur présence.

Valentyna portait la robe rouge que Celimus avait fait faire pour elle et qu'il l'avait obligée à mettre. Elle ne vit pas le trio de légionnaires entrer dans la cour. La colère, la peur et l'horrible injustice de situation avaient instantanément cédé le pas à un sentiment de désolation lorsqu'elle regarda dans la direction que Celimus lui montrait du doigt. Elle venait de reconnaître Cailech, enchaîné à un poteau comme un animal, mais toujours inflexible et fier. Elle voyait tout maintenant, sa haute taille, ses cheveux blonds lâchés sur ses épaules, ses yeux luisant de fureur et son menton dressé avec un air de défi. Valentyna se sentit faiblir, submergée par un sentiment de terreur et une immense vague d'amour.

Le regard vert de Cailech la quitta pour se poser sur Celimus. Un sourire narquois apparut sur le visage du roi des Razors. Il brandit son poing, les doigts serrés tournés vers son homologue morgravian. Tous les hommes des tribus du nord savaient que ce signe indiquait une déclaration de guerre.

Abasourdi, Crys tourna la tête vers Aremys pour qu'il lui explique.

— Il défie le roi, murmura Aremys.

— Pourquoi ? Il y a assez de haine comme ça.

— Wyl veut que Celimus le tue lui-même, mais je ne suis pas sûr que le Dernier Souffle accepte ça.

Un sourire de compréhension parut sur le visage de Crys sous sa cagoule

— Il va devenir notre roi alors ?

Aremys hocha la tête tandis qu'on détachait Wyl de son poteau. *Pas pour longtemps*, songea Aremys avec l'angoisse au ventre.

Valentyna avait l'impression de ne plus pouvoir respirer. Les larmes dévalaient son beau visage.

—J'ignorais que tu tenais à ce point à lui, mon amour, roucoula Celimus.

—Pourquoi faut-il qu'il meure?

—Parce qu'on ne peut pas lui faire confiance. Il représentera toujours un danger pour nous.

—Mais son exécution ne fera qu'enrager le peuple des Montagnes et l'inciter à mener la guerre contre nos deux royaumes.

—Tu n'as plus de royaume maintenant, mon amour.

—Quoi?

—Briavel appartient à Morgravia désormais.

—Je ne vois pas du tout les choses comme ça, Celimus.

Il émit un petit bruit avec langue d'une manière extrêmement condescendante.

—Valentyna, s'il te plaît, grandis un peu. Désormais, c'est moi qui dirige les deux royaumes, c'est mon rôle. Le tien, c'est de rapidement tomber enceinte pour me donner des fils et de devenir une épouse souriante et soumise. Ne te préoccupe plus de royaumes, de politique, de guerre et de stratégie. Je m'occupe de tout ça. Et sache que Briavel et le royaume des Razors ne me font absolument pas peur.

Valentyna ne supportait pas l'idée de passer une seconde de plus à côté de lui. Sur un dernier regard en direction du visage de marbre de Cailech, elle feignit de se sentir mal et demanda à être excusée.

—Bientôt, dit Celimus, mais permets-moi d'abord de t'offrir mon cadeau.

—Comment ça? demanda-t-elle, tandis qu'une nouvelle bouffée d'angoisse lui venait.

—Tu dois regarder, mon amour. J'exécute le roi Cailech en ton honneur. Il ne nous causera plus jamais de souci.

—Je refuse…

—Tu ne me refuses *rien*, femme! N'oublie pas que tu appartiens à Morgravia maintenant. Et à son roi.

Chapitre 42

Wyl fut mené sur une estrade de bois montée à la hâte. En dépit de cette petite touche théâtrale, la mise en scène restait bien pauvre pour la fin d'un roi. Les uniques témoins de ses derniers instants allaient être le couple royal, quelques gardes, le chancelier et, bien sûr, le bourreau masqué qui venait d'arriver.

Wyl n'avait pas peur. En fait, il n'avait qu'une hâte : mourir encore pour sentir le Dernier Souffle le libérer enfin de la malédiction qui accablait sa vie. Une fois devenu Celimus, il ne vivrait plus très longtemps. Juste le temps de passer quelques instants avec Valentyna, de la tenir une dernière fois entre ses bras.

En revanche, si tout allait de travers, il vivrait encore, mais dans le corps énorme et massif d'un gaillard patibulaire. Wyl avait pris la précaution de découvrir le nom du bourreau – Art Featherstone. Pendant un instant, il se demanda comment il pourrait bien faire pour approcher le roi sous cette nouvelle identité, mais il renonça bien vite à suivre cette ligne de pensée. Qui aurait pu penser que Wyl allait devenir Romen, que Faryl prendrait la vie de Romen, puis qu'Ylena – il se sentit faiblir en prononçant son nom dans son esprit – tuerait Faryl pour devenir l'hôte de l'âme de son frère ? Et maintenant, il était Cailech, roi des Razors, sur le point de devenir le roi de Morgravia… ou un bourreau.

Cependant, il avait semé une petite graine. Comment Celimus pourrait-il résister à la tentation de décapiter lui-même ce petit roi qui se voyait grand ? Ce serait un nouveau triomphe pour la couronne.

Un légionnaire au physique de colosse s'avança avec un verre d'eau.

—Les ordres, dit-il au bourreau, qui n'en avait absolument rien à faire.

Wyl sentit son cœur s'alléger en reconnaissant cette voix.

—Aremys, murmura-t-il au mercenaire de Grenadyne pendant qu'il le faisait boire.

—Je t'en supplie, murmura Aremys, ne m'oblige pas à tenir ma promesse.

— Tu la tiendras si tu as un tant soit peu d'amitié pour moi, répondit Wyl.

Aremys plongea ses yeux au fond du regard vert devenu inflexible, avant de hocher tristement la tête.

— Ensemble ! dit-il avant de s'éloigner.

Une trompe sonna une longue note solennelle. Pour la première fois, Wyl remarqua que Valentyna avait revêtu une robe rouge, la couleur de Morgravia, la couleur du sang. Son visage figé montrait combien elle était effrayée. Il aurait tellement voulu pouvoir lui épargner tout ça. Contre l'évidence, il avait souhaité de toutes ses forces que Celimus vienne seul.

Valentyna ne regardait personne, pas même Wyl. Il ne pouvait l'en blâmer. Apprendre qu'il avait nié l'histoire qu'elle avait inventée pour justifier la présence du roi des Montagnes sur le territoire de Briavel avait dû lui paraître une odieuse trahison. Il comprenait, mais cela n'allégeait pas son chagrin pour autant. N'avaient-ils pas fait l'amour deux jours auparavant à Werryl ? Il allait s'accrocher à cette pensée. À l'instant où l'épée du bourreau tomberait sur sa nuque, il se souviendrait de ce qu'il avait éprouvé, allongé nu contre Valentyna, tandis qu'il l'aimait autant qu'elle l'adorait.

Celimus mena son épouse vers une paire de trônes hâtivement installés dans la cour. Il embrassa sa main, n'obtenant rien d'autre qu'une petite grimace de la part de la reine. Celimus ne parut pas s'en offusquer. Il annonçait maintenant les motifs pour lesquels le roi des Razors allait être exécuté.

Les yeux de Wyl se posèrent sur le chancelier Jessom et il se souvint de l'étrange lueur bleue qui avait enveloppé leurs mains dans le cachot, les liant l'une à l'autre. Fynch avait-il dit vrai ? Est-ce que le chancelier pouvait être l'élément aléatoire capable de perturber le Dernier Souffle ? La mort lui tendait les bras. À quoi bon s'interroger encore ? Wyl reporta son attention sur Celimus et apprit qu'il allait être décapité en guise de cadeau de mariage pour Valentyna. À ces mots, il se retira au plus profond de lui-même pour attendre la mort.

Valentyna s'était elle aussi retirée en elle-même. La vie n'avait plus aucun sens, plus aucun attrait. Dans quelques instants, elle allait devoir assister à la mise à mort de son amour, la tête sauvagement tranchée d'un seul coup d'épée, dans le meilleur des cas. C'était plus que son cœur n'en pouvait supporter.

Ensuite, tout ce qui lui resterait serait Celimus, un être haïssable qui ne faisait même plus mystère de ses intentions ignobles. Elle avait fait preuve d'une immense naïveté en imaginant pouvoir lui faire croire à la sincérité de ses sentiments. Celimus était bien trop malin pour avaler ça. Pour autant, il entendait bien qu'elle se comporte avec lui comme elle l'avait promis, même si cela signifiait jouer un rôle à chaque minute de chaque heure.

Il était fait pour la blesser toujours, tout d'abord en la privant de Wyl, puis de Briavel. Pour finir, il lui enlèverait à coup sûr chacun des fils qu'elle pourrait lui donner. Sa vie serait entièrement sous le contrôle du roi dément.

Rien que d'imaginer ce qu'il allait lui faire le soir même fit monter la bile dans sa gorge. La violer s'annonçait comme le minimum qu'elle pouvait craindre.

Celimus avait achevé son laïus et le soudain silence la tira de ses pensées. Elle regarda de nouveau Cailech dont on découpait la chemise, mettant à nu son large torse aux muscles parfaitement dessinés. Elle se souvenait parfaitement de ce corps, couché sur elle et ondulant au rythme de leur désir brûlant, chaque mouvement la menant à un nouveau palier de volupté. Elle voulait que Cailech soit son amant, l'homme qui se tiendrait fièrement à ses côtés, tout comme elle avait voulu Romen. Les deux hommes qu'elle avait aimés étaient tous deux Wyl Thirsk. C'était Wyl qui l'aimait si profondément, si absolument. Malheureusement, elle n'en aurait aucun.

Vêtu d'une tenue noire qui convenait très bien aux circonstances, le chancelier Jessom prononça d'un ton grave, et la mine sombre, la sentence décidée par la couronne.

— Avez-vous quelque chose à déclarer, seigneur Cailech ? demanda-t-il en conclusion.

Wyl parla d'une voix haute et ferme.

— Légionnaires, n'oubliez pas qui vous êtes. N'oubliez pas votre serment de protéger et de servir les Morgravians avant tout. Avant quiconque. Même avant le roi…

— Suffit ! rugit Celimus.

Sur un signe du roi, le bourreau assena un coup en revers au prisonnier. Wyl tituba, mais ne tomba pas, malgré ses chevilles entravées.

Wyl savait que les gardes n'étaient probablement pas des légionnaires. Celimus n'allait pas prendre le risque de les rendre témoins d'un tel acte de félonie. Néanmoins, il espérait bien que son insulte ait été suffisante pour piquer le roi au vif, au point de l'inciter à donner la mort lui-même.

— Finissons-en ! ordonna-t-il au bourreau. Ma femme et moi souhaiterions aller nous divertir aux festivités.

— Je te défie, Celimus, d'appliquer toi-même ta sentence, cria Wyl. Tu m'as accusé de trahison, alors règle ça toi-même ! À moins que tu n'aies peur de quelques gouttes de sang sur tes beaux habits ?

Sa déclaration tomba dans un silence assourdissant. Pour finir, Celimus parla d'une voix glacée.

— Je n'ai jamais été effrayé à l'idée de verser ton sang, Cailech.

— Alors prouve-le ! cria Wyl.

Valentyna ne supportait plus de voir ça. Wyl avait déjà décliné la bouée de sauvetage qu'elle lui avait lancée et voilà qu'il faisait tout pour que Celimus lui tranche la tête. Qu'est-ce qui n'allait pas chez lui ? Pourquoi énerver Celimus ? Le geste sûr et efficace du bourreau était sûrement préférable à la maladresse et la méchanceté d'un homme qu'il venait de mortifier en public. Wyl était devenu fou. Il rendait les choses plus difficiles pour elle, mais également infiniment pires pour lui. Il allait mourir atrocement et ensuite Celimus…

Valentyna eut un hoquet de surprise. Elle comprenait enfin ce qui allait se passer. Wyl allait devenir Celimus !

Oh, Shar ! Wyl faisait tout ça par calcul, pour que Celimus meure à sa place et qu'il prenne son corps, qu'il devienne le roi… et son mari. Par la grâce du Dernier Souffle, Wyl allait vivre ! Sa respiration s'était accélérée maintenant. Son cœur battait la chamade. Quelques instants auparavant elle était prête à mourir. Maintenant, elle voulait vivre. Et que Wyl vive lui aussi !

Valentyna se mit debout.

— Faites-le pour moi, Celimus ! cria-t-elle, les joues en feu, le cœur affolé.

Surpris, le roi de Morgravia se tourna vers elle.

— Vous voulez que je le tue ?

— Oui, répondit-elle d'une voix ferme. Il a semé la discorde entre nous par ses manigances. Je le déteste. Je déteste sa trahison. Tuez-le, Celimus. Faites-le de vos propres mains pour qu'il ne soit plus jamais une malédiction pour nous. Ce sera mon cadeau de noces, Majesté, conclut-elle avec une profonde révérence, en veillant à ce que son mari ait une vue plongeante sur la naissance de ses seins.

Celimus eut un sourire féroce. Tandis qu'il ôtait son manteau, dont les festons carmin rappelaient à tous le sang qui allait couler, il avait très exactement l'air d'un loup sur le point d'égorger sa proie.

Valentyna ne parvenait pas à croire à son bonheur. Son esprit exultait. Son cœur paraissait sur le point de sortir de sa poitrine. Elle allait avoir Wyl. Elle allait avoir Romen. Elle allait avoir Cailech. Il serait Celimus, mais le vrai Celimus serait mort.

— Merci Myrren, murmura-t-elle à l'intention de la sorcière défunte. Merci Shar !

— Venez, approchez-vous, mon amour, l'appela Celimus. Venez partager avec moi ce cadeau que je vous offre.

On fit mettre Cailech à genoux. Plus du tout effrayée, Valentyna marcha d'un pas léger jusqu'au mari qu'elle méprisait de tout son être, les yeux rivés sur l'homme qui dans quelques instants serait son amour pour la vie. Elle se pencha pour embrasser Celimus, en mettant dans ce baiser toute la tendresse dont elle était capable sans avoir un haut-le-cœur. Elle voulait qu'il sache combien cela était important pour elle.

Subitement, la vision de Fynch s'imposa dans l'esprit de Wyl. Comment avait-il su que Cailech était prisonnier ? Le spectacle du roi et de la reine devant lui le rendait malade. Il ferma les yeux. Il savait que Valentyna avait compris ce qui allait se passer. Il l'avait lu dans ses yeux soudain devenus brillants et l'expression apparue sur son visage. Mais il restait convaincu qu'elle ne pourrait jamais vivre à ses côtés une fois qu'il aurait investi le corps du roi de Morgravia. Celimus leur avait fait tellement de mal. *Par Shar ! Dépêche-toi donc, maudit !* se dit-il, rouvrant les yeux comme pour inciter le roi à l'exécuter. Il posa la tête sur le billot, dégageant complaisamment sa nuque épaisse.

Celimus hésitait. Lui aussi avait noté le changement d'attitude chez sa femme. Le baiser avait été une surprise, surtout après les menaces qu'il lui avait faites sur le balcon, moins d'une heure auparavant. Il repensa au comportement qu'elle avait eu depuis, passant du plus grand désespoir à une ferveur amoureuse qu'en vérité elle ne possédait pas. Elle semblait rénovée, excitée… Elle donnait l'impression qu'une faim nouvelle venait de s'éveiller en elle. Qu'est-ce qui pouvait bien avoir produit cet effet? Sûrement pas la perspective du sang. Le peu qu'il savait d'elle confirmait qu'elle n'avait rien d'une sanguinaire. N'était-elle pas la femme qui se mariait uniquement pour éviter un bain de sang? Non, ce n'était pas ça. Pourtant, elle avait changé du tout au tout en comprenant qu'il allait tuer lui-même Cailech, pour se transformer en cette créature luxurieuse et pleine de convoitise. Ses yeux luisaient d'un éclat passionné qu'il n'avait plus vu chez elle depuis cette nuit où ils avaient dansé ensemble en Briavel. Cette fois-là déjà, il avait eu le sentiment que cette ferveur ne lui était pas destinée.

L'esprit aiguisé de Celimus passait en revue tous les scénarios possibles, sans qu'aucun lui paraisse crédible. Il ne voyait pas d'explication logique à cet étrange revirement. Valentyna s'était risquée à mentir pour sauver la vie de cet homme. Quelques instants auparavant, elle avait pleuré sur son sort. Et voilà qu'elle le suppliait de l'exécuter de ses propres mains. Tout son instinct lui hurlait qu'il y avait une forme de duplicité là-dessous, mais il ne voyait pas où. Celimus décida alors de forcer la vérité à se manifester en poussant sa femme dans ses derniers retranchements.

—Non! s'écria-t-il finalement. Le roi de Morgravia ne va pas ternir l'éclat de cette journée en mettant du sang sur ses mains.

—Mais, Majesté, s'exclama Valentyna, vous le faites pour moi. Je veux sa tête.

—Et vous l'aurez, je vous le promets. (Celimus se tourna alors vers le bourreau.) Fais ton office. Tranche la tête de ce traître au nom de Morgravia et de Briavel.

Celimus prit la main de Valentyna pour la raccompagner jusqu'à leurs trônes. La panique la submergeait, l'empêchant presque de respirer. Le roi avait déjoué leur plan. Si le Dernier Souffle perdurait, Wyl allait devenir ce bourreau gras et chauve. Il s'écoulerait peut-être des années avant qu'il parvienne à se frayer un chemin jusqu'au cœur de Stoneheart pour défier Celimus. *Quelle ironie terrible*, songea-t-il au bord du gouffre. Quelques semaines plus tôt à peine, elle avait raillé Fynch pour sa foi en la magie. Et aujourd'hui, elle mettait tous ses espoirs en elle, espérant que Wyl vive pour peu que Celimus tue son ennemi. Si cela n'arrivait pas, Valentyna savait au fond de son cœur qu'elle ne coucherait pas avec le roi ce soir-là… ou n'importe quel autre soir. Plutôt mourir.

Elle secoua la tête pour en chasser ces idées, à l'instant précis où le bourreau prenait place pour son coup mortel. Le moins qu'elle pouvait faire pour Wyl était d'être le témoin de son courage devant la mort. Elle regarda l'homme lever son épée avec lenteur et prudence. Il parvint au sommet de son élan. À la seconde même où il allait l'abattre de toute sa hauteur, Valentyna s'entendit crier.

—Arrêtez!

L'homme chancela, mais interrompit son geste, avant de tourner un regard plein de colère vers le roi Celimus, sollicitant son ordre.

—Qu'y a-t-il, Valentyna? demanda-t-il d'une voix suave.

La vérité allait peut-être enfin être révélée.

—Laissez-moi le faire, supplia-t-elle à voix basse.

C'était l'unique solution.

Pour la première fois depuis qu'elle le connaissait, Valentyna vit l'hésitation et l'inquiétude sur le visage de Celimus.

—Tu tuerais cet homme?

—Pour vous, Celimus. C'est la seule solution pour résoudre tous les problèmes entre nous.

—Simplement parce qu'il sera mort?

Il se demandait si sa femme n'était pas devenue folle.

—Oui, murmura-t-elle. Elle nous libérera. Si je le fais, vous saurez que je vous suis fidèle.

Celimus secoua la tête en proie au plus grand étonnement. Certes, les quelques dernières journées avaient été difficiles pour Valentyna, mais là, sa demande confinait à la folie. Pourtant, tout incongrue qu'elle était, sa proposition titillait sacrément sa fibre sadique. Il aimait assez l'idée de la voir décapiter Cailech. Un tel geste la hanterait à jamais. Ce serait un ressort incroyable pour la soumettre et l'exploiter. Lorsque ses démons viendraient peupler ses jours en lui rappelant l'horrible spectacle, elle n'en serait que plus facile à contrôler. En outre, cela contribuerait à donner d'elle l'image d'une reine forte, terrifiante ou inspirante selon les spectateurs, peu lui importait. En tout cas, elle se livrait pieds et poings liés à lui de la plus étrange des façons.

Il la dévisagea longuement, sans qu'elle baisse son regard enfiévré. Oui, aucun doute, elle était sérieuse.

—Ce n'est pas une chose facile que vous demandez, Valentyna. Il vous faudra vivre avec ce souvenir toute votre vie.

—Vous n'imaginez pas à quel point cela est important pour moi, Majesté.

Il secoua la tête pour indiquer qu'il se lavait les mains de son sort.

—Comme vous voulez, dit Celimus, avant de poursuivre en s'adressant au bourreau. Bâillonne-le.

Il savait que Cailech risquait de se mettre à hurler en prenant conscience de ce fascinant développement. L'idée que sa reine allait tuer un homme mettait littéralement Celimus en rut. Son esprit dérivait déjà la chambre nuptiale. Ce soir, un héritier serait conçu. Il en avait l'absolue certitude. Un héritier verrait le jour avant le printemps suivant.

Pour sa part, Wyl nageait en pleine confusion. Que pouvaient bien signifier ces messes basses entre Celimus et Valentyna ? Pourquoi venait-on de le bâillonner ? Il avait vraiment cru qu'il serait devenu le bourreau à cette heure-ci, en route pour sa chaumière avec sa prime en poche, pour retrouver sa femme et leur flopée d'enfants. Mais il était toujours là, toujours en vie, toujours dans l'attente de sa délivrance.

Il vit Celimus se lever et son cœur espéra qu'il avait une nouvelle fois changé d'avis, et qu'il allait enfin venir lui donner le coup de grâce. Mais ce fut Valentyna qui se mit à marcher. Valentyna avait donc choisi de venir le tuer elle-même.

— Non ! cria-t-il malgré le bâillon, produisant un hurlement étouffé.

Ses yeux étaient emplis d'horreur devant cette décision.

Valentyna avançait vers lui dans sa somptueuse robe rouge et Wyl se souvint soudain du rêve qu'il avait fait à Tenterdyn. C'était ça. Exactement ça. Cela n'a pas été un rêve mais une prémonition. Elle se pencha sur lui. Les larmes dévalaient son visage bouleversé.

— Pardonne-moi, murmura-t-elle.

Il rugit comme un beau diable pour clamer sa peur et son angoisse. Il n'en avait plus rien à faire de passer pour un lâche.

Le bourreau plaqua une nouvelle fois la tête de Cailech sur le billot.

— Ne lui complique pas la tâche, gronda l'homme. Si elle te rate, elle n'y survivra pas.

Wyl savait qu'il disait vrai ; il cessa donc de se débattre. Il ne voulait pas devenir Valentyna. Il ne voulait pas qu'elle se sacrifie pour lui. Il entendait sa respiration saccadée et terrifiée au-dessus de lui. Le silence de plomb tombé sur la cour était tel qu'il eut la certitude d'entendre les battements du cœur de Valentyna. C'en était trop pour son propre cœur ravagé. Wyl ferma les yeux et pria pour que survienne un miracle capable de déjouer le sortilège maudit du Dernier Souffle.

Fynch ! hurla-t-il dans son esprit.

Valentyna leva l'épée. Elle prit un instant pour prier pour son âme en déroute puis, hurlant toute sa rage, tout son chagrin et son désespoir, elle abattit la lame, tranchant net la tête du roi Cailech.

Lentement, elle se laissa tomber à genoux dans le sang de l'homme qu'elle aimait, le cœur en cendres, le visage déformé par les larmes, attendant que survienne l'échange à l'intérieur de son corps. Elle ne savait pas ce qui allait arriver. Comment pouvait bien opérer cette magie ? Tout ce qu'elle savait, c'est qu'elle accueillerait Wyl en elle avec un plaisir indicible. Ce serait son ultime sacrifice, la preuve définitive de son amour.

Dans son dos, les yeux dorés de Celimus luisaient d'un éclat lubrique pour sa femme, et d'une flamme de joie pour s'être débarrassé de son ennemi. Désormais, plus rien ne l'empêcherait de devenir empereur. Par son geste, Valentyna avait peut-être mérité d'obtenir le titre d'impératrice.

Non loin, le chancelier Jessom se tenait la tête à deux mains. Il était cassé en deux, la respiration soudain devenue courte. Il allait falloir qu'il se ressaisisse rapidement.

Le corps du roi des Razors bascula lourdement en avant sur le billot. Le bourreau se pencha pour ramasser la tête qui avait roulé à ses pieds. Pour la énième fois, il se demanda si le cerveau survivait suffisamment longtemps pour comprendre qu'il n'était plus rattaché au corps. Sur un signe du roi, Art Featherstone glissa la tête de Cailech dans un sac de cuir. Il s'occuperait du corps une fois l'assistance repartie.

Valentyna ne sentait rien, même pas le plus petit déchirement. Son corps et son esprit étaient plongés dans un engourdissement hébété. Était-elle devenue Wyl ? Son âme avait-elle quitté son corps ? Au milieu du maelström d'émotions et de chagrins de cette journée, elle se sentait complètement perdue. Ses mains étaient couvertes du sang de son amour. C'était là tout ce que ses yeux voyaient à travers ses larmes.

— Viens, Valentyna, dit la voix qu'elle détestait plus que n'importe quoi au monde.

Elle sentit ensuite la main du roi de Morgravia se poser sur son épaule. Elle se détourna du corps sans tête pour regarder Celimus et comprit à cet instant précis que quelque chose d'horrible venait de se passer. Tout n'avait été qu'un mensonge. Le Dernier Souffle n'existait pas. Cailech était mort et toute l'histoire avec Wyl Thirsk n'était qu'une fable atroce et cruelle. Elle était en vie et son mari l'attendait.

— Jessom, dit le roi.

Le chancelier redressa la tête et s'éclaircit la voix.

— Majesté ?

— Conduisez la reine Valentyna à ses appartements. Je vous y retrouverai dans quelques instants.

— Oui, Majesté, répondit le chancelier en offrant son bras à la reine. (Sa peau pâle était constellée de gouttes du sang du roi défunt.) Toi, le garde, viens ici, poursuivit-il en désignant Aremys. (Le mercenaire s'approcha sans rien dire. Il ne pouvait courir le risque d'être reconnu.) Tu m'as l'air costaud. Aide le bourreau à emporter le corps immédiatement. Mettez-le sous clé dans un endroit sûr. Ensuite, vous m'apporterez la clé, à moi et à moi seul. Personne ne doit pouvoir entrer. C'est bien compris ?

Aremys confirma d'un hochement de tête.

Jessom se tourna ensuite vers Crys.

— Et toi, note le nom de toutes les personnes présentes, y compris les gardes et les hérauts. Je veux que tu m'amènes la liste complète dans les appartements de la reine, le plus vite possible. Compris ?

Malgré sa surprise, Crys hocha lui aussi la tête sans rien dire, pour les mêmes raisons qu'Aremys.

Jessom était aussi stupéfait que la reine de la manière dont les choses avaient tourné. Tout en rassemblant ses esprits, il entraîna sa souveraine loin de l'horrible scène. Par des couloirs et passages dérobés dont lui seul paraissait connaître l'existence, il conduisit la jeune épousée, tremblante et silencieuse, jusque dans le calme de sa chambre.

Chapitre 43

Le chancelier Jessom était étonnamment prévenant avec la reine, mais Valentyna était trop abîmée dans ses propres ténèbres pour s'en rendre compte. À l'aide d'un linge humide, il nettoya ses mains et son visage du sang qui les maculaient, en essayant gentiment de l'amener à parler. Il y avait un certain nombre de choses importantes qu'elle devait comprendre avant l'arrivée du roi.

— Que puis-je faire pour vous aider, ma reine, murmura-t-il.

Il se demandait bien comment faire pour la tirer de son état de sidération avant de commencer à lui expliquer sa nouvelle situation.

L'esprit de Valentyna était en pleine confusion. *Que s'est-il passé ? Je suis toujours moi-même… et Wyl… est parti.* Cailech était mort. Elle l'avait tué, mais Wyl n'avait pas pris possession d'elle comme elle l'avait pensé. Elle émit un gémissement sans même s'en rendre compte. C'était un petit cri tellement chargé d'angoisse qu'elle vit la peur passer sur le visage au nez aquilin du chancelier. Pourquoi donc se montrait-il si obligeant envers elle alors qu'elle le détestait ? Tout le monde lui avait menti. Fynch lui avait presque fait croire à l'existence de sa soi-disant magie, et Elspyth aussi. Cailech en revanche avait obtenu sa confiance pleine et entière. Il lui avait vraiment fait croire à l'étrange histoire de Wyl Thirsk. Mais pourquoi ?

— Majesté ? murmura Jessom, en tentant une nouvelle fois de la ramener au présent.

— Tuez-moi, répondit-elle. Avant que j'aie à passer une nuit avec lui.

— Je ne peux pas faire ça, Majesté.

— Alors je me tuerai moi-même, s'exclama-t-elle tandis qu'un peu de rouge montait à ses joues devenues livides.

Elle le vit accuser le coup.

— Ne faites pas ça, Majesté, je vous en conjure. Je ne me le pardonnerai jamais. Écoutez-moi. Hier, j'ai fait la promesse au roi Cailech de vous offrir ma protection. Soyez assurée que ma parole vaut de l'or lorsque je l'ai donnée. Je suis maintenant votre serviteur, Majesté. (Rompant avec le protocole, il prit sa main pour la placer sur son cœur. Révulsée, elle tenta de la retirer, mais il la tenait fermement.) Vous devez me faire confiance, poursuivit-il d'une voix suppliante. (Il avait tellement de choses à lui dire.) Le roi Cailech…

Elle lui coupa brutalement la parole.

— Pourquoi m'offrez-vous votre allégeance ? Vous êtes l'homme du roi, non ?

— Faites-moi confiance, je vous en prie, répéta-t-il. (Il prit son silence morose pour une acceptation.) Le roi va nous rejoindre ici, Majesté. J'ai d'importantes informations à vous communiquer, mais permettez-moi d'abord d'aller ordonner qu'on amène des rafraîchissements de façon qu'ils arrivent avant Celimus. Je reviens tout de suite.

Valentyna ne bougea pas, sachant pertinemment qu'il ne serait pas absent suffisamment longtemps pour qu'elle ait le temps de mettre fin à ses jours. Il avait dit qu'il ne serait pas long. Il lui apparut fugacement qu'il la traitait avec bien plus d'égards qu'elle ne l'aurait pensé. Après tout, peut-être le roi des Montagnes l'avait-il effectivement convaincu de veiller sur elle. En revanche, Jessom ne pourrait rien pour la protéger des attentions de Celimus ce soir même. Non, elle était bel et bien seule désormais. Elle avait bêtement cru que la magie pouvait vraiment la sauver de ce désespoir. Tout cela n'était qu'une chimère. Elle avait été prise de folie, au point de tuer un homme dans son délire. Et pas n'importe quel homme. Elle sentit la bile monter de nouveau dans sa gorge. Elle se crut sur le point d'être malade, mais elle parvint à contenir sa nausée en songeant qu'au moins Cailech avait été tué par quelqu'un qui l'aimait. Il était clair désormais que l'histoire du Dernier Souffle et de la sorcière Myrren n'était qu'une farce cruelle extrêmement élaborée. Peu importait au fond. *Ce soir, je serai morte moi aussi.*

Jessom revint, essoufflé comme s'il avait couru.

— Me voici, Majesté. Tenez, buvez ça.

— Qu'est-ce que c'est ?

— Le vin préféré du roi. Son goût est corsé et puissant si bien qu'il n'accompagne bien que les plats les plus relevés. Il a tendance sinon à écraser toutes les autres saveurs, mais comme le roi ne déjeune pas, il apprécie le soir ce qui est relevé.

Valentyna se demandait bien pourquoi Jessom prenait la peine de lui donner une telle description du vin. Sans doute estimait-il de son devoir de l'éduquer sur les goûts de son mari.

La porte s'ouvrit à la volée et Celimus, roi de Morgravia, parut. Ses joues étaient empourprées et il rayonnait littéralement.

— Valentyna, tu as été magnifique, dit-il avec un grand rire. As-tu encore de son sang sur toi, ma sauvage de Briavel ?

— J'ai passé un linge pour l'enlever, dit Jessom d'une voix lisse, sans que le roi ou la reine lui prêtent la moindre attention.

Valentyna se leva pour saluer d'une courte révérence.

—Je ne sais pas ce qui m'a pris, Majesté.

—Moi je sais, répondit Celimus en saisissant le verre que lui présentait Jessom, sans même lui accorder un regard. C'était une merveilleuse démonstration de patriotisme. Je suis fier de toi.

Valentyna ne répondit rien, notant néanmoins que Jessom avait l'étrange aptitude de se fondre dans l'ombre sans qu'on le remarque. Elle se demanda pour quelle raison Celimus n'avait pas congédié son chancelier, mais Celimus était bien trop empli de désirs luxurieux pour remarquer la présence des autres autour de lui.

—À nous, dit-il en levant son verre.

—À nous, répondit Valentyna.

Ses pensées dérivèrent vers la petite dague de son père qu'elle avait rangée dans ses affaires pour venir en Morgravia. C'était uniquement par sentimentalisme qu'elle l'avait enveloppée dans un petit carré de mousseline pour l'emporter. Très bientôt, elle servirait vraiment en lui apportant une mort douce et bienvenue lorsqu'elle s'ouvrirait les veines des poignets. De penser à son père, elle sentit que son plan était exactement ce qui convenait. Qu'elle supporte cet après-midi tant bien que mal. Ensuite, elle s'éclipserait discrètement quelques instants et c'en serait fait de son existence misérable.

Celimus vida son verre d'un trait. Jessom s'en empara sans être remarqué pour le remplir de nouveau et le reposer tout aussi subrepticement.

—Te sens-tu prête pour les festivités, mon amour ? demanda le roi.

—Je crois que je vais me changer, répondit sèchement Valentyna en contemplant sa robe maculée de sang.

Celimus ricana doucement.

—Bien sûr, vas-y. Les nobles peuvent attendre. En revanche, je conserverai cette robe pour la postérité. Le sang séché de Cailech fera un très beau souvenir.

—Encore un peu de vin, Majesté ? demanda Jessom en s'avançant.

Valentyna regarda son mari vider son deuxième verre. Ce soir, il ne manquerait pas d'être ivre et n'en serait que plus déterminé à tenir sa promesse. Jessom lui servit un troisième verre. Valentyna grimaça, en espérant que le chancelier cesse rapidement de l'approvisionner.

—Je ne serai pas longue, dit-elle en passant dans une antichambre attenante.

À cet instant, elle vit le roi tituber légèrement.

—Vous vous sentez bien, Majesté ? demanda Jessom.

—Par Shar, je me sens bizarre, répondit Celimus.

—Eh bien, j'imagine que c'est à cause du poison que j'ai mis dans votre verre, Majesté, répondit Jessom d'un ton parfaitement calme.

Valentyna demeura bouche bée.

—Du poison ?

Ses yeux allaient de l'expression hagarde du roi au sourire triomphant du chancelier.

— Oui, Majesté, répondit Jessom. Valentyna, vous n'aimez assurément pas le roi et je le déteste. Les nobles le méprisent et Morgravia se portera sûrement mieux sans lui. J'ai donc décidé que le mieux était de s'en débarrasser.

Celimus tenta de marcher sur son chancelier, mais en fut totalement incapable.

— Ah oui, je dirais que la paralysie commence à vous gagner. Et puis, vous avez bu deux… (Jessom gloussa en vérifiant le contenu de la carafe)… presque trois verres, et donc ingéré une bonne dose, l'action va être rapide. Nous n'avons donc guère de temps pour parler. Mais avant cela, je vais quand même attendre quelques instants pour m'assurer que vous êtes bien en train de mourir. Ça ne vous dérange pas, j'espère ?

Celimus tenta de parler, mais aucun son cohérent ne franchit le seuil de ses lèvres. Il renversa le fond de son verre sur le devant de son habit. Ensuite, le verre s'échappa de ses doigts, roula le long de son corps, heurta le bord de sa chaise, avant d'aller se fracasser sur le sol.

— Ce n'est rien, Majesté. Nous nettoierons tout cela en emportant votre corps. C'est une potion merveilleusement létale que Jessom n'a découverte que récemment. Elle tue proprement, sans laisser d'odeur ou d'indice suspects sur le corps. En revanche, je crains que l'agonie ne soit extrêmement douloureuse, un peu comme celle qu'a dû endurer Eryd Bench, poursuivit Jessom. Une fin horriblement atroce, mais qui est loin de valoir ce que vous méritez vraiment, Majesté, si je puis me permettre.

Valentyna secoua lentement la tête, toujours incrédule. Celimus tenta de crier, mais il ne parvint à rien d'autre que mettre ses dents à nu.

— Ça ne va plus être long, Celimus, je vous le promets. (Jessom se tourna ensuite vers Valentyna.) Majesté, si vous avez quelque chose à lui dire, allez-y. Il nous reste une dizaine de minutes environ avant que son cœur cesse de battre.

La reine de Briavel et de Morgravia était totalement décontenancée.

— Vous l'avez vraiment empoisonné ?

Le chancelier confirma d'un hochement de tête.

— Il a fallu que je coure jusqu'aux appartements de Jessom, ce qui explique que j'étais si essoufflé, Majesté.

Elle fronça les sourcils.

— Pourquoi parlez-vous de Jessom comme s'il n'était pas là ?

— Oups, mais où avais-je la tête ? répondit le chancelier, qui de toute évidence prenait grand plaisir à la situation. (Il eut un sourire rusé que Valentyna ne sut comment interpréter.) Regarde-moi, Celimus ! ordonna Jessom, d'une voix qui n'avait plus rien de guilleret. Regarde-moi bien ! répéta-t-il en venant se planter devant le roi agonisant.

Le chancelier ferma les yeux et Valentyna l'entendit murmurer un nom : Fynch. Une lueur bleue apparut autour de son corps, l'enveloppant doucement, le dissolvant dans une grande flamme. La reine porta une main devant sa bouche pour retenir le cri qu'elle s'apprêtait à pousser. Sous la lueur, un autre homme apparaissait. Comme Jessom se consumait dans l'ardente fournaise bleue, une autre silhouette apparut. Cailech releva sa tête aux traits pleins de force et de fierté. Ses yeux s'ouvrirent et Cailech, roi des Razors, plongea son regard vert empli d'un amour éperdu au fond des siens.

Saisie d'un tremblement qu'elle ne parvenait pas à contrôler, Valentyna se mit à sangloter. Elle ne comprenait rien à ce qui était en train de se dérouler. Était-ce vraiment réel ?

—*Merci, Fynch*, murmura Wyl.

À des lieues de là, au cœur du Thicket, un petit garçon sourit.

—C'est moi, Valentyna, murmura Wyl d'une voix douce.

Elle secoua la tête. Elle n'osait pas le croire.

—Je t'ai tué.

—Non, c'est Jessom que tu as tué.

—Comment ?

Sa voix n'était qu'un gémissement à travers ses larmes.

—Fynch a fait en sorte que je puisse échanger temporairement ma place avec le chancelier. Jessom était dans le corps de Cailech, même s'il n'a pas dit grand-chose. C'est ce que Fynch appelle le Pont des Âmes.

—La magie, murmura-t-elle.

—Exactement, mon amour. Un puissant artifice et un transfert entre deux corps. Fynch m'a visité pendant que j'étais au cachot et m'a demandé de lui faire confiance. J'avais l'esprit trop profondément plongé dans les ténèbres pour comprendre ce qu'il m'offrait. Je ne l'ai cru que lorsque j'ai vu Cailech hurler et compris que ce cri ne sortait pas de ma bouche. Soudain, je me tenais en retrait derrière tout le monde et je suivais la scène à travers les yeux de Jessom. Fynch a donné ses dernières forces pour nous, Valentyna. Il a vu que si Myrren et son père étaient parvenus à élaborer une telle malédiction, alors lui pouvait la transformer pour en faire un véritable don.

—Le don de la vie ?

Wyl hocha la tête.

—Au sens propre du terme. Je n'ai plus l'intention de changer maintenant. J'espère que tu m'aimes bien en Cailech.

Valentyna enfouit son visage dans ses mains, submergée par l'émotion. Wyl l'enveloppa de ses bras, embrassant le sommet de sa tête penchée. Ensuite, il braqua son regard sur Celimus, dont les yeux vitreux paraissaient vouloir nier encore ce qu'ils voyaient. Ses lèvres étaient tirées en arrière en un rictus de colère et il bavait.

—Celimus, il te reste juste le temps d'entendre mon récit, dit Wyl d'un ton de glace.

Il assit Valentyna sur une chaise et prit sa main dans la sienne. Ensuite, sans lâcher le regard de l'infâme souverain sur le seuil de la mort, il lui raconta tout, depuis l'instant où une jeune femme nommée Myrren avait été torturée dans les cachots de Stoneheart et qu'un garçon nommé Wyl Thirsk lui avait offert sa compassion. En remerciement, elle lui avait fait un don.

L'histoire stupéfia Valentyna. Dans une certaine mesure, il était bon que cette histoire soit révélée devant l'homme qui était à l'origine de tout. Myrren était vengée maintenant.

— Et Jessom ? demanda Valentyna lorsque Wyl eut fini.

Elle voulait encore comprendre comment le destin du chancelier pouvait être aussi étroitement lié au bonheur futur qui l'attendait.

— Jessom était un parasite, Valentyna. Peut-être ne prenait-il pas les décisions cruelles lui-même, mais il veillait à ce qu'elles soient bien exécutées. Ses mains étaient tachées du sang de bien trop d'innocents. Il était juste qu'il paie pour ses crimes. Je pense qu'il était tout disposé à retourner sa veste, mais le Pont des Âmes a fait en sorte qu'il change plutôt de corps. Fynch a retourné le Dernier Souffle contre lui-même.

— Il a imité le sortilège de Myrren en quelque sorte ?

Un sourire apparut sur le visage de Cailech, le premier depuis bien longtemps.

— Oui, c'est exactement ce qu'il a fait. Il a reproduit un simulacre.

— Et donc, tu t'es agenouillé devant moi pour que je te tue, dit-elle, pantoise.

— Ça n'a pas été une chose facile. Tu sais, j'étais heureux de mourir. J'avais espéré que Celimus me tue de sa propre main, dit-il en lançant un coup d'œil au roi. Fynch m'avait un jour dit que les actes aléatoires avaient des conséquences sur le Dernier Souffle, mais jamais je n'aurais imaginé que tu puisses faire un tel sacrifice. Fynch a vu tout ça et il a pris les précautions qui s'imposaient.

— Il savait que j'allais te tuer ?

Cailech secoua tristement la tête.

— Non, personne ne pouvait le savoir. Pas même toi, j'imagine. Fynch a simplement vu la situation dans son ensemble en englobant toutes les possibilités. Je pense qu'il avait intégré le fait qu'un acte non prémédité pouvait modifier le cours du destin. Il a donc mis en place son Pont des Âmes pour je puisse être sauvé dans tous les cas.

— Cet enfant est incroyablement intelligent.

Wyl posa ses yeux verts sur elle. Il ne pouvait pas lui cacher la vérité, il le savait.

— Je pense que Fynch est mort, Valentyna.

Une boule de chagrin envahit sa gorge.

— Non !

— Il a utilisé tout ce qui restait de son esprit pour nous aider. C'est une longue histoire, mon amour. Je te la raconterai plus tard. Avant ça, je dois finir ma tâche ici.

Celimus gémit. Ses doigts serrés formaient une griffe. Wyl savait qu'il aurait donné n'importe quoi pour être encore en mesure de bouger, ne serait-ce que quelques secondes.

— C'est fini, Celimus, dit Wyl, en n'éprouvant guère de satisfaction à la vue de ce corps naguère si magnifique et tout tordu maintenant par l'agonie.

Que les Bergers de Shar viennent te prendre et que notre dieu ait la générosité de t'accorder un peu de pitié.

Celimus parvint à trouver une ultime parcelle d'énergie pour émettre un gargouillement de fureur. Subitement, Wyl ressentit une nouvelle sensation, une douleur aiguë et fulgurante, comme une lame de glace plongée dans le corps de Cailech. Wyl poussa un cri.

— Que se passe-t-il ? s'exclama Valentyna en lui saisissant le bras.

Wyl ne sentit pas sa main sur elle. Sa vue s'était brouillée et il ne distinguait même plus la pièce autour de lui. Au moins, il savait avec qui il était. Il était avec Celimus.

— *Toi !* murmura Celimus.

Et Wyl comprit. C'était le sortilège de Myrren qui s'arrachait de lui. La sorcière montrait toute la vérité à Celimus, exerçant son ultime vengeance.

— *Je suis content que tu puisses enfin me voir, Celimus.*

Ce n'était plus Cailech qui se tenait devant lui, mais un homme pas très grand, la tête ornée d'une flamboyante chevelure rousse. Wyl Thirsk, général de la légion de Morgravia.

— La légion et les nobles ne laisseront pas faire ça, hurla Celimus dans l'esprit de sa némésis.

— Tu oublies qu'ils ne me voient pas ainsi. Il ne voit qu'un roi avec lequel tu as toi-même passé un accord de paix. Bien peu savent que j'ai été capturé et incarcéré. Et moins encore savent que j'ai été exécuté.

Celimus s'accrocha à son dernier espoir.

— Tu ne t'empareras pas de mon trône. Morgravia n'acceptera jamais un Montagnard.

— Ce ne sera même pas la peine. Ton trône, tu l'as donné à Valentyna à la seconde où tu l'as épousée, Celimus. Elle est désormais souveraine des deux royaumes. Et moi, je vais devenir roi de Morgravia en me mariant avec elle à mon tour. Je dois le faire, tu comprends, pour accomplir le Dernier Souffle et me débarrasser totalement du sortilège. Il faut que je devienne roi de Morgravia.

Celimus, ancien souverain, hurla son désespoir dans l'esprit de son rival à l'instant même où les Bergers de Shar se penchaient sur lui pour l'emporter.

Chapitre 44

Il y eut un coup frappé à la porte.

— Chancelier Jessom ? appela une voix.

— C'est Aremys, dit Wyl en fermant les yeux du roi qui venait de mourir.

Il aurait aimé disposer de quelques minutes seul avec la reine, mais le mercenaire s'était promptement acquitté de sa tâche. Wyl traversa la pièce et ouvrit la porte. Le sang déserta instantanément le visage des deux légionnaires qui se tenaient devant lui. Tétanisés, Crys et Aremys contemplaient un homme qu'ils venaient de voir mourir.

— Par Shar…, commença Aremys.

— Chut, entrez vite, répondit Wyl.

Il était désolé de leur avoir causé une telle commotion, mais ils n'avaient pas de temps à perdre en vaines palabres.

— Fermez la porte derrière vous. Bonjour, Crys. Ah, je devrais peut-être dire « couteau de cuisine », dit Wyl avec un sourire.

Les deux hommes pénétrèrent dans la pièce non sans quelques hésitations, puis aperçurent une silhouette qu'ils connaissaient affalés sur une chaise.

— Celimus est mort ? murmura Crys, tandis que son regard effrayé allait de Valentyna à Cailech.

Wyl confirma d'un hochement de tête.

— Attendez ! s'écria Aremys. Que se passe-t-il ? *Cailech* est mort ! Je l'ai vu de mes yeux. J'attendais que le Dernier Souffle se manifeste, mais rien ne s'est produit. J'ai cru que tu étais mort pour de bon.

— Comme tu peux voir, je suis parfaitement en vie, répondit Wyl en souriant de plaisir devant l'étonnement de son ami. C'est Fynch qui a tout fait. Il a élaboré un stratagème pour utiliser sa propre magie sans interférer avec le Dernier Souffle.

— Comment ? s'exclamèrent les deux hommes d'une seule voix.

À cet instant, Crys donna un coup de coude à Aremys et les deux hommes firent une révérence à la reine.

— Majesté, dirent-ils, gênés de leur manquement à l'étiquette.

Valentyna sourit en secouant la tête.

— Je suis bien trop perturbée pour m'offusquer des accrocs au protocole.

— Raconte-nous, dit Aremys en se tournant vers Wyl. Qu'est-ce que Fynch a concocté au juste ?

— Il a échangé mon esprit avec celui de Jessom.

— Alors c'est Jessom qui a été exécuté ? s'étonna Aremys.

— Fynch a appelé ça le Pont des Âmes, expliqua Wyl. Il m'a visité lorsque j'étais au cachot, même si je crois que ce n'était pas vraiment lui. Il m'a supplié d'avoir confiance et a mentionné le Pont des Âmes sans m'expliquer de quoi il retournait. Je ne lui ai pas demandé plus de détails. J'étais d'humeur sinistre et malgré le plaisir de le revoir, je ne pensais pas qu'il puisse changer quoi que ce soit à ma destinée.

— J'ai cru que vous alliez devenir la reine, intervint Crys, manifestement soulagé de l'issue de ce drame. Sans vouloir vous offenser, Majesté, ajouta-t-il à l'intention de Valentyna.

Soudain, Aremys prit le roi Cailech dans ses bras gigantesques. Wyl tendit un bras pour inclure Crys dans l'accolade. Submergée par l'émotion qu'elle éprouvait à voir leur soulagement qui faisait écho au sien, Valentyna détourna le regard. Elle aurait voulu se joindre à eux, mais elle sentait que l'instant revêtait une importance particulière pour les trois hommes. Bientôt, Wyl et elle auraient du temps pour partager leurs sentiments.

Finalement, les trois hommes se séparèrent et les deux derniers arrivés s'approchèrent du corps du roi Celimus qui déjà refroidissait.

— Que s'est-il passé ? demanda Aremys, avec un plaisir non dissimulé dans la voix.

— Jessom l'a empoisonné, enfin je l'ai fait. Lorsque le roi a été sur le point de mourir, j'ai été libéré de l'enchantement et la vérité lui a été révélée.

Aremys se gratta la tête, incertain sur ce qu'il convenait de dire ou de faire. Poussé par son instinct, il s'agenouilla devant les deux souverains, le roi des Razors et la reine de Briavel et de Morgravia.

— Majestés, mon épée est à vous. Mais ne me demande pas de l'utiliser sur toi, Wyl.

Cailech posa une main sur sa tête baissée.

— Je ne ferai pas ça, Aremys, mon ami. Nous quatre sommes les seuls à connaître la vérité de ce qui s'est passé aujourd'hui. Personne d'autre ne doit jamais l'apprendre.

— Tu vas donc rester Cailech ? demanda Aremys d'une voix prudente tout en se relevant. (Rétrospectivement, il comprenait à quoi rimaient les ordres étranges que Jessom – ou plutôt Wyl – leur avait donnés à Crys et à lui.) Mais je croyais que le Dernier Souffle exigeait que tu deviennes roi de Morgravia ?

Valentyna prit la parole.

—Nous nous marierons dès que ce sera possible. Il nous faudra d'abord l'accord de la noblesse. La plupart d'entre eux savaient que mon union avec Celimus n'était rien d'autre qu'un pacte stratégique. Alors pourquoi pas un second mariage au nom de la paix ?

Crys Donal hocha la tête.

—Tout à fait. J'ai entendu des bruits parmi les légionnaires au sujet d'une certaine agitation dans la population, menée par certains nobles éminents. Apparemment, cela va au-delà de simples récriminations. Mais comment expliquer la mort du roi ?

Wyl se mit à marcher de long en large. Malgré son état de grande fébrilité, Valentyna ne put s'empêcher de sourire en voyant la grande main de Cailech commencer à tirer sur le lobe de son oreille, en un geste qui n'appartenait qu'à Wyl Thirsk.

—Jessom a empoisonné le roi avant de s'enfuir, dit Wyl. La seule autre personne présente était la reine Valentyna mais elle s'était retirée dans un cabinet attenant afin de se changer pour le banquet. Elle a vu le chancelier servir du vin au roi avant de sortir de la pièce. D'ailleurs, la carafe est toujours là pour prouver que le vin est bien empoisonné. À son retour, prête pour assister aux festivités, la reine a trouvé le roi en train d'agoniser et donné l'alerte. Aremys, toi et moi étions venus pour présenter nos respects aux nouveaux mariés. Nous avons entendu les cris de la reine et sommes immédiatement partis à la recherche du traître. Nous avons trouvé le chancelier et lui avons fait subir le sort qu'il méritait, ce qui expliquera qu'il soit décapité, si d'aventure la chose venait à s'ébruiter.

Wyl marqua une pause en regardant intensément ses amis.

—C'est bon pour vous ?

—C'est un plaisir pour moi d'avoir exécuté ce maudit Jessom, répondit le colosse de Grenadyne. Je veillerai également à ce qu'on s'occupe de son corps.

—Et pour le bourreau ? demanda Valentyna. Il sait que c'est Cailech que j'ai décapité, pas Jessom. Et puis, il y avait d'autres gardes dans la cour également.

—C'étaient tous des mercenaires, Majesté, répondit Crys. Pas des légionnaires. J'ai pris la liste de leurs identités, comme Jessom – je veux dire Wyl – me l'avait demandé. On pourra facilement retrouver leur trace et acheter leur silence, ou les faire taire par d'autres moyens. Même chose pour le bourreau.

—Non, le bourreau ne doit pas mourir. C'est un brave homme, dit Wyl, en se souvenant que Featherstone lui avait demandé de ne pas compliquer la tâche de Valentyna. Trouvez-le et amenez-le-moi. Je lui expliquerai.

Il ne donna pas plus de précision et personne n'en demanda.

—Quelle excuse invoquer pour expliquer la trahison de Jessom envers son roi ? demanda Crys.

La main de Wyl revint titiller l'oreille de Cailech.

— Je dirai que j'ai eu une conversation avec Jessom la veille du mariage au cours de laquelle je lui ai révélé que le roi Celimus avait l'intention de lui faire porter la responsabilité de tous les assassinats commis. D'une manière ou d'une autre, il fallait bien que Celimus explique toutes ces morts à la noblesse, et tout ça paraîtra logique. Tout le monde pourra conclure que Jessom a empoisonné le roi pour se venger. En toute honnêteté, je doute que les nobles pleurent la mort du roi.

— Ils devront même se mordre la langue pour ne pas crier de joie s'ils apprennent la vérité, renchérit Aremys.

— Les festivités nous donnent une occasion parfaite pour exposer tout ça, poursuivit Wyl. Efforçons-nous de nous montrer aussi honnêtes que possible. Celimus est mort – et ça, nous n'y pouvons plus rien.

— Je vais annoncer que Felrawthy apporte son soutien à la reine Valentyna en tant que nouvelle souveraine de Morgravia, dit Crys. Espérons que d'autres suivront l'exemple de la famille Donal.

— C'est très généreux à vous, Crys, dit Valentyna, mais je me demande si Morgravia va m'accepter. Il y a sûrement une autre famille dont les prétentions seraient plus légitimes, non ?

— Des difficultés ne sont pas exclues, répondit Crys, mais cette famille serait la mienne car nous sommes apparentés à la couronne. Quoi qu'il en soit, je n'accepterai pas. Croyez-moi, le trône est la dernière chose que je désire. Moi, j'appartiens au nord. Et puis vous, Valentyna, vous avez déjà une couronne. En épousant Celimus, vous avez accepté la seconde.

Il haussa les épaules comme pour signifier que de toute manière elle n'avait plus le choix.

— Crys a raison, dit Wyl. Je pense que les nobles vous accepteront si les voix qui comptent sont avec vous. Nous devons parler avec messire Hartley également. C'est une personnalité importante et, plus que quiconque, il sera sûrement ravi d'apprendre la mort de Celimus, qui avait récemment ordonné son assassinat. C'est à Jessom qu'il doit d'avoir eu la vie sauve.

» Par ailleurs, vous ne pouvez pas être vu ici, avec nous, Crys, poursuivit Wyl. On a dit aux nobles que votre famille avait été massacrée par Cailech. Il serait impensable que vous tolériez d'être en sa compagnie. Le mieux, ce serait que vous vous changiez et retiriez votre déguisement pour vous joindre aux festivités et écouter ce qui se dit.

Crys hocha la tête.

— Donc, je ne sais rien de ce qui vient de se passer ici, c'est ça ?

— Exactement, répondit Wyl. Cela étant, la nouvelle de la mort de Celimus va être annoncée au banquet. À ce moment-là, vous pourrez intervenir.

Valentyna dit alors tout haut ce qu'ils pensaient tous tout bas.

— Je sais que c'est un mensonge que nous allons dire, mais Celimus et Jessom ne méritaient pas mieux.

Aremys avait encore une question.

— Et au sujet du Dernier Souffle ? Que va-t-il se passer ?

Wyl sourit en se tournant vers la reine.

— Je pense que la magie sera satisfaite si je deviens souverain de Morgravia par le mariage au lieu de devenir Celimus, expliqua-t-il. À condition, bien sûr, que la reine Valentyna veuille bien de moi.

Crys et Aremys venaient de partir pour tenir leurs rôles et faire en sorte que Morgravia accepte la mort de son souverain, ainsi que le règne de la reine de Briavel. Wyl et Valentyna se retrouvèrent enfin seuls.

Wyl prit la main de la jeune femme, prêt à lui dire tout ce qui était dans son cœur, quand quelqu'un frappa à la porte. Wyl sourit tristement et lui indiqua d'un signe de tête de répondre.

— Nous avons toute la vie devant nous maintenant, mon amour, murmura-t-il en déposant un baiser sur ses doigts.

La reine prit un instant pour se ressaisir.

— Qui est là ? dit-elle finalement.

— C'est Renton, Majesté.

— *Mon page*, dit-elle silencieusement à l'intention de Wyl.

Elle entrebâilla très légèrement la porte pour éviter les regards indiscrets.

— Oui ? dit-elle.

— Les nobles sont réunis dans le grand salon de réception, Majesté. Ils attendent le roi et la reine.

Chapitre 45

Un homme de haute taille portant un enfant dans ses bras sortit du bois impénétrable qu'on appelait le Thicket pour déboucher dans une clairière baignée de soleil. Un magnifique cheval noir marchait derrière lui.

Les yeux de Gueryn se posèrent sur la petite silhouette pâle et sans vie qu'il étreignait, et ses yeux s'embuèrent. La mort du jeune Fynch était pour lui comme l'expression de tous ses chagrins accumulés. Le sacrifice de ce petit garçon courageux faisait écho à toutes ces morts survenues depuis le jour terrible où les yeux de Wyl Thirsk avaient changé de couleur pour la première fois. Gueryn n'avait pas la moindre idée de ce qu'il venait faire dans ce lieu exsudant la magie, mais il avait été attiré ici avec Fynch et Galapek par une force impérieuse à laquelle il n'aurait su résister. Il avait bravé les sinistres ténèbres du sous-bois pour émerger ici. Que devait-il faire maintenant ?

La réponse à cette question lui fut donnée d'une manière très perturbante, par une chouette énorme dont le regard jaune le transperçait.

— *Posez-le sur le sol, s'il vous plaît,* dit l'oiseau directement dans son esprit. *Le Thicket veut le sentir.*

Gueryn obéit. Il avait vu tellement de choses étranges, qu'un oiseau parlant ne pouvait plus l'étonner désormais.

— *Nous, créatures du Thicket, sommes heureuses de vous voir redevenu vous-même, Gueryn Le Gant.*

Gueryn salua du buste la chouette.

— Je pense que c'est Filou qui m'a sauvé.

— *Il est ici. Vous pouvez le remercier vous-même,* dit Rasmus en tournant la tête vers un bosquet d'où jaillit la masse du gros chien noir.

— Filou ! s'écria Gueryn, en se mettant à genoux pour saluer son ami. Je te dois la vie, murmura-t-il à son sauveur en le serrant dans ses bras.

Le chien aboya, avant de se mettre à gémir tristement en s'approchant de la petite silhouette immobile sur le sol. Filou renifla chaque pouce du corps sans vie de Fynch.

— Pouvez-vous aider Lothryn ? demanda Gueryn d'une voix suppliante.

— *Un puissant sortilège maléfique a été lancé sur cet animal*, répondit Rasmus. *Je ne suis pas capable de défaire ce qui a été fait.*

Gueryn posa une main sur le cou de Galapek. Avait-il fait tout ce voyage pour rien ? Tandis qu'il exprimait toute la tristesse que lui inspirait le destin tragique du Montagnard, la lumière inondant la clairière fut soudain obscurcie. Une ombre gigantesque l'avait envahie. Gueryn leva la tête et resta tétanisé. Une forme titanesque arrivait sur lui. Il ne parvenait pas à imaginer ce que c'était.

— *Le roi arrive*, dit Rasmus d'un ton plein de déférence.

Gueryn commençait à discerner les contours de la masse en suspension dans l'air.

— Un dragon, murmura-t-il, frappé de stupeur.

La créature atterrit dans un fracas qui fit trembler le sol. Ses écailles noires palpitaient d'éclairs de couleurs toujours mouvantes.

Gueryn tomba à genoux, en un geste de vénération irrépressible. Il releva très légèrement la tête pour contempler, les yeux agrandis, la créature fantastique devant lui.

— Sois le bienvenu, Gueryn Le Gant, dit le roi. Nous te sommes redevables d'avoir ramené le révéré Fynch parmi nous.

— Pouvez-vous l'aider, Majesté ? demanda Gueryn, pas très certain de la manière dont il convenait de s'adresser à la créature que l'oiseau appelait le « roi ».

Le dragon porta son attention sur l'étalon tremblant sur ses quatre membres.

— Viens à moi, pauvre Galapek.

Le cheval s'approcha jusque devant le roi des créatures, pour exécuter une sorte de gracieuse révérence. La scène fit monter les larmes aux yeux de Gueryn. Instinctivement, il s'écarta du cheval et du dragon, tandis que montait dans l'air une puissante vibration magique. La clairière tout entière explosa en une gerbe de lumière dorée aveuglante dont les flammes brûlèrent hautes et claires pendant quelques instants. Malgré ses efforts pour distinguer quelque chose, l'éclat de la lueur l'empêcha de voir quoi que ce soit. Elle brûlait comme un incendie gigantesque. Il en sentait la chaleur sur lui et ses oreilles étaient emplies de craquements. Soudain, elle disparut, ne laissant que les rayons du soleil qui paraissaient bien pâles à côté.

Là où se tenait Galapek quelques instants plus tôt, il y avait maintenant un homme d'une stature colossale. Son corps était agité de tremblements. Bouche ouverte, la tête renversée en arrière, il semblait élever une prière muette vers le ciel.

— Lothryn ! s'écria Gueryn tandis que les larmes coulaient sur son visage jusque dans sa barbe courte.

Il s'élança vers lui et l'attrapa à l'instant même où il basculait. Ils roulèrent ensemble sur le sol.

— Laisse-le récupérer un peu, recommanda le dragon. Il est faible pour l'instant et cela va durer quelque temps.

Gueryn hocha la tête.

— Pendant que j'amenais Fynch jusqu'ici, j'ai eu l'impression de l'entendre dire le nom de Wyl. C'est le seul mot qu'il a prononcé. Est-ce que c'est moi qui l'ai imaginé ?

— Fynch n'a pas été tué par Rashlyn comme tu l'imagines. Il est mort parce qu'il a choisi de renoncer à son esprit et à ses pouvoirs. S'il les avait gardés, les choses auraient pu être différentes.

— Que voulez-vous dire, Majesté ? demanda Gueryn, en espérant qu'il ne commettait pas un impair protocolaire.

— Fynch était un sacrifice, expliqua le roi dragon, d'une voix où perçait un chagrin sincère. Nous lui avons demandé énormément et il a tout accepté, y compris de donner sa vie. Sa seule demande a été de pouvoir utiliser son pouvoir pour aider votre Wyl Thirsk. Pour lui, il n'a rien voulu. Rashlyn ne l'a pas tué. Fynch était bien plus puissant encore que nous l'avions imaginé.

— Mais je croyais...

— Tu as entendu juste. Fynch a bien prononcé le nom de Wyl. Il lui fallait se transférer sur une longue distance pour atteindre Thirsk. Le combat contre Rashlyn l'avait tant épuisé qu'il lui a fallu prendre une décision. Il ne pouvait pas maintenir la vie dans son corps et rejoindre Wyl en même temps. C'était un risque qu'il était prêt à courir.

— Il a choisi Wyl ?

Gueryn ne parvenait plus à contenir le flot de ses émotions. Peut-être tout n'était-il pas perdu pour ce garçon si précieux.

— Fynch a consenti le sacrifice ultime pour son ami. Il a donné sa vie.

La tête de Gueryn tomba sur sa poitrine. Il ressentait un chagrin immense pour Fynch, mais il brûlait aussi d'entendre que Wyl était encore en vie.

— Et Wyl Thirsk ? demanda-t-il, effrayé à l'avance d'entendre la réponse.

— Wyl Thirsk est vivant, Le Gant. Il est devenu Cailech, roi des Montagnes. Et Celimus est mort.

Ce fut un choc, mais hormis le fait que Wyl était vivant, c'était la meilleure nouvelle qu'il ait eue de bien longtemps.

— Je ne sais pas quoi dire, murmura Gueryn.

Il sentait bien que le dragon, ainsi que toutes les créatures étranges qui s'étaient assemblées à la lisière de la clairière, ressentaient une profonde douleur de la disparition de Fynch. Même le Thicket émettait une pulsation teintée de tristesse et d'affliction.

— Nous vous fournirons des chevaux pour que Lothryn et toi puissiez repartir d'ici.

Ce fut l'unique réponse du dragon.

Lothryn parla comme un homme pour la première fois aussi loin que paraissaient remonter ses souvenirs. Cela lui fit mal, tout comme respirer lui faisait mal, ou même penser.

— Elspyth, coassa-t-il.

Le dragon tourna la tête vers lui. Ses yeux noirs immenses paraissaient absorber la lumière au lieu de la refléter.

— Elle s'accroche à la vie, Montagnard. Va en Argorn, en Morgravia. Fais vite.

Les deux hommes rendirent une fois encore hommage au roi des Créatures. Mais il y avait encore une chose.

Gueryn s'éclaircit la voix, puis regarda en direction du petit corps sur le sol à ses pieds.

— Le garçon ? Dois-je le prendre avec moi pour le ramener à sa famille ou…

— Nous sommes la famille de Fynch désormais, répondit le dragon d'une voix douce. Il ne fait qu'un avec moi. Il est de ma chair.

— Je ne comprends pas, Majesté, dit Gueryn en aidant Lothryn à se remettre sur ses pieds.

— Fynch n'était pas un garçon de commodités ordinaire. Il est le fruit des œuvres de Magnus, roi de Morgravia.

Gueryn pâlit.

— Magnus le savait ? demanda-t-il, étonné lui-même de rester si maître de lui.

— Non.

— Que voulez-vous dire exactement, Majesté ?

— Fynch est le véritable roi dragon. Comme tu le sais, les rois de Morgravia ont toujours été liés au dragon uniquement. Eux seuls peuvent prétendre être unis à moi.

Gueryn secoua la tête, saisi de stupeur.

— C'est une révélation, Majesté. Vous voulez dire que Fynch était un prince de Morgravia ?

— Celimus est mort. Fynch est le roi.

— Il y a forcément quelque chose que vous pouvez faire, Majesté, s'exclama Gueryn en regardant fébrilement autour de lui. Ce lieu est enchanté. Vous pouvez sûrement sauver Fynch, non ?

— Il y a quelque chose que je peux faire, Gueryn, répondit le dragon d'une voix patiente. Regarde.

Incrédules, les deux hommes virent la créature de légende saisir délicatement le garçon minuscule entre ses griffes énormes. À l'instant où le dragon le toucha, une flamme dorée enveloppa Fynch. L'or en fusion était lui-même frangé d'éclairs iridescents dont les teintes mouvantes étaient le reflet de celles ondulant à la surface de son corps.

— Nous ne sommes qu'un, dragon et roi réunis.

La voix de tonnerre de la créature résonnait dans tout leur être. Les ailes du dragon enveloppèrent le petit corps comme un cocon, puis la formidable bête rejeta la tête en arrière pour pousser un rugissement. C'était un cri de triomphe. Ses écailles devinrent de l'or étincelant dans les nuées célestes du soleil. Il rouvrit les ailes, les déployant sur toute leur longueur. Les deux hommes cessèrent de respirer. Le corps de Fynch avait disparu.

Une nouvelle voix se mit à leur parler.

— Merci, Gueryn et Lothryn. Merci, mon courageux Filou. Jamais je ne vous oublierai.

C'était Fynch.

Le chien bondit sur ses pattes et poussa un hurlement que même les hommes comprirent. C'était un cri de victoire. Ils s'étreignirent. Leurs larmes et leurs rires se mêlèrent tandis qu'ils se fondaient dans la joie des créatures. Fynch était vivant. Il était le roi dragon.

— Adieu, dit Fynch. Ce sera notre secret et je sais que vous le garderez.

Le dragon battit des ailes et le souffle fit reculer les hommes. Ils s'accrochèrent l'un à l'autre comme la bête fantastique s'élevait sans effort dans le ciel en direction de l'est, vers les Terres sauvages.

Rasmus interrompit le silence émerveillé tombé sur la clairière.

— *L'heure est venue de nous quitter*, dit-il en tournant la tête vers les deux chevaux qui venaient d'émerger du sous-bois. *Vos montures sont là.*

Gueryn hocha la tête, toujours rendu muet par les émotions qui passaient sur lui, chagrin et joie, ivresse et crainte mêlés. Tout s'était déroulé si vite.

— *Lothryn, Elspyth est en Argorn*, poursuivit la chouette d'un ton étal. *Gueryn, Wyl est à Stoneheart. Nous ne nous reverrons plus, mais Filou a accepté de vous accompagner. Accrochez-vous, le Thicket vous envoie...*

Quelques instants plus tard, ils arrivèrent sous le couvert d'un petit bosquet d'arbres. L'air était doux et léger et Gueryn reconnut immédiatement les lieux, ils étaient dans la région d'Argorn. Il savait même précisément où ils étaient : dans un taillis à moins d'un quart de lieue de la demeure de la famille Thirsk.

Il se tourna vers son compagnon.

— Comment te sens-tu ?

— Je ne sais pas. Suffisamment faible pour me coucher ici même et ne jamais me relever et si excité en même temps de savoir qu'Elspyth est juste à côté que je pourrais courir d'une traite jusqu'à elle.

— Alors fais ça, mon ami. Et quand tu la retrouveras, serre-la fort dans tes bras et ne la laisse jamais partir. Dès qu'elle ira assez bien, amène-la à Stoneheart. Elle pourra témoigner de certaines choses qui se sont passées. Quant à toi, je suis sûr que tu pourras apporter ton aide au peuple des Razors.

Lothryn sourit. C'était tellement étrange pour lui de se sentir heureux, d'éprouver de la joie à nouveau.

— Merci, Gueryn. J'espère que nos royaumes ne seront plus jamais ennemis.

— Wyl et toi, je suis sûr que vous parviendrez à quelque chose.

— J'élèverai Aydrech pour qu'il devienne un allié sûr.

— Viens vite à la capitale, répéta Gueryn. Je préviendrai Wyl que tu arrives.

Les deux hommes se donnèrent l'accolade, puis se séparèrent pour suivre chacun son chemin. Le Montagnard prit la route du château où une femme souffrante l'attendait. Le Morgravian partit à bride abattue en direction de Pearlis. Un énorme chien noir courait à ses côtés.

Épilogue

Les longs bras puissants de Cailech saisirent Valentyna par-derrière et il la serra contre lui. Ils étaient sur le petit balcon de la vieille tour de guerre de Magnus. C'était le seul endroit auquel Wyl avait songé pour avoir un peu d'intimité pendant quelques instants.

— Faut-il que tu partes si tôt vers le nord ? demanda-t-elle.

Il y avait une pointe d'amusement dans sa voix.

— Les nobles mangent déjà dans ta délicieuse petite main, Valentyna. Tu vas t'en tirer à merveille et je serai de retour avant même que tu t'aperçoives de mon départ. La réunion avec eux s'est déroulée encore mieux qu'on aurait pu le rêver.

Elle secoua la tête d'un air émerveillé.

— Grâce à messire Hartley. Il est arrivé à point nommé pour révéler l'étendue de la traîtrise de Celimus, même envers sa propre noblesse.

— Nous nous marierons à la fin de l'été. Qu'en dis-tu ?

Valentyna hocha la tête d'un air maussade, sachant pertinemment qu'une date plus précoce n'aurait pas été convenable.

— Je sais que tu comprends que je veuille être avec Crys à son retour à Felrawthy, poursuivit Wyl. Nous nous recueillerons ensemble à Tenterdyn et nos prières rendront sa pureté à cet endroit.

La reine répondit d'une voix boudeuse qui ne lui ressemblait pas.

— Crys est tellement aveuglé par Georgyana Bench que je suis sûr qu'il ne remarquera même pas que tu es là. (Elle vit le visage de Wyl devenir sérieux, soudain, et se sentit penaude.) Je suis désolée. C'est juste que j'ai tellement peur de te perdre de nouveau.

— Je sais, répondit-il en l'embrassant dans les cheveux.

Il adorait être plus grand qu'elle. La malédiction pesant sur sa vie était terminée. Désormais, il demeurerait Cailech jusqu'au jour de son dernier soupir. En songeant aux divers corps qu'il avait été amené à habiter, il était particulièrement heureux de finir dans celui-ci, surtout en sachant combien Valentyna trouvait le roi des Razors irrésistible.

— Tu ne me perdras plus. Je te le promets.

— Combien de temps seras-tu parti ? C'est Aremys qui m'a annoncé ton départ pour les Razors. Tu étais trop effrayé pour me le dire toi-même ?

Wyl rit doucement.

— En fait, oui. Je suis peut-être Wyl pour toi, mais je dois faire l'effort d'être Cailech pour le reste du monde. Je dois retourner dans les Razors et faire ce qui doit être fait pour ce peuple.

— Tu vas nommer Lothryn pour régner à ta place, je suppose ?

Il confirma d'un hochement de tête.

— Oui, c'est bien ainsi. Maintenant que j'entends épouser une reine du sud, le peuple comprendra que je veuille passer du temps ici. Mais un roi absent n'est pas une bonne chose. Lothryn administrera le royaume certainement bien mieux que je n'en suis capable.

— Il y a un héritier aussi, n'est-ce pas ?

— Oui. Cailech en est le père, mais c'est la femme de Lothryn qui l'a mis au monde. Loth l'a néanmoins toujours considéré comme son propre fils. Désormais, il va pouvoir l'élever comme s'il était son père.

— Sera-t-il roi ?

— Oui, les fils illégitimes peuvent devenir héritiers dans les Razors.

Valentyna hocha la tête.

— C'est une bonne chose de remettre l'équilibre, dit-elle. Je suis si heureuse pour Elspyth. Elle est resplendissante. As-tu pensé que tout pouvait finir aussi bien quand tout allait aussi horriblement mal ?

Wyl la fit tourner entre ses bras pour l'embrasser doucement. Ses lèvres s'attardèrent sur les siennes, goûtant la tendresse et la passion qui couvaient sous l'affection.

— Je n'ai jamais rêvé pouvoir te conquérir. La fois où nous nous sommes donnés l'un à l'autre en Briavel m'avait déjà paru le summum de ce que je pourrais jamais avoir dans cette vie. Shar a été bon pour moi.

Valentyna le serra encore plus fort contre elle pour murmurer à son oreille. Les longs cheveux blonds du roi caressaient son visage.

— Shar a été bon au-delà de ce que tu crois.

Il se recula pour la regarder d'un air interrogateur.

— Par Shar, mais qu'est-ce que tu peux être lent pour un roi, Wyl Thirsk !

— Qu'est-ce que je ne saisis pas ? demanda-t-il, suppliant, tout en riant de son ton moqueur.

— Épouse-moi vite, seigneur, car je suis enceinte. Il semblerait que nous aurons le premier héritier des deux trônes pour la fin de l'hiver prochain.

Les yeux verts du roi du nord – et bientôt souverain du sud – s'emplirent de larmes. Elle poursuivit, comprenant qu'il n'était plus en mesure de parler.

— Si c'est un garçon, nous l'appellerons Wyl, et d'ailleurs il faut que je m'habitue à t'appeler Cailech en public. Qu'en dis-tu ?

Finalement, Wyl retrouva sa voix.

— Et si c'est une petite princesse que nous avons ?

— Nous l'appellerons Ylena, bien sûr. Quel autre nom que celui qui signifie courage et représente tant d'amour dans nos vies ?

— Valentyna…

Tout ce que Wyl voulait dire encore se perdit dans un sanglot de bonheur. Il la serra à l'étouffer et la noya sous un déluge de baisers.

— Si je devais mourir ici et maintenant, je ne pourrais pas être plus…

— Pas question de mourir ! Nous allons tous les deux vivre si longtemps qu'il nous faudra des serviteurs pour nous porter jusqu'aux lieux d'aisances.

Ils rirent et pleurèrent en même temps.

— C'est cela, dit-il. Nous allons vieillir ensemble et tous nos os craqueront à l'unisson.

— Dis à Aremys de te ramener ici aussi vite que possible. Je ne croirai que tu vas bien que lorsque je te verrai et que je pourrai te serrer dans mes bras, dit-elle avec ferveur.

Wyl se dit qu'il allait devoir prendre grand soin du corps de Cailech jusqu'à ce qu'ils se marient et qu'il devienne enfin roi de Morgravia.

Valentyna poussa un soupir en contemplant le panorama qui s'étirait en contrebas.

— C'est magnifique, ici. Mes landes et mes bois me manquent, mais la vue ici est somptueuse. J'ai l'impression de pouvoir voir jusqu'en Briavel.

— Et c'est le but. Cette tour de guerre a été construite pour offrir une vue dans toutes les directions, mais surtout celle de Briavel.

— Eh bien, il va falloir trouver une autre utilité à cet endroit. Je vais y réfléchir d'ici à ton retour, seigneur Cailech.

Il sourit et, à cet instant précis, une ombre passa sur eux.

— Qu'est-ce que c'est ? s'exclama-t-il en levant les yeux, ébloui par le soleil.

— Je ne sais pas, dit Valentyna, scrutant le ciel. Un aigle, peut-être ?

— Non, pas ici. Et puis c'est bien trop gros pour être un aigle.

Filou, qui somnolait non loin, bondit sur ses pattes et se mit à aboyer.

— Qu'est-ce que c'est, Filou ? demanda Wyl.

La réponse lui fut donnée par une voix qu'il n'aurait jamais imaginé pouvoir entendre à nouveau.

— *Bonjour, Wyl.*

— *Fynch !* répondit-il. *Oh, Shar, c'est vraiment toi ?*

— *Préviens Valentyna. Elle ne nous entend pas car elle n'est pas liée au Thicket. Et ne crains rien, je me suis rendu invisible. Il n'y a que vous qui puissiez me voir.*

— Qu'est-ce que c'est ? demanda Valentyna, stupéfaite.

— Mon amour, tu ne me croiras jamais. (Wyl ne pensait pas pouvoir avoir un sourire plus grand ou être plus heureux qu'en cet instant.) C'est Fynch ! Il est vivant !

— Où ? demanda Valentyna, abasourdie.

— Là-haut, répondit-il en pointant un doigt vers le ciel. *Qu'es-tu devenu ?*

— *Un dragon !* s'exclama le garçon avec un rire qui était l'expression de la joie la plus absolue.

Aubin Imprimeur
LIGUGÉ, POITIERS

Achevé d'imprimer en avril 2008
N° d'impression L 72143
Dépôt légal, avril 2008
Imprimé en France
35294154-2